①北海道立子ども総合医療・療育センター（北海道札幌市）
②宮城県立こども病院（宮城県仙台市）
③東北大学病院 小児医療センター（宮城県仙台市）
④茨城県立こども病院（茨城県水戸市）
⑤獨協医科大学 とちぎ子ども医療センター（栃木県下都賀郡壬生町）
⑥自治医科大学 とちぎ子ども医療センター（栃木県下野市）
⑦群馬県立小児医療センター（群馬県渋川市）
⑧埼玉医科大学総合医療センター 小児医療センター（埼玉県川越市）
⑨埼玉県立小児医療センター（埼玉県さいたま市）
⑩東京女子医科大学附属八千代医療センター（千葉県八千代市）
⑪松戸市立総合医療センター 小児医療センター（千葉県松戸市）
⑫千葉県こども病院（千葉県千葉市）
⑬東京都立小児総合医療センター（東京都府中市）
⑭国立成育医療研究センター（東京都世田谷区）
⑮東京大学医学部附属病院 小児医療センター（東京都文京区）
⑯慶應義塾大学医学部 周産期・小児医療センター（東京都新宿区）
⑰神奈川県立こども医療センター（神奈川県横浜市）
⑱北里大学病院 周産期母子成育医療センター（神奈川県相模原市）
⑲長野県立こども病院（長野県安曇野市）
⑳静岡県立こども病院（静岡県静岡市）
㉑日本赤十字社愛知医療センター名古屋第一病院 小児医療センター（愛知県名古屋市）
㉒あいち小児保健医療総合センター（愛知県大府市）
㉓愛知県医療療育総合センター中央病院（愛知県春日井市）
㉔岐阜県総合医療センター 小児医療センター（岐阜県岐阜市）
㉕国立病院機構 三重病院（三重県津市）
㉖滋賀県立小児保健医療センター（滋賀県守山市）
㉗京都府立医科大学 小児医療センター（京都府京都市）
㉘大阪市立総合医療センター 小児医療センター（大阪府大阪市）
㉙大阪大学医学部附属病院 小児医療センター（大阪府吹田市）
㉚愛仁会 高槻病院（大阪府高槻市）
㉛大阪母子医療センター（大阪府和泉市）
㉜兵庫県立こども病院（兵庫県神戸市）
㉝国立病院機構 岡山医療センター（岡山県岡山市）
㉞国立病院機構 四国こどもとおとなの医療センター（香川県善通寺市）
㉟北九州市立八幡病院（福岡県北九州市）
㊱福岡市立こども病院（福岡県福岡市）
㊲雪の聖母会 聖マリア病院 総合周産期母子医療センター（福岡県久留米市）
㊳沖縄県立南部医療センター・こども医療センター（沖縄県島尻郡南風原町）

（2022 年 4 月会員施設）

こどもの医療に携わる
感染対策の専門家が
まとめた

小児感染対策マニュアル

第2版

監修 五十嵐 隆
　　　一般社団法人 日本小児総合医療施設協議会 理事長
　　　国立研究開発法人 国立成育医療研究センター 理事長

編集 一般社団法人 日本小児総合医療施設協議会（JACHRI）
　　　小児感染管理ネットワーク

じほう

[臨床写真]

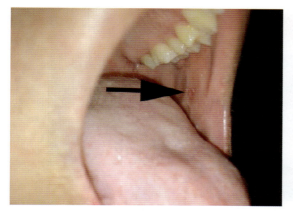

図①　麻疹（矢印はコプリック斑を示す）（p.96）

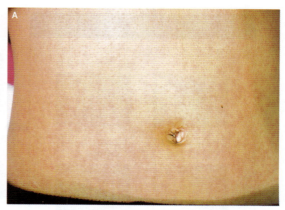

図②　風疹（p.101）

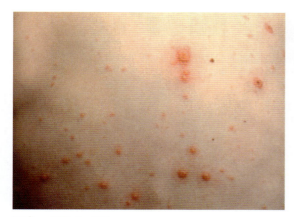

図③　水痘（p.106）

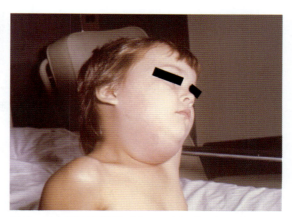

図④　流行性耳下腺炎（おたふくかぜ）（p.111）

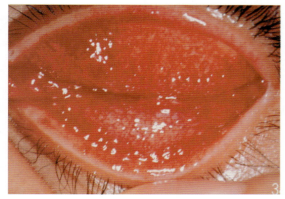

図⑤　流行性角結膜炎（EKC）（p.123）
　　　（写真提供：青木功喜先生）

JACHRI 小児看護感染管理ベストプラクティス：おむつ交換

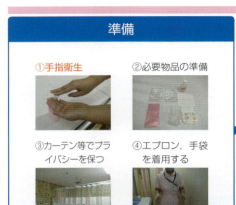
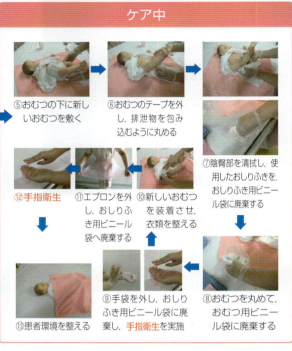

処置行程実施チェックリスト
（チェック記載：〇実施　×未実施）

おむつ交換

手順	No.	チェック	行程
準備	1		手指衛生
	2		必要物品の準備
	3		カーテン等でプライバシーを保つ
	4		エプロン，手袋を着用する
ケア中	5		おむつの下に新しいおむつを敷く
	6		おむつのテープを外し，排泄物を包み込むように丸める
	7		陰臀部を清拭し，使用したおしりふきをおしりふき用ビニール袋に廃棄する
	8		おむつを丸めて，おむつ用ビニール袋に廃棄する
	9		手袋を外し，おしりふき用ビニール袋に廃棄し，手指衛生を実施
	10		新しいおむつを装着させ，衣類を整える
	11		エプロンを外し，おしりふき用ビニール袋へ廃棄する
	12		手指衛生
	13		患者の環境を整える
終了後	14		手指衛生

図⑥　JACHRI 小児看護感染管理ベストプラクティス：おむつ交換（p.226）

〔小児看護感染管理ネットワーク，2016.11 作成〕

「小児感染対策マニュアル 第2版」の発刊に際して

　小児における感染症対策は，成人とは異なる面を多くもちます．胎児，出生後の新生児から乳児，幼児，学童へと成長する過程において，小児は母親から与えられた液性免疫が減少する一方，常に侵入してくる様々な病原体に対して，自らの免疫機能を駆使して抗体や細胞性免疫などの抵抗力を獲得してゆきます．さらに現在では，予防可能な重篤な感染症に対し，積極的に予防接種が実施されています．その結果，過去に多くの子どもの命を奪ってきた重篤な感染症が激減しています．しかしながら，健康な成人に比べ，乳幼児は感染症に罹患しやすいという生物学的特性を完全には払拭することはできません．すべての病原体に対する有効なワクチンは，現代の科学技術をもってしても作ることはできません．さらに，病原体自身が常に変異しており，仮に有効なワクチンができたとしても，新しい変異に対応するワクチンの作製が必要になります．

　本書は，日本小児総合医療施設協議会（JACHRI）に加盟している医療施設の小児科や感染症科の専門医が協力して，子どもの感染対策のために必要な体制づくり，子どもの感染対策に関する基礎知識，小児感染症のアウトブレイク対策などについて，エビデンスに基づく具体的な対応策やアイデアをまとめ，2015年に第1版が作られました．第1版は大変好評で，刊行後に多くの関係者から支持を戴けました．感染症に関する新たなエビデンスが，その後多数発出されており，その中でも重要なエビデンスを踏まえ，ブラッシュアップした第2版を今回刊行する運びとなりました．本版においても，臨床現場で必要とされる具体的な感染症対策が，図表や画像をできるだけ用いてわかりやすく記載されています．

　医療施設だけでなく，保育施設や学校などの子どもが集団で集まる施設においても，感染症対策はリスクマネジメントの点からも極めて重要です．小児に関係する医療従事者だけでなく，小児に関わる施設で活躍される方にとっても，本書は小児の感染対策を理解し，実行する上で有用です．本書が多くの方に利用されることを願っています．

2022年8月

一般社団法人 日本小児総合医療施設協議会 理事長
国立研究開発法人 国立成育医療研究センター 理事長
東京大学名誉教授

五十嵐　隆

この本の使い方

　本書は子どもに関わるすべての医療従事者が，子どもの特殊性を踏まえた感染対策を実施するためのマニュアルです。

　小児感染症の疫学や病態は成人と大きく異なります。また多くの場合，子どもは全面的な介助が必要となります。さらに，子どもの権利や保護者との関係に配慮した対応が求められます。これらの点を踏まえ，本書では感染対策の総論と各論を見直し，実務上の細かな疑問点に応えることを目指しました。

　本書は現在あるエビデンス，関連法規，ガイドラインを軸とし，各種指標や定義は原則として米国小児科学会のRedbook[※1]や米国のCDC[※2]/NHSN[※3]のものを用いています。その一方で，小児領域においてエビデンスは限られています。そのため，現場の実践を経たベストプラクティスを反映するために，第一線で感染対策にあたる実務者が中心となって執筆しています。2015年の初版から現状に即した形で改訂を行い，そのうえで，内容の統一性や一般性に配慮し，編集委員会で内容の推敲をくり返し行いました。

第1章　小児感染対策の体制

　感染対策に必要な組織と，小児の担当者に求められる仕事の内容を小児病院，大学病院，市中病院，クリニック，地域全体，それぞれの立場で定義しています。

　さらに，すべての医療機関に必要な感染対策にかかるコストのことを取り上げました。

第2章　小児感染対策の基礎知識

　感染対策を実施するうえで基本となる標準予防策，経路別予防策や医療関連感染症予防に関わる技術を取り上げています。

　それぞれについて，子どもの特殊性への配慮や，日常診療のなかから得られた工夫を盛り込んでいます。

第3章　小児伝染性疾患

　子どもに多くみられる感染症の概説と感染対策上の注意点を記載しています。また，予防接種，曝露後予防については，患者対応と医療従事者対応の両面から取り上げています。なお，新型コロナウイルス感染症対策については，日々状況が変化しているため基本的な対応の記載にとどめています。

※1　Redbook：American Academy of Pediatrics, 2021-2024 Report of the Committee on Infectious Diseases（32nd Edition）.
※2　CDC：Centers for Disease Control and Prevention，米国疾病対策センター
※3　NHSN：National Healthcare Safety Network，全米医療安全ネットワーク

第4章　抗微生物薬適正使用

子どもにおける抗微生物薬適正使用について，病院，NICUと外来における対策のポイントを記載しています。

第5章　アウトブレイク時の対応

子どもにおいてとくに院内伝播をきたしやすい病原体を取り上げ，アウトブレイクの察知から対応までの具体的手順を記載しています。具体的手順はフローチャート形式となっており，本書の特徴でもあります。

第6章　小児感染対策の実践

救急，外来，入院中に遭遇するさまざまな場面における対応を取り上げています。

具体的には，小児感染症を意識した外来におけるトリアージのあり方，入院中の隔離対策と子どもの権利，面会，説明，おもちゃやプレイルームなど，子どもの生活における行動を想定した感染対策を取り上げました。

また，点滴，栄養物品管理，おむつ，リネン，環境整備など，感染対策全般に共通する項目も，とくに小児医療を意識して個別に取り上げています。

第7章　部門別の感染対策

部門ごとの対応をまとめています。新生児集中治療室，新生児室，産科病棟，小児集中治療室，手術室，外来など，子どもの診療を行う部署に加えて，院内学級，院内保育所，重症心身障害児病棟，在宅，療育など，長期にわたる管理が必要な患者に対する対策，そして関連する薬剤部門，栄養管理部門，放射線部門，臨床検査部門，リハビリテーション部門，ファシリティ部門まで，幅広く使用していただけるよう，各部門の代表者が執筆しています。

このように，小児診療における感染対策を，異なる切り口でまとめたため，各章・項目ごとに内容が重複する箇所もありますが，編集委員会として記載内容の統一を図りました。

何度も加筆・修正いただき，すばらしい原稿をお届けくださった執筆者の方々と，編集作業にご尽力いただいた株式会社じほうにこの場を借りて深謝申し上げます。

2022年8月

『小児感染対策マニュアル』編集委員長

宮入　烈

● 第2版 編者・執筆者一覧

監修

五十嵐　隆　　　一般社団法人 日本小児総合医療施設協議会 理事長
　　　　　　　　国立成育医療研究センター 理事長

編集

一般社団法人 日本小児総合医療施設協議会　小児感染管理ネットワーク

〔第2版 編集委員長〕

　宮入　　烈　　浜松医科大学 小児科学講座 教授
　　　　　　　　前 小児感染管理ネットワーク 代表

〔第2版 編集委員〕（五十音順）

　伊藤　健太　　あいち小児保健医療総合センター 総合診療科
　宇田　和宏　　岡山大学病院 小児科
　大宜見　力　　国立成育医療研究センター
　　　　　　　　小児内科系専門診療部 感染症科 診療部長・感染制御部 室長
　　　　　　　　小児感染管理ネットワーク 代表
　小川　英輝　　あいち小児保健医療総合センター 総合診療科
　庄司　健介　　国立成育医療研究センター 小児内科系専門診療部 感染症科
　菅原　美絵　　国立成育医療研究センター 看護部
　　　　　　　　感染管理認定看護師
　船木　孝則　　国立成育医療研究センター 小児内科系専門診療部 感染症科

初版 編者・執筆者一覧（2015年11月時点の所属／役職）

監修 　　五十嵐　隆　日本小児総合医療施設協議会 会長
　　　　　　　　　　　　　国立成育医療研究センター 理事長

編集 　　日本小児総合医療施設協議会　小児感染管理ネットワーク

〔編集委員長〕
宮入　烈　　国立成育医療研究センター 生体防御系内科部
　　　　　　感染症科 医長・感染防御対策室 室長

〔編集委員〕（五十音順）
伊藤　健太　　東京都立小児総合医療センター からだの専門診療部 感染症科
菅原　美絵　　国立成育医療研究センター 看護部／感染管理認定看護師
立花亜紀子　　埼玉県立小児医療センター 看護部／感染管理認定看護師
船木　孝則　　国立成育医療研究センター 生体防御系内科部 感染症科
堀越　裕歩　　東京都立小児総合医療センター からだの専門診療部 感染症科 医長
御代川滋子　　東京都立小児総合医療センター 看護部 看護師長／感染管理認定看護師

アドバイザー
満田　年宏　　横浜市立大学附属病院 感染制御部 部長 准教授

執筆者（五十音順）

青木　知信	福岡市立こども病院	岡部　太郎	自治医科大学附属病院
青木　悠佳	神奈川県立こども医療センター	織田　麻希	滋賀県立小児保健医療センター
安慶田英樹	沖縄県立南部医療センター・こども医療センター	笠井　正志	兵庫県立こども病院
		金谷　誠久	国立病院機構 岡山医療センター
浅沼　秀臣	北海道立子ども総合医療・療育センター	亀井　久美	県立広島病院
飯野江利子	大阪府立母子保健総合医療センター	川野佐由里	久留米大学病院
石井　絹子	長野県立こども病院	河邉　慎司	あいち小児保健医療総合センター
磯貝美穂子	東京都立小児総合医療センター	冠城　和世	東京都立小児総合医療センター
伊藤　雄介	静岡県立こども病院	北爪　幸子	群馬県立小児医療センター
庵原　俊昭	国立病院機構 三重病院	木下　典子	国立成育医療研究センター
及川　明子	北海道立子ども総合医療・療育センター	木下　真柄	大阪府立母子保健総合医療センター
大久保　憲	東京医療保健大学	楠本　耕平	宮城県立こども病院
大久保浩子	国立成育医療研究センター	工藤真理恵	千葉県こども病院
岡崎　薫	東京都立小児総合医療センター	後藤亜香里	国立病院機構 徳島病院

崎山　弘	崎山小児科		御代川滋子	東京都立小児総合医療センター
笹原　鉄平	自治医科大学		森　敏子	国立病院機構 四国こどもとおとなの医療センター
佐藤　公則	長野県立こども病院			
鹿間　芳明	神奈川県立こども医療センター		森澤　雄司	自治医科大学附属病院
荘司　貴代	静岡県立こども病院		森田　優子	特定非営利活動法人 シャイン・オン・キッズ
新庄　正宜	慶應義塾大学 医学部			
菅原　美絵	国立成育医療研究センター		森屋　恭爾	東京大学医学部附属病院
諏訪　淳一	東京都立小児総合医療センター		森谷　恵子	宮城県立こども病院
高坂久美子	名古屋第一赤十字病院		山口　尚美	大阪市立総合医療センター
高野八百子	慶應義塾大学病院		山田　佳之	群馬県立小児医療センター
高橋　俊子	東京女子医科大学八千代医療センター		吉田　奈央	名古屋第一赤十字病院 小児医療センター
高橋美恵子	国立病院機構 相模原病院		吉田眞紀子	東北大学病院・東北大学
田口　康祐	愛知県心身障害者コロニー中央病院		陸川　敏子	神奈川県立こども医療センター
武井千惠子	茨城県立こども病院		渡辺美智代	自治医科大学附属病院
立花亜紀子	埼玉県立小児医療センター			
手塚　宜行	名古屋大学医学部附属病院			
渡嘉敷智賀子	沖縄県立南部医療センター・こども医療センター			
外川　正生	大阪市立総合医療センター			
中河　秀憲	国立成育医療研究センター			
永田　由美	福岡市立こども病院			
鳴滝　由佳	兵庫県立こども病院			
西嶋志津江	あいち小児保健医療総合センター			
貫井　陽子	東京医科歯科大学医学部附属病院			
馬場　千草	雪の聖母会 聖マリア病院			
濱田真由美	静岡県立こども病院			
原　清美	国立病院機構 岡山医療センター			
福島　雅子	前 東京都立小児総合医療センター			
古市　宗弘	国立成育医療研究センター			
星野　直	千葉県こども病院			
堀内　寿志	福岡市立こども病院			
堀口　弘	国立成育医療研究センター			
堀越　裕歩	東京都立小児総合医療センター			
松原　啓太	広島市立舟入市民病院			
三浦　克志	宮城県立こども病院			
満田　年宏	横浜市立大学附属病院			
光延　智美	静岡県立こども病院			
宮入　烈	国立成育医療研究センター			
宮谷　幸枝	埼玉県立小児医療センター			
宮川　知士	東京都立小児総合医療センター			
宮下　絹代	千葉県こども病院			

目　次

はじめに　小児感染対策の特殊性

はじめに　小児感染対策の特殊性 2

1章　小児感染対策の体制

1.1　小児病院における感染対策の体制 6
1.2　大学病院における小児感染対策担当者 9
1.3　市中病院における小児病棟 11
1.4　クリニックでの感染対策 14
1.5　新型インフルエンザ等対策における地域連携 17
1.6　JACHRI 小児感染管理ネットワーク（PicoNET） 21
1.7　感染対策とコストの問題 23

2章　小児感染対策の基礎知識

2.1　標準予防策 28
2.2　感染経路別予防策 37
2.3　血管内カテーテル関連血流感染予防 42
2.4　カテーテル関連尿路感染予防 46
2.5　人工呼吸器関連肺炎予防 51
2.6　手術部位感染予防 56
2.7　感染症サーベイランス 62
2.8　微生物検査（検体の出し方） 66
2.9　予防接種 72
2.10　RS ウイルス感染症のパリビズマブによる予防 78
2.11　医療従事者への予防接種・抗体価管理・結核管理 81
2.12　針刺し後の血液・体液曝露予防 88
2.13　職員が感染症を発症した場合の対応（一般的な急性呼吸器感染症，胃腸炎など） 92

3章　小児伝染性疾患

3.1　麻疹 96
3.2　風疹，先天性風疹症候群 101

3.3	水痘，帯状疱疹	106
3.4	流行性耳下腺炎	111
3.5	百日咳	114
3.6	インフルエンザ	118
3.7	流行性角結膜炎	123
3.8	結核	127
3.9	クロストリディオイデス（クロストリジウム）・ディフィシル感染症	131
3.10	新型コロナウイルス感染症	135
3.11	曝露後予防（麻疹，水痘，百日咳，インフルエンザ，侵襲性髄膜炎菌感染症）	140

4章 抗微生物薬適正使用

4.1	小児における薬剤耐性菌の問題と抗微生物薬適正使用	146
4.2	病院における抗微生物薬適正使用支援プログラム	148
4.3	外来における抗微生物薬適正使用支援プログラム	154
4.4	新生児・NICUにおける抗微生物薬適正使用	158

5章 アウトブレイク時の対応

5.1	感染症の集団発生時の対応（院内での危機管理・保健所への届出）	162
5.2	メチシリン耐性黄色ブドウ球菌（新生児室）	166
5.3	RSウイルス	171
5.4	アタマジラミ，疥癬	176
5.5	ノロウイルス，ロタウイルス	181
5.6	耐性グラム陰性桿菌	185
5.7	新興感染症対策	190
5.8	海外からの受診者（輸入感染症を含む）	194

6章 小児感染対策の実践

6.1	小児救急・入院・外泊時のトリアージ	200
6.2	隔離時に気をつけること	204
6.3	面会	208
6.4	子どもと親への指導・説明	212
6.5	おもちゃ・プレイルームの管理	217
6.6	点滴の管理	220
6.7	栄養物品管理	223
6.8	おむつの管理	226
6.9	リネンの管理	228
6.10	環境整備	230

7章 部門別の感染対策

- 7.1 新生児集中治療室（NICU） ... 238
- 7.2 産科病棟における新生児室 ... 242
- 7.3 産科病棟 ... 244
- 7.4 小児集中治療室（PICU） ... 247
- 7.5 無菌室（クリーンルーム） ... 252
- 7.6 手術室 ... 255
- 7.7 外来部門 ... 260
- 7.8 院内学級 ... 264
- 7.9 院内保育所 ... 266
- 7.10 重症心身障害児病棟の管理 ... 269
- 7.11 療育 ... 271
- 7.12 在宅 ... 273
- 7.13 薬剤部門 ... 277
- 7.14 栄養管理部門 ... 279
- 7.15 放射線部門 ... 283
- 7.16 臨床検査部門 ... 286
- 7.17 リハビリテーション部門 ... 289
- 7.18 動物介在介入（ファシリティドッグを中心に） ... 291

付録

- 付録① 「感染症の予防及び感染症の患者に対する医療に関する法律」（感染症法）で届出が必要な疾患 ... 298
- 付録② 感染対策早見表 ... 300
- 付録③ 一般的な感染症の場合の感染経路別対策と出勤可能基準の一例 ... 302
- 付録④ 「感染症の予防及び感染症の患者に対する医療に関する法律」（感染症法）にもとづく耐性菌届出基準 ... 303
- 付録⑤ 各感染症に曝露した場合の観察期間 ... 304
- 付録⑥ 小児に多い感染症の潜伏期間，感染（病原体）排泄期間の一覧表 ... 305
- 付録⑦ 各感染症の基本再生産数（R_0） ... 308
- 付録⑧ 日本小児科学会が推奨する予防接種スケジュール ... 309
- 付録⑨ 洗浄・滅菌に関するSpaulding（スポルディング）分類表 ... 312
- 付録⑩ 清浄度クラスと換気条件（代表例） ... 313
- 付録⑪ 子どもの権利条約（日本ユニセフ協会抄訳） ... 314

索引

... 317

小児感染対策の特殊性

はじめに
小児感染対策の特殊性

Points
- 小児は感染症に罹患する頻度が高い。
- 潜伏期間にある流行性疾患（麻疹・風疹・水痘・ムンプス）を考慮したスクリーニングが必要である。
- 小児は介助が必要なことが多く、家族や医療従事者への伝播リスクが高い。
- 小児の成長や発達を加味した感染対策を実施する必要がある。

　施設内の感染対策の基本は成人・小児を問わず，感染源の早期発見，感染経路の遮断，免疫力の向上である。しかしながら，実施すべき具体策の重点は小児と成人では異なる。小児に関わる医療従事者として考えなければならない注意点や配慮について述べる。

小児における感染症の特徴

　小児にとって生後さらされる病原体の多くは，初めて遭遇するものであり，免疫のない状態の小児は感染しやすい状態にある。そのため，乳幼児期には毎年6〜7回感染症に罹患するとされている。つまり，小児を扱う施設では，病院にかぎらず診療所や保育所・学校などでも感染対策が必要になる。

　感染対策の軸の1つは免疫力の向上であり，具体的にはワクチン接種による免疫付与である。ワクチンで予防可能な疾患（VPD, p.73参照）[1]については接種を促すことが重要である。小児感染対策に携わる医療従事者は職種を問わず，本来あるべき予防接種計画（付録⑧, p.309参照）を理解し，個々の小児に対し，接種や罹患状況を把握する必要がある。入院施設や保育所のように特定の小児に長期的に関わるところでは，母子手帳や家族から免疫獲得状況を把握する。同時に職員自身も，これらのVPDに対する免疫を獲得していることが必須である。

　小児が罹患しやすい，インフルエンザ，麻疹，風疹，水痘，ムンプスなどは，発症あるいは診断前に感染源となりうる感染症であり，潜伏期間も長く水際対策が困難である。病院や診療所では，患者の症状の有無にかかわらず，家庭・地域や学校での流行状況を把握しておくことが必須となる。流行状況を確認する場合，医学的な病名だけではなく，一般的な病名や症状などから，医師や看護師がくり返し確認するなどし，重要な情報であることを患者や家族も理解できるようにするとよい。別の疾患の治療目的のための入院であっても，潜伏期間中に入院することで，市中流行の感染症を発症して本人および病棟の他の患者の治療の延期・中断を余儀なくされることもある。施設内へのもち込みを防ぐための水際対策は，病院の方策をシステムとして導入することが必要である。

小児における感染経路の特徴

　乳児，年少幼児は大人の世話を必要とし，他者との濃厚接触は不可避である。学童や中高生であっても，10代までは小児どうしの接触は予想以上に濃厚である。そのため，日常生活に感染経路が多数存在しているといえる。入院生活では，患者自身の体調不良や点滴などの医療処置により行動制限が加わり，日常的な接触ではなくなるが，小児個々の行動パターンを観察し，適宜，感染対策を検討する必要も生じる。

　医療行為の実施や排泄や食事の介助で，医療従事者が曝露し，他の小児への感染経路となりうるので，手指衛生や個人防護具着用などの標準予防策の徹底が最も重要である。

　おむつ交換は小児でも成人でも必要な看護ケアであるが，小児の排泄物については汚染物・感染源としての認識が薄れる傾向があるので注意したい。とくに，薬剤耐性菌やノロウイルス，ロタウイルスなどの最大の感染経路となるため，適切な手順での交換と手指衛生を行う

VPD：vaccine preventable disease，ワクチンで予防可能な疾患

ことが重要である。入院中の小児に家族が実施するおむつ交換では、他患者への感染経路遮断のために、看護師と同じタイミングでの手指衛生手順で実施してもらうことを考慮する。家族に協力を求める場合は、具体的な手順を説明し、方法を掲示するなどして、いつでも再確認できるようにしておく。そして、実際の手技を行ってもらい、適切に実施できるかどうかも確認することが望ましい。また、廃棄方法についても説明を行う。

排泄や食事が自立している場合でも、自立の程度の見きわめも重要になる。トイレに行き、おしりを拭いて、正しく手を洗うことが可能か、体調不良時にどの程度、破綻するのかを把握する必要がある。患者や家族が自立しているといっても、食事の前や排泄後の手指衛生はできていないことが多い。入院生活を、正しい手指衛生・排泄行動を指導・確認する契機にするとよい。また、本来は自立していても、体調や医療処置の影響により自立が難しいと判断される場合には、本人や家族に説明して支援する。自身で行いたいという思いも尊重しつつ、介助が必要であることを本人にも家族にも理解してもらう必要がある。

小児の流涙や鼻汁の処理にも、注意が必要である。患者自身で処理できないことが多く、流涙や鼻汁が体液であるという認識が薄い傾向がある。患者自身が流涙や鼻汁に触れた手で環境を汚染するかもしれない。とくに乳児・年少幼児では、世話をする医療従事者や家族が処理後の手指衛生に努めなければ感染経路となる。また、症状をうまく伝えられないため、突然の嘔吐や失禁で環境を汚染することもある。呼吸器系の感染症の場合は、小児が咳やくしゃみをする際に口を覆うことができないため、医療従事者が曝露する。医療従事者自身は軽症で済んでも小児にとっては感染源となりうるため、この感染の連鎖を医療従事者が断ち切らなければならない。

医療従事者や家族が感染源となることもある。RSウイルスのような呼吸器感染症は、健康成人の罹患では軽症の上気道炎で済むが、乳児・年少幼児や基礎疾患のある小児では重症化する代表的な疾患である。医療従事者は、自分自身の体調不良が軽症であっても、小児への感染を遮断するよう努める必要がある。付き添いや面会する家族の体調についても情報を把握するとともに指導を行い、必要な場合は面会制限も検討する。

小児を背景とした倫理的な課題

院内で感染すること自体が、倫理原則の1つである無危害原則をおびやかすものであり、患者を守るためには厳しい姿勢で対策に臨む覚悟が必要である。その一方、感染対策を実施するうえでの小児ならではの倫理的な課題が存在する。

標準予防策で感染経路遮断が困難な場合、感染症を起こしている小児や薬剤耐性菌を保菌している小児を隔離する必要が生じる。個室隔離することは、人と人をつなぐ感染経路を容易に遮断でき、感染対策上は有効な方策である。しかし同時に、小児や家族に疎外感や偏見を受けている印象を与えることがある。疎外感や社会との隔離は成人でも精神的に厳しい側面があるように、認知発達の成長段階である小児においても、長期にわたって他の小児をはじめとする他者との接触の減少、外界刺激の減少など、環境変化の影響を受けることを考慮しなければならない。行動制限が加わることにより、生活習慣の自立や、疾患の影響だけでない身体的な成長発達への影響も考える必要がある。

インフルエンザやノロウイルスなどによる感染症では、罹患した患者自身の体調不良があるうえに、隔離期間も短いため、入院する場合は隔離をすることが本人のためにも周囲の患者のためにも得策である。回復期には室外での遊びや他児との交流を望むかもしれないが、ウイルス排泄は続くことが多く、退院までは他児との接触を避けるべきである。症状がはっきりしている感染症の場合、感染源であるという偏見を受けることにつながる。

薬剤耐性菌を保菌している場合の隔離は、院内感染対策上行う必要があるが、長期間になると患者への負担が大きく、対応については非常に悩ましいところである。薬剤耐性菌の保菌自体は健康被害には直結しないものの、感染症を起こした場合は使用可能な抗菌薬が限定されるだけでなく、生涯にわたり長期に保菌する可能性がある。薬剤耐性菌は接触感染が主な感染経路であるため、成長発達や精神面を考慮し、行動範囲を広げられるよう対応が必要である。

具体的な対応は、薬剤耐性菌の種類によって、その重要性や感染経路が異なるため、詳しくは各論を参照いただきたい。行動範囲を広げる方策については、例えば、時間を区切って食堂やプレイルームの使用を許可する方法を検討してもよい。時間を区切って食堂やプレイルームの使用を許可する方法を検討してもよい。便に薬剤耐性菌を保菌している場合は、おむつ使用の小児か、排泄が手指衛生まで自立している小児かで隔離方法も異なる。排泄が自立していない小児であれば、尿意や便意を教える、トイレで排泄する習慣をつけるなど、排泄自立への援助が長期的にみて感染対策につながる。

患者が適切な手指衛生を実施できるのであれば，特定の状況下で行動制限を解除する．こうした個別性や成長にともなう時間的変化を考慮した対策を実施することは，小児看護の特徴といえる．ただし，個別性を考慮した感染対策というのは，実施する医療従事者の十分な理解がなければ対策の破綻につながり，感染拡大をまねきかねないので注意が必要である．

　患者に対し，感染対策を実施する際は，小児の理解度に応じて必要性を説明する．家族からも小児への説明をしてもらう必要があるかもしれないし，家族自身にも対策を実施してもらわなければならないため，医師や看護師は一貫した説明と指導が必要となる．同時に協力を求める以上，医療従事者の実施する感染対策も問われることになり，感染対策を実施するすべての医療従事者が同じように対策を行うことが重要である．1人が守らないことで対策の破綻をきたすことがあってはならない．

　小児病棟においては，小児は一定の年齢まで面会制限の対象となることがほとんどである．そのために長期入院中の慢性疾患を抱える患者は，きょうだいとの面会が著しく制限される．また，外出・外泊した際の感染対策にも注意が必要である．入院時には水際対策を強化している場合でも外泊に際しては格段に緩まることがあり，入院時と同様の対策が必要である．家庭内での交差感染を防ぐことは困難であるため，事前に同居者の健康状態や接触歴を確認し，感染症状がある場合や感染の流行時期の外出・外泊を避けるなどの対策が必要である．

　流行性疾患も多く，感染経路も豊富に存在する小児は，自分自身で防御することが困難であることから，成長発達に応じた指導もさることながら，医療従事者が家族らの協力も得て小児を感染から守り，十分な観察や感染経路の遮断に努める必要がある．

文献
1) 国立感染症研究所 感染症情報センター：予防接種スケジュール．(http://idsc.nih.go.jp/vaccine/dschedule.html) (2022年5月現在)

Memo

小児感染対策の体制

1.1 小児病院における感染対策の体制

Points
▶ 小児病院の感染対策の**特徴**を踏まえ，施設に応じたメンバー構成・業務内容で**組織づくり**をする。
▶ 感染対策への時間やコスト投資には，**手指衛生をはじめとした標準予防策，経路別感染対策，職員に対するワクチンの接種**などへの優先順位が高い。
▶ 情報がスムーズに伝わる**伝達方法**，継続して実践できる**感染対策プログラム**を策定し，質管理にも努める。

　感染対策の体制構築は，病院で安全な医療を提供するうえで必要不可欠である。インフェクションコントロールチーム（ICT）の推奨を病院の方針として実行させるしくみが必要である。感染対策は，飛行機の運航にたとえられる。飛行機が事故を起こさず空を飛ぶために，安全に対して膨大な労力が割かれているように，病院でも未然にさまざまな予防策を講じて感染を防ぎ，感染事故が起こらないよう，組織として安全へのコミットメントが必要である。医療を行ううえでリスクをゼロにすることはできない。可能なかぎりリスクを最小化し，感染が発生しても，二次被害を抑えて収束させるシステムづくりが大事である。

小児病院の感染対策の特徴，組織

　小児病院における感染対策の主な特徴を3つあげる。

① 流行性疾患が問題になりやすく，とくにウイルス性疾患が多い。
- 流行性疾患に対する入院時の接触歴のスクリーニング，ワクチンの接種歴が重要となる。
- また職員もこれらの感染症に曝露するため，ワクチンで予防できる疾患については，職員もワクチンを接種して予防する。

② 年齢や発達に応じて行動範囲，介助やケアの必要度が異なる。
- 乳幼児であれば，食事やおむつの介助などケアに手がかかり，接触回数が多ければ感染伝播の機会も多くなる。
- 年齢や発達に応じた感染対策が必要となる。

③ 保護者や家族の付き添いや面会がある。
- 患者本人以外に家族の付き添いや面会があり，面会者からの伝播や，逆に面会者への伝播があるため，面会者への健康管理の指導が必要となる。

　組織としては，方針を決定する関係部署の代表から構成される感染対策に関する委員会（ICC）と，実働部隊であるICTおよび抗微生物薬適正使用支援チーム（AST）が必要であり，ICT／ASTのメンバーは委員会を兼任することが多く，現場レベルで感染対策の推進を担うリンクドクターやリンクナースを組織する（図1）。

ICT／ASTのコアメンバーの構成，業務

　米国疾病対策センター（CDC）は，最低でも250ベッドあたり1名の専従の感染管理看護師（ICN）が必要と定めている[1]。"専従"とは，「フルタイムで他の業務を兼務しない勤務形態」を指す。実際にはニューヨーク州では成人病院で150ベッドあたり1名配置されており，医療事情がより日本に近いヨーロッパでも180ベッドあたり1名の配置を必要としている[2,3]。日本では，2022年度時点で，病床数にかかわらず感染対策向上加

ICT：infection control team，インフェクションコントロールチーム（感染対策チーム）
ICC：infection control committee，感染対策に関する委員会（感染対策委員会，感染防止対策委員会）
AST：antimicrobial stewardship team，抗微生物薬適正使用支援チーム
CDC：Centers for Disease Control and Prevention，米国疾病対策センター
ICN：infection control nurse，感染管理看護師

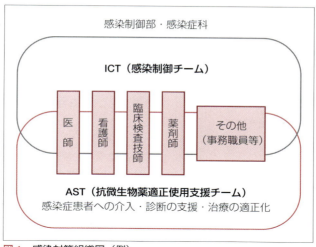

図1　感染対策組織図（例）

算1の施設基準では，医師・看護師のいずれか1名が専従することが求められるが，感染対策向上加算2，3では専任（兼務可能）でもよい。感染対策向上加算1，2では，薬剤師および臨床検査技師が，それぞれ専任で1名必要となっており，諸外国との格差がある。日本の加算の基準に含まれないが，データを管理する事務担当者，疫学を扱う病院疫学者などがいれば望ましい。

ICTの主な業務内容は，週に1回程度，定期的に院内を巡回し，院内感染事例の把握，院内感染防止対策の実施状況の把握・指導を行い，表1に示す内容の活動を行う。

2018年の診療報酬改定において感染症防止対策加算とは別に，抗菌薬適正使用支援加算が設けられ，ICTとは別にASTが必要となった〔ASTについては，4.2節（p.148）を参照〕。耐性菌を拡げないのがICTであるのに対し，耐性菌をつくらないようにするのがASTである。本来の目的は異なり，構成メンバーも医師，薬剤師，細菌検査技師，事務担当者と少数でよいことから，施設に応じ，ICTから独立してASTを組織したほうが意思決定などの迅速化が図れる。

表1　ICTの主な業務

項目	内容
院内感染対策の実践状況の確認	・1週間に1回，院内を巡回 ・感染事例の把握 ・感染防止対策の実施状況の把握と指導
院内感染サーベイランス	・院内の感染率の分析・評価 ・感染対策の実施 （院内のみならず地域，全国のサーベイランスに参加）
感染マニュアルの作成	・標準予防策，経路別予防策，職業感染対策予防 ・洗浄，消毒，滅菌，抗微生物薬管理状況など
職員教育	・年2回以上の全職員対象の研修
情報発信	・職員への情報共有（マニュアルなど） ・感染対策事例の記録 ・地域連携施設との情報共有
地域連携カンファレンス	・地域の医療施設との感染対策についての検討

の正当性が説明しやすい。

感染対策のコスト

適切な感染対策にはコスト投資がかかり，病院執行部の理解が必要である。ICTは限られた資源のなかでどこに予算を投資するかの優先順位を決定する。小児では院内の感染性疾患が多いため，手指衛生，標準予防策，経路別感染対策，職員のワクチンなどの優先順位が高い。医療関連感染や施設内伝播の発生率と対策前後の効果を比較検討し，コスト解析をすると，投入した資源

感染対策の導入に対する注意点

（1）感染対策を導入するときの情報伝達

大きな組織になればなるほど，感染対策の新規介入，方針の変更の情報が実践すべき職員全員への情報共有が困難である。導入プロセスを逆算して考え，導入の障壁を取り除き，ポイントを押さえて実践（表2）するのが重要となる。

表2 情報伝達方法のポイント

1. 方針の変更実践時期から情報伝達時期の逆算
2. 伝達内容
   - 簡潔で理解しやすいか
   - なぜ必要かの理由付けがあるか
   - 誰が何を行うかが明確か
3. 複数の情報伝達ラインで情報共有を行う
   （例：院内掲示板，電子メール，会議での伝達，講習会の開催，各部署のカンファレンス，e-ラーニング）
4. 感染防止技術の伝達（実践的なハンズオンで実施する）

情報伝達ルートも組織ごとの特性を理解し，発信することが必要である。たとえば，看護組織は部署長から看護スタッフまでのラインが1本であり，情報の伝達がすみやかなのに対して，医師などは必ずしも上司から部下への情報がスムーズに伝わらないことがあるため，複数の情報伝達方法を活用する。

（2）継続して実践できる感染対策プログラム

可能なかぎり，導入した感染対策がシステムとして継続して動くようにプログラムを策定する。たとえば，職員のワクチンの接種歴や抗体価などの管理は，採用や職員証などの発行の段階で確認することで，事務担当者が変わっても継続して確実な確認がされるようにする。

（3）感染対策の質管理の継続

感染対策の実施や遵守を確認し，実施されない場合には，その問題点を抽出して改善を行う。ICTは感染対策に関する意志決定だけでなく，感染対策の導入部分と質管理にも相応の労力を割かなければならない。

文献

1) Siegel JD, et al：2007 Guideline for Isolation Precautions: Preventing Transmission of Infectious Agents in Health Care Settings. Am J Infect Control, 35（10 Suppl 2）：S65-S164, 2007
2) Stricof RL, et al：Infection control resources in New York State hospitals, 2007. Am J Infect Control, 36（10）：702-705, 2008
3) van den Broek PJ, et al：How many infection control staff do we need in hospitals? J Hosp Infect, 65（2）：108-111, 2007

Memo

1.2 大学病院における小児感染対策担当者

Points
- 小児感染対策担当者は，大学病院全体の感染対策担当者との連携が必要。小児感染対策担当責任者は小児科医が担う。
- 成人病棟に小児患者が入院した場合，必要に応じて現場スタッフと相談する。
- 小児病棟に成人患者が入院した場合，小児病棟の方針にしたがう。

小児感染対策担当者配置の必要性

小児病棟では感染症の発症が多いこと，患者の特殊性があることから，小児感染対策担当者を配置すべきである。

小児病棟では，きめ細かい対策をとらなければ感染事例が発生し拡大しやすい。その理由として，乳幼児において感染症への感受性が高いこと，自立していない乳幼児には医療関係者が濃厚に接すること，学童においては患者どうしも濃厚に接触することがあげられる。

重要な部門には小児感染対策担当者も参加

病院執行部が病院全体を考えるとき，大多数を占める成人領域を中心に検討されてしまう。小児のような特殊部門は大組織においては忘れられがちであるためと，特殊性の程度が他の診療部門ではわからないためである。成人部門の診療科担当者だけで構成される組織で決定された事項は，しばしば小児領域では運用できない。小児科医師は感染症に携わる機会が多いことも踏まえ，病院全体の感染対策部門に関わることが好ましい。

小児感染対策担当者は大学病院内の感染対策にも参加

小児感染対策担当者が病院全体の感染対策に関わらない立場にいると，「小児病棟だけ個別にやっているので，小児のことは病院としてはわからない」ことになる。また，病院全体の感染対策担当臨床検査技師や薬剤師の協力も得られにくいかもしれない。

大学病院の小児科医も市中病院やクリニックなどの小児科医よりは少ないながらも，インフルエンザや RS ウイルス感染症にしばしば遭遇する。小児科医は，内科・外科の感染対策担当医よりも，ウイルス疾患の豊富な経験をもつ。このようなウイルス疾患が成人で発生した場合にも貢献できる。

地域医療機関との感染対策連携は，大学病院を含む大規模病院に課せられた業務の1つである。当然，小児領域の感染対策の内容も含まれる。

小児感染対策担当責任者は小児科医が担う

感染対策分野に最も長けている職種は看護師，診療（主に治療）を行っているのは医師，培養の解釈や抗微生物薬の選択の分野に長けているのはそれぞれ臨床検査技師や薬剤師である。ほとんどの感染対策責任者は，全体の最大公約数として，そして全体の責任をとる立場から，医師である。小児感染対策担当責任者（実際には，小児感染対策担当責任者といった名称はない）は，人員が配置可能であれば，院内のシステムが構築されるまでは小児科医であるのが好ましい。さらに，感染症を専門とする小児科医がいれば，その医師が担う。

通常，人的資源に限りがあることから，専従として小児感染対策担当の臨床検査技師，薬剤師や看護師は配置できない。小児感染対策担当責任者は，病院全体の感染対策担当者と協力する。

感染対策と感染症診療とは完全に区別しない

感染担当を，「感染症診療を担当する者」と「感染対策を担当する者」に分けた場合，医師，薬剤師，臨床検査技師は両方，看護師は主に感染対策を担当する。大学病院においても，医師，薬剤師，臨床検査技師の少なくとも一部は，両者を兼務していると思われる。また組織として，小児感染対策，小児感染症診療とを別個に設置できる大学病院はほとんどないであろう。両者間で

共有すべき項目，たとえば耐性菌の出現からみた抗菌薬適正使用の指導がある点からも，両者を完全に別組織に分けないほうがよいかもしれない。

小児感染対策担当者と大学病院全体の感染対策担当者との連携が必要

小児感染対策担当者（小児科医の場合）は，その得意分野とするウイルス疾患（麻疹，水痘，インフルエンザや RS ウイルスなど）の感染対策および診療，ウイルス抗体価の把握について，大学病院全体の感染対策担当者に助言できる。

一方で，大学病院全体の感染対策担当者に，結核（主に教職員，家族の発症）や，ヒト免疫不全ウイルス（HIV）感染症対応について，小児感染対策担当者に助言できる。

成人病棟に小児患者が入院した場合，必要に応じて現場スタッフと相談する

感染症の小児が成人病棟に入る場合には，必要に応じて，その具体的な方法について現場スタッフと相談する。背景として，同じ疾患でも，成人と小児では対応が異なる点があげられる。たとえば RS ウイルス感染症においては，小児病棟では通常，個室収容あるいはコホーティングする。マスク，ガウン，手指衛生を念入りに行う。

一方，成人病棟では，鼻汁や咳が軽微であれば，RS ウイルス感染症かどうかを必ずしも鑑別せず，通常どおり対応していることが多い。

小児病棟に成人患者が入院した場合，小児病棟の方針にしたがう

小児科や小児外科で診療中の成人が小児病棟に入院することはよくある。小児病棟では他の小児患者への感染防止，逆に感染症患者から本人への二次感染を防止するため，成人患者に対しても他の小児患者同様に感染対策を行う。

大学病院における小児感染対策担当者の業務

小児感染対策担当者が小児科医であり，かつ感染症を専門としている場合は，事実上の責任者となり，大学病院全体の感染対策担当者（以下，ICT）も兼務することが多い。小児感染対策担当の責任者は，ICT，小児病棟の医長，師長主任，リンクナース，関連各科感染専門委員（各科に 1 名の感染担当医がいる）などと協力し，小児感染対策にあたる。

小児病棟で突発的にウイルス疾患が発生し，小児患者について感染症診療の相談をしたい場合には，小児感染対策担当者や病院の ICT に診療依頼ができる。血液培養陽性や耐性菌新規出現については，小児であっても先に ICT に連絡が入るので，そこから小児感染対策担当者に情報が送られることになる。小児感染対策担当責任者としての業務を表1に示す。

表1 小児感染対策担当責任者の業務（大学病院の例）

1. 病院全体としての感染対策業務の一部
   （詳細省略）
2. 小児病棟（周産期・小児医療センター）としての感染対策業務
   ①マニュアル作成・方針策定（インフルエンザ，RS ウイルス感染症，水痘・帯状疱疹，麻疹，先天性風疹症候群，耐性菌感染症〔ESBL 産生菌，MRSA 等〕，新型インフルエンザなど）
   ②発生時・緊急時のアウトブレイク対応（マニュアルの活用）
   ③小児感染症治療コンサルト（抗微生物薬適正使用含む）
       ※感染対策担当臨床検査技師，感染対策担当薬剤師からの助言を得る
   ④感染対策教育
   ⑤教員の流行性ウイルス疾患の抗体価管理
   ⑥感染症情報の配信（2～5 件/月程度）
       ※小児科・小児外科全員，各小児病棟師長主任，関連各科感染担当あて
   ⑦病院全体の ICT への報告や相談

Note

コホーティング
同一の感染患者をグループとしてまとめ，同じスタッフがケアにあたり，そのグループを周囲から区別して感染対策を行うこと。

HIV：human immunodeficiency virus，ヒト免疫不全ウイルス

1.3 市中病院における小児病棟

Points
▶ 小児の感染対策担当者は，**小児科医**が適切である。
▶ 成人と小児の混合病棟における感染対策の基本は，**標準予防策**である。
▶ 各種ワクチンに対するカウンセリングも重要。

市中病院における院内感染の病原体

院内感染で問題となる病原体は，年齢により異なっている（表1）。新生児集中治療室（NICU）で問題となるのはメチシリン耐性黄色ブドウ球菌（MRSA）や耐性グラム陰性菌（大腸菌，緑膿菌など）である。職員を介して感染が拡大する危険性がある。感染拡大防止には標準予防策と接触予防策が基本である。

市中病院の小児病棟の院内感染で話題となるのは，主としてウイルス感染である。水痘ワクチン（乾燥弱毒生水痘ワクチン）は2014年9月までは，任意接種であったため，ワクチンの接種率が30％程度と低く，水痘対策は小児病棟の重要な課題であった。

流行性耳下腺炎（ムンプス，おたふくかぜ）ワクチン（乾燥弱毒生おたふくかぜワクチン）は現在も任意接種であり，周期的に流行が認められている。

麻しんワクチン（乾燥弱毒生麻しんワクチン）や，風しんワクチン（乾燥弱毒生風しんワクチン）は小児での接種率が高まったために，いまでは1歳未満の小児を含めた，ワクチンを受けていない小児と成人の感染症になっている。成人の病棟でも院内感染対策が必要である。

インフルエンザウイルスやノロウイルスは，高齢者から小児まで感染するウイルス感染症である。発症すると重症化するリスクが高い，高齢者や乳幼児では注意が必要である。

結核菌，クロストリディオイデス・ディフィシル（*Clostridioides difficile*），各種耐性菌などの細菌感染症

表1　市中病院において年齢により院内感染が問題となる病原体

	病原体	高齢者	成人	小児	新生児
細菌	結核	○	○	○	−
	MRSA	○	○	△	○
	耐性菌※	△	△	−	△
	C. difficile	○	○	−	−
ウイルス	インフルエンザ	○	△	△	−
	ノロウイルス	○	△	△	−
	ロタウイルス	△	−	○	−
	麻疹	−	△	○	−
	風疹	−	△	○	−
	水痘	−	−	○	−
	流行性耳下腺炎	−	−	○	−

※耐性菌には，バンコマイシン耐性腸球菌（VRE），カルバペネム耐性腸内細菌科細菌（CRE），多剤耐性アシネトバクター（MDRA），基質特異性拡張型β-ラクタマーゼ（ESBL）産生腸内細菌科細菌などがある。

は，成人病棟や高齢者施設で問題となる。感染を拡大させないために，日頃のサーベイランスや抗微生物薬の適正使用が大切である。

小児の感染対策担当者と病棟での感染対策

成人と小児では対象とする院内感染の起因病原体が異なること，院内感染で問題となる小児の代表的な感

NICU：neonatal intensive care unit，新生児集中治療室
MRSA：methicillin resistant *Staphylococcus aureus*，メチシリン耐性黄色ブドウ球菌
VRE：vancomycin resistant *Enterococcus*，バンコマイシン耐性腸球菌
CRE：carbapenem resistant *Enterobacteriaceae*，カルバペネム耐性腸内細菌科細菌
MDRA：multidrug resistant *Acinetobacter*，多剤耐性アシネトバクター
ESBL：extended spectrum β-lactamase，基質特異性拡張型β-ラクタマーゼ

表2 麻疹，風疹，水痘，流行性耳下腺炎の感染対策の運用例

	麻　疹	風　疹	水　痘	流行性耳下腺炎
発症予防抗体価	120 mIU/mL 以上（EIA 法）	10 IU/mL 以上（EIA 法）	未同定	未同定
曝露前ワクチン接種	2 回	2 回	2 回	2 回
曝露後ワクチン接種	72 時間以内	72 時間以内※1	3〜5 日以内	無効
筋注用γグロブリン投与（IMIG，160 mg/mL）	0.25 mL/kg（40 mg/kg）	0.55 mL/kg	Vari ZIG	無効
静注用γグロブリン投与（IVIG）	100 mg/kg	200 mg/kg	200 mg/kg	無効
抗ウイルス薬	なし	なし	ACV※2	なし

※1 CDC は無効としているが，AAP は理論上有効としている．
※2 曝露 7〜9 日後からアシクロビル（ACV）：40〜80 mg/kg/日を 1 日 4 回，7 日間投与する．

水痘，流行性耳下腺炎の発症予防抗体価は未同定であるが，中和抗体 4 倍が理論上の発症予防抗体である．
麻疹 4.0 EIA 価，風疹 4.0 EIA 価は発症予防抗体価に相当する．
米国では風しんワクチンは 1 回接種で十分としているが，日本では 2 回接種を必要としている．
曝露後のワクチン接種は，曝露してから接種するまでが早ければ早いほど効果が高い．
麻疹では筋注用γグロブリン（IMIG，160 mg/mL）を曝露後 6 日以内に投与．免疫不全者には倍量を投与．
日本では VariZIG は市販されていない．
静注用γグロブリン（IVIG）の投与量は，投与後の抗体価が理論上，発症予防抗体価の約 10 倍になる量．

染症ではワクチンが開発されていることなどの理由で，小児の感染対策担当者は，ワクチンを含めた小児感染症に熟知した小児科医が適切である．

小児の代表的な感染症を，感染経路別に付録②（p.300）に示した[1]．空気感染する感染症は，結核，麻疹，水痘の 3 種類である．日本では，排菌している結核患者は年齢に関係なく原則，結核病棟で管理することになっている．

麻疹と水痘は原則，陰圧個室に入院することになっているが，陰圧個室がないときは一般個室に入院し，換気（1 時間に 6〜12 回以上）に努めることが大切である[1]．①麻疹および水痘に免疫がある医療従事者が患者をケアする，②標準予防策に加え，空気予防策により，感染を拡大しないようにする，③麻疹や水痘患者が複数になったときは，1 つの大部屋に入院させること（コホーティング）も考慮すべきである．

流行性耳下腺炎，風疹，インフルエンザ，百日咳などは，飛沫感染する感染症である．標準予防策に加え，飛沫予防策が大切である．原則，個室に入院させるが，患者数によってはコホーティングで対応する．

ノロウイルス，ロタウイルス，サルモネラ菌，RS ウイルスなどは，接触感染する感染症である．標準予防策に加え，接触予防策が大切である．

成人と小児の混合病棟における感染対策

入院患者の年齢に関係なく，感染対策の基本は標準予防策である．日頃から接触予防策および飛沫予防策に注意を払っていれば，小児の感染症にも対応が可能である．

麻疹，風疹，水痘，流行性耳下腺炎への対応

麻疹，風疹，水痘，流行性耳下腺炎患者の医療ケアにあたっては，2 回以上ワクチンを接種しているか，明らかに抗体がある医師や看護師が担当すべきである[1,2]．麻疹，風疹，水痘，流行性耳下腺炎の院内発症があったときの対応策を表 2 に示した．

麻疹患者が発症した場合，生後 6 カ月以上で麻しんワクチンの接種歴がない免疫健常者では，できるかぎり早期に麻しんワクチンを接種する[3]．麻しんワクチンの接種ができない免疫不全者や妊婦は，γグロブリンを使用する．筋注用γグロブリン（IMIG，160 mg/mL）は 0.25 mL/kg（40 mg/kg）投与する．理論上，静注用γグロブリン（IVIG）を 100 mg/kg 投与すれば発症予防が期待される[4]．免疫不全者では，免疫健常者の倍量を投与する．

AAP：American Academy of Pediatrics，米国小児科学会

米国小児科学会（AAP）は，風しんワクチンの緊急接種は理論上効果があるとしている[5]。IVIG も 200 mg/kg 投与すれば，理論上，発症予防が期待される。

流行性耳下腺炎ではムンプスワクチンの緊急接種も IVIG の投与も効果がないとされているが，ムンプスワクチン接種歴のない人にワクチンを接種することは，免疫を賦与するために効果的な方法である。

水痘については，曝露後 3〜5 日以内ならば，水痘ワクチンは軽症化を含めた効果が認められている[2]。IVIG も 200 mg/kg 投与すれば，理論上，発症予防が期待される。

各種ワクチンのカウンセリングを含めた小児の感染対策

小児の感染対策においては，各種ワクチンに対するカウンセリングも重要な役割である。この点からも，入院を含めた小児医療を行っている施設では，小児感染症の専門医からなる小児感染対策担当者が必要である。

文献

1) Red Book, 32nd Edition, American Academy of Pediatrics, 2021
2) Advisory Committee on Immunization Practices; Centers for Disease Control and Prevention（CDC）: Immunization of health-care personnel: recommendations of the Advisory Committee on Immunization Practices（ACIP）. MMWR Recomm Rep, 60（RR-7）: 1-45, 2011
3) Parks SE, et al: Surveillance for violent deaths - National Violent Death Reporting System, 16 states, 2010. MMWR Surveill Summ, 63(1): 1-33, 2014
4) 庵原俊昭：麻疹，風疹，水痘，ムンプスの患者に接触したときの感染予防措置はどうすればよいですか．小児内科，43 巻増刊号：s559-s561, 2011
5) Red Book, 32nd Edition, American Academy of Pediatrics, pp648-655, 2021

Memo

クリニックでの感染対策

Points
▶ 感染源対策は，建物の構造，運用方法，機能的隔離などの観点から実施する。
▶ それぞれのクリニックに適した感染源対策，感染経路対策，感受性者対策を構築する。

クリニックでの感染対策の必要性

クリニック（無床診療所）は施設の大きさ，職員数，資金面において規模が小さく，来院患者の疾病構造も病院とは異なる。

感染症患者については，重症度や合併症の有無という点では，病院に比べると軽症患者が多いと思われるが，軽症であっても感染能力が劣るわけではない。また，病院よりも白血病患者などの免疫抑制状態の患者は少ないが，健診や予防接種を目的とした健康な乳幼児が頻繁に来院する。

クリニックにおいても院内感染を防ぐための配慮を欠くことはできない。

感染源対策（隔離）—建物の構造

隔離は建物の構造としてのハード面と，その構造に適した運用方法としてのソフト面の組み合わせで行う。

一事例を具体的に示す。図1に示すように，Ⓐ職員玄関，Ⓑ予防接種専用入口，Ⓒ一般診療入口，Ⓓ感染症入口と4つの入口がある。

病院と比較して，クリニックでは予防接種目的の来院者は多い。その大部分は健康な乳児であり，院内感染から徹底的に守られるべきである。対象となる子どもたちは「予防接種専用入口」（Ⓑ）から「予防接種専用待合室」に入り，一般診療とは別の診察室で接種を行い，再び待合室で30分待機の後，帰宅する。この間，かぜなどの一般診療の患者との接触はない。

発熱や嘔吐，下痢，咳嗽などの症状を訴えて来院する患者は，「一般診療入口」（Ⓒ）から「一般待合室」に入り，順番が来たら一般診療スペースで診察や検査を行い，再び一般待合室に戻って会計をして帰宅する。この間，予防接種目的の子どもたちと動線が重なることはない。ただし，図に示すように，受付のⓈとⓉはオープンカウンターとなっており予防接種待合室と一般診療待合室は空間としてはつながっている。ⓈのカウンターとⓉのカウンターの間の距離は3m以上あるのでインフルエンザウイルスなどを含む飛沫が一般診療待合室から予防接種待合室に届くことはないが，空気感染を起こす麻疹，水痘，結核については別の手段が必要になる。

麻疹，水痘，結核の患者が来院した場合は，一般診療待合室を経由することなく「感染症入口」（Ⓓ）から診療所に直接入る。感染症入口から入ると，そこは「隔離診察室」となっており待合室の空間はない。来院したらすぐに診察して，そのまま感染症入口（Ⓓ）から帰宅する。

感染源対策（隔離）—運用方法

予防接種専用入口，一般診療入口，感染症入口が十分に機能するためには，すべての受診者について適切な感染対策上のトリアージ（感染症トリアージ）が実施される必要がある。予防接種目的の子どもについては保護者も不必要な感染を受けたくないという意識があり，一般診療入口を避けて予防接種専用入口から入ろうとする意思がある。それに対して，空気感染する疾病の患者は，医療関係者が意識的にトリアージしなければ，自発的に隔離室に向かわせることは難しい。一般的な診療所では結核患者が受診することはほとんどないので，トリアージの対象となる疾患は主に水痘と麻疹である。

まず予約の段階でトリアージが可能である。たとえば，予約手段を直接の電話予約とする方法がある。Webや電話回線を介してパソコンや携帯電話から患者自身が行う自動予約受付方式は採用せず，看護師あるいは事務が電話を受けて受診動機を聴き，予防接種が目的で症状の何もない子どもの場合は予防接種入口から，症状と現病歴から水痘あるいは麻疹が疑われるときは，隔離室に直接入るように指示をする。その際，とくに隔離室の入口をまちがえることを防ぐために，「建物の脇に噴

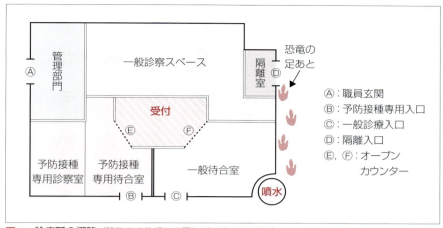

図1　診療所の概略（建物内の仕切りや扉などは省いてある。）

水があります。そこから歩道に"恐竜の足あと"がついているので，その足あとをたどってください。つき当たりにドアがありますから，インターホンで来院した旨をお伝えください」（図参照）などと伝える。これがたとえば「右手の入口」などの伝え方では，何を基準に右なのかが不明瞭であり，入口をまちがえることが予想される。麻疹や水痘患者が一般診療入口から入ってくることを確実に避けるために，感染症入口までの歩道には恐竜の足あとを埋め込むなど，わかりやすい目印となるものを設置する。なお，隔離診察室が待合室にないために，同時に2組の患者を入室させることができない場合は，部屋の使用時間が重複しないように，隔離室を使う患者の予約は30分以上空けるようにする。このような操作をするためにも，患者による自動予約システムを採用せずに職員が対応する方法で予約を入れる。

　次に，一般診療として来院した子どもにトリアージを実施する。一般診療の受付を済ませた子どもは，診察前に待合室で動脈血酸素飽和度と心拍数を看護師が確認している。その際に水痘や麻疹が疑われる子どもがいた場合は，直ちに隔離室（隔離室が使用中の場合は別室）に誘導する。

　ここで，この構造的隔離を実施していても院内感染が防御できなかった事例を紹介する。患者は乳児の麻疹患者であり，麻疹発症の11日前にかぜ症状で受診していた。電子カルテには来院時間と会計終了時間が記録されている。この乳児の麻疹患者が11日前に受診している最中に，ちょうど隔離診察室に別の麻疹患者が来ていた。同じ空間を共有している可能性は皆無であるので，おそらく診察した医師の手や聴診器などに付着した麻疹ウイルスが感染源となったと思われる。

構造的隔離を実施していても，標準予防策の徹底が必要である。

感染源対策（隔離）—機能的隔離

構造的隔離以外にも機能的な感染対策も可能である。

（1）時間的隔離

　乳児健診などの健康外来を，午後2時から3時までのように，時間を区切って実施する。その間は発熱などの一般診療を行わないことによって院内感染を防ぐ。

　専用入口がない，あるいは健康外来のスペースを確保できない場合には，とくに有効な手段である。

（2）逆隔離

　便秘やおむつかぶれなど明らかに感染症ではない訴えで受診する乳児や，母親が妊婦の場合は，一般待合室でインフルエンザなどの感染症に曝露するリスクを回避する必要がある。

　一般待合室の代わりに，処置室などの別室で待機させる逆隔離を行う。

（3）駐車場の車の中で待つ

　待合室の広さが十分でない場合，駐車場に止めた自家用車の中で待機させる。①無線で作動可能な呼び鈴を使う，②受付時に保護者の携帯電話番号を聞いておいて順番になったら呼び出すなどの方法がある。

　感染源の隔離にも，乳児などの逆隔離にも利用できる。

感染経路対策ならびに感受性者対策

感染経路対策と感受性者対策は，病院とほぼ同様となるが，いくつか例示する。

- 待合室の乳児用ベッドの柵，診療机などは，診療の合間にも頻繁に消毒用エタノールを使用して拭き掃除を行う。待合室などで嘔吐した子どもがいたら，事務担当者，看護師は他の業務を中止して，すぐに拭き掃除を行う。
- 子どもがなめる可能性のあるおもちゃなどは，待合室に一切置かない。
- 予約の段階で咳が主訴の場合はマスクをしてくるように勧め，忘れてきた場合は，あらかじめ用意してあるマスクを渡して，待合室では着用することをお願いする。
- 職員は，接種可能な予防接種をすべて受ける。

クリニックにおける感染対策の特徴

クリニックごとに建物の構造，職員数，来院患者の人数などが異なるので，それぞれのクリニックに適した感染源対策，感染経路対策，感受性者対策を構築する必要がある。

構造を活かした形で感染対策が十分機能する手順を独自に定めることが重要である。

新型インフルエンザ等対策における地域連携

Points
- 発生した感染症の病原性の高さに応じて，「地域発生早期まで」と「地域感染期以降」における感染対策・体制を構築する。
- 物的・人的資源が不十分な医療施設も考慮し，施設間の情報交換やコンサルテーション，相互評価等が可能な，地域・県レベルでの医療ネットワークを構築・強化する。

新型インフルエンザ等対策における地域医療連携

世界的な大流行（パンデミック）を引き起こす可能性のある感染症として，新型インフルエンザと新感染症が想定されている。国は2013年6月に新型インフルエンザ等の流行時の政府行動計画と「新型インフルエンザ等対策ガイドライン」（以下，ガイドライン）を相次いで発表した[1]。ここでは行動計画およびガイドラインに定められているパンデミック時の医療体制と地域連携について述べる[2]。

国内における発生段階に応じて，時期を「未発生期」，「海外発生期」，「国内発生期」，「国内感染期」，「小康期」，「再燃期」に分類している。国内発生期は国内で初めて患者が発生した時期である。国内感染期はいずれかの都道府県において，患者の接触歴が疫学調査で追えなくなった時点を目安としている。一方，地域（都道府県）における発生段階を，国全体とは区別して，地域の実情に応じて都道府県単位で定めるとされている。

未発生期における準備

地域医療体制を確保するため，未発生期から新型インフルエンザ等の患者を診療するための院内感染対策の準備や，必要となる医療器材の確保が求められている。また，発生時においても医療提供を継続的に確保するため，新型インフルエンザ患者の診療を含めた診療継続計画を策定しておくこと，病診連携・病病連携など地域における医療連携体制を構築しておくことが重要である。

発生時の医療体制

「地域発生早期まで」と「地域感染期以降」に分けて感染対策・体制を構築する。

（1）地域発生早期まで

発生国からの帰国者や患者との濃厚接触者が発熱・呼吸器症状等を有する場合は，保健所の設置する「帰国者・接触者相談センター」において電話相談を行い，受診の調整を行う。その後，受診を促された「帰国者・接触者外来」において外来診療を行う。

帰国者・接触者を検査体制等の整った医療機関につなぐことと，患者を集約することでまん延を可能なかぎり防止することが，外来開設の目的である。「帰国者・接触者外来」は，地域の実情を勘案し，おおむね人口10万人に1カ所程度，都道府県等が確保することとされている。診療の結果，新型インフルエンザ等と診断された場合は，「感染症の予防及び感染症の患者に対する医療に関する法律」（略称：感染症法）にもとづき感染症指定医療機関等において入院診療を行う。

（2）地域感染期以降

地域感染期以降の段階においては，原則として「内科・小児科の入院診療を行う」すべての医療機関において，新型インフルエンザ等の患者の診療を行う。ガイドラインでは，一般の医療機関における診療の指針について，以下のように具体的に示している。

① 通常の院内感染対策に加え，新型インフルエンザ等患者とその他の患者とを可能なかぎり時間的・空間的に分離するなどの対策を行う。

注：2022年現在，新型コロナウイルス感染症対策がとられているが，本項目の内容は本質的には変わらず，また今後新たに出現する感染症への対応を記したものである。

表1 病原性による対策の選択について（概要）

	実行する対策			
病原性	病原性が不明または病原性が高い場合		病原性が低い場合	
発生段階	地域発生早期まで	地域感染期以降	地域発生早期まで	地域感染期以降
相談体制	帰国者・接触者相談センター	―	―	―
	コールセンター等	コールセンター等	コールセンター等	コールセンター等
外来診療体制	帰国者・接触者外来	―	―	―
	帰国者・接触者外来以外の医療機関では新型インフルエンザ等の患者の診療を原則として行わない	一般医療機関	一般医療機関	一般医療機関
		新型インフルエンザ等の初診患者の診療を原則として行わない医療機関の設定	必要に応じて，新型インフルエンザ等の初診患者の診療を原則として行わない医療機関の設定	必要に応じて，新型インフルエンザ等の初診患者の診療を原則として行わない医療機関の設定
	すべての患者に関する届出	―	―	―
	―	電話再診患者のファクシミリ等処方	―	必要に応じて，電話再診患者のファクシミリ等処方
入院診療体制	入院措置	―	―	―
	すべての患者が入院治療	重症者のみ入院治療	重症者のみ入院治療	重症者のみ入院治療
	院内感染対策	院内感染対策	院内感染対策	院内感染対策
	―	待機的入院，待機的手術の自粛	―	待機的入院，待機的手術の自粛
	―	定員超過入院	―	定員超過入院
	―	臨時の医療施設等における医療の提供	―	―
要請・指示	必要に応じて，医療関係者に対する要請・指示	必要に応じて，医療関係者に対する要請・指示	―	―
検査体制	全疑似症患者にPCR検査等	―	―	―
	疑似症患者以外については，都道府県が必要と判断した場合にPCR検査等	都道府県が必要と判断した場合にPCR検査等	都道府県が必要と判断した場合にPCR検査等	都道府県が必要と判断した場合にPCR検査等
予防投与	抗インフルエンザウイルス薬の予防投与を検討	患者の同居者については，効果等を評価した上で，抗インフルエンザウイルス薬の予防投与を検討	―	―
情報提供	医療機関に対する情報提供	医療機関に対する情報提供	医療機関に対する情報提供	医療機関に対する情報提供

〔文献1）より転載〕

② 地域全体で医療体制が確保されるよう，例えば，外来診療においては，軽症者をできるかぎり地域の中核的医療機関以外の医療機関で診療する，地域の中核的医療機関の診療に他の医療機関の医師が協力する等，病診連携を始め医療機関の連携を図る．
③ 患者数が大幅に増加した場合にも対応できるよう，重症者は入院，軽症者は在宅療養に振り分けることとし，原則として，医療機関は，自宅での治療が可能な入院中の患者については，病状を説明した上で退院を促し，新型インフルエンザ等の重症患者のための病床を確保する．

新型インフルエンザ等の患者に対する診療のほか，がん診療，透析医療，産科医療など，新型インフルエンザ等以外の診療体制も維持できるよう，地域全体で医療体制の確保に努める必要がある．

一方，病原性の違いにともなう対策の相違を含め，発生早期・地域感染期の医療体制が一覧にまとめられている（表1）．病原性にともなう相違が示されたことが，2009年のパンデミック時に比し，改善した点である．

(3) まん延期

まん延期においても診療を継続できる体制を構築するために，診療継続計画において「重要業務」と「縮小・休止可能な診療業務」を分類しておくことが大切である．分類方法としては，表2の3群に分類する方法が提唱されている．

一方，勤務可能な職員を確保するため，職員の健康管理が重要となる．医療従事者に対して先行的に予防接種が受けられるよう，特定接種の登録を行っておくことや，患者と直接接触する職員の抗インフルエンザ薬の予防投与を検討しておくことなどである．

医療関連感染の制御に向けた地域医療ネットワーク

感染症は，一医療施設にとどまらず，広く地域社会全体へ感染が伝播・拡大し，大きな影響を引き起こす可能性があるため，地域全体における感染対策の連携と協力が必要不可欠である．

しかし地域には，施設・設備等の物的資源や，ICTの人的資源がそろい，エビデンスにもとづく感染対策が可能な中核的病院のみならず，物的・人的資源が不十分な医療施設も含まれる．このような実情を背景に，感染制御の分野における地域連携の強化が提唱され，近年，さまざまな地域や県などの自治体レベルで院内感染対策の進展を目的とした地域医療ネットワークの構築が進められている[3]．具体的な活動内容を以下に紹介する．

表2　診療業務の分類方法

重要度	業務内容
A（高い）	地域感染期でも通常時と同様に継続すべき診療・業務
B（中等度）	地域感染期には一定期間，または，ある程度の規模であれば縮小できる診療・業務
C（低い）	地域感染期には，緊急の場合を除き，延期できる診療・業務

① 情報の共有化
- 講演等による最新情報や具体的な感染対策の紹介
- 微生物検出結果情報を共有化し，患者の移送や転院時に利用する

② 連携・協力
各種医療処置について，下記を実施する
- 標準予防策を基本とした共通ガイドラインや，マニュアルの作成
- 抗微生物薬適正使用や消毒薬使用の共通ガイドラインの作成
- 地域版のアンチバイオグラムの作成
- 各施設間での耐性率の比較検討
- 地域住民に対する教育・啓発活動

③ 支援体制の構築
- 人的資源に限りのある中小医療施設に対する感染対策支援
- 相談窓口を設置し，コンサルテーション業務やアウトブレイク対応支援を行う
- 病院訪問（ビジット方式）感染対策ラウンドを実施し，各施設の問題点の把握と改善に努める

④ 人材育成システムの構築
- 教育プログラムを策定し，感染症学・感染制御学・臨床微生物学・実地疫学などの習得やアウトブレイク対応の実践などを通し，地域において人材を育成する

一方，2012年度（平成24年度）診療報酬で感染防止対策加算および感染防止対策地域連携加算が新設され，その後2022年度（令和4年度）には感染対策向

上加算に改訂され,加算を取得した施設間の情報交換や,コンサルテーション,相互評価が行われるようになった。さらに,県や地域のレベルで加算を取得した病院や診療所を中心に,より大規模な組織を構築し,医療機関どうしの情報交換や連携協力を行うかたちが構築された[4]。

いずれの動きも,感染対策面での地域連携の強化,対策の充実を目的としたものであり,今後の進展と成果が期待される。

文献
1) 新型インフルエンザ等及び鳥インフルエンザ等に関する関係省庁対策会議:新型インフルエンザ等対策ガイドライン.平成25年6月26日(平成30年6月21日一部改定)
2) 田辺正樹:新型インフルエンザ等対策―新型インフルエンザ等対策特別措置法および新型インフルエンザ等対策政府行動計画に基づく診療継続計画(BCP)の作成―.インフェクションコントロール,24(2):121-131,2015
3) 賀来満夫,他:感染症・感染制御のトレンドと未来に向けての地域ネットワーク.医学のあゆみ,231(1):5-10,2009
4) 佐藤武幸,他:行政と大学病院がリーダーシップをとって連携した地域の取り組み:千葉県.インフェクションコントロール,22(8):762-767,2013

Memo

JACHRI 小児感染管理ネットワーク（PicoNET）

Points
- JACHRI 小児感染管理ネットワークは感染対策レベルの向上を目指し，職種を越えた協議によるエビデンスづくり，情報共有に努めている。
- 「小児医療施設における感染対策チェックリスト」などを公開しているので，活用されたい。

日本小児総合医療施設協議会とは

日本小児総合医療施設協議会（JACHRI）は，小児総合医療施設の医療，研究，教育，および社会活動を支援する任意団体であり，国際的水準の小児医療施設の確保，普及に努めるとともに，現在および未来の子どもとその家族の心身の健康水準の向上を目指すことを目的とし設立された。

加盟施設は，小児・青年の高度で包括的な医療を目的として設立された施設であり，一定の設備，人的資源，使命を備えていることが必要とされている。具体的には小児関連病床が原則として100床以上設置されていることや，医師の配置が100床あたり20名以上であることを要件としている。

主な活動は，会員施設の医療機能および経営状況に関するデータの収集，小児の外来および入院診療の環境整備と，小児医療に携わる職員の就労状況改善のための診療報酬改定要望，小児治験や災害時支援等のネットワーク活動，また施設長・事務・看護・薬剤の各部会活動を通し，必要な協議，調査等により問題解決を図っている。

小児感染管理ネットワークの沿革

小児の特殊性を踏まえた感染対策に関わる国内のエビデンスは少なく，多くの施設で独自の慣習にもとづき試行錯誤が行われてきた。小児に関わる感染対策手法を標準化し，評価指標にもとづく改善活動が必要と認識されてきた。そこで2008年，JACHRI 看護部長会指導のもと感染管理担当看護師によるネットワークが構築され，2013年には感染対策スキルの均てん化をさらに推進する目的で，多職種（医師，看護師，薬剤師，臨床検査技師，事務など）による小児感染管理ネットワーク（PicoNET）を発足させた（表1）。

小児感染管理ネットワークの組織と目的

本ネットワークは，JACHRI 加盟施設を中心とした施設の感染対策担当者により，小児医療を向上させるための医療関連感染対策（臨床研究も含む）を推進し，より安全な療養環境と感染防止技術を患者へ提供することを目的としている。感染対策レベルの向上には多職種による多施設合同の取り組みと情報共有が必要であることを受け，ネットワークでは職種を越えた協議によりエビデンスをつくり，共有することを特徴としている。

ネットワークの具体的な活動と成果

ネットワークでは，感染対策のエビデンス創生に関わる複数のプロジェクトを軸に，情報を共有している。

（1）小児領域における感染対策に関する多職種による情報交換と共有

全国の小児感染対策担当者による会議を年に1回開催し，年間を通して実施してきた活動の情報共有を行っている。また，メーリングリストを通して感染対策に関わる種々の問題点の情報共有と検討を行っている。

（2）小児領域における感染対策のためのエビデンスデータ集積と分析

- 小児抗菌薬使用量の指標：一般的に抗菌薬の使用量は抗菌薬の総使用量を daily defined dose で割った抗菌薬使用密度を用いて標準化されるが，小児

JACHRI：Japanese Association of Children's Hospitals and Related Institutions，一般社団法人 日本小児総合医療施設協議会
PicoNET：Pediatric Infection Control Network，小児感染管理ネットワーク

表1 小児感染管理ネットワーク（PicoNET）の活動内容

	具体的な活動内容
全般的な感染管理	・小児感染管理チェックリスト ・標準予防策の推進 ・小児における標準予防策の指標づくりについて ・小児在宅医療の現状と感染対策における問題点について
アウトブレイク対応,病原体別対応	・ノロウイルスによるアウトブレイク対応・検査方法 ・アウトブレイク発生時のサポート体制整備について ・水痘・帯状疱疹マニュアル ・耐性グラム陰性桿菌アウトブレイク ・オリンピック・パラリンピック対応 ・新型コロナウイルス感染症対策
周術期感染予防	・周術期の予防接種についての実態調査 ・周術期の感染症予防
検査	・CLSI 基準改定について ・カルバペネム耐性菌検査方法 ・百日咳の診断 ・血液培養報告体制 ・海外耐性菌スクリーニング
職業感染予防	・百日咳含有ワクチン接種
小児病院における AST 活動	・小児における抗菌薬使用量と耐性率調査（2012 年～2019 年継続中） ・地域連携 ・J-SIPHE について

の場合は患者ごとに体重が大きく異なり，体重あたりの投与量から算出されるため，病院全体での総使用量は正確な指標になりにくい。当活動を通して，1 患者 1 日あたりの抗菌薬使用日数が小児抗菌薬の簡易的な指標に用いることが可能であることが明らかになった。また，カルバペネム系抗菌薬の使用日数と緑膿菌のカルバペネム感受性に負の相関があることが示された（4.2 節，p.152 参照）。

- 水痘・帯状疱疹感染対策マニュアルの作成：全施設からのアンケート調査とマニュアルの抜粋をもとに，標準的なマニュアルを作成した。
- 麻酔や手術前後の予防接種：全身麻酔を要する手術前後のワクチンの接種については，有害事象のまぎれこみ事象への懸念や，一過性の免疫抑制による効果減弱についての理論上の懸念から，習慣的に一定期間間隔を空けるように推奨されている。各施設へのアンケート調査により，この接種差し控え期間は大きく異なることが明らかになったが，不活化ワクチンは 2 日，生ワクチンは副反応と合併症を誤診しないように，14 ～ 21 日間隔を空けることが妥当と思われた。一部の施設では同意を取得したうえで，生ワクチンについても短い差し控え期間で対応していた。

(3) 小児領域における医療関連感染対策の均てん化

チェックリストをもとに施設内の実践状況の自己評価を行い，問題点の抽出，また，関東地区 5 施設においては相互評価を実施した。

(4) 小児領域における医療関連感染対策に関わるエビデンスの情報発信

本ネットワークの成果物は広く共有できるように，関連学会にて発表したり JACHRI ホームページ（URL：http://www.jachri.or.jp/）上で公開している。

小児感染管理ネットワークは，現時点では創成期にあたる組織である。現時点における活動は不足点も多いが，今後多くのプロジェクトを通して，現場で役に立つノウハウの蓄積を重ねていけるように取り組んでいる。

1.7 感染対策とコストの問題

Points
- 感染対策とコストを考えるとき，感染症の治療費より**感染予防が有効**である。
- **手指衛生**とマスクなどの**個人防護具の着用**は，感染対策のコストパフォーマンスが高い。
- 単回使用医療機器は再使用しない。

わが国の感染制御において，2012年実施の診療報酬改定はコスト問題に関わる変換点として特記すべきものである。各医療施設ではICT構築などの院内整備が進み，医療施設間の地域連携も急速に推進された。

一方，医療技術の進歩にともなう医療費の増大が顕著となり，消費税の増額や医療費の負担増が現実的となってきた。医療施設では，質の高い医療を提供するために，感染対策のさらなる充実にもとづく施設設備の拡充，スタッフの増員，医療器材の使用頻度の増加が大きな負担となっている。また，小児領域では，成人用の器材を分割使用するわけにもいかず，小児専用の医療器材はコスト高となる。

本節では，医療関連感染とコストの問題に焦点を当てて考えてみたい。

MRSA，病院感染症とコスト

わが国におけるMRSAの感染率の継続調査[1]では，MRSA感染例と非感染例とでは在院日数，診療報酬などが大きく異なることが報告されている。

「国民衛生の動向」[2]によると，平均新入院患者数は一般病床で37,355人／日（2009年）であり，このうち，0.4％がMRSAに罹患すれば，平均の新MRSA感染症例は149人／日となる。非感染症例群の平均在院日数は14.2日であり，15日目以降にかかる診療費は，感染症にもとづく余分な費用といえる。

これらのデータをもとに年間のMRSA感染症診療に必要となる余分な費用は，約2,360億円／年に達すると試算された報告もある[3]。

感染防止に必要なコスト

1,000床規模の大学病院をモデルとして，感染制御策を講じる諸経費についての調査がある。

感染制御に関わる医療資源として，個人防護具（PPE）である手袋各種，マスク各種，シールド付きマスク，エプロン，ガウン，シューカバーおよび洗浄剤，手指消毒薬，ペーパータオルなどに必要なコストを算出した。これらの調査をもとに，入院病棟ごとで評価して患者1入院あたり，および，患者1日あたりの感染制御のために必要な経費を検証した。今回の調査から除外項目としては，人件費，設備投資費用，洗浄・消毒・滅菌に関わる費用と感染性廃棄物処理費用などである。

病棟別では，救命救急・冠疾患集中治療室（CCU）では，1病棟あたり，年間約1,130万円必要であり，患者1入院単価では15,296円，患者1人1日あたりでは1,258円が必要である。集中治療室（ICU）では患者1入院あたり3,805円であるのに対して，NICUおよび継続保育室（GCU）では，患者1入院あたり33,228円と1入院単価が最も高いことが明らかとなった。

一方，小児科・小児外科病棟では，患者1入院あたりの費用は2,654円であり，患者1人1日あたり212円となっている。

病院全体で集計すると，1病棟年間平均約294万円になり，患者1人1日あたりでは305円必要となった。また，1人の患者の入院から退院までの1入院あたりでは4,694円必要であることがわかった（表1）。

PPE：personal protective equipment，個人防護具
CCU：coronary care unit，救命救急・冠動脈疾患集中治療室
ICU：intensive care unit，集中治療室
GCU：growing care unit，継続保育室
PAPR：powered air-purifying respirator，電動ファン付き呼吸用保護具
SUD：single-use device，単回使用器材

診療報酬点数への反映

前述の調査より，1人の患者の入院から退院までの1入院あたりでは4,694円必要で，2012年度診療報酬で新設された感染防止対策加算において，患者の入院時に390点の加算により，おおむねPPE費用についてはまかなえることになり，さらに，感染防止対策地域連携加算100点の加算により，患者1人あたり計490点の加算が実現した。その後，抗微生物薬適正使用や地域連携を推進するための加算が追加されている。

感染対策の費用対効果

感染対策のコストパフォーマンスとして，消費した費用が，その成果（感染の伝播防止）を満たすものであったかどうか，費用対効果を手指衛生，マスク着用について下記に検討してみる。

（1）手指衛生のコストパフォーマンス

感染対策の基本は手洗いであり，そのコストパフォーマンスについて考えてみたい。

手洗いの感染防止効果を，最も古くから認めた者は，ゼンメルワイス（Ignaz Philipp Semmelweis）である。1847年，ウィーン総合病院産科にて産褥熱の接触感染に気づき，次亜塩素酸カルシウム（カルキ）にて手指消毒して以来，それまでの18.3％の死亡率を1.3％にまで減少させた。主に水や消毒剤のコストのみで，手洗いがいかにコストパフォーマンスの高い感染対策であるかが理解できる。

（2）マスク着用のコストパフォーマンス

一般的にマスクの濾過効率は，電動ファン付き呼吸用保護具（PAPR）で最も高く，次いでN95マスク（レスピレータ），サージカルマスク，一般市販マスクと続く。一般市販マスクにおいても5μmより大きい，いわゆる飛沫であれば99％近くの濾過効率を示す。一方，サージカルマスクにおいては2μmの粒子は，75％程度の

表1　一般病棟・特殊病棟における感染予防に必要な年間経費（1,000床規模の大学附属病院の調査より，2008年）

病棟別の主な診療科	エプロン	ガウン	ペーパータオル	手指洗浄剤	手袋A	手袋B	マスクA	マスクB
神経内科	35,280	327,600	219,120	21,301	49,060	229,320	78,400	22,500
産科・婦人科	80,640	88,200	209,160	36,456	2,420	466,440	99,600	11,250
呼吸器内科	64,800	1,638,000	255,640	96,159	0	967,980	205,200	67,500
内分泌代謝内科	30,960	289,800	182,600	36,694	1,100	458,250	74,000	67,500
心臓外科	233,280	540,540	262,280	21,693	0	999,570	184,800	78,750
小児科・小児外科	36,720	245,700	275,560	145,355	473,460	0	259,200	168,750
皮膚科・形成外科	73,440	448,560	185,920	62,419	0	602,550	124,400	22,500
消化器内科・泌尿器科	94,320	345,240	212,480	38,171	220	760,500	162,800	123,750
耳鼻咽喉科	35,280	241,920	169,320	44,156	3,960	399,750	104,800	101,250
消化器内科・泌尿器科	149,040	291,060	308,760	27,293	1,320	690,300	128,000	67,500
脳神経外科	117,360	2,095,380	252,320	68,012	0	1,248,780	203,200	146,250
整形外科・形成外科	47,520	234,360	285,520	62,734	0	438,360	116,800	0
肝胆膵・下部消化器外科	42,480	362,880	185,920	46,410	0	554,190	72,800	0
上部消化器外科・肺外科	113,040	275,940	275,560	59,003	440	751,530	110,000	0
循環器内科・麻酔科	22,320	352,560	175,960	33,586	0	746,850	107,200	0
消化器内科	105,840	44,100	282,200	92,813	0	676,650	122,000	0
循環器内科・腫瘍内科	131,760	296,100	109,560	15,547	150,920	290,550	104,800	33,750
血液内科	20,880	907,200	398,400	108,129	0	1,149,330	382,000	0
救命救急・CCU	25,920	5,346,400	458,160	46,872	49,500	2,940,600	664,000	225,000
NICU・GCU	599,760	1,301,580	511,280	168,525	0	1,905,150	91,600	180,000
ICU	306,000	601,020	146,080	41,741	0	1,131,000	156,800	22,500
総計	2,366,640	17,374,140	5,361,800	1,273,069	732,400	17,407,650	3,552,400	1,338,750
平均	788,880	5,791,380	1,787,267	424,356	244,133	5,802,550	1,184,133	63,750

濾過効率しか示さない（もちろん5μm以上の粒子は99％以上濾過できる）。

健康な人が，インフルエンザ感染防止のために，サージカルマスクを着用して感染を確実に防御できるかについてのエビデンスはない。しかし，インフルエンザに罹患している人，咳やくしゃみの出る人が，飛沫の飛散を防止する効果は非常に高い。このことから，いわゆる咳エチケットの必要性が出てくる。病院では，マスクを20円程度で配布することが可能で，飛沫感染を予防できる。インフルエンザ対策が不十分でインフルエンザの迅速検査を行った場合には検査料として5,670円必要である。さらに，オセルタミビルを処方すると患者に医療費が発生する。初診料などを加えるとかなり高額となる。罹患した職員が自宅療養した場合には，休んだ人の病院業務を交代する必要も出てくる。診療の縮小に発展することも考えられる。

インフルエンザ流行時に，職員を含めた周囲への感染防止のために，咳エチケットとして該当患者にマスクを提供することが，いかにコスト的に有用かがわかる。

単回使用器材のリユースとコスト

単回使用器材（SUD）は，ディスポーザブル製品として提供される器材であるが，1回使用で廃棄するのはもったいないという観念，資源の有効活用や医療廃棄物の削減などの理由にて，医療現場で再生処理後に再び使用している状況をしばしば見受ける。そして，再生回数が把握されていないものや，素材的に劣化して機能障害を起こしているものなどがみられて問題である。

厚生労働省では，周知を図るためくり返し通知を発出し，単回使用器材の添付文書の記載を遵守するとともに，「特段の合理的理由がないかぎり単回使用医療機器を再使用しない」[4]としている。

したがって，医療現場ではSUDの再使用はできない。数回使用すればその単価は明らかに安くなるが，その再生費用としての人件費，洗浄・滅菌のための経費は必要である。さらに，滅菌不良や器材の劣化により医療事故が発生した場合には，訴訟費を含めて多大な負担を強いられることになる。SUDの再使用については慎重でなくてはならない。

「医薬品，医療機器等の品質，有効性及び安全性の確保等に関する法律」（略称：医薬品医療機器法，旧称：薬事法）上において，単回使用器材とするかどうかについては製造元が決めることになっており，今後は新製品についてそれを単回使用とすべきかどうかについて，使用者側も交えた判定基準を構築していく必要がある。

まとめ

感染対策とコストを考えるとき，感染症の治療費より感染予防が有効であることは明らかである。

予防にかかる主な費用はPPEなどの経費であり，迅速診断費用や治療費に比較すればはるかに廉価であるといえる。予防接種も含めて有効な防御策を行っていく必要がある。

さらに，医療器材の再使用を含めて，経済的にも有効な活用方法について検討していかなくてはならない。

その他のマスク	シューカバー	手指消毒薬	年間経費総額	患者費用/1入院	患者1人あたり費用/日
0	0	292,030	1,274,611	3,035	132
0	0	447,450	1,441,616	1,095	133
0	0	848,730	4,144,009	3,932	235
0	0	364,610	1,505,514	1,150	131
0	0	492,100	2,813,013	3,464	167
0	0	754,300	2,359,045	2,654	212
0	24,500	539,980	2,084,269	2,321	169
13,500	0	325,660	2,076,641	1,012	111
0	0	486,780	1,587,216	1,816	121
0	0	779,570	2,442,843	1,052	133
0	0	634,220	4,765,522	6,440	362
30,793	0	540,170	1,756,257	1,529	96
4,200	0	547,390	1,816,270	1,447	157
75,600	0	654,930	2,316,043	2,295	128
117,801	0	430,540	2,586,817	2,637	210
21,815	0	600,210	1,945,628	1,236	109
0	0	488,490	1,621,477	2,446	189
101,609	0	888,440	3,955,988	6,694	189
0	171,500	876,090	11,304,042	15,296	1,258
0	0	525,350	5,283,245	33,228	962
0	0	376,580	2,781,721	3,805	1,205
365,318	196,000	11,893,620	61,861,787	98,584	6,409
17,396	9,333	566,363	2,945,799	4,694	305

〔単位：円〕

文献

1) 小林寛伊, 他：報告 MRSA 病院感染および病院感染加算対策によって生ずる医療費の増加. 環境感染誌, 28(5)：301-302, 2013
2) 厚生労働統計協会：国民衛生の動向 2011/2012 年. 厚生の指標, 58(9)：207, 2011
3) 小林寛伊, 他：報告 2010 年度の Methicillin-resistant *Staphylococcus aureus* 病院感染症サーベイランス. 環境感染誌, 27(3)：234-235, 2012
4) 厚生労働省：単回使用医療機器の取扱いの再周知及び医療機器に係る医療安全等の徹底について, 医政発 0921 第 3 号, 平成 29 年 9 月 21 日

Memo

小児感染対策の基礎知識

2.1 標準予防策

Points
- 小児は，手指衛生や咳エチケットなどの**衛生行動の習慣**が身についていない。
- 医療従事者は，**標準予防策**について十分に理解し，実践する必要がある。
- 現場の職員が手指衛生や個人防護具（PPE）着脱の手順を十分に理解し，実践できるようにするために，インフェクションコントロールチーム（ICT）は**定期的な教育を行う**必要がある。

標準予防策（standard precautions）は，「汗を除くすべての血液，体液，分泌物，排泄物，損傷した皮膚および粘膜には感染の危険性があるとして取り扱う」という考え方をもとに，すべての人に適用される感染対策である。標準予防策の勧告（表1）のなかでも小児医療に特徴的な内容を解説する。

小児患者の特徴

小児は，手指衛生や咳エチケットなどの衛生行動の習慣がまだ身についていないことが多いため，他者へ病原微生物を曝露させるリスクが高い。また日常生活のほとんどの状況で，抱っこ，おむつ交換や授乳などの介助が必要であり，濃厚な身体的接触が避けられない。

標準予防策は，医療従事者を感染から防御し，また医療従事者から患者への交差感染を防止するために，非常に重要である。

標準予防策の実際

（1）手指衛生

医療関連感染の原因は，医療従事者の手指を介した病原微生物の伝播によるものが多い。手指衛生は，最も基本的かつ重要な感染対策であるが，病原微生物は肉眼では見ることはできず，自分の手が媒介しているという認識をもつことが難しい。そのため，定期的な教育と手指衛生遵守率調査・フィードバックを行い，手指衛生遵守率を高いレベルで維持する必要がある。

手指衛生の方法（表2）は手指衛生を実施する場面に合わせて選択する必要がある。効果的な手指衛生を行うには，手指衛生が必要なタイミング（図1）と手指衛生のテクニック（石鹸による手洗いと速乾性擦式消毒薬使用による手指消毒）を習得し，洗い残し・擦り込み残しがないようにする（図2，図3）。

（2）個人防護具（PPE）

"個人防護具（PPE）"は，「感染性物質に対する防御のために職員が着用する防護具や器具」である。手袋，フェイスシールド，アイシールド，マスク，エプロン，ガウン，フットカバーなどの種類がある。

PPEには，
① 患者の血液，体液，排泄物など，感染性のあるものから，医療従事者への曝露を防ぐため
② 医療従事者を介して他の患者や環境への微生物の伝播を防ぐため

の2つの役割がある。

PPE使用のポイント（表3，p.34）を理解し，感染症の特徴や，行う処置・ケアに合わせて，適切なPPEを選択し，単独または組み合わせて使用する。

PPEの実際

（1）PPE着脱の方法

手袋，マスク，エプロンの着脱の方法を具体的に図説する（図4，p.32）。

（2）PPEの清潔と汚染の区別

PPEの着衣の際は，「患者への接触面をできるだけ清潔に保って着衣する」必要がある。逆に，患者ケア後などの脱衣の際は，「自分への曝露を最小限に脱衣する」必要がある。着脱の順序を守るために，PPEの着脱を一連の動きとして習得することが大切である。

PPE：personal protective equipment，個人防護具

表1 標準予防策の構成項目と勧告の内容

構成項目	勧　告
手指衛生	・血液，体液，分泌物，排泄物，汚染物に触れた後 ・手袋を外した直後 ・患者と患者のケアの間
個人防護具（PPE） 手袋	・血液，体液，分泌物，排泄物，汚染物に触れる場合 ・粘膜や創のある皮膚に触れる場合
個人防護具（PPE） ビニールエプロン，防水性ガウン	・衣類／露出した皮膚が，血液／血性体液，分泌物，排泄物に接触することが予測される処置および患者ケアの実施時
個人防護具（PPE） サージカルマスク，ゴーグル，フェイスシールド	・血液，体液，分泌物，とくに吸引や気管内挿管などの飛沫やしぶきが発生しやすい処置や患者ケアの実施中 ・呼吸性エアロゾルによる感染が疑われる，または感染が確認された患者のエアロゾルが発生する処置の間は，手袋，ガウン，顔／眼の保護具に加えて，N95規格以上のマスクを着用する
汚染された患者ケア器具	・微生物が他の人や環境に伝播することを防ぐ方法で取り扱う ・目に見える汚染がある場合は手袋を着用する ・手指衛生を実施する
環境整備	・環境表面，とくに患者ケア区域の高頻度接触面の日常ケア，洗浄，消毒のための手順を作成する
布・繊維製品と洗濯物	・微生物が他の人や環境に伝播することを防ぐ方法で取り扱う
針およびその他の鋭利物	・使用した針をリキャップしない，曲げない，折らない，手で取り扱わない ・やむをえずリキャップが必要な場合は，片手でのすくい上げ方式で行う ・（利用できれば）安全器材を用いる ・使用した鋭利物は耐貫通性容器に廃棄する
患者の蘇生	・口および口腔分泌物との接触を避けるために，マウスピース，蘇生バッグ，その他の換気器具を用いる
患者配置	・次のような状況では個室を優先する 　伝播の危険性が高い感染症，環境を汚染させやすい症状，適切な衛生状態を保持しない／できない患者，重症化率や致死率が高い感染症
呼吸器衛生／咳エチケット ※症状のある患者の感染性呼吸器分泌物の発生源の封じ込め，受診時の最初の時点（救急室やクリニックの振り分け区域および受付区域）で開始する	・症状のある人に，くしゃみ／咳をするときには，口／鼻を覆うように指導する ・ティッシュを使用し，手で触れずにふたが開けられる容器に廃棄する ・気道分泌物で手が汚染された後は手指衛生を遵守する ・（患者が耐えられれば）サージカルマスクか，空間的分離（約2m以上）を維持する
安全な注射手技	・すべての医療従事者が，推奨される感染制御対策を確実に理解し，遵守するために，教育プログラムで感染管理と無菌操作の原則を強化し，その遵守状況をモニタリングする
腰椎穿刺による髄腔内または硬膜外へのカテーテル挿入や薬剤注入	・ミエログラム，脊椎麻酔，硬膜外麻酔などで，脊髄腔や硬膜外にカテーテルを挿入，または薬剤を注入する施行者はマスクを着用する

〔文献1）を参考に作成〕

患者ケアに使用した器具の取り扱い

患者ケアに使用し汚染された器具は，衣服・環境や，眼・鼻・口などの粘膜を汚染しないように取り扱う必要がある．

小児の場合は，哺乳に使用した乳首，吸入後の吸入器具などに有機物が付着する場合が多い．血液・体液で汚染された器具を操作するときには，PPEを着用することを念頭におく．

患者に使用し，汚染された器具を処理する場合は，器具からの感染の危険性があるため，PPEを適切に着用し（手袋，エプロン，マスクに加えて，場合によってはゴーグルも着用），自身が曝露しないようにする必要がある．

表2 流水と石鹸による手洗いと，速乾性擦式手指消毒薬による手指衛生の選択

手指洗浄薬	適 応	場面例
流水と石鹸	・手に目で見える汚れがあるときや，血液，体液，排泄物などの湿性生体物質により手が汚染されたとき ・アルコール消毒に対して耐性のある病原体による感染症が疑われる患者や，その周囲環境に触れたとき	・クロストリディオイデス・ディフィシル等の芽胞と接触した可能性が高い場合 ・胃腸炎ウイルスなどのエンベロープをもたない病原体と接触した可能性が高い場合 ・目に見える有機物が付着したとき ・シーツ交換の後
速乾性擦式手指消毒薬	・上記に該当せず，手に目で見える汚れがないとき	・患者と直接接触する前 ・患者の傷のない皮膚に触れた後（脈，血圧測定など） ・患者ケアの際，体の汚れた部位から清潔な部位へと手を移動させる際 ・血液，体液，排泄物，粘膜，傷のある皮膚，創傷のドレッシングに触れた後 ・医療機器に触れた後 ・手袋を外した後

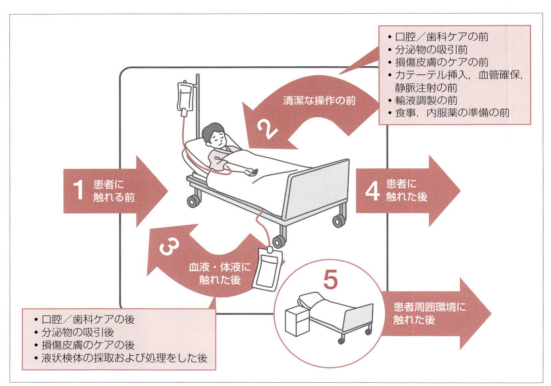

図1 WHOが提唱する医療従事者の手洗いが必要な5つの場面　　〔文献3〕を参考に作成〕

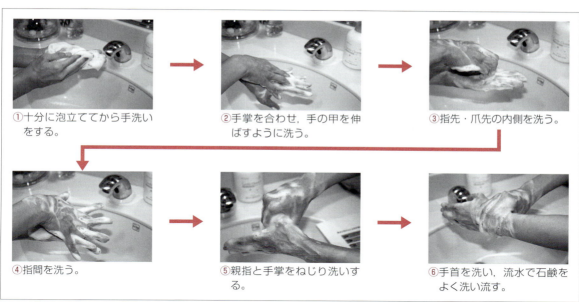

図2 流水と石鹸による手指衛生の手順

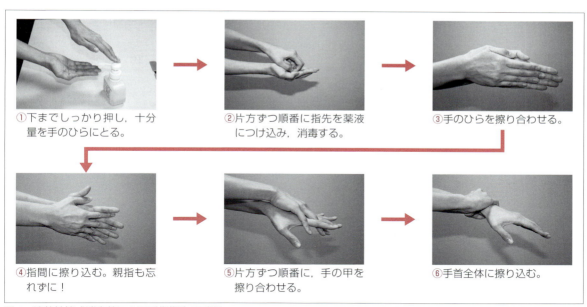

図3 速乾性擦式消毒薬による手指衛生の手順

 環境整備

(1) 療養環境整備

　小児医療は、患者への濃厚な接触が多い。さらに患者が自ら片付ける、手を洗うなどの衛生行動が未熟であり、患者ケアをする区域の汚染が多いため、環境整備の徹底が不可欠である。

　ベッド柵は、医療従事者だけではなく、付き添う保護者もおむつ交換後や遊びの際に接触する機会が非常に多いため、環境表面が病原微生物に汚染されている可能性が高い。そのため、日常的に清掃できるように標準化された環境整備が重要である。

　その他にも、電子カルテのキーボード、携帯情報端末、院内PHSなど複数の医療従事者が使用する器材の清掃も必要である。なお、キーボードの保護カバー等の使用に関する決められた推奨や勧告はないが、清掃が簡便になる利点がある。

(a) 手袋
〔着用方法〕

①手袋には，手首部分以外，できるかぎり触れないように気をつけて着用する。

②反対側も同様に着用する。

③でき上がり。

〔外し方〕

 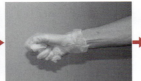 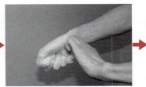 

①利き手で一方の手袋の袖口から3cm部分をつかむ。
汚染された手袋の外側が，内側になるように指を折った状態で親指を抜く。

②脱いだ手袋を，手の中に包みもつ。

③手袋を外した手で，利き手の手袋の外側に触れないように袖口に差し入れ，袖口の内側をつかむ。

④外したら，そのままの状態で感染性廃棄物容器に廃棄する。

(b) マスク
〔着用方法〕

 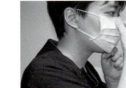

①マスクの金具が上部にくるようにもつ。
上部の金具を自分の鼻の形に合わせて曲げる。

②マスク下部を下へ引き，マスクを十分に広げ，鼻・口を覆う。

〔外し方〕

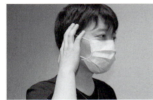 

①利き手で，反対側の耳ひもに指をかける。

②ひもの部分以外は触らないように注意して取り外す。

図4　個人防護具（PPE）着脱の方法

（c）エプロン

〔着用方法〕

  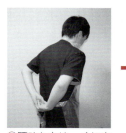 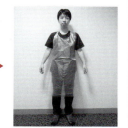

①折り目が外側にくるように首の部分をもつ。　②かぶる。　③腰ひもをゆっくり広げ，後ろで結ぶ。　④着用完了。

〔外し方〕

   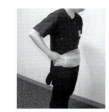

①首の部分のミシン目の片方を，強く引いて切る。　②腰ひもより上の部分を，腰ひもの高さまで，外側を中にして折り込む。　③左右の裾を腰ひもの高さまでもち上げる。　④外側を中にして，折り込む。

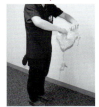  

⑤後ろの腰ひもをひっぱりきる。　⑥三つ折りにする。　⑦バイオハザードボックスに廃棄する。廃棄後は手を洗う。

〔PPEの使用のポイント〕

1. 患者に接触する前，一般には入室時に着用する
2. 箱から取り出すとき，1つずつ取り出す
3. 患者に接触する面の清潔を保持するよう，①手指衛生，②マスク，③エプロン，④手袋の順に正しく着用する
4. 病室を出る前に，①手袋，②手指衛生，③エプロンの順に外す（周囲環境や自身の皮膚・衣服を汚染させないように注意する）
5. マスクは患者エリア外に出た後に外し，廃棄後，手指衛生を行う

(2) おもちゃの定期的な洗浄

共有するおもちゃを用意する場合,「洗浄・消毒できる素材であること」をおもちゃの選択基準とする。おもちゃは小児が口に入れ,唾液などで汚染されることが多いため,消毒を行った後に水洗いするか,食器洗浄機で熱による殺菌を行うなど,定期的な清掃・消毒が必要である。

おもちゃが汚染された場合には,他のおもちゃと分け,洗浄・消毒が終わるまでは別に管理する。

また,継続的に実施可能な管理方法を決めておく。

(3) 患者の寝具・寝衣(リネン)の取り扱い,洗濯物

汚れたリネンを取り扱う際のポイントとして,以下の2点が重要である。
① 使用後のリネンや汚れた物を抱え込まない(身体や衣類に接触させないようにする)。
② 汚れた物は床に置かず,すみやかに指定の容器に入れ,エアロゾルの発生を避ける。

また,感染性胃腸炎の患者などでは,家庭での曝露量を減らすために,排泄物が付着した衣類の洗濯方法について家族にも指導する。

患者配置

小児は,咽頭痛・嘔気・腹痛などの自覚症状の有無を自分の言葉で訴えることができず,発熱,鼻汁・咳嗽,嘔吐・下痢などの他覚的な症状で感染症が疑われることが多い。迅速抗原検査などを用いて入院時に感染症診断名(もしくは病原微生物)が確定していることもあるが,迅速抗原検査の感度・特異度ともに十分ではないので,感染症診断名が確定していないことも多い。

そのため患者配置を決める際は,病原体のみならず,症状をベースとして管理方法を考える必要がある。すなわち,呼吸器症状および消化器症状の有無,分泌物/排泄物/創傷からの排膿などによって,他者への伝播のリスクを評価し,個室/大部屋(大部屋であれば同室者の選定)を決定する。

患者配置を決定するためのポイントを,以下にあげる。
- 発熱に加えて咳嗽や下痢が頻回に認められるなどの症状の有無
- 隔離が必要となる病原体の有無(空気感染によって伝播する病原体や多剤耐性菌などのリスクの高い病原体の保菌者)
- 同室になる患者の免疫状態(免疫抑制状態か。麻疹,水痘などのウイルス性疾患に対して免疫をもっているか)

表3 具体的な個人防護具(PPE)の着用のタイミング

PPEの種類	着用のタイミング	備考(注意点)
手袋	血液,体液,分泌物,排泄物,傷のある皮膚,粘膜その他の感染性物質に直接触れる可能性があるとき	① 汚染している,または汚染している可能性がある器材を取り扱うとき ② 交差感染を防ぐために,1人の患者のケアでも,異なる処置を行うときはそのつど交換する ③ 接触予防策が必要な病原体を保菌,または発症している患者に直接接触するとき ④ 汚れた手で自分の顔に触れない,PPEを調整しない ⑤ 患者ケア中,必要なとき以外に環境表面に触れない ⑥ 処置が終わったら周囲の環境を汚染させないためにすぐに外し,廃棄する
エプロン,防水性ガウン	衣服や地肌が血液,体液,分泌物,排泄物に接触することが予想される処置や患者ケアを行うとき	① 処置が終わったら周囲の環境を汚染させないよう直ちに脱ぎ,病室内で廃棄する ② ケアの内容や曝露の程度によって,エプロンと防水性ガウンとを使い分ける
マスク,アイシールド等	血液,体液,分泌物,排泄物のしぶきや噴霧が,眼・鼻・口の粘膜に曝露する可能性があるとき	① 処置が終わったら周囲の環境を汚染させないよう直ちに外し,廃棄する ② 飛沫が発生する処置(気管支鏡,気管吸引など)を実施する場合は,フェイスシールド,マスク+アイシールド,もしくはアイシールド付きマスクを着用する

- 病床管理の観点から，個室が利用できる状況か否か
- 同じ感染経路・症状の患者をまとめて収容できるか否か

個室隔離対策を行う場合には，個室にいる必要性などを患者が理解できる言葉で説明する必要がある。チャイルド・ライフ・スペシャリスト（CLS）などの利用可能なリソースがあれば，必要に応じて介入を依頼する。また，個室での療養がストレスとなりうるため，医療保育士やボランティアの協力を得て，遊びなどで気分転換を図るなどの対応を考慮する。

大部屋に配置する場合には，必ず，同室患者・家族への教育も「同時に」行う必要がある。

血液・体液曝露防止

(1) 針，およびその他の鋭利物の取り扱いにおける注意点

子どもの血管確保の際は，刺入を終え留置針内筒をもつ実施者と，テープ固定を行う介助者の手が交差し，針刺し曝露の危険がある。あらかじめ交差しない動線を確保し，役割分担をする。

血管確保中も声をかけ合い，周囲の状況を確認しながら行動することが必要である。また，血管確保をベッド上で行う際には，他の医療器材（針のキャップ，アルコール綿など）をベッド上に置いたままにしないことも，患児の誤飲予防に重要である。

(2) 患者の蘇生

患者の蘇生に際して，患者の口および口腔分泌物との接触を避けるため，バッグバルブマスクなどの換気器具やマウスピースなどを備えておき，使用可能な状況にしておく。

普段から準備することで，医療従事者の体液曝露を減らすことができる。

安全な注射手技

点滴を調製する際の無菌操作は，最低限行うべき事項である。小児医療領域では抗微生物薬などの点滴製剤の1回使用量が少ないため，バイアル等に薬液が残ることが多いが，この残液を他の複数の患者へ流用してはならない。注射器や注射針，点滴製剤を単回使用にすることで，交差感染や誤投与の予防につながる。同一患者に対して1つのバイアル製剤で複数回の薬剤投与を行う場合は，可能であれば薬剤部などで無菌的に調製し，適切に保管された薬剤を，滅菌した注射器を用いて患者に投与する。

小児病棟は病棟内での点滴混注業務が多いが，清潔区域と不潔区域の経路が交差する環境であることも多い。薬液混注の間はできるかぎり清潔環境を維持しながら，無菌操作技術を習得し，衛生的に行う必要がある。

医療従事者・家族の教育

(1) 医療従事者の教育

①標準予防策の手順が確実に実行されるために

標準予防策の手順が確実に実行されるためには，すべての医療従事者への教育と，定期的なトレーニングが重要である。

質の高いスキルを維持できるよう，個々に対する定期的なトレーニング，および実施状況の調査とフィードバックを行うといったプログラムを確立しておく。

②職員の抗体保有の確認と予防接種

小児医療領域に従事する職員は，麻疹，水痘，流行性耳下腺炎，風疹などの流行性ウイルス疾患患者をケアする機会が多いため，注意が必要である（2.11節，p.81参照）。

(2) 面会者からの感染予防

面会者は，医療環境における感染症の伝播予防の協力者となりうるが，まれに感染源となる可能性がある。

感染症を外部からもち込まない，また外部へもち出さないために，面会者の症状スクリーニングが必要となる。

また，患者が免疫不全者である場合には，患者への曝露を予防するため，面会者のみならず，きょうだいも含めて，家族への予防接種を励行する必要がある。

文献
1) Siegel JD, et al : 2007 Guideline for Isolation Precautions: Preventing Transmission of Infectious Agents in Healthcare Settings. Am J Infect Control, 35（10 Suppl 2）: S65-S164, 2007
2) Centers for Disease Control and Prevention : 2007 Guideline for Isolation Precautions: Preventing Transmission of Infectious Agents in Healthcare Settings

---

CLS : child life specialist，チャイルド・ライフ・スペシャリスト

(Last update: May 2022)［https://www.cdc.gov/infectioncontrol/pdf/guidelines/isolation-guidelines-H.pdf（2022年5月現在）］
3) WHO：WHO Guidelines on Hand Hygiene in Health Care: First Global Patient Safety Challenge Clean Care is Safer Care, 2009
4) U.S. Department of Labor Occupationa Safety and Health Administration：Personal Protective Equipment. OSHA 3151-12R, 2004
5) 向野賢治・訳：医療現場における個人防御器具（PPE）の選択と使用に関するガイダンス. Infection control, 14（3）：254-259, 2005
6) 日本看護協会：感染管理に関するガイドブック 改訂版. 2004
7) 厚生労働省：インフルエンザ（総合ページ）. ［http://www.mhlw.go.jp/stf/seisakunitsuite/bunya/kenkou_iryou/kenkou/kekkaku-kansenshou/infulenza/（2022年5月現在）］
8) 小林寛伊・監訳, 向野賢治・訳：病院における隔離予防策のためのCDC最新ガイドライン（Julia S Garner・著）. インフェクションコントロール別冊, メディカ出版, 1996
9) 小林寛伊・編：新版増補版 消毒と滅菌のガイドライン 第3版. へるす出版, 2015
10) Rutala WA, et al：Guideline for Disinfection and Sterilization in Healthcare Facilities, 2008［https://www.cdc.gov/infectioncontrol/pdf/guidelines/disinfection-guidelines-H.pdf（2022年5月現在）］

Memo

2.2 感染経路別予防策

Points

▶ 小児の感染管理の特性を理解し，感染症診断名や症状に合わせて，**空気感染対策，飛沫感染対策，接触感染対策**を標準予防策に追加して実施する。

▶ それぞれの感染経路別予防策において，医療従事者の手指衛生や PPE の着用のみならず，患者の**コホーティング**や**環境整備**も重要である。

感染経路別予防策

医療関連感染の成立には，①感染源，②感染経路，③感受性宿主の 3 つの因子が必要で，感染源から排泄される分泌物などが，感染経路により感受性宿主に運ばれて定着し，感染が成立する。

感染経路別予防策（transmission-based precautions）は，病院における隔離予防のガイドライン[1]の推奨する感染対策で，伝染性病原体の「感染経路を遮断する」考え方にもとづき，標準予防策に加えて行う感染予防策である。

それぞれの病原体の感染経路を知り，その経路を遮断することによって，より効果的な感染対策が実践できる。病原体の感染経路を知らず，必要以上に過剰な対策をとることは非科学的であり，費用と労力の浪費につながる。感染経路や病原体に応じて，必要な対策を必要な期間，徹底して行うことが重要である[2]。

感染経路は，空気感染（air-borne transmission），飛沫感染（droplet transmission），接触感染（contact transmission）の 3 種類に分けられる（図 1）。付録②（p.300）に感染経路別にみた主な病原体をまとめた。また，新型コロナウイルス感染症の流行に際してエアロゾル感染（aerosol transmission）に関する話題も多い。エアロゾル感染に関しても簡単に後述する。

感染対策実践のためには，多職種のスタッフが感染経路別予防策を必要とする患者を把握できるよう，病室前などにマークを表示する（図 2）など，院内で統一した方法を用いることも重要である。表示の際には，個人情報管理に留意する必要がある。

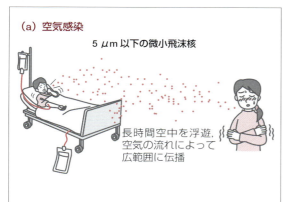
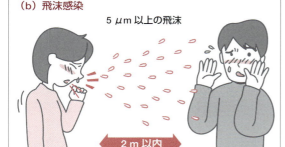

図 1　感染経路：空気感染，飛沫感染，接触感染

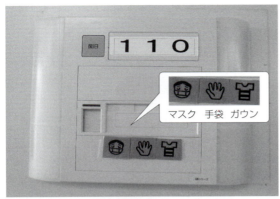

図2 病室入口の感染経路別予防策マークの表示：飛沫＋接触予防策

 小児における特徴

小児の特徴として，成人と大きく異なる点を以下にあげる。

①免疫能が未熟である。
②乳幼児の多くは，流行性ウイルス疾患の免疫がない。
③乳児，年少幼児は，全面的に医療従事者のケアを必要とし，抱っこなど他者との濃厚接触が頻繁に行われる。
④遊びや食事などで親子間（面会，親の付き添い），小児どうしの接触機会が多い。
⑤患者自身の発達段階において，感染予防対策が未熟・未獲得であるため，自身を守れない。

感染経路別に考えると，接触伝播する経路が多く存在し，ケアにあたる者は常に接触予防策を行う必要が生じる。それと同時に，感染予防対策について小児が理解できる言葉でくり返し説明し，衛生教育を行い，手洗いなどの感染予防策の手技等を習慣づけていく必要がある[3]。

感染予防のためには，小児の特徴を考慮したうえで，標準予防策に追加して感染経路別予防策の実施を遵守していくことが重要である。

 空気予防策

「空気感染」とは，病原体を含む直径5μm以下の飛沫核が，長時間空中を浮遊し，空気の流れによって広範囲に伝播され，これを吸入すると感染する。主な疾患は，結核，水痘（播種性帯状疱疹を含む），麻疹である。空気予防策はこれらの病原体に感染している患者（疑いを含む）に対して適用される[2]。

「予防接種法」では，麻疹，水痘は2回の定期接種を定めている。水痘ワクチン（乾燥弱毒生水痘ワクチン）は2014年10月から定期接種になった。ワクチンの接種歴の聴取で，これらのワクチンを2回接種していない患者に関しては，免疫獲得が不十分な可能性を考慮し，患者の周囲の流行状況および接触状況を慎重に聞き取り，対応する必要がある。

(1) 患者配置

- 原則的に，陰圧に空調管理された個室に隔離し，1時間あたり6～12回以上換気する（戸外へ排気，再循環であれば高性能濾過フィルタを通す）。入退室以外はドアを常時閉めておく。
- 個室への配置が難しい場合は，同じ病原体による活動性の感染症に罹患している患者と同室に配置する。
- 陰圧病室が準備できない場合は，転院を考慮する。それまでの期間は個室で管理し，入退室以外はドアを常時閉める。空気の流れを把握し，室内の空気が院内を汚染することなく，屋外に排出されるようにする。中央コントロールの空調システムがある場合に，汚染された空気が空調システムを介して院内に流出することがあるので，その場合は事前に空調システムを切っておく必要がある。

(2) N95マスクの着用

- 感染性の肺あるいは喉頭結核，漏出する結核性皮膚病変，またはその可能性がある患者の部屋に入る医療従事者は，N95マスク（レスピレーター）を着用する[3]。
- N95マスク着用前に，フィットテストおよびリークテストを行う。

(3) 患者の移動

- 患者の移動は必要最小限にする。
- 患者の移動が必要な際には，患者はサージカルマスクを着用する（呼吸症状のある患児がN95マスクを着用すると呼吸状態悪化のリスクがあるため）。水痘の場合は，可能なかぎり皮膚病変を覆うようにする。
- 患者が病室外へ出る際には，事前に受け入れ先に連絡し，人払いや移動時間を調整することで他の患者と接触しないようにする（時間的・空間的分離対策を実施する）。

（4）器材処理

- 標準予防策に準ずる。
- 結核に罹患中の患者に使用した気管支鏡は高水準消毒，肺機能検査機器の回路はディスポーザブルを用いるか，高水準消毒が必要である。

（5）環境表面の処理

- 標準予防策に準ずる。
- 患者が退室した後は1時間以上換気する（部屋の換気回数によって換気時間が異なるため，事前に確認しておく必要がある。また，窓を開けて外気を入れ換える）。その後は通常の清掃でよい。

飛沫予防策

「飛沫感染」とは，咳，くしゃみ，会話，気管吸引および気管支鏡検査にともなって発生する飛沫が経気道的に粘膜に付着し，それに含まれる病原体が感染することをいう。飛沫直径は5μmより大きく，飛散する範囲は少なくとも約2mである[2]。主な疾患は，流行性耳下腺炎，風疹，インフルエンザ，マイコプラズマ感染症，A群溶連球菌感染症，インフルエンザ菌や髄膜炎菌による感染症などである。

日本の予防接種制度では，風疹は定期接種2回，流行性耳下腺炎は任意接種1回（日本小児科学会は2回を推奨）としている。ワクチンを2回接種していない場合は，免疫獲得が不十分な患者も存在すると考慮し，ワクチンの接種歴と患者の周囲の流行状況および接触状況を慎重に聞き取り，対応する必要がある。

（1）患者配置

- 原則的に個室に配置する。
- 個室の空きがない場合は，同じ病原体のみに感染している患者と同室にする。
- 個室の空きがなく，同じ病原体のみに感染している患者がいなければ，感染患者と他の患者との間を約2m以上離す。あるいは，患者間にパーテーションやカーテンによる仕切りを設ける。
- 免疫不全患者や，呼吸器感染症を合併すると重症化する可能性が高い患者を同室者の対象としない。
- 特別な空調や換気システムは必要としない。

（2）個人防護具（PPE）

- 患者の飛沫に曝露されうる範囲内で処置やケアを実施する際には，標準予防策に追加して，サージカルマスク（表1）を着用する。小児患者（とくに乳幼児期）の場合は，咳エチケットなどの衛生行動の理解や協力が得られないことが多いため，状況に応じてゴーグルなどを着用して眼の粘膜保護も必要になる。

表1　サージカルマスクとN95マスク（レスピレーター）

種類	サージカルマスク	N95マスク
着用時外観		
特徴	・マスクを着用した人の呼気中に含まれる微生物を含む粒子が，大気中に拡がるのを防ぐ ・患者の体液（呼気中からの飛沫など）や血液飛散から，着用者を防御する	空中に漂う空気感染病原体を濾過し，着用者の感染を防御する
規格	細菌濾過効率（平均粒子径4.0〜5.0μm）が95％以上を満たす規格	0.1〜0.3μmの微粒子を95％以上除去できる性能を有する規格

- 飛沫が周囲環境を汚染させやすい状況にあるため，エプロン／ガウン（ケアをする際の接触程度によりエプロンとガウンを使い分ける），手袋も追加して着用する（図3）。とくに，抱っこや食事介助の場面では必須である。

（3）患者の移動

- 患者の移動は必要最小限にする。
- 患者が病室外へ出る際には，着用可能な状況であれば，患者にサージカルマスクを着用させる。

（4）器材処理

- 標準予防策に準ずる。

（5）環境表面の処理

- 標準予防策に準ずる。
- おもちゃの貸し借りはしないよう，家族・患者に指導する。また，おもちゃは洗浄や清拭消毒ができるものを選択する（プラスチック製の製品など）。
- 患者退室後の病室は通常の清掃でよいが，高頻度接触面（ドアノブやベッド柵，患者周囲の器具・機器，スイッチ類など）は清拭消毒を行う。また，カーテンによる隔離を行った場合はカーテンの洗浄，パーテーションによる隔離を行った場合は，パーテーションの清拭消毒を行う。

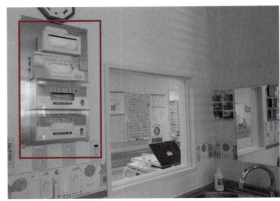

図3　病室の個人防護具の設置

エアロゾル感染

「エアロゾル感染」とは，新型コロナウイルス感染症の流行にともなって耳にするようになった用語である。「エアロゾル」とは空気中を漂う直径5μm以下の微細な粒子のことであるが，「エアロゾル感染」には明確な定義がない。

空気感染する病原体ではないが，特定の処置（気管挿管／抜管，非侵襲的陽圧換気療法，気管切開術，心肺蘇生，用手換気，気管支鏡検査，ネブライザー療法，誘発採痰など）によって一時的に大量のエアロゾルが発生すると，密閉された空間においてエアロゾルが長時間にわたって空気中に留まり，通常の飛沫感染では起こりえない範囲に感染が伝播することが示唆されている。

感染対策に関しても明確な決まりはない。PPEに関しては，接触飛沫感染予防策に加えて，エアロゾルが発生しうる処置を行う際にはN95マスクを着用する施設が多い。患者配置や器材の管理などに関しては，自施設のマニュアルを参考にすべきである。

接触予防策

「接触感染」とは，患者との直接接触，あるいは患者に使用した物品や環境表面などとの間接接触によって成立する。接触予防策は，このような経路で伝播しうる疫学的に重要な病原体に感染している患者，あるいは保菌している患者に対して適用される[2]。主な疾患は，RSウイルス感染症，ロタウイルス感染症，ノロウイルス感染症，クロストリディオイデス・ディフィシル感染症，急性ウイルス性（出血性）結膜炎，腸管出血性大腸菌感染症，メチシリン耐性黄色ブドウ球菌（MRSA）や多剤耐性緑膿菌（MDRP），バンコマイシン耐性腸球菌（VRE）などの薬剤耐性菌による感染症などである。

（1）患者配置

- 原則的に個室に配置する。とくに，環境を汚染させるおそれのある患者は個室に配置する。
- 個室に空きがない場合は，同じ病原体に感染している患者と同室にする。
- 個室の空きがなく，同じ病原体に感染している患者がいなければ，病原体の毒性や排菌量，同室者の感染リスク，病院あるいは病棟における感染対策上の重要性などを考慮し，病室を決める（コホーティング）。
- 特別な空調や換気システムは必要としない。

MDRP：multidrug resistant *Pseudomonas aeruginosa*，多剤耐性緑膿菌
VRE：vancomycin resistant *Enterococcus*，バンコマイシン耐性腸球菌

(2) PPE と手洗い

- 標準予防策に追加して、手袋、エプロン／ガウンを着用する。
- 患者に直接触れる（ケアをする）際や、周囲環境の表面、病室内の物品に接触する可能性のある場合は、入室する際に手袋、エプロン／ガウンを着用する。
- PPE は入室するときに着用、退室後に脱衣し、その後手指衛生（流水手洗い、および速乾性擦式消毒）を行う。
- 手指衛生後は、不必要に汚染物や環境表面には触れない。

(3) 患者の移動

- 患者の移動は必要最小限にする。
- 感染部位や保菌部位から、排泄物や滲出液が漏れないよう被覆する。
- 患者が病室外へ出る際には、手指衛生を行い、病院の環境表面に触れないように説明し、注意を促す。

(4) 器材処理

- 可能なかぎり患者専用の器材を用意し、患者専用にできない器材は適切に洗浄や消毒処理を行う。

(5) 環境表面の処理

- 標準予防策に準ずる。
- 高頻度接触面であるドアノブやベッド柵、患者周囲の器具・機器、スイッチ類などは1日1回以上の清拭消毒を実施する。
- おもちゃの貸し借りはしないよう、家族・患者に指導する。また、おもちゃは洗浄や清拭消毒ができるものを選択する（プラスチック製の製品など）。
- 患者退室後は通常の清掃に加えて、高頻度接触面の清拭消毒を十分に行う。

文献

1) Siegel JD, et al：2007 Guideline for Isolation Precautions: Preventing Transmission of Infectious Agents in Healthcare Settings. Am J Infect Control, 35（10 Suppl 2）：S65-S164, 2007
2) 国公立大学附属病院感染対策協議会・編：感染経路別予防策．病院感染対策ガイドライン2018年版（2020年3月増補版），じほう，pp21-28, 2020
3) 三浦祥子，他：感染経路別予防策．小児看護，33（8）：1002-1013, 2010
4) ICP テキスト編集委員会・監：ICP テキスト—感染管理実践者のために．メディカ出版，pp159-163, 2006

2.3 血管内カテーテル関連血流感染予防

> **Points**
> - カテーテル関連血流感染を予防するために，抜去可能なカテーテルは可及的早期に抜去し，留置の継続が必要な場合は**ケアバンドル**を実践する。
> - カテーテル関連血流感染の予防として，中心静脈カテーテル挿入時は**マキシマル・バリアプリコーション**が必要である。
> - **サーベイランス**を行うことで，施設での発生頻度を経時的にモニタリングする。

小児および新生児の血管内カテーテル関連血流感染予防策の特徴

小児および新生児における血管内カテーテル関連感染予防は，CDCの「血管内留置カテーテル由来感染の予防のためのCDCガイドライン2011」[1]（以下，CDCガイドライン2011）で成人と異なる推奨の予防策もあり，実践内容は各施設に委ねられていることが多い。また，小児および新生児は成長過程にあり，それぞれの発達段階で感染対策を考えなければならない状況がある。

ケアバンドル

"ケアバンドル（care bundle）"とはランダム化比較試験（RCT）などのエビデンスレベルの高い感染予防策を単独で実施するより，「束ねて行うことで最大限の効果を得ようとするもの」である。チェックリストなどを使用して，確実に実施できたかを確認できるようにする。ただし，小児や新生児で使用できるエビデンスは少ないため，文献などを活用して，実践できるレベルで内容を検討する必要がある。ケアバンドルのチェックリスト例を**表1**，**表2**に示す。

カテーテルの選択

小児で用いるカテーテルは，末梢静脈カテーテル，末梢動脈カテーテル，中心静脈カテーテルである。これに加えて，新生児は臍帯静脈カテーテルと臍帯動脈カテーテルを使用する場合がある。小児や新生児は血管確保が困難なことから，ミッドラインカテーテルや末梢静脈挿入式中心静脈カテーテル（PICC）を使用する場合がある。

ミッドラインカテーテルは，中心静脈には挿入しない末梢静脈カテーテルに分類されるが，ショートタイプの末梢静脈カテーテルより静脈炎の発生率が低く，中心静脈カテーテルより感染率は低い。

PICCは，非トンネル型中心静脈カテーテルよりも感染率が低いと報告されている。PICCは，新生児では近年頻繁に使用されているが，四肢の屈曲による閉塞などに注意する必要がある。

新生児に使用される臍帯カテーテルは，末梢静脈，お

表1　中心静脈カテーテル挿入時のケアバンドル

1	手指衛生
2	マキシマル・バリアプリコーションの実施（帽子，マスク，滅菌ガウン，滅菌手袋，全身を覆う滅菌ドレープ）
3	挿入部の皮膚消毒
4	無菌的挿入と固定
5	手指衛生

表2　中心静脈カテーテルドレッシング材交換時のケアバンドル

1	手指衛生
2	未滅菌手袋装着
3	挿入部の皮膚消毒
4	滅菌フィルム材使用
5	手指衛生

RCT：randomized controlled trial，ランダム化比較試験
PICC：peripherally inserted central catheter，末梢静脈挿入式中心静脈カテーテル

および動脈カテーテルの確保が困難な早産児や重症患者の輸液管理に使用される。CDC ガイドライン 2011 では，カテーテル関連血流感染（CRBSI），あるいは血栓の徴候が認められた場合には，臍帯動脈カテーテルおよび臍帯静脈カテーテルを抜去すべきとしている。

感染率は臍帯動脈カテーテルおよび臍帯静脈カテーテルの場合で同様であるが，できるだけ早く抜去し，臍帯動脈カテーテルは留置期間 5 日を超えないこと，臍帯静脈カテーテルは留置期間 14 日を超えないことが推奨されている。

挿入部位（成人との違い）

血管内カテーテルを挿入する部位により，皮膚常在細菌叢の密度や血栓性静脈炎などのリスクがカテーテル関連血流感染に影響しているといわれている。

成人では中心静脈カテーテルに関して，感染予防の観点では鎖骨下静脈が最もリスクが低く，内頸静脈，大腿静脈の順に感染リスクが高くなる。

血胸・気胸などの合併症のリスクに関して，安全の観点では，大腿静脈が最も合併症のリスクは少なく，内頸静脈，鎖骨下静脈の順にリスクが高くなる。

末梢静脈カテーテルやミッドラインカテーテルに関しては，下肢より上肢が推奨されている。しかし，小児や新生児は血管が細いため血管確保が困難なことが多く，挿入部位による感染率の差が成人ほど明らかではないという理由から，上肢だけでなく下肢や頭皮（新生児や乳児）からも血管確保を行うことがある。

感染経路

血管内カテーテル関連血流感染の汚染経路として，①カテーテル挿入部の汚染，②薬液の汚染，③接続部の汚染がある（図1）。

（1）カテーテル挿入部の汚染

挿入部の汚染の原因として，挿入部の消毒が不十分，術者の不適切な無菌操作や，中心静脈カテーテル挿入時のマキシマル・バリアプリコーション（MSBP）の未実施，不適切な挿入部の管理（消毒，ドレッシング，固定方法）がある。

"MSBP" とは「帽子，マスク，滅菌ガウン，滅菌手袋，全身を覆う滅菌ドレープを用いて実施する予防策」（図2）である。小児や新生児の PICC 挿入時の MSBP も推奨されているが，現状は部分的な実施しかできていないことが多い。NICU における MSBP の実施状況として，2012 年に国内 164 施設に対して行われたアンケート調査によると，挿入時の MSBP を必ず実施している施設は 10 施設（6 ％）のみであった[2]。部分的に MSBP を実施している施設が 89 施設（54 ％）で最多であっ

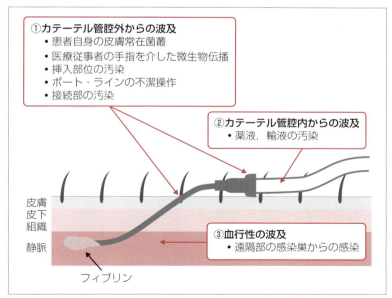

図1　血管内カテーテル関連血流感染の侵入経路

CRBSI：catheter related bloodstream infection，カテーテル関連血流感染
MSBP：maximal sterile barrier precaution，マキシマル・バリアプリコーション

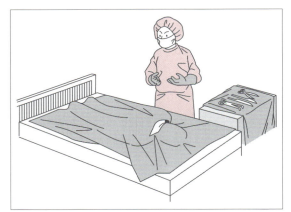

図2 マキシマル・バリアプリコーションのイメージ図

たが，実施していない施設も60施設（37％）あり，一般的に定着した感染予防策とはいえない状況である[2]。

(2) 薬液の汚染

薬液の汚染の原因として，薬液を調製する際に不適切な手指衛生，ボトルやバイアルなどの不十分な消毒，薬液調製台の汚染などがあげられる。

(3) 接続部の汚染

接続部（ハブ）の汚染の原因として，輸液ラインの不適切な交換間隔，ライン交換時・側管への接続時の不十分な消毒があげられる。

とくに小児は，遊びや歩行時に輸液ラインが床につくことがあり，そのときに汚染されるリスクが非常に高い。

また原則的に，着替えをする際は接続部を外さないが，やむをえず接続部を外した場合は，接続部の不十分な消毒につながる可能性があるため，注意が必要である。

新生児では，保育器やコットなどの狭い環境下でおむつ交換などの排泄物の処理をする際に，輸液ラインが汚染されないように注意する必要がある。

 CRBSIとCLABSIとの違い

カテーテル関連血流感染症（CRBSI）は，患者を診断・治療するうえで用いられる臨床診断名である。血液培養やカテーテル培養などの結果をもとに，血流感染（BSI）の感染源がカテーテルであると臨床的に判断されたものに対して，用いられる用語である。

一方で，中心ライン関連血流感染（CLABSI）はサーベイランス用語であり，臨床的な感染症診断名とは関係がない。カテーテルの留置期間や，菌種，適切な間隔で採取された血液培養が陽性になった回数など，診断基準を満たすものをリストアップするために用いられる用語である。CLABSIは臨床的な判断によらないため，施設間での医療関連感染症の発生頻度を比較するのに適している。

このように，CRBSIとCLABSIでは意味が異なることに注意する。

 小児特有の問題

(1) 末梢カテーテルの管理

小児および新生児の血管は細く，確保が困難であるため，成人と同じように定期的な入れ替えはできない。小児および新生児の血管内カテーテルは不要になった時点で早急に抜去すべきであるが，静脈炎や薬液の漏出が入れ替えの目安となることもある。

静脈炎など血管内カテーテル感染の徴候や薬液の漏出などの異常を早期に発見できるように，刺入部の観察がしやすいように固定し，頻回に観察する必要がある。また，確実な固定であるのと同時に，皮膚を圧迫しすぎないような工夫が必要となる。

(2) 点滴刺入部の観察

小児は点滴刺入部の疼痛などをうまく表現できないため，透明なドレッシング材を用いて刺入部を観察しやすくして，発赤・腫脹を早期に発見できるような工夫が必要である。また，点滴ルートが確保されている四肢と対側の四肢を観察して，左右差がないか確認しておくことは，薬液の漏出（点滴漏れ）の早期発見に有効である。

(3) 固定に使用するドレッシング材

末梢静脈および動脈カテーテル，中心静脈カテーテルのいずれにおいても，血管内カテーテル挿入部を被覆するドレッシング材は滅菌済みの物を使用する必要がある。血流感染の原因（微生物の侵入経路）の1つとして，挿入部（皮膚バリアが欠損した部位）からカテーテルの外側を伝って侵入することがあるためである。

小児や新生児においては確実な固定が必要であると同時に，褥瘡予防も考えた固定方法を考える必要があ

BSI：bloodstream infection，血流感染
CLABSI：central line associated bloodstream infection，中心ライン関連血流感染

る.とくに,未熟児・早産児や浮腫性病変の結果として脆弱となった皮膚は,カテーテルによる圧迫で褥瘡を来しやすい状態にある.褥瘡を予防するために,カテーテルと皮膚の間にガーゼや皮膚保護剤を貼付して皮膚を保護することがあるが,その際も滅菌した器材を使用する必要がある.

　ドレッシング材は,透明な滅菌ポリウレタンフィルム材,もしくは滅菌ガーゼを使用する.小児は発汗の影響を受けてフィルム材が剥がれやすく,ドレッシング材が剥がれかけたら,交換予定日でなくても交換する.出生直後の新生児は,胎脂をアルコール綿などでしっかり拭き取っておかないとフィルム材が貼りつきにくく,すぐに剥がれることがある.

　ドレッシング材の交換頻度は,成人では定期的に交換を行うが,小児や新生児においてはドレッシング材の交換がカテーテルの誤抜去につながる危険性があり,交換頻度を検討する必要がある.とくに,乳幼児や新生児など安静にできない場合や,PICCなどカテーテルが縫合糸皮膚固定されていない場合は,ドレッシング材の交換によりカテーテルが抜けてしまう可能性がある.小児でも誤抜去の危険性がなく安全に交換できる場合は,成人と同じように,滅菌ガーゼは2日ごと,滅菌ポリウレタンフィルム材は7日ごとに交換する.

(4) カテーテル挿入部の消毒

　中心静脈カテーテルおよび末梢動脈カテーテル挿入時や,ドレッシング材交換時の消毒薬として,70％アルコール,10％ポビドンヨード,0.5％以上のクロルヘキシジングルコン酸塩アルコールがある.「CDCガイドライン2011」では,0.5％以上のクロルヘキシジングルコン酸塩アルコールが推奨されており,成人領域ではクロルヘキシジングルコン酸塩アルコールを導入する施設も増えてきている.しかし,とくに早期産の新生児は皮膚の未熟性を考慮し,使用する消毒薬の選択には注意が必要である.

　臍帯カテーテルを挿入するときは,臍帯粘膜の消毒が重要となるため,末梢静脈カテーテルや中心静脈カテーテルの挿入時とは消毒方法が異なる.出生直後,臍帯が切断され,臍の断端面は非常に汚染されている可能性がある.臍帯カテーテルを挿入する際は,臍帯切断部位から臍輪部までを十分消毒した後,再度臍帯を臍輪上で切断し,臍帯動脈および臍帯静脈を露出させ,カテーテルを挿入する.

(5) 輸液セットの交換間隔

　小児および新生児の輸液セットの交換時は,輸液流量が少ないことや留置針が細いことから,カテーテルの閉塞が起こりやすい.とくにPICCでは,交換頻度が多い場合や,交換後に即座に注入を開始できない場合に,カテーテル閉塞のリスクが上がる.輸液セットは定期的な交換が必要であり,96時間以上の間隔を空け,少なくとも7日ごとに交換することが推奨される.例外的に,血液製剤や脂肪乳剤の投与後は,輸液セット内に残液があると汚染菌が繁殖しやすくなることから,24時間以内の交換が推奨されることに留意する.

シーネ固定

　小児や新生児はカテーテル挿入部位の安静を保つことが難しいため,安全面からシーネなどを用いて固定することがある.とくに関節部位にカテーテルが挿入されている場合は,四肢を屈曲させることでカテーテルが屈曲し,薬液の注入が困難になることがある.

　シーネ固定中に注意すべきポイントは,圧迫による褥瘡を予防することと,点滴留置部位の観察が困難になって薬液の漏出や静脈炎の発見が遅れないようにすること,の2点である.このような弊害もあるため,シーネ固定が最小限となるような部位に点滴を確保することも,考えておくべきである.

文献

1) O'Grady NP, et al : Guidelines for the prevention of intravascular catheter-related infections. Am J Infect Control, 39 (4 Suppl 1) : S1-S34, 2011
2) 大木康史,他:末梢穿刺中心静脈カテーテルの管理に関する全国アンケート調査.日本未熟児新生児学会雑誌,24(3):628, 2012

カテーテル関連尿路感染予防

Points
- 膀胱留置カテーテルは**無菌操作**で挿入し、カテーテルの必要性を毎日評価し、可及的早期に抜去することを検討する。
- 膀胱留置カテーテルの取り回しを工夫して、カテーテル内もしくはバッグ内の尿が膀胱内に**逆流**しないようにする。
- **サーベイランス**を行うことで、施設での発生頻度を経時的にモニタリングする。

CDCは、全米医療安全ネットワーク（NHSN）システムにより、全米対象のサーベイランスデータ収集を行っている。米国の2013〜2014年シーズンにおける、デバイス関連のサーベイランスでは、カテーテル関連尿路感染（CAUTI）は2009〜2013年までのベースラインに比較して6％上昇したと報告されているが[1]、2017年から2018年にかけては8％減少し[2]、対策の効果が現れつつある。

膀胱留置カテーテル（以下、カテーテル）は、使用による有益性と有害性の両方が同時に存在するため、その管理方法や適正使用を遵守する必要がある。小児領域で使用される場合の多くが、鎮静下であり、治療や患部の安静などの目的で、限定的に使用される。成人に比較して体格は小さく、カテーテル管理中は清潔区域と不潔区域が近いという視点も念頭におき、管理を厳重に行う必要がある。

図1　CAUTIの汚染経路

CAUTIの主要な起因菌

起因菌は腸内細菌科細菌である大腸菌、クレブシエラなどが多い。長期留置者や抗菌薬使用者は、セラチア／緑膿菌／アシネトバクター／シトロバクター／エンテロバクター（それぞれの菌種名の頭文字をとって、「SPACE」とよばれる代表的なグラム陰性菌）、およびカンジダが検出されやすくなる。

CAUTIの感染経路

起因菌の侵入ルートとしては、大きく分けてカテーテルの外側と内側の2つがある（**図1**）。

(1) カテーテルの外側を通るルート
会陰部や肛門に定着している菌が、カテーテル挿入時や使用中に侵入する場合と、カテーテルと尿道粘膜との隙間から膀胱内に侵入する場合がある（図1の①）。

(2) カテーテルの内側を通るルート
- カテーテルと採尿バッグの接続部の閉鎖が破られて侵入する場合（図1の②）。
- 排液口が床や不潔な容器に接触し、菌が採尿バッグに入り、バッグの中で増殖し、24時間ほどで逆行する場合（図1の③）。
- 採尿バッグやラインを膀胱の位置よりも高くすると、チューブ内の尿が膀胱内に逆流し、CAUTIの原因となる。

NHSN：National Healthcare Safety Network，全米医療安全ネットワーク
CAUTI：catheter associated urinary tract infection，カテーテル関連尿路感染

2.4 カテーテル関連尿路感染予防

表1　CAUTI 予防のケアバンドル

1	不必要な膀胱留置カテーテルを回避するためにアセスメントを行う
2	膀胱留置カテーテルの挿入は無菌操作で行う
3	推奨されているガイドラインにもとづいて膀胱留置カテーテルを維持・管理する
4	毎日，膀胱留置カテーテルの必要性をレビューし，必要がなくなったら迅速に抜去する
5	感染防止のための管理マニュアルを作成し，教育する
6	サーベイランスにより対策の評価と施設におけるリスクアセスメントを行う

表2　膀胱留置カテーテルの適正使用の例

①患者に急性の尿閉，または膀胱出口部閉塞がある
②重篤な患者の尿量の正確な測定が必要である
③特定の外科手技のための周術期使用
- 泌尿生殖器の周辺構造で泌尿器科手術，または他の手術を受ける患者
- 長時間の手術が予測される患者（このために挿入されるカテーテルは麻酔後回復室で抜去する）
- 術中に大量の点滴，または利尿薬が投与されることが予測される患者
- 尿量の術中モニタリングが必要な患者

④尿失禁患者の仙椎部，または会陰部にある開放創の治癒を促すため
⑤患者を長期に固定する必要がある（例：胸椎または腰椎が潜在的に不安定，骨盤骨折のような多発外傷）
⑥必要に応じて終末期ケアの快適さを改善するため

※尿路荒廃の危険性を低減するために，脊髄髄膜瘤や神経因性膀胱障害の小児では，間欠的導尿法を検討する。

〔文献4）より転載〕

ケアバンドル

表1の内容をバンドル化し，組織的に実践する〔カテーテル関連尿路感染の予防：4つのケア要素，米国ヘルスケア改善協会（IHI）のガイドライン[3]を参照〕。

具体的方法

(1) カテーテルを適正使用するためのアセスメント

- 表2の適正使用の例を用いて，挿入期間中は連日，カテーテルの必要性について評価し，定期交換を避ける[4]。

(2) カテーテルを無菌操作で挿入し，維持・管理する

- カテーテル器具の挿入，または挿入部位への操作を行う直前／直後に手指衛生を行う。
- カテーテル管理に携わるすべての医療従事者は，カテーテル管理について毎年教育を受け，正しい挿入手技や管理方法を熟習していなければならない。
- カテーテルの使用は，臨床的な必要最小限にとどめる。必要な場合は，膀胱頸部または尿道の外傷を最小にするため，十分な排尿を確保できる，可能なかぎり最小口径のカテーテルを検討する。
- 移動や尿道の牽引を防止するために，挿入後はカテーテルを適切に固定する。男児は腹部，女児は大腿部への固定を行う（図2（a），（b））。

①男児の場合

- ペニスを頭側へ向け，腹部上で固定する。
- カテーテルは大腿部の上を通して，採尿バッグと接続し，固定する。
- カテーテル接続部が皮膚に過度に密着しないよう，皮膚保護もあわせて行う。

IHI：Institute for Healthcare Improvement，米国ヘルスケア改善協会

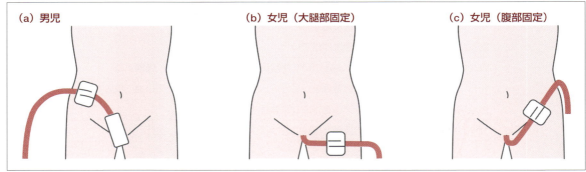

図2　尿道留置カテーテルの固定法

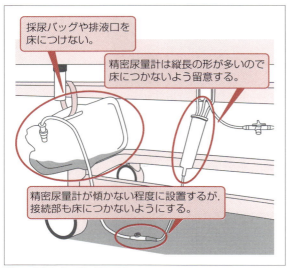

図3　採尿バッグの設置例

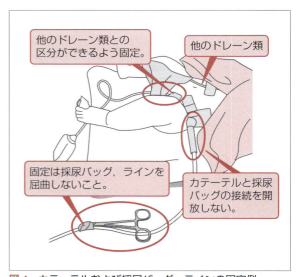

図4　カテーテルおよび採尿バッグ，ラインの固定例

②女児の場合
- 女児は大腿部にカテーテルの固定を行うが，乳幼児の場合は足を挙上することで，大腿部に固定したカテーテルが引っ張られてしまうため，腹部に固定することを検討する（図2（c））。
- カテーテルは大腿部の上を通して採尿バッグと接続し，固定する。
- カテーテル接続部が皮膚に過度に密着しないよう，皮膚保護もあわせて行う。

（3）カテーテルの必要性を毎日検討する
- カテーテルは無菌操作で挿入し，閉鎖式導尿システムを維持する。
- 無菌操作の破綻，接続部の切断，漏れが起きた場合は，無菌操作と滅菌器具を使ってカテーテルと閉鎖式導尿システムの一式を交換する。
- 排液口が床につかないようにする（図3）。

- カテーテルや採尿バッグ内の尿が膀胱内に逆流することを防止するため，カテーテルや採尿バッグは膀胱の高さレベルよりも低くする。また，患者移動などに際して尿の逆流が起こりうる場合には，カテーテルをクランプし，逆流を防止する。
- 尿の流出を確認するために，採尿バッグやカテーテルを持ち上げることも，尿の逆流が起きうるため禁止すべきである。
- カテーテルが屈曲し，尿が停滞しないようにする（図4）。
- 排液は，「1患者1排液ボトル」とする。洗浄消毒することなく，患者間で容器を連用してはならない。
- カテーテル挿入期間中，CAUTI予防のために尿道口周囲は消毒薬による消毒ではなく，シャワーなどで洗浄するほうが適切である。
- 尿検体はサンプリングポート（図5）から採取

2.4　カテーテル関連尿路感染予防　49

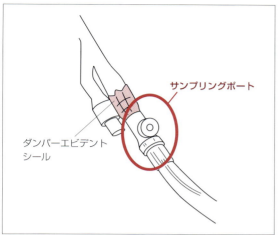

図5　サンプリングポート
（膀胱留置カテーテルの閉鎖を保つため，タンパーエビデントシールをはがすことは禁忌である）

し，閉鎖式導尿システムを開放にしない。採取時にはサンプリングポートを消毒用エタノール，もしくは70％イソプロパノール含浸不織布で消毒する。

（4）カテーテルの適正使用のシステムを確立する

- カテーテルの適正使用を強化して，施設のリスクアセスメントにもとづき，CAUTIのリスクを低減するためのシステムを確立する。
- カテーテルの適正使用を保証し，不要になったカテーテルを見つけ出して抜去する。
- 標準予防策の遵守を組織的に取り組む。

（5）感染防止のための管理マニュアルを作成し，教育する

- カテーテルの使用，挿入，管理についてのエビデンスにもとづいた，施設に合った感染防止対策マニュアルを作成し，実践できるよう教育する。

（6）サーベイランスにより，対策の評価と施設のリスクアセスメントを実施する

- 必要に応じてサーベイランスを実施し，CAUTIの潜在的危険性を早期発見する。
- CAUTIサーベイランスには次の標準化された指標を用いる。① 1,000カテーテル使用日あたり（＝カテーテル使用1,000日あたり）のCAUTIの症例数，②カテーテル使用比（患者の利用率）
- 症候性尿路感染の患者を特定するために，CDC／NHSNの疾患判定基準や，NHSNの判定基準に準

拠した日本環境感染学会などの判定基準を使用する。

> **Note**
> **効果が認められていない対策**
> - 抗菌薬や消毒液，生理食塩液による膀胱洗浄にはCAUTI予防効果は認められていない。むしろ耐性菌の増加をまねき，カテーテルの開放によりCAUTIのリスクを高める。
> - 血栓による閉塞が疑われる場合を除いては，定期的な膀胱洗浄を行わない。
> - 定期的な膀胱留置カテーテル交換の根拠はない。

 小児特有の問題

　一般的に解剖生理学上は，尿道口と肛門の位置が近いこととあわせて，カテーテルとその他のライン類の距離が近く，清潔区域と汚染区域の区分が困難である。

　鎮静下でのカテーテル使用の場合，医療従事者側にその管理が委ねられている一方で，一般病棟や在宅では患者の身のまわりのケアを日常的に行っている家族がカテーテルに接触する場面が多い。小児は感染防止行動を自らとることが困難であるため，カテーテル挿入中は医療従事者だけでなく，患者に関わるすべての人が標準予防策を実践できるような教育が必要である。

文献
1) Centers for Disease Control and Prevention：Healthcare-associated Infections（HAI）Progress Report（based on 2013 DATA, published January 2015），p20
2) Centers for Disease Control and Prevention：2020 National and State Healthcare-Associated Infections Progress Report
　［https://www.cdc.gov/hai/data/portal/progress-report.html（2022年5月現在）］
3) Institute for Healthcare Improvement：How-to Guide：Prevent Catheter-Associated Urinary Tract Infection
　［http://www.ihi.org/resources/Pages/Tools/HowtoGuidePreventCatheterAssociatedUrinaryTractInfection.aspx（2022年5月現在）］
4) Gould CV, et al：Guideline for prevention of catheter-associated urinary tract infections 2009. Infect Control Hosp Epidemiol, 31（4）：319-326, 2010
5) U.S. Department of Health & Human Services, Centers for Disease Control and Prevention・編，小林寛伊・監訳，森兼啓太・訳：サーベイランスのためのCDCガイドライン改訂5版（NHSNマニュアル2011年版より）．メディカ出版，2012

医療関連感染サーベイランスについて

病院内での感染症は，患者に対する不利益のみならず，入院期間延長や医療費の増加など社会に対しても大きな問題である。

以前は院内感染（nosocomial infection）とよばれてきたが，現在，医療を提供する場所が療養型施設や在宅医療など多岐にわたるため，2004年にCDCは医療関連感染（HAI）とよぶことを提唱した。HAIは感染対策を適切に行うことで減少させることができるといわれている。感染対策を適切に行うためにはHAIがどの程度発生しているかを明らかにし，かつ感染対策が機能しているか否かを評価するためにサーベイランスが必要である。

医療施設ごとに抱える問題は変わるため，独自のサーベイランスを行うことも重要である。しかし，多施設で標準化された手法でデータの収集解析を行うサーベイランスシステムの導入により，他施設と比較し，自施設の立ち位置を評価することが可能となる。CDCが行っている全国規模のサーベイランスシステムがNHSNであり，最も有名である。日本国内では厚生労働省によるJANIS，日本環境感染学会によるJHAIS，国公立大学附属病院感染対策協議会によるサーベイランスなどがある（表3）。

サーベイランスを行ううえで，各HAIの疾患定義を明確にすることが重要である。各サーベイランスシステムにはそれぞれの疾患定義が明記されている（表4）。

どのサーベイランスシステムを使用するかは，各施設の状況に合わせて決めるべきである。本書では，疾患定義に関しては必要でないかぎり表記しなかった。各サーベイランスシステムにおける疾患定義は，各団体のホームページから得ることができるため参照されたい。

表3 主な全国規模のサーベイランスシステムの一覧 （2022年5月現在）

- 全米医療安全ネットワーク
  （National Healthcare Safety Network；NHSN）
  http://www.cdc.gov/nhsn/
- 日本院内感染対策サーベイランス
  （Japan Nosocomial Infection Surveillance；JANIS）
  https://janis.mhlw.go.jp/index.asp
- 日本医療関連感染サーベイランス
  （Japanese Healthcare Associated Infections Surveillance；JHAIS）
  http://www.kankyokansen.org/modules/iinkai/index.php?content_id=4
- 国公立大学附属病院感染対策協議会
  http://kansen.med.nagoya-u.ac.jp/general/survei2/survei2.html

表4 各団体が実施している各種医療関連感染症サーベイランス

運営団体	実施しているサーベイランスの項目				
	CLABSI	CAUTI	VAE	SSI	NICU
NHSN	○	○	○	○	○
JANIS				○	○
JHAIS	○	○	○	○	○
国公立大学附属病院感染対策協議会	○	○	○	○	

CLABSI：中心静脈ライン関連血流感染　　SSI：手術部位感染
CAUTI：カテーテル関連尿路感染　　　　NICU：新生児集中治療室
VAE：人工呼吸器関連事象〔2013年までのVAP（人工呼吸器関連肺炎）に代わる用語〕

HAI：healthcare-associated infection，医療関連感染

人工呼吸器関連肺炎予防

Points
- 人工呼吸器関連肺炎の予防のために**ケアバンドル**の導入を行うべきであり，それと同時に可及的早期に挿管チューブの抜去に努めるべきである。
- **サーベイランス**を行うことで，施設での発生頻度を経時的にモニタリングする必要がある。

人工呼吸器関連肺炎の疫学

人工呼吸器関連肺炎（VAP）は人工呼吸器を使用している患者の代表的な合併症であり，ひとたび発症すれば人工呼吸器による管理期間や集中治療室の入室期間を延長させることになり，臨床的な影響も大きい。

米国におけるCDC/NHSNサーベイランスでは1,000呼吸器使用日あたり（人工呼吸器使用期間1,000日あたり）近年1〜2件程度と報告されている[1]。日本では全国共通の小児のサーベイランスシステムはないが，近年になって各小児集中治療施設から学術集会などで報告され，おおむね5〜10件/1,000呼吸器使用日であり，上記の米国の実状と比較すると多く感じられる。

各施設での予防策を見直す必要性がある一方，この格差には，後述するようなサーベイランスシステムの問題もあると考えられる。

VAP発生機序

VAPを引き起こす細菌の侵入経路は，主に外部からと内部（患者自身）のものと2つに分けられる。

外部からの要因としては，呼吸器回路の汚染や，汚染した加温加湿器の水のたれ込み，不適切な手技による気管内吸引などがあげられる。

一方，内部からは，口腔内細菌の侵入（いわゆる誤嚥）や胃内容物の逆流が要因となる。

挿管チューブの早期抜去
（VAP予防策その1）

人工呼吸器を使用しなければVAPになることはない。VAPの究極の予防策は人工呼吸器を使用しないことであるが，重症患者では呼吸の問題にかぎらず，さまざまな要因で人工呼吸器を必要とする。そのため，次に考えるべきはできるだけ早期に人工呼吸器から離脱し，抜管することである。

早期の気管切開に関しては，成人の分野においてさまざまな研究があり，議論されている。現状では，早期の気管切開がVAPの発生率を含めて，死亡率やICU滞在日数に関して有益であるというエビデンスは少ない。

外的要因の軽減
（VAP予防策その2）

（1）人工呼吸器回路の管理

人工呼吸器回路の頻繁，かつ定期的な交換は，過去の研究よりVAP予防の効果はないことがわかっている。1ヵ月に1回程度の定期交換を否定するものではないが，通常，回路に汚染がみられたときに交換すればよい。

（2）水のたれ込み

人工呼吸器回路内に水分がたまっていると，吸引や体位変換の際に気管内にたれ込み，VAPの原因になりうる。処置や体位変換の前には，回路内の水分を払っておくべきである。また，回路を振り回して水を払うなどの行為は，環境だけでなく医療者にも湿性分泌物が飛散するため避ける。マスクやガウンなどの標準予防策を講じ，ビニール袋などを使用して水払いを行う。

（3）手指衛生

すべての感染対策の基本は手指衛生である。気管内吸引や呼吸器回路を接続する際などは，標準予防策として，事前事後の手指衛生および手袋の着用が必要である。

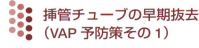

VAP：ventilator associated pneumonia，人工呼吸器関連肺炎
PCR：polymerase chain reaction，ポリメラーゼ連鎖反応

内的要因の軽減（VAP 予防策その 3）

内的要因には，患者自身の細菌の侵入による VAP があげられる。VAP の起因菌として，口腔内細菌が培養同定されることは決して多くはない。しかし，それは培養検査の感度の問題であり，VAP 患者の下気道検体をポリメラーゼ連鎖反応（PCR）で確認したところ，さまざまな口腔内の菌種が検出されたとの報告もある[2]。よって VAP の予防として口腔内環境を正常に維持すること，それらが気管内に侵入することを極力避けることがポイントである。

(1) 口腔ケア

VAP 予防のなかで，近年さまざまな研究が行われているのが口腔ケアである。口腔ケアは，①機械的清掃と，②化学的清掃（薬剤による口腔内殺菌）に分けられる。最近のメタ解析によれば，歯ブラシによる口腔ケアは VAP の発生率を減らさなかった[3]。

また，クロルヘキシジングルコン酸塩による口腔内ケアは有効であるとの研究もある一方，同研究では小児に限ったサブ解析では VAP の発生率を減らさなかった。さらに日本では，アナフィラキシーの懸念から，口腔内に使用できるクロルヘキシジンの濃度が海外での研究と異なることにも留意しなければならない。

VAP 予防策のなかでは，現段階では 1 つの大きな柱であるといってよい口腔ケアであるが，その方法に関しては定まったものがない。とくに小児は，発達段階により口腔内の状況が大きく異なる。歯の生えていない新生児から，永久歯に生え変わった学童まで小児集中治療では幅広く対象にしており，画一的な口腔ケアの方法はそぐわない。基本的には毎日，定期的に口腔ケアを行うこと，湿潤環境を保つことなどを意識すれば，特別な薬品や器具を使用しなくともよいと考えられる。

一方，小児の場合は体動や体位変換などによりチューブの計画外抜去が起こりやすいこともあり，口腔ケアを行う際には安全面に十分留意する。場合によっては，鎮静薬の一時的な使用も検討する。

(2) 頭高位（ヘッドアップ）

VAP 予防には，頭高位が推奨されていることが多い。その根拠とされる研究の多くでは，半座位（45°）であり，30°程度での頭高位の VAP 予防の効果は明らかではない。

しかし，とくに小児においては，安全面からも 30°以上を保つことは困難なことが多いため，実際は 20～30°としていることが多い。

(3) カフ上部吸引

成人の分野では，カフ上部吸引付きの気管チューブの使用が，VAP 予防に一定の効果があることが知られている。しかし，小児に対するカフ上部吸引付き気管チューブの使用は，一般的ではない。

(4) 閉鎖式吸引システム

開放式吸引と閉鎖式吸引における VAP の発生率に関しては差がない。しかし，閉鎖式吸引システムを使用することで，患者の分泌物飛散などによる医療者の汚染を軽減でき，水平感染の予防にもなりうる。

(5) 新しいチューブ

ポリウレタン製の低容量高圧タイプのカフを使用したチューブが日本でも発売されており，小児用サイズもある。カフと気管壁の間にシワができにくく，従来の高容量低圧タイプのカフに比べて VAP 発生率を下げるとされている。

また，細菌がチューブ表面にバイオフィルムを形成するのを防止する銀コーティング気管チューブも，VAP の発生を下げることが期待されている。

しかし，これらの新しいデバイスは，コストが従来のものに比べて高くなるため，費用対効果も考えて慎重に導入を決めなければならない。

ケアバンドル

前述のように，VAP 予防策としてさまざまな手法が考案，研究されてきた。しかし，これらの個別の予防策のなかで小児における効果を示したエビデンスはほとんどない。

近年は，バンドルアプローチが主流である。さまざまな手法のうち，エビデンスレベルが高いものを集めてまとめて実行することにより，より予防策としての効果を期待できるもので，日本では日本集中治療医学会が発表したものなどがある。

小児においては，個別の予防策としてエビデンスが確立されたものはないが，バンドル導入の試みがいくつか報告されている。2009 年に発表された米国のシンシナティ小児病院のケアバンドルは，VAP の発生頻度を 9 割程度減少させたことが報告されている（表 1）[4]。ほかにも小児のケアバンドルの効果を支持する研究があり，

現時点で小児におけるVAP予防のエビデンスとして確立しているものは，ケアバンドル（表1，表2）の施行のみである。

(1) ケアバンドルの導入にあたって

ケアバンドルを作成することによって，人工呼吸器管理のケアに関して，スタッフ間で共通の意識をもつことができる。

口腔ケアや呼吸器回路の管理などの日常的なケアが，VAPを減らす重要な因子であるとの認識を改めてもつことが必要である。

運用例のポイントをいくつかあげる。
- 周知のためにケアバンドルの内容を見やすい場所に設置する（図1）。
- 多職種による勉強会を定期的に開催する。
- サーベイランスによる現状での問題点，目標を共有する。
- ベッドサイドに感染対策上のアラートを掲示する。

(2) サーベイランス

ケアバンドルを導入するにあたり，まずは自施設のVAPの現状を把握するために，サーベイランスを行うことが必要である。

米国の成人のVAPサーベイランスは，2013年に大きな変化がみられた。それまでのVAPの診断は，発熱や血液検査所見などの全身徴候に加えて，胸部X線検査所見の変化や，呼吸器症状（酸素化や痰の性状）の変化など，主観的な項目を中心として定義されていた。そのため，VAPサーベイランスの信頼度が疑問視されるようになり[5]，より客観的な指標として，人工呼吸器の条件の変化を主とした人工呼吸器関連事象（VAE）サーベイランスとなった。VAEの項目は表3に示す。

また2013年の改訂では，小児はVAEの対象ではなかったが，2019年および2020年の改訂[6]で小児を対象としたPedVAE（Pediatric VAE）（図2）が導入された。米国において，PedVAEは小児および新生児の入院患者のみを対象とした基準であり，それ以外のシチュエーションにおいては，従来どおりのVAPサーベイランス（表4，p.55）が使用されている。しかしながら，PedVAEは平均気道内圧（MAP）の計算など煩雑な点も多く，国内の施設においては，入院患者のサーベイランスにおいても，VAPサーベイランスを継続している施設も多い。

VAE：ventilator associated event，人工呼吸器関連事象

表1 VAP予防ケアバンドルの運用例①

1	呼吸器回路は汚れたときのみ交換
2	少なくとも2～4時間ごとに回路内の水を捨てる
3	吸引カテーテルを清潔にする
4	呼吸器回路に触るときは手指衛生を行う
5	30～40°にヘッドアップ
6	患者の体位変換前には呼吸器の水を払う
7	口腔ケアを2～4時間ごとに行う
8	12歳以上はカフ上部吸引付きのチューブを使う

〔文献4〕を参考に作成

表2 VAP予防ケアバンドルの運用例②

1	手指衛生の励行
2	各勤務1回の口腔ケアの実施 （1日1回は気管チューブを移動して行う）
3	体位変換時の呼吸器回路の水払い徹底
4	ヘッドアップ20～30°

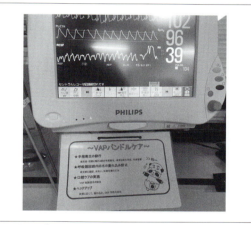

図1 ケアバンドルの内容を見やすい場所に掲示

サーベイランス導入の準備

(1) サーベイランスチームの構築

VAEサーベイランスは，電子カルテシステムから呼吸器条件の変化で適合するものをピックアップするため，ICUのスタッフでなくとも可能かもしれない。しかし，VAPサーベイランスはレントゲンの変化や痰の性状など，"現場"の評価が必要不可欠である。理想的にはICU

表3 VAE，VAC，PVAPの定義　　　　　　　　　　（概要を抜粋。詳細はCDCのWebサイトを参照）

項　目	定　　義
VAE	人工呼吸器関連事象の総称 人工呼吸器関連状態（VAC），人工呼吸器関連合併症（IVAC）， 人工呼吸器関連肺炎可能性例（PVAP）
VAC	〔以下の①，②の両方を満たす〕 ①患者が人工呼吸器に接続され，投与酸素濃度または呼気終末陽圧（PEEP）値が2暦日以上続くといったベースライン時期がある ②ベースライン時期の後，患者が以下によって示される酸素化の悪化の少なくとも1つを有している ・ベースライン時期における1日の最小投与酸素濃度を，0.2以上超える1日の最小投与酸素濃度が，2暦日以上続く ・ベースライン時期における1日の最小PEEPを，3cm H_2O 以上超える1日の最小PEEP値が，2暦日以上続く
IVAC	〔VACの基準を満たし，かつ，酸素化の悪化が発症した前後2暦日の間に患者が以下の基準の両方を満たす〕 ①体温が38℃を超えるか36℃未満，または，白血球数が12,000/mm^3 以上または4,000/mm^3 以下 ②新たな抗菌薬投与が開始されている
PVAP	〔IVACの基準を満たし，かつ，以下の3項目のうち1つを満たす〕 ①気管吸引や気管支肺胞洗浄検体から培養定量陽性 ②気管吸引等の検体で，膿性呼吸器検体から培養定性陽性 ③胸水培養や組織病理が陽性，ウイルス診断検査が陽性

人工呼吸器を装着していて安定／改善の状態にある患者が，FiO_2 または平均気道内圧（MAP）を上げることなく，それが2暦日以上続く状態
- 日齢30未満の児で，MAP 0〜8cm H_2O の範囲で管理している場合は，PedVAEサーベイランス上はMAP 8cm H_2O として扱う
- 日齢30以上の児で，MAP 0〜10cm H_2O の範囲で管理している場合は，PedVAEサーベイランス上はMAP 10cm H_2O として扱う

患者の呼吸状態の悪化（下記の指標のうち1つ以上）がある
1) FiO_2 の最低値が0.25以上増加し，その状態が2暦日以上持続する
2) MAPの最低値が4cm H_2O 以上増加し，その状態が2暦日以上持続する

PedVAEの診断
※ MAP＝PEEP＋(PIP－PEEP)×吸気時間×呼吸数／60

図2　PedVAEの定義　　　　　　　　　　（概要を抜粋。詳細はCDCのWebサイトを参照）

VAC：ventilator-associated condition，人工呼吸器関連状態
IVAC：infection-related ventilator-associated complication，人工呼吸器関連合併症
PVAP：possible ventilator-associated pneumonia，人工呼吸器関連肺炎可能性例
PEEP：positive-end expiratory pressure，呼気終末陽圧

表4 VAPの定義（CDC/NHSNのサーベイランス定義の概要）

> 下記の両方を満たす
> ①胸部レントゲン検査で，以下の所見が少なくとも1つある
>   進行性の浸潤影，硬化像，空洞
> ②1〜12歳の小児で，以下の少なくとも3つ以上の症状
>   ・発熱
>   ・38.4℃以上または36.5℃以下
>   ・白血球 15,000/mm³ 以上または 4,000/mm³
>   ・膿性痰の出現，分泌物の増加
>   ・ガス交換の悪化
>   ・ラ音

医師1名，ICU看護師1名に加えて，感染管理看護師（ICN）などの第三者の参加が望ましい。とくに胸部X線検査所見の変化に関しては，専門的かつ客観的な判断が必要になる。

(2) 対象を決定

毎日，何時の時点での人工呼吸器管理患者を対象とするのか，気管切開患者を含めるのか，在宅用人工呼吸器を使用している患者を含めるのかなど，あらかじめルールを決めておく。

(3) サーベイランスデータを活用する

サーベイランスはただデータを集めるだけでなく，分析し，活用することが大事である。

現状把握と問題点の抽出，そこから出されるケアバンドル導入の必要性を吟味し，またケアバンドルをすでに行っているのであれば，スタッフのモチベーション維持のためにも有効にフィードバックする。

(4) 小児のVAP/VAEサーベイランスの今後について

成人のVAEサーベイランスが導入されてから数年が経過しているが，無気肺などVAP以外のものも陽性と捉えてしまうなどの批判的な研究[7]もある。小児におけるPedVAEサーベイランスは導入されたばかりではあるが，客観的な基準を用いて，はたして適切な症例をピックアップすることができているかどうかは，未知数な部分も多い。

サーベイランスの目的は，自施設の年次推移，および他施設との比較である。現段階では，各施設でVAPおよびVAEサーベイランスを並行して継続していく必要があると考えられる。現状把握としてサーベイランスを行い，それぞれの施設での取り組みを発信していくことが，日本の小児施設における全体のレベルアップにつながっていくと考えられる。

文献

1) Centers for Disease Control and Prevention, National Healthcare Safety Network（NHSN）：Pneumonia（PedVAP）Events［https://www.cdc.gov/nhsn/psc/pneu/index.html（2022年5月現在）］
2) Bahrani-Mougeot FK, et al：Molecular analysis of oral and respiratory bacterial species associated with ventilator-associated pneumonia. J Clin Microbiol, 45(5)：1588-1593, 2007
3) Alhazzani W, et al：Toothbrushing for critically ill mechanically ventilated patients: a systematic review and meta-analysis of randomized trials evaluating ventilator-associated pneumonia. Crit Care Med, 41(2)：646-655, 2013
4) Bigham MT, et al：Ventilator-associated pneumonia in the pediatric intensive care unit: characterizing the problem and implementing a sustainable solution. J Pediatr, 154(4)：582-587, 2009
5) Klompas M：Is a ventilator-associated pneumonia rate of zero really possible? Curr Opin Infect Dis, 25(2)：176-182, 2012
6) Centers for Disease Control and Prevention, National Healthcare Safety Network（NHSN）：Pediatric Ventilator-associated Events（PedVAE）［https://www.cdc.gov/nhsn/psc/pedvae/index.html（2022年5月現在）］
7) Muscedere J, et al：The clinical impact and preventability of ventilator-associated conditions in critically ill patients who are mechanically ventilated. Chest, 144(5)：1453-1460, 2013

2.6 手術部位感染予防

Points
- 手術部位感染予防（SSI）は，手術前，手術中，手術後の3つのシチュエーションに分けて考えるべきである。
- 小児におけるSSIサーベイランスは他施設との比較・検討が難しいこともあり，まずは自施設のベースラインデータを構築することから始める。

手術部位感染とは

"手術部位感染（SSI）"とは「手術により切開された部位，および手術操作の加わった深部臓器や体腔を含めた，手術部位の感染」である。発生部位別に，表層切開部SSI，深部切開部SSI，臓器／体腔SSIに分けられる[1]。SSIの発生は，ICU滞在日数および入院日数の延長をもたらし，本来予定していない治療と医療費の増大につながる。

SSIサーベイランスを行うことにより，日常的なSSI発生率を把握することができる。またデータを分析し，

表1 SSIに関連する影響因子

手術前から手術直前	患者	ケア
	・遠隔感染の状況 ・糖尿病 ・喫煙 ・ステロイドの全身投与 ・肥満 ・栄養不良，低栄養状態 ・年齢（高齢，未熟児） ・術前入院期間 ・術前鼻腔保菌状態（黄色ブドウ球菌）	・皮膚準備（消毒薬によるシャワー，除毛方法と時期，手術部位の細菌汚染予防方法，皮膚の消毒方法） ・抗菌薬の予防的投与方法 ・術者の手洗いの方法
手術中	**手技**	**環境**
	・二重手袋の着用 ・周術期輸血 ・手術時間 ・米国麻酔学会（ASA）分類の3以上 ・創の汚染レベル ・手術時間 ・埋入物の有無 ・止血状況 ・死滅壊死の除去 ・血腫・死腔など組織や体腔の状況 ・体温管理	・手術環境の管理（空調，人員など） ・器材の滅菌管理 ・無菌区域の管理状況 ・手術時の着衣
手術後	**ケア**	
	・手術創の管理（被覆方法とドレッシング交換，無菌操作，消毒，ドレーン管理） ・血糖管理	

〔文献1）を参考に作成〕

SSI：surgical site infection，手術部位感染
ASA：American Society of Anesthesiologists，米国麻酔学会

2.6 手術部位感染予防

表2 SSI防止のための手術前・手術中・手術後における管理
（勧告レベルは4段階に分けられており，IAおよびIBのみを記載した。
IA：実施を強く勧告，IB：実施を勧告，Ⅱ：実施を推奨，勧告なし，未解決問題）

手術前の対策	・予定手術の前に，手術創に広がるすべての感染を明らかにし，治療する。感染が治るまで手術は延期する〔IA〕 ・切開部あるいは周辺の毛が手術の邪魔になる場合は，手術前にサージカルクリッパーを使用し，除毛する〔IA〕 ・すべての糖尿病患者で血糖値を適切に管理し，周術中の高血糖を避ける〔IB〕 ・予定手術の少なくとも30日前から禁煙を勧める〔IB〕 ・少なくとも手術前夜に，消毒薬によるシャワーあるいは入浴を指示し，切開部位および周辺を十分に洗浄，清浄化して大きな汚れを除く〔IB〕 ・皮膚消毒には基準に合った消毒薬を用いる〔IB〕
手術中の対策	・爪を短く切り，つけ爪はしない〔IB〕 ・手術時手洗いは，適切な消毒薬を用いて2～5分間，肘までの手および前腕まで行い，滅菌ガウンを着た後に，滅菌手袋を着用する〔IB〕 ・手術室の空調を陽圧に維持し，必要時以外は手術室のドアを閉めておく〔IB〕 ・手術室への入室は，髪を完全に帽子で覆い，マスクを着用する〔IB〕 ・滅菌ガウンや滅菌覆い布には，防水性の高い素材を使用する〔IB〕 ・血管内用具留置時，脊椎麻酔時，硬膜外カテーテル挿入時，また静脈内投与薬剤の準備と投与のときは，無菌操作法の原則を遵守する〔IA〕
予防的抗菌薬投与	・予防的抗菌薬投与は必要な場合にのみ行い，SSIの原因となる菌に対して効果的な薬剤を選択する〔IA〕 ・初回投与は，切開時に血清および組織に薬剤の殺菌濃度が上昇しているように投与のタイミングを検討し，手術中および少なくとも閉創後2～3時間後まで薬剤濃度を維持する〔IA〕 ・予定の大腸・直腸の手術前には，浣腸や下剤を使用し，非吸収性の経口抗菌薬を手術前日に投与する〔IA〕 ・バンコマイシンを予防的抗菌薬として日常的に使用しない〔IB〕
手術後創処置	・ドレーンは閉鎖式吸引ドレーンを用い，できるだけすみやかに抜去する〔IB〕 ・一次閉鎖した切開創は，術後24～48時間は滅菌ドレッシング材で保護する〔IB〕 ・包帯交換や手術部位に接触する前後には手洗いを行う〔IB〕
サーベイランス	・サーベイランスの対象手術を受ける症例のSSIの危険の増加に関する変数（例：手術創分類，ASA分類，手術時間など）を記録し，判定定義を変更することなく用いる〔IB〕 ・サーベイランスの結果は，手術チームに報告し，持続的に改善する〔IB〕

〔文献1）～3）を参考に作成〕

関係する部署やチームと組織的に対策を講じ，発生の低減につなげることが目的である。

小児の手術における手術前の準備

小児が手術を受けるにあたっての手術前の準備では，家族の協力が不可欠である。手術前のオリエンテーションを行う際には，手術前から退院までの流れや必要なケアについて，患者や家族に対し十分な説明を行う。

予定された手術および手術後の経過が順調に進むよう，市中の感染症への接触を極力避けるよう説明する。また乳幼児では，手術の前後が予防接種を予定していた日程と重なることがある。それに加えて，輸血や免疫グロブリン製剤は，水痘ワクチンや麻しん・風しんワクチン，おたふくかぜワクチンなどの生ワクチンによる抗体獲得に悪影響を与える可能性があるため，事前にこれらの製剤が投与される可能性があるかどうかを確認する必要がある。一方で，不活化ワクチンはこれらの製剤の影響を受けないため，手術前後であっても接種は可能である。同様に，経口生ワクチンであるロタウイルスワクチン，結核に対する生ワクチンであるBCGワクチンは，抗体獲得の機序が異なるため，影響は受けない。

あらかじめ予防接種の実施状況を確認したうえで，主治医に相談し，予防接種の日程を調整しておく。

手術部位感染防止策

「SSI防止のためのCDCガイドライン」[1]では，SSI発生の影響因子（表1）と，手術前・手術中・手術後の周術期管理についての勧告（表2）が示されている。

成人に有効なSSI対策は，小児でも有効と考えられている。米国ヘルスケア改善協会（IHI）が作成してい

IHI：Institute for Healthcare Improvement，米国ヘルスケア改善協会

表3 SSI 防止のためのケアバンドルの例

1	除毛は必要最小限とし，必要時は手術直前にサージカルクリッパーで除毛する
2	周術期予防的抗菌薬の適正使用
3	手術中の適正な体温維持
4	手術中の血糖値を正常範囲で維持する

〔文献 4）を参考に作成〕

る SSI 防止のためのケアバンドルの例を表3 に示す。バンドルの遵守状況の確認や向上を図るため，チェックリストなどを活用する。

手術前の皮膚準備

（1）皮膚のケア

皮膚炎は，SSI のリスクファクターである。

小児の場合，アトピー性皮膚炎や乾燥肌があると，手術後の皮膚ケアが十分になされないことにより，皮膚の状態が悪化することがある。予定手術では，あらかじめ皮膚科などの診察を受け，皮膚を良い状態に保っておくことが好ましい。家族には，手術直前までの期間，切開部周囲の清潔を保ち，可能なかぎり掻破などによる細かい傷をつくらないように説明し，協力を得る。軟膏を塗布した皮膚は，汚れやほこりが付着しているため，手術直前に石鹸を用いて洗浄し，除去する。

また，とくに新生児の皮膚は脆弱であるため，ドレッシング材やテープの貼付の影響により，かぶれやびらんなどの炎症を起こす場合がある。その結果，手術創の周囲に掻痒感が生じ，掻破につながることがある。テープをはがす際には剥離剤などを用い，皮膚トラブルを最小限にとどめるように注意する。

（2）除毛の方法

小児は成人と比べて体毛が少なく，頭部の手術以外で除（剃）毛を必要とすることは少ない。除毛が必要な場合には，手術直前に創周囲の必要部分のみをサージカルクリッパーで処理する。

（3）消毒剤による影響

皮膚消毒については，10％ポビドンヨード，1％クロルヘキシジングルコン酸塩アルコールなどが選択される。

ポビドンヨードは，低出生体重児・新生児の正常皮膚，粘膜への使用において，ヨードの吸収による甲状腺機能低下が報告されている。さらに正常な皮膚でも，30 分以上の湿潤状態にさらされると化学熱傷を起こすことがある。

クロルヘキシジングルコン酸塩の使用は，日本人でアナフィラキシーショックの報告がある。米国食品医薬品局（FDA）では，2 カ月未満の新生児での使用を承認していないが，実際には適応外で使用されている。

消毒薬の選択は年齢や皮膚状態を考慮したうえで，効果があり，かつ，安全なものを選択し，適正に使用する。

手術時予防的抗菌薬投与

（1）抗菌薬の選択

予防的抗菌薬投与では，手術中に起きる手術部位の常在細菌による汚染に対して，殺菌性のある有効な抗菌薬を選択する。2013 年に米国病院薬剤師会（ASHP），米国感染症学会（IDSA）や米国医療疫学学会（SHEA）などが合同で周術期抗菌薬予防投与に関するガイドライン[5]を策定している。

インフェクションコントロールチーム（ICT）と各診療科・部門が相談のうえ，手術時の予防的抗菌薬のプロトコールを策定する（図1）。

（2）投与のタイミング

皮膚切開時に，血液および組織中の薬剤の濃度が，十分に殺菌作用が得られる値に到達するように，手術前抗菌薬投与の時間を決定する。

手術中の患者の状況や手術時間に応じて，血液および組織中の抗菌薬の濃度を維持するために追加投与が行われる。追加投与のタイミングに関しては，大量出血時，および投与している抗菌薬の半減期の 2 倍の時間が経過したときである。

（3）投与期間

手術後の予防的抗菌薬投与を継続することで，手術後に曝露した汚染菌による SSI を予防する効果はないため，長期的な抗菌薬投与は有益ではない。一方で，

FDA：Food and Drug Administration，米国食品医薬品局
ASHP：American Society of Health-System Pharmacists，米国病院薬剤師会
IDSA：Infectious Diseases Society of America，米国感染症学会
SHEA：The Society for Healthcare Epidemiology of America，米国医療疫学学会

XIV 2 周術期予防的抗菌薬投与の指針

1. 原則

① 投与期間は術中のみ，または術後 24 時間以内の投与とする。
　それ以上の投与は，耐性菌を増加させる可能性があり，推奨しない。
　治療投与の場合は，各感染症に必要な期間投与とする。
② 執刀 60 分前から，執刀までの間に投与終了する。
　バンコマイシンは 2 時間前から執刀 1 時間前までとする。
③ 抗菌薬は半減期の 2 倍程度を目安に術中追加投与を行う。
　大量出血をした際（30 mL/kg 以上）は追加投与を行う。
④ MRSA の保菌者は，セファゾリン（CEZ）に追加して，バンコマイシン（VCM）を投与してもよい。
⑤ 術中抗菌薬の選択は主科，投与タイミングは麻酔医主導で行う。

2. 基本の抗菌薬の投与量と追加投与

	1 回投与量	追加投与
セファゾリン（CEZ）	30 mg/kg/回（最大 2 g/回）	3 時間ごと
セフメタゾール（CMZ）	30 mg/kg/回（最大 2 g/回）	3 時間ごと
バンコマイシン（VCM）	15 mg/kg/回	追加投与なし

3. 腎機能低下時，および新生児への投与法

腎機能低下時の投与法

	> C_{cr} 50 mL/分	C_{cr} 10 ～ 50 mL/分	< C_{cr} 10 mL/分
セファゾリン	30 mg/kg/回，3 時間ごと	30 mg/kg/回，6 時間ごと	30 mg/kg/回，追加投与なし
セフメタゾール	30 mg/kg/回，3 時間ごと	30 mg/kg/回，6 時間ごと	30 mg/kg/回，追加投与なし
バンコマイシン	15 mg/kg/回，追加投与なし	15 mg/kg/回，追加投与なし	15 mg/kg/回，追加投与なし

新生児への投与法

	日齢 7 日以上	日齢 7 日未満
セファゾリン	30 mg/kg/回，3 時間ごと	30 mg/kg/回，6 時間ごと
セフメタゾール	30 mg/kg/回，3 時間ごと	30 mg/kg/回，6 時間ごと
バンコマイシン	15 mg/kg/回，追加投与なし	15 mg/kg/回，追加投与なし

4. 各手術における抗菌薬の選択例

外　科	セファゾリン 下部消化管手術（小腸・大腸・肛門手術）→セフメタゾール 気道系手術（特に喉頭気管分離）→ ・緑膿菌保菌なし→アンピシリン／スルバクタム（ABPC/SBT）50 mg/kg/回 ・緑膿菌保菌あり→ピペラシリン／タゾバクタム（PIPC/TAZ）100 mg/kg/回
整形外科	セファゾリン （開放骨折・汚染の強い外傷は，治療に準じた投与）
形成外科	セファゾリン 口腔内手術であれば，アンピシリン（ABPC）50 mg/kg/回
脳外科	セファゾリン
心臓血管外科	セファゾリン MRSA 保菌者であれば，バンコマイシン
泌尿器科	セファゾリン 回腸導管等の腸管を含む手術であれば，セフメタゾール
産婦人科	セファゾリン （帝王切開においても皮膚切開 60 分前から執刀までの間に投与）

《その他》
　β-ラクタムアレルギーの場合→抗菌薬担当者に相談する。

図 1　周術期予防的抗菌薬投与プロトコールの運用例

クロストリディオイデス・ディフィシル腸炎や急性腎不全の発生率が増加するため，手術が終了したとき（遅くとも手術後24時間以内）に抗菌薬投与も終了することが好ましい[5]。また，留置ドレーン／カテーテルを抜去するまで予防的抗菌薬投与を延長することにも利点がない[6]。

その一方で，もともとのSSI発生率は高くないため，統計学的な有意差が得られるほどのサンプルサイズで行われた研究が少ない。手術後の抗菌薬投与期間に関しては，各診療科と意見のすりあわせが必要である。

手術中の体温管理

手術中から手術後における体温を適切に管理することにより，手術後の合併症およびSSIの発生を減少させたという報告がある。

小児（とくに新生児や低出生体重児）では，熱の産生機能が低いため，環境温度の変化の影響を受けやすく，成人と比べて容易に低体温または高体温になりやすい。

麻酔中は，さらに体温調節機構が働きにくくなることもあり，体温を適切に保つような管理を行うことが必要とされる。

手術中の無菌操作と技術的汚染拡散防止の遵守

(1) 手術時の手指衛生の方法

手指（皮膚）には，常在菌〔表皮ブドウ球菌などのコアグラーゼ陰性ブドウ球菌（CNS）やコリネバクテリウムなど〕と，通過菌〔環境にいる菌（大腸菌や黄色ブドウ球菌）が一過性に付着する〕が存在する。

手術時の手指衛生の目的は，これらの通過菌を確実に除去し，常在菌を可能なかぎり減少させることである。手術時の手指衛生の方法は，スクラブ法，ラビング法（ウォーターレス法）などがある（7.6節，p.256参照）。

どの方法を選択しても，正しく実施されていれば，手指衛生後の手指の細菌数は同等に減少するとされている。また，SSI発生率も有意差はないと評価されている。しかし，ブラシを用いた手指衛生では，手指の皮膚に細かな傷が生じるため，かえって細菌数を増加させるおそれがある。ブラシを使用しないラビング法は，手荒れに配慮した方法であるとともに，コストおよび手指衛生の時間の削減につながる。

手術時の手指衛生の方法については，教育を受けた施設・大学などの方法が慣習化され，スタッフ個々に方法が異なる場合がある。施設内の規定どおりの正しい方法・手技で実施されているか否かを，新任時に確認することも必要である。

(2) 二重手袋の推奨

手指の汚染に関連して，手術時に使用する滅菌手袋の選択も重要なポイントとなる。

手術に使用する滅菌手袋は品質上，最大1.5％にピンホールとよばれる小さな穴が存在し，さらに2時間以上使用することで破損の発生率が高まることが知られている。手術中の操作により生じる破損の多くは，指先に発生する。

二重手袋の着用が推奨されているが，着用感や操作のしやすさをもとに選択し，適切なタイミングで手袋を交換することが必要である。さらに，前述の適切な手指衛生により術者の手の細菌数を減らすことで，万が一，手袋の破損が生じた場合でも，術野が汚染されるリスクを減らすことにつながる。

長い爪やつけ爪は，指先の洗浄が妨げられ，手袋の破損にもつながるため，定期的なメンテナンスが不可欠である。

SSIサーベイランスの実施

全米医療安全ネットワーク（NHSN）や日本院内感染対策サーベイランス（JANIS）（p.50参照）のSSIサーベイランスの診断定義[7]にもとづいて，データを収集し判定する。なお，SSIサーベイランスの判定基準の1項目に「手術医もしくは主治医によるSSIの診断」があるため，判定には外科医の協力が必要になる。

小児科領域でのSSIサーベイランスは，手術手技が多岐にわたることや，同様の手術が行われる件数が少ないこともあり，他施設との比較や検討が容易ではない。そのため，自施設で実施された手術における感染率のベースラインデータ（標準的感染率）を算出したうえで，そのデータとの比較でサーベイランスを行っているのが現状である。

近年，国内でも小児科領域におけるSSIサーベイランス結果の報告が増えてきており，収集するデータや診断定義を統一し，多施設間で比較が可能となるようなサーベイランスシステムの構築が期待される。

CNS：coagulase negative *Staphylococcus*，コアグラーゼ陰性ブドウ球菌

文献

1) Mangram AJ, et al：Guideline for prevention of surgical site infection, 1999. Hospital Infection Control Practices Advisory Committee. Infect Control Hosp Epidemiol, 20(4)：250-278, 1999
2) 大久保憲, 他：手術部位感染防止ガイドライン, 1999. 日本手術医学会誌, 20(3)：297-326, 1999
3) 小林寛伊：手術部位感染防止ガイドライン草案, 1998：公告. 日本手術医学会誌, 19(3)：395-398, 1998
4) Institute for Healthcare Improvement [http://www.ihi.org/]
5) Bratzler DW, et al：Clinical practice guidelines for antimicrobial prophylaxis in surgery. Am J Health Syst Pharm, 70(3)：195-283, 2013
6) Sandoe JA, et al：Effect of extended perioperative antibiotic prophylaxis on intravascular catheter colonization and infection in cardiothoracic surgery patients. J Antimicrob Chemother, 52(5)：877-879, 2003
7) 厚生労働省院内感染対策サーベイランス事業：院内感染対策サーベイランス手術部位感染（SSI）部門, 手術部位感染　判定基準, 2015年7月7日

Memo

2.7 感染症サーベイランス

Points
- 医療施設ごとに必要とされる**感染症サーベイランス**を吟味し，関連部署と協力してサーベイランスシステムを構築する。
- **アクティブサーベイランス**と**パッシブサーベイランス**の違いを理解する。

病院におけるサーベイランスの目的

病院におけるサーベイランスとは，医療関連感染などが日常的にどのくらいの頻度で，なぜ起きているかを，疫学的に解釈することである。サーベイランスを行うことで，感染拡大の傾向とパターンを認知し，アウトブレイクの早期発見につながる。サーベイランスの結果から問題点をあげ，臨床現場にフィードバックすることで，必要に応じて対策を立案・導入する。サーベイランスの目的は，感染予防によって医療の質を改善させることである（図1）。

ICTの役割として，感染症の発症状況を示し，現場のスタッフが自律的に感染対策に取り組むことができるように促す必要がある。また，感染対策の介入後の効果判定も，ICTの重要な役割の1つである。

サーベイランスの対象となるものは，患者管理や医療コストの面で"医療の質"に直結する項目であることが必要条件であり，その事象がある程度の頻度で発生しており，介入が有益である可能性のあるものを選択する必要がある。例えば，デバイス関連感染や手術部位感染は，発生頻度が高いと患者に危険が生じるだけでなく，入院期間の延長や治療費の増大などコスト面の問題

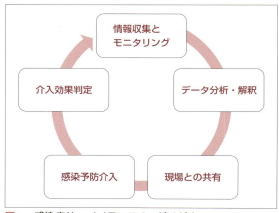

図1 感染症サーベイランスの一連の流れ

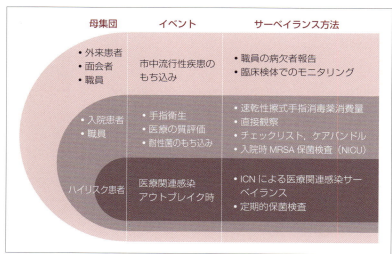

図2 感染対策上，問題となるイベントの母集団とサーベイランス方法

も生じさせる。対策を講じることで改善が期待できる項目であるため，サーベイランス対象である。一方で，手術件数がほとんどない病院でSSIサーベイランスを行ったとしても，労力に見合った効果が期待できないだろう。このように，医療施設ごとに何が問題になりうるのかを吟味し，サーベイランスを行う項目を選定する。基本的に介入を要さないサーベイランスは行うべきではない。

また，速乾性手指消毒薬の払い出し量調査や手指衛生遵守率調査のように，感染対策の質を対象としたサーベイランスもある（図2）。

アクティブサーベイランスとパッシブサーベイランス

(1) アクティブサーベイランス

アクティブ（能動的）サーベイランスとは，前方視的かつ能動的に情報収集する手法である。代表的なものでは，医療関連感染サーベイランスやアウトブレイクサーベイランスがある。アクティブサーベイランスでは，データ収集のためのシステムの構築と維持にマンパワーやコストを要する。またデータの信頼性を担保するために，病院疫学者などの専属スタッフによる実施が好ましいが，日本の医療施設ではICNが行うことが多い。

(2) パッシブサーベイランス

パッシブ（受動的）サーベイランスとは，対象とする母集団が大きい場合や，発生頻度が低い事象の平常時のモニタリングに用いられる手法である。臨床検体から検出された耐性菌の平常時の検出頻度を把握しておくことでベースラインを超えて増加した場合に，アウトブレイクを早期に疑うことができる。項目として，入院患者のRSウイルスやインフルエンザウイルス，ノロウイルス，ロタウイルスの迅速抗原検査陽性者，MRSAや基質特異性拡張型β-ラクタマーゼ（ESBL）・AmpC型β-ラクタマーゼ産生腸内細菌などの耐性菌をみることが多い。検査が実施されない患者の保菌状態はわからないため，バイアスの多いデータではあるが，いずれも，通常業務内でマンパワーが少なくても実施可能なサーベイランスである。

円滑にサーベイランスを機能させるには，細菌検査室の役割は重要であり，耐性菌の標準的な検出方法の

表1 薬剤耐性菌の制御に重要な7つの要素

| ①感染予防策が実施できる管理者がいるかどうか，遵守できているか |
| ②耐性菌に関する教育 |
| ③抗菌薬適正使用 |
| ④耐性菌サーベイランス |
| ⑤伝播予防のための感染予防策の実施 |
| ⑥環境整備と質の保持 |
| ⑦除菌 |

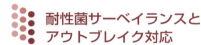
〔文献3）を参考に作成〕

確立，ICTや臨床現場とのコミュニケーション，疫学調査目的の検体保存方法，経時的な薬剤感受性変化を報告する役割が期待される。

耐性菌サーベイランスとアウトブレイク対応

表1に，薬剤耐性菌の制御に重要な7つの要素を示す。"耐性菌サーベイランス"とは「細菌検査室で臨床検体や監視培養でモニターし，薬剤耐性菌検出時に，ICTに報告してアウトブレイクの早期発見につなげるもの」である。注意を要する薬剤耐性菌としては，MRSA，カルバペネム耐性腸内細菌科細菌（CRE）／カルバペネマーゼ産生腸内細菌（CPE）やESBL産生腸内細菌，AmpC型β-ラクタマーゼ産生腸内細菌がある。

NICUでは，とくに新生児で問題となるセレウス菌，B群溶血性連鎖球菌（GBS）なども重症感染症を発症するため，報告対象とすることがある。検出されたときには保菌者が増えていないか，環境が汚染されていないか，などを慎重に検討する必要がある。

無症候性保菌者が潜在的に増加している結果，アウトブレイクが起きている可能性が疑われたときは，無症候性保菌者の把握のためにはパッシブサーベイランスのみでは限界があり，アクティブサーベイランスの導入を検討する（表2，図3）。

医療関連感染のサーベイランス

医療関連感染（HAI）のサーベイランスには，CLABSI，CAUTI，VAE，SSIがある〔それぞれ2.3節（p.42）〜2.6節（p.56）参照〕。これらすべてのサー

ESBL：extended spectrum β-lactamase，基質特異性拡張型β-ラクタマーゼ
CRE：carbapenem resistant *Enterobacteriaceae*，カルバペネム耐性腸内細菌科細菌
CPE：carbapenemase producing *Enterobacteriaceae*，カルバペネマーゼ産生腸内細菌
GBS：group B *Streptococcus*，B群溶血性連鎖球菌

表2　薬剤耐性菌の制御においてサーベイランスで推奨されている内容

CDC/HICPAC の推奨レベル：
IA：良質な実験，臨床試験，疫学調査により裏づけられ，強く推奨される
IB：いくつかの実験，臨床試験，疫学調査，論理的根拠があり，強く推奨される
IC：政府により強制的に要求される
II：論理的に，もしくは臨床的，疫学的な研究により関連性が示唆され，必要であれば導入を検討する

平常時	アウトブレイク時
・多剤耐性菌（MDRO）の薬剤感受性判定は推奨される標準的な手法を用いる ・新たな耐性パターンをみたら感染対策担当者に報告する〔IB〕 ・疫学調査用の検体保存プロトコールを作成する〔IB〕 ・臨床検体由来の MDRO の検出・報告するシステムを確立する〔IB〕 ・病棟ごとに耐性菌の薬剤感受性検査報告を定期的に作成する。新たな耐性菌の出現や水平伝播を示しうる薬剤耐性の変化を報告する〔IA/IC〕 ・ハイリスク病棟（ICU，血液腫瘍病棟）はアンチバイオグラムを別個に作成する〔IB〕 ・MDRO の発生頻度を経時的にモニターして，新たな感染予防介入が必要な状況の判断材料とする〔IA〕	・発生率を算出し，解析する〔IB〕 ・薬剤感受性検査結果の編集頻度を上げる〔II〕 ・遺伝子タイピングのために検体保存し，必要時にタイピングを行う〔IB〕 ・ハイリスク患者の監視培養を導入する〔IB〕 ・病原体ごとに採取部位・培養方法の推奨を確認する ・感染対策介入後の効果を監視培養で評価する ・水平伝播の評価として定期的（毎週）に保菌率を評価する。水平伝播がなくなるまでくり返し，退院時にも保菌検査をして保菌率を調査する〔IB〕 ・病原体によっては，保菌者と接触の可能性がある同室者や患者の保菌検査を行う〔IB〕 ・職員が感染源であるという疫学的証拠があれば，スタッフの保菌検査を行う〔IB〕

〔文献3）を参考に作成〕

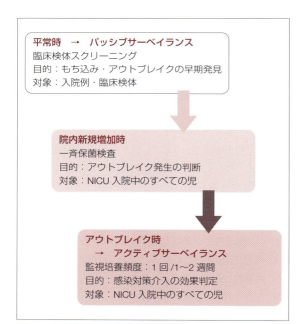

図3　NICU での MRSA アウトブレイクにおけるサーベイランスの使い分け

ベイランスを行う必要はなく，PICU や NICU や血液腫瘍病棟などで，現場のスタッフが問題と感じているもので，発症した際の重症化のリスクなどを鑑み，優先順位が高いものから導入する。

　サーベイランス導入前の準備として，以下のポイントが重要になる。まず，現場スタッフがサーベイランスの目的と必要性が理解できなければ，その後の行動変容に期待ができず，感染予防は達成できない。導入前に，当該部署と話し合い，問題意識を高めることが重要である。次に，HAI の発症に重要なリスクファクターや，HAI が発生した場合の重大性について，現場スタッフを教育する必要がある。最後に，サーベイランス導入前の自施設における HAI の発症状況と，現状の予防策の実施状況を現場スタッフと共有する必要がある。算出された発生率は，他施設（海外の小児医療施設も含む）の基礎水準データと比較することで，自施設の現状を理解することができる。既報において，HAI の発生率とその評価を現場にフィードバックするだけで，発生率が減少したという報告が多い。これは，準備によって現場スタッフの行動変容が起きた結果と言い換えることができるだろう。

　実際のサーベイランスにおいては，HAI の判定に必要な症状，検査の種類や方法について，医師・看護師

MDRO：multidrug resistant organisms，多剤耐性菌
PICU：pediatric intensive care unit，小児集中治療室

で共有しておく必要がある．症例ごとに判定が難しいものは，現場スタッフの意見も聞きながら，協力してサーベイランスを行う．HAIの発生率を算出し，発生率が高い場合は，リスク因子の有無や，予防策の実施率・遵守率などを踏まえて，具体的な提案とともに現場にフィードバックすることが好ましい．

デバイスの使用比率が高いPICUやNICUでは複数の診療科が関係しているため，バンドルの意思統一が難しいことがある．他部署に協力を依頼し，交渉が必要な場面はICTが連携のサポートを行う．

 医療の質サーベイランス

(1) 手指衛生

手指衛生遵守率の調査には，観察者が医療者の手指衛生を直接観察して評価する方法が用いられる．

世界保健機関（WHO）による「医療現場における手指衛生のためのガイドライン」[1]の5つのタイミング〔2.1節の図1（p.30）参照〕ごとの実施率を算出し，個人ごとに実施率が高いところ，低いところをフィードバックして意識づけする．手指衛生遵守率調査は直接観察法が原則であるが，マンパワーを要するのが難点である．

速乾性擦式手指消毒薬の使用量をモニタリングすることで，間接的に手指衛生実施状況を把握することができる．しかし，患者の重症度は病棟ごとに異なり，処置回数の違いがあるため，この方法では病棟間の比較は困難である．また，手指衛生を行ったタイミングの評価ができず，流水手洗いの実施率が高い病棟では手指衛生遵守率の過小評価になる可能性がある．直接観察法とあわせて，強化が必要なタイミングを評価する．

(2) バンドルアプローチ

それぞれのHAIを単独で確実に予防する方法はない．理論的に効果があると思われる予防策を複数，もしくはすべて実施することで効果を上げている．これを「バンドルアプローチ」といい，医療の質の確保のための手段として活用されている．エビデンスにもとづいた，最低限実施しなければならないという項目をチェックリスト（ケアバンドル）にするとよい．

(3) 症状別サーベイランス

感染性の高い市中感染症は患者・面会者・医療者によって病棟にもち込まれる可能性がある．その結果，集団発生し，病棟運営を困難にすることがある．症状別サーベイランスは，インフルエンザ流行期の急激な発熱，RSウイルス感染症流行期の上気道症状，ノロウイルス感染症流行期の急性消化器症状などが該当し，症状の有無を報告させることで病原体診断前にアウトブレイクの状態を把握することができる．

具体的な方法としては，病棟ごとに管理している患者の日々の症状をリストアップすることであるが，感染症流行期には強制力をもってICTに報告させることで，報告漏れを未然に防ぐことも必要である．また，流行状況に合わせて，職員の症状も管理者からICTに連日報告させることも必要である．これによって，院内での局所的な発生をモニタリングでき，連日報告させることで感染対策の意識づけにもなる．

文献

1) WHO Guidelines Approved by the Guidelines Review Committee：WHO Guidelines on Hand Hygiene in Health Care: First Global Patient Safety Challenge Clean Care is Safer Care. World Health Organization, 2009
2) 日本環境感染学会 多剤耐性菌感染制御委員会・編：多剤耐性グラム陰性菌感染制御のためのポジションペーパー 第2版. 環境感染誌, 32(Suppl), 2017
3) Siegel JD, et al：Management of multidrug-resistant organisms in health care settings, 2006. Am J Infect Control, 35(10 Suppl 2)：S165-S193, 2007

Note

スクリーニング

迅速に行うことのできる問診，検査や手技などを活用し，無自覚の疾病や病原体の有無を暫定的に判定することを指す．

WHO：World Health Organization，世界保健機関

微生物検査（検体の出し方）

> **Points**
> ▶ 小児・新生児での検体採取は，**手技的に困難**であり，**検体量も少ない**ため，施設内で統一された検体採取方法の確立が必要である。
> ▶ 不適切な抗微生物薬の使用を防ぐために，培養検査の結果報告に際して，**細菌検査室との連携が必要**である。

感染症診療において細菌検査は必須である。しかし，不適切に採取された検体や，不適当な条件で搬送された検体から得られた検査結果は，誤った診断や不適切な抗微生物薬治療をまねくことになりかねない。

一方で，小児・新生児は，成人と比較して検体採取が困難であり，検体量も少ない。そのため，適切な検体採取法を実施することが重要である。

 ### 各種検体で共通すること

(1) 症状があるときに検査を実施

基本的には，有症状時にのみ行う。監視培養に関しては，検出されている細菌が起因菌とはかぎらないため，原則的には推奨されない。

(2) 検査依頼時に注意すべきこと

目的とする微生物がある場合は，必ずオーダーコメントや検査依頼書に記載する。目的の微生物によっては，特別な培地や環境を用意しなければ発育させることができない。

また，MRSA や ESBL 産生菌等の耐性菌検索を目的とする場合は，各種スクリーニング培地の使用により，菌検出率の向上・検査報告日数の短縮・コスト削減につながることがある。

(3) 検体採取・搬送・保存における諸注意

可能なかぎり，抗菌薬投与前に検体を採取する。抗菌薬投与開始後に採取した検体では，抗菌薬の影響で菌の発育が阻害されることがある。

採取に関しては，常在菌や消毒薬の混入を避ける。採取後は，搬送時の感染対策に留意する。汚染対策として，採取容器は，スクリューキャップなどのふたが付いた，密閉できて頑丈なものを用いる。搬送時は専用のコンテナに入れて搬送する。

また，乾燥により菌が死滅することがあるため，密閉容器などの適切な検体容器を用いる。検体量が少ない小児・新生児では，とくに注意が必要である。スワブで検体を採取した場合には，すぐに付属の輸送用培地に保存する。スワブで提出した場合は，検体そのものを提出した場合よりも検体量が少ないため，一般的に検出感度が落ちる。

検体採取後はすみやかに検査室へ搬送する。偏性嫌気性菌は酸素に曝露されると急激に死滅する。腹腔内膿瘍などの閉鎖性病巣や悪臭をともなう嫌気性菌の関与を疑う部位から得た検体は，嫌気性菌用専用容器（嫌気ポーターなど）に入れて搬送し，すみやかに処理を行う。

外部に検査を委託している場合など，やむをえず検体を保存する場合は，冷蔵保存（4℃）する。検体中の常在菌が繁殖し，起因菌の発育・推定が困難となるうえ，菌量が増加することで定量培養の信頼性が低下するため室温放置は厳禁である。例外として，血液培養ボトル，低温に弱い淋菌・髄膜炎菌・赤痢アメーバの関与が疑われる検体は，室温にて保存する。

 ### 喀 痰

(1) 採取容器（採痰容器，滅菌シャーレ）

唾液成分が多い喀痰では，口腔内常在菌が多数存在するため，グラム染色や培養検査において，起因菌の検出が困難となる。したがって，いかに質のよい喀痰を採取するかが，起因菌検出のために重要である。

喀出痰の肉眼的評価法として Miller-Jones の分類がある。**表1** で P1〜P3 に分類される喀痰が検査に適した喀痰である。M1 や M2 に分類される場合は，下気道感染症の検体としては適していないため，採取し直すこ

表1 Miller-Jones の分類

分類	性状	適性
M1	唾液，完全な粘液痰	不適
M2	粘性痰に膿性痰が少量含まれる	
P1	膿性部分が全体の 1/3 以下の痰	
P2	膿性部分が全体の 1/3～2/3 の痰	
P3	膿性部分が全体の 2/3 以上の痰	適

とも考慮する。

　免疫能の低下した患者や，白血球減少症の患者では，感染症を発症していても喀痰が膿性ではない場合もある。また，結核患者や百日咳，レジオネラ症などの典型的な喀痰は膿性部分が少ない粘性痰である。

　したがって，症状や臨床所見によっては膿性痰でなくても検査を行う価値がある。医師と検査技師との密な情報交換が重要である。

(2) 小児・新生児における注意点

　小児・新生児では適切な喀出痰の採取は容易ではない。3％高張食塩水を吸入して誘発した喀痰や，吸引痰では比較的質のよい喀痰が採取されやすい。

　鼻腔ぬぐい液には，下気道感染症の起因菌である肺炎球菌やインフルエンザ菌などがもともと定着していることが多いため，起因菌の検索材料としては適切ではない。採取した場合にも，結果はあくまで参考所見としてとらえるべきである。

咽頭・鼻腔ぬぐい液

(1) 採取容器（スワブ）

　咽頭ぬぐい液は，スワブで咽頭後壁・口蓋扁桃の発赤部分を強く擦過する。または，扁桃表面の膿苔や膿栓部などの分泌物を採取する。採取の際は，舌に触れないように注意する。

　ジフテリアが疑われる場合は，偽膜部を強く擦過すると出血するので注意が必要である。百日咳菌を目的とする場合は，軸の柔らかいスワブを用いて鼻咽頭後壁を擦過する。

　喉頭蓋炎が疑われる患児における咽頭ぬぐい液の採取は，窒息のリスクとなるため禁忌である。

(2) 小児・新生児における注意点

　採取の際は，親や看護師の協力，または抑制器具を用いて，頭頸部・体・四肢をしっかりと固定する必要がある。

また，採取の際に咳嗽，くしゃみによる分泌物，嘔吐物の曝露の可能性があるため，手袋に加えて，必要に応じてマスク，ゴーグル，エプロンなどを着用して，患者の側面から検査を行うようにするとよい。

便

(1) 採取容器（採便カップなど）

　自然排便したものが望ましい。糞便中の膿・粘血部分や粘液部分には起因菌が多く含まれ，検体外観を観察することにより，適切な部位からの検体採取が可能となり，検出感度が向上する。

　スワブ採取した検体は，外観観察ができないうえ，検体量が少なく検出感度が落ちるため，できるだけ行わない。スワブで採取して提出する場合は，採取後，すみやかに検査室に搬送する。

(2) 検体保存時の注意

　採便カップで採取された検体は 6 時間程度であれば常温保存が可能であるが，基本的には冷蔵保存（＜4℃）が好ましい。ビブリオ属（コレラ菌，腸炎ビブリオなど）やカンピロバクター（*Campylobacter jejuni*，*Campylobacter fetus* など），赤痢アメーバなどの低温に弱い病原体を疑う場合は，採取後すみやかに検査室へ搬送し，細菌検査室と連携する。赤痢菌も糞便中で菌が死滅しやすいため，すみやかに検体を提出する。検体提出まで時間がかかる場合は，輸送培地付きのスワブに採取しておくとよい。

(3) 入院患者の便培養

　入院 3～5 日以降の便培養は，抗菌薬関連下痢症の場合を除いて基本的に必要ない。

　多くの細菌性腸炎は，潜伏期間が 48 時間以内であるためである。院内の食事や，家族や職員が病原菌をもち込んで食中毒が発生することはまれであり，細菌性腸

表2 乳幼児・小児における血液培養検査に推奨される血液量

患者の体重〔kg〕	循環血液量〔mL〕	推奨される血液量〔mL〕		合計の採取血液量〔mL〕	循環血液量に対する採取血液量の割合〔%〕
		培養1回目	培養2回目		
1以下	50〜99	2	—	2	4
1.1〜2	100〜200	2	2	4	4
2.1〜12.7	200以上	4	2	6	3
12.8〜36.3	800以上	10	10	20	2.5
36.3以上	2,200以上	20〜30	20〜30	40〜60	1.8〜2.7

〔文献2〕より転載

炎が院内で発生することは，通常は考えにくい。

(4) 小児・新生児における注意点

スワブによる直腸ぬぐいでの直接採取やおむつからの採便は極力避けたいが，新生児や小児ではやむをえないこともある。この場合，検出感度が落ちることを念頭におく必要がある。

尿・泌尿器検体

(1) 採取容器（滅菌尿カップ，滅菌スピッツなど）

自立排尿が可能な患者の場合は，成人と同様に，中間尿を採取する。

膀胱留置カテーテルから採尿する場合は，必要に応じてクランプした後，採尿ポート（なければチューブ部分）をアルコール消毒し，注射器で穿刺し採尿する。

採尿バッグ中に溜まった尿を，細菌検査の検体として用いてはならない。

(2) 小児・新生児における注意点

採尿バッグによる採取は，汚染菌の混入が避けられない。培養陽性であった場合に，汚染菌か起因菌かの判別がつかないことがあるため，採尿バッグ内に溜まった尿を培養に提出してはならない。自立排尿ができない患者の際は，可能なかぎりカテーテルからの採尿が望ましい。

血液培養

(1) 皮膚消毒方法

血液培養採取前の皮膚の消毒は，汚染菌によるコンタミネーションを減らし，起因菌を検出するために，非常に重要である[1]。

マスクと手袋の着用は必須である。手袋は非滅菌手袋でもよいが，手袋装着前に手指衛生を忘れずに実施する。

血液培養を採取する部位の皮膚をアルコール綿でスクラブし，垢・汚れを物理的に除去する。消毒に用いる薬剤は各施設で使用しているものでよいが，ポピドンヨードやクロルヘキシジンを使用した際には，消毒後，決められた時間を空けてから採取する。施設によっては，アルコール綿による複数回消毒のみの場合もある。

(2) 血液培養ボトルに血液を注入するときの注意点

血液培養ボトルへ血液を注入する際は，ボトルが転倒しないよう水平で安定した台の上で行う。また，血液を注入する前に，血液培養ボトルの上部をアルコール綿で清拭し，消毒する。

針刺し防止アダプター（ブラッドトランスファーデバイス）を使用することが望ましいが，同様のデバイスがない場合は，採血に使用した注射針を変えずに，そのまま血液培養ボトルに血液を注入する。注射針を変えることは，誤って手を針で刺す危険性があるばかりでなく，コンタミネーションの危険性も高める。

血液培養ボトルへ注入する血液の推奨量は，メーカーやボトルのタイプによって異なる。推奨量より少ない場合は偽陰性の原因となりうるが，推奨量よりも多い場合でも偽陽性・偽陰性の原因となりうるため，事前に確認しておく必要がある。

(3) 新生児・小児における注意点

小児では，消毒薬を使用した後でも激しく動いてしまうため，清潔の保持ができず，前述のような手順での血液培養検査が困難な場合が多い。そのため，複数個のアルコール綿を用いて消毒する方法が，多くの小児専

2.8 微生物検査（検体の出し方）

①必要物品準備

②速乾性擦式手指消毒薬にて手指消毒

③ボトルの消毒

ボトルのゴム栓をアルコール綿でゴシゴシと消毒（アルコール綿はボトルごとに交換）

④駆血帯を巻き，刺入部の確認

⑤消毒（乳幼児以上の場合）

穿刺部位1回目の消毒
アルコール綿で，皮膚の皮脂と汚れを除きながら，ゴシゴシ消毒（1〜2回）（汚れがひどいときは再度追加消毒）

穿刺部位2回目の消毒
クロルヘキシジングルコン酸塩液[※1]に浸漬した綿棒で，穿刺部位を開始起点に内側から外向きに半径2〜3cmを同心円状に1回消毒し，完全に乾燥させる

〔新生児の場合〕
- アルコール綿で，穿刺部を起点として円を描くように消毒（3回）
- 生後2カ月未満児へのクロルヘキシジングルコン酸塩液の使用は避ける[※2]
- ポビドンヨードは可能なかぎり使用を避ける[※3]

⑥手指衛生後に未滅菌手袋を着用する

消毒後に刺入部付近に触れる場合は，滅菌手袋を着用

⑦採血
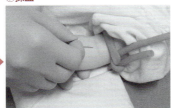
採血量は2mL以上を推奨

⑧ボトル注入

針刺し防止アダプター（トランスファーデバイス）
嫌気→好気の順に等量注入[※4]

⑨使用後

針はリキャップせず，針捨てボックスへ廃棄

⑩手袋を外し，手指衛生

採血部位を変え，2セット目採取
ボトルの消毒から実施する。採血困難，医原性貧血が起こりうる場合は，1セットの採血でもよい。

特記項目
※1：クロルヘキシジングルコン酸塩液は速乾性に優れ，消毒効果に期待できる。
※2：CDCガイドラインにおいて，生後2カ月未満の乳児に対する安全性・有効性に関する勧告はない。
※3：ヨード製剤の使用による一過性の甲状腺機能障害の報告がある。
※4：採血量が少量の場合は，好気ボトル1本でもよい。
　　ただし，嫌気性菌感染が疑われる場合は各ボトル（嫌気，好気）に等量注入する。

図1　血液培養採取手順の例　〔文献1）を参考に作成〕

表3 嫌気性菌検査の対象とする検体

カテゴリーA：常に嫌気培養の対象となる検体	
A-1	常在菌の汚染を最小限にできる検体（無菌材料） ・血液・髄液・心嚢液・胸水・関節液・骨髄・脳膿瘍の膿・肺穿刺液・手術時に採取した検体（脳，心，肺，骨，関節，軟部組織）・生検材料
A-2	常在菌の汚染はあるが，嫌気培養の価値が高い検体 ・経気管吸引法（TTA）の吸引液・気管支鏡検査の検体（定量培養）・膀胱穿刺尿 ・骨盤腔，子宮内，軟部組織，瘻孔深部，皮膚深部の穿刺吸引液
A-3	常在菌が多数存在する，口腔内や下部消化管粘膜の破綻が原因となった検体 ・口腔，耳鼻咽喉部の膿瘍からの穿刺吸引液・腹水，腹腔内の穿刺液 ・骨盤内膿瘍の穿刺液・胆汁・ドレナージ液・手術時のスワブ材料

カテゴリーB：通常は嫌気培養の対象としないが，場合によっては嫌気培養を行う検体	
B	常在菌の汚染が避けられず，分離菌の病原的意義の解釈がきわめて困難な検体 ・咽頭，鼻咽頭，歯肉のスワブ・創部，潰瘍表面のスワブ・腟，頸管スワブ，排泄尿・カテーテル尿・喀痰・腸管内容物

〔文献4）より転載〕

門医療施設で実施されている。ヨード製剤は早産児の新生児には有害作用が発現しやすいため，原則として使用しない。

血液培養で推奨される血液量に関しては，表2（p.68）に示す[2]。

血液培養ボトルへの採取量を1mL以下と1mL以上で比較した場合，1mL以上で有意に陽性率が高くなることが示唆されたとの報告がある[3]。可能であれば各ボトルに1mL以上を入れる。

小児・新生児における嫌気ボトルへの採取の必要性については，明確な結論が出ていない。小児・新生児の感染症では，一般的には嫌気性菌が占める割合は少ないため，採取血液量が少ない場合は好気ボトルへの採取を優先して行う。ただし，嫌気性菌が関与する可能性がある場合は，必ず嫌気ボトルへの採取も行う。

成人と同じく，2セット以上の採取が望ましいが，困難な場合がある。採血部位を変えた好気ボトル2本の採取を代替手段とすることもある。

参考として，血液培養採取手順例を示す（図1，p.69）。

血管内留置カテーテル

（1）採取容器（滅菌試験管）

提出方法としては，以下の手順が一般的である。
①刺入部を消毒用エタノール等で清拭する。
②カテーテルを上方に保持しながら，周囲の皮膚に触れないよう引き抜く。
③皮内潜入部分から血管内の先端部までを無菌的に切り取り，滅菌試験管に入れる。

抜去時に排膿があった際は，必ず膿の培養検査も行う。CRBSIを疑う場合は，血液培養も同時に提出する。

各種カテーテルなどのデバイス抜去時に，一律に培養検査を実施すること（いわゆる「記念培養」）の意義は乏しく，ときに不必要な治療行為にもつながりかねない。有症状時を除いて培養は提出しない。

（2）小児・新生児における注意点

挿入しているカテーテルは，成人と比較して細く短いため，操作は注意して行う。

TTA：transtracheal aspiration，経気管吸引法

穿刺液（髄液・胸水・腹水など）

（1）採取容器（滅菌試験管，嫌気性菌輸送用容器）

嫌気性菌の関与や，一般検査や細胞診など複数の検査を同時に行うことが多いため，嫌気性菌輸送用容器など，それぞれの検査に適したスピッツを用意しておく。採取後は直ちに検査室へ提出する。

胸水・腹水・関節液を血液培養ボトルに接種することで，検出感度が上昇するという報告がいくつかあり，状況に応じて検討する。ただし，菌量の判定ができないことや，複数菌種が関与する場合は発育の遅い菌の検出が困難となることなどのデメリットもあるため，ルーチンで行うことは推奨されない。

また，髄膜炎菌や淋菌による感染症を想定する場合は，冷蔵保存せず，室温で保存する。

（2）小児・新生児における注意点

検体量が十分に採取できないことが多いので，事前に他の検査との優先順位を確認しておく必要がある。また，検体量が非常に少ないときに，培養検査を優先するのか，グラム染色を優先するのかなどを，細菌検査室と相談する必要がある。

膿

開放性膿は，皮膚の常在菌が繁殖している可能性が高いため，皮膚や粘膜の化膿巣周囲を清拭した後に，深部の膿をスワブで採取する。量が十分採取できるようであれば，滅菌注射器で吸引する。

閉鎖性膿は穿刺部位をよく消毒した後，滅菌注射器で穿刺吸引する。

注射器で採取した場合は，嫌気性菌輸送用容器（嫌気ポーターなど）に入れるか，ゴム栓などで空気が入らないようにして，すみやかに検査室へ提出する。

嫌気培養対象となる検体

悪臭がある検体は，嫌気性菌関与の可能性が高い。嫌気性菌検査の対象とする検体を**表3**に示す[4]。カテゴリーAに分類される検体は，嫌気培養も実施すべきである。

迅速抗原検査

迅速抗原検査では，検査内容や検査キットに応じて各種検体を採取する。

感染性腸炎の原因ウイルスの迅速抗原検査も，便培養検査と同様に，便そのものを提出することが望ましい。また，感染性腸炎や呼吸器感染症の原因となるウイルスは，症状消失後も数週間にわたって便や気道分泌物から排出されるため，陰性確認のための再検査は不要である。

適切な検体採取のために

検査室は，検査に適していない検体が提出された場合や疑問に思った場合は，まず患者情報を取得したうえで，提出医に報告・確認し，再提出が可能かどうか問い合わせる。

やむをえず提出された検体で検査を実施する場合は，検査報告コメントに「起因菌検索として適していない検体のため，検査結果は参考値である」という旨を必ず記載する。

血液培養については，適切な消毒方法が遵守されているか，年間や月間の汚染菌の検出率を計算してモニタリングする。

検査室と提出医とのやり取りによって，適切な採取方法が遵守されていく場合もあるが，施設で組織的な対応をとるべきである。

ICTなどで改善方法を検討してもらう。ICTラウンドにおいて，検体が適切に採取されているかどうかを確認することも効果的である。日頃からの情報収集と，スタッフ間のコミュニケーションが何よりも重要である。

文献
1) 日本臨床微生物学会・編：血液培養検査ガイド．南江堂，2013
2) Ellen Jo Baron，他・著，松本哲哉，他・訳：Cumitech 1C 血液培養検査ガイドライン，医歯薬出版，pp12-32，2007
3) 笠井正志，他：本邦複数の小児医療施設における血液培養採取量と検出率に関する観察研究．感染症学雑誌，87（5）：620-623，2013
4) 国広誠子，他：嫌気性菌検査ガイドライン 2012．日本臨床微生物学会雑誌，22（Suppl 1）：10-11，2012

2.9 予防接種

Points
- **定期接種**は予防接種法で対象となる疾患として規定されたもので，それ以外のものが**任意接種**である。
- 「**広域化予防接種制度**」や「長期にわたり療養を必要とする疾患にかかった者等の定期接種の機会の確保」を十分に理解し，小児の**予防接種の機会**が損なわれないように注意する。

予防接種制度

1948年（昭和23年）に「予防接種法」が制定され，生命の危機となりうる疾病の根絶や多くの疾病の流行を防止する役割を果たしている。1994年（平成6年）および2001年（平成13年）に大幅な改正が行われた。

高齢者へのインフルエンザ予防接種にともない，対象疾病が1類疾病（従来からの小児を対象とする疾患）と2類疾病（65歳以上，および60歳以上65歳未満の慢性疾患対象者）に分類され，2013年（平成25年）には1類・2類が，A類・B類と名称変更された。

定期接種と任意接種

「定期接種」は，「予防接種法」で対象となる疾患として規定され，「予防接種法施行令」で決められた接種年齢内に実施されるものをいい，表1に示すとおりA類疾病とB類疾病に分類される。

一方で，「予防接種法」に定められていない疾患に対する予防接種，および定められていても「予防接種法施行令」で決められた年齢枠を外れた接種については，「任意接種」となる。自治体によってはワクチンの費用を一部補助するところもあるが，原則は保護者の負担となる。

2001年（平成13年）の法律改正後，「予防接種実施規則」においても，新ワクチンの導入，接種対象者，回数の改定が頻繁に行われているため，適時確認が必要である。

予防接種は，まれながら起こりうる副反応（健康被害）に対する救済制度が設けられている。定期接種・任意接種により申請方法が異なる。

表1 定期接種（A類・B類疾病） （2022年4月現在）

類型	定期接種	
	A類疾病	B類疾病
考え方	ヒトからヒトに伝染することによる集団感染予防，重篤な疾病予防に重点をおき，定期的に行う必要がある（社会防衛）	個人の発病または重症化を予防し，あわせてまん延の予防を目的として，定期的に行う必要がある（個人防衛）
実施主体	市町村	
例	ジフテリア，百日咳，破傷風，ポリオ，麻疹・風疹，水痘など	季節性インフルエンザ（高齢者），肺炎球菌感染症（高齢者）など
被接種者の努力義務	あり	なし
勧奨	あり	なし
接種費用の負担	市町村	市町村（一部実費）
健康被害救済にかかる給付金額（例）	障害年金〔1級〕約505万円/年，死亡一時金 約4,420万円	障害年金〔1級〕約280万円/年，遺族一時金 約736万円

表2　ワクチンで予防可能な感染症（VPD）

対象疾患	予防接種	予防接種法による分類
インフルエンザ菌b型	ヒブワクチン	定期（A類疾病）
肺炎球菌	肺炎球菌結合型ワクチン（13価）	定期（A類疾病）
	23価肺炎球菌莢膜多糖体ワクチン	2歳以上で任意（高齢者は定期）（B類疾病）
B型肝炎ウイルス	B型肝炎ワクチン	定期（A類疾病）
ジフテリア菌	四種混合ワクチン	定期（A類疾病）
	三種混合ワクチン	任意
	二種混合ワクチン	定期（A類疾病）
破傷風菌	四種混合ワクチン	定期（A類疾病）
	三種混合ワクチン	任意
	二種混合ワクチン	定期（A類疾病）
	破傷風トキソイド	任意（海外渡航を含む）
百日咳菌	四種混合ワクチン	定期（A類疾病）
	三種混合ワクチン	任意
ポリオウイルス	四種混合ワクチン	定期（A類疾病）
	不活化ポリオワクチン	任意
結核菌（BCG）	BCGワクチン	定期（A類疾病）
麻疹ウイルス	麻しん風しん混合ワクチン	定期（A類疾病）
	麻しんワクチン	任意
風疹ウイルス	麻しん風しん混合ワクチン	定期（A類疾病）
	風しんワクチン	任意
水痘・帯状疱疹ウイルス	水痘ワクチン	定期（A類疾病）
	帯状疱疹ワクチン	任意
ムンプスウイルス	おたふくかぜワクチン	任意（市町村によって助成あり）
日本脳炎ウイルス	日本脳炎ワクチン	定期（A類疾病）
ヒトパピローマウイルス	ヒトパピローマウイルスワクチン	定期（A類疾病）
インフルエンザウイルス	インフルエンザウイルスワクチン	任意（高齢者は定期）（B類疾病）
ロタウイルス	ロタウイルスワクチン	任意（2020年10月から定期）（A類疾病）
黄熱ウイルス	黄熱ワクチン	任意（海外渡航を含む）
髄膜炎菌	髄膜炎菌ワクチン	任意（海外渡航を含む）
A型肝炎ウイルス	A型肝炎ワクチン	任意（海外渡航を含む）
狂犬病ウイルス	狂犬病ワクチン	任意（海外渡航を含む）

広域化予防接種制度

予防接種は居住の市町村が管轄しているが，広域化予防接種制度により，近隣の市町村での接種も可能となった。

ただし，広域化予防接種制度に登録している医療機関に限られるため，事前に確認が必要となる。持参物は，以下のとおりである。
①市町村が発行する予診票
②母子手帳
③住所・生年月日がわかる書類（保険証など）

感染症と予防接種

予防接種は，感染症を予防するために，最も特異的でかつ効果的な方法である。予防接種には，疾病の予防と，免疫水準を維持する目的がある。ワクチンで予防可能な感染症（VPD）を表2にまとめた。

予防接種の基礎

（1）免疫機能

"免疫"とは，「自己と非自己を識別できる生体システム」である。病原体に感染すると，直ちに病原体を攻

VPD：vaccine preventable disease，ワクチンで予防可能な感染症

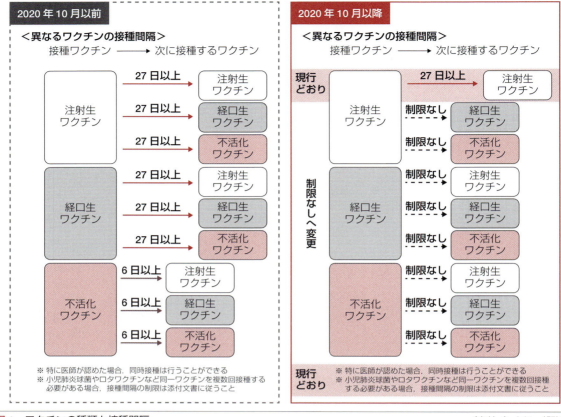

図1 ワクチンの種類と接種間隔　　　　　　　　　　　　　　　　　　　　　　　　　　　　　　　　　〔文献1〕より一部改変〕

表3 予防接種関連の情報源の例　　　　　　　　　　　　　　　　　　　　　　　　　　　　　　　　　（2022年5月現在）

〔予防接種スケジュール〕
　①日本の小児における予防接種スケジュール（国立感染症研究所）
　②日本小児科学会が推奨する予防接種スケジュール（日本小児科学会）
　③予防接種スケジュール（VPDを知って子どもを守ろうの会）

〔予防接種一般〕
　①予防接種法
　②厚生労働省Webページ「予防接種情報」
　③厚生労働省検疫所FORTHホームページ「海外渡航のためのワクチン（予防接種）」
　④公益財団法人 予防接種リサーチセンターWebページ
　⑤予防接種ガイドライン等検討委員会・監修：予防接種実施者のための予防接種必携（年刊，出版元：予防接種リサーチセンター）
　⑥岡部信彦，多屋馨子・監修：予防接種に関するQ&A集（年刊，出版元：日本ワクチン産業協会）
　⑦日本ワクチン産業協会：ワクチンの基礎－ワクチン類の製造から流通まで（年刊，出版元：日本ワクチン産業協会）
　⑧予防接種ガイドライン等検討委員会・監修：予防接種と子どもの健康（年刊，出版元：予防接種リサーチセンター）

撃するようなしくみが働く。これを「自然免疫」（生まれつきもっている免疫）という。
　一方，病原体に感染した後や予防接種によって，リンパ球が主役となり働いて，免疫記憶を誘導する。これを「獲得免疫」という。

(2) 生ワクチンと不活化ワクチン

　生ワクチンは，病原体を弱毒化して製造する。自然感染に近い免疫を獲得し，長期にわたる効果が期待できる。
　不活化ワクチンは，病原体を不活化して製造する。基礎免疫として2回以上の接種と，その後の追加接種が必要になる。
　追加免疫効果（ブースター効果）は，自然感染または追加接種することで，抗体価がより早く，より高く上がる性質をいう。
　「予防接種法」の改正により，2020年10月1日から，異なる種類のワクチンを接種する際の接種間隔が一部変更された。注射生ワクチンを続けて接種する場合は，従来どおり27日間空けてから次のワクチンを接種するが，経口生ワクチンや不活化ワクチンにおいては接種間隔の制限が撤廃された[1]。同じ種類のワクチンを複数回接種する場合の接種間隔に関しては，従来どおりに指定期間を空けて接種する（図1）。

(3) ワクチンスケジュール

　国立感染症研究所の予防接種スケジュール，または日本小児科学会が推奨する予防接種スケジュールを参考にする。「予防接種法」の改正にともなって改定されるため，最新のスケジュールを確認する（付録⑧，p.309）。
　予防接種関連の情報源を表3にまとめた。それ以外にも，予防接種スケジューラーなどの携帯端末用アプリもあるため，適宜情報提供する。

予防接種時の実施

(1) ワクチンの取り扱い

　ワクチンは種類によって冷所（約2～8℃）以下で保管し，使用直前に開封し，使用する。期限切れ，適切な保管がされていないものは使用しない。
　一度開封し，使用しなかった場合は清潔に保管し，当日中に使用する。

> **Note**
> **年齢計算**
> 　予防接種の対象年齢は「年齢計算に関する法律」（明治35年，法律第50号）にもとづいて計算する。翌年の誕生日前日（24時）に年齢が加算されるので，たとえば2015年7月6日生まれの場合，「1歳に至るまで」，「1歳に達するまで」とは，2016年7月5日に1歳となるため，「2016年7月5日まで（当日含む）」という意味になる。

　ワクチンの溶解が必要な場合，麻しん風しんワクチン（乾燥弱毒生麻しん風しん混合ワクチン）・水痘ワクチン（乾燥弱毒生水痘ワクチン）・ムンプスワクチン（乾燥弱毒生おたふくかぜワクチン）のように溶解するものは添付文書を確認し，適切な方法で溶解する。

(2) 接種時の確認

　予防接種は事前に計画し，心臓血管系疾患，腎臓疾患，肝臓疾患，血液疾患，発育障害等の基礎疾患，手術の予定などがないかを確認する。
　予防接種時には，ワクチンの種類，回数，量，接種間隔，接種対象者の年齢（月齢），接種部位，予診票，当日の健康状態を確認し，保護者の同意を得て接種する。
　必ず，母子手帳または予防接種手帳を確認し，接種後はすみやかに記録する。

(3) 予防接種不適当者

　以下の者は，予防接種不適当者となる。
①明らかな発熱（37.5℃以上）を呈している者
②重篤な急性疾患に罹患している者
③予防接種の成分によってアナフィラキシーを起こした既往がある者（各ワクチン添付文書参照）

　また，麻しんおよび風しん等の生ワクチンは，全妊娠期間で接種を行わない。風しんワクチン（乾燥弱毒生麻しん風しん混合ワクチン，または乾燥弱毒生風しんワクチン）の接種後2カ月間は避妊を指導する。妊婦のいる家庭では，子・夫・祖父母を含め，風しんワクチンの接種を勧めるか，罹患・接種歴を確認する。
　BCG（乾燥BCGワクチン）接種においては，外傷等のケロイドが認められる者など，その他，予防接種を行うことが不適当な状態にある者については，個別に接種医が判断する。

ACTH：adrenocorticotropic hormone，副腎皮質刺激ホルモン

 予防接種要注意者

　厚生労働省による予防接種の「定期接種実施要領」[2]では，下記①～⑦に該当する者を予防接種要注意者と定義している。要注意者への対応として，「接種を行うことができるか否か疑義がある場合は，慎重な判断を行うため，予防接種に関する相談に応じ，専門性の高い医療機関を紹介する等，一般的な対処方法等について，あらかじめ決定しておくこと」としている。

①心臓血管系疾患，腎臓疾患，肝臓疾患，血液疾患，発育障害等の基礎疾患を有する者
②予防接種で接種後2日以内に発熱のみられた者および全身性発疹等のアレルギーを疑う症状を呈したことがある者
③過去にけいれんの既往のある者
④過去に免疫不全の診断がされている者および近親者に先天性免疫不全症の者がいる者
⑤接種しようとする接種液の成分に対してアレルギーを呈するおそれのある者
⑥バイアルのゴム栓に乾燥天然ゴム（ラテックス）が含まれている製剤を使用する際の，ラテックス過敏症のある者
⑦結核の予防接種にあっては，過去に結核患者との長期の接触がある者，その他の結核感染疑いのある者
⑧ロタウイルス感染症の予防接種にあっては，活動性胃腸疾患や下痢等の胃腸障害のある者

　それ以外でも，特定の薬剤（輸血，γグロブリン製剤，ステロイドや免疫抑制薬）の投与を受けた患者や，化学療法・造血幹細胞移植後，固形臓器移植後の患者のワクチンのキャッチアップ接種では，いくつかの注意点がある。そのような状況においては，ガイドラインや成書を参考にするとよい。また，長期にわたり療養を必要とする疾病にかかるなど，特別な事情があったことでやむをえず定期接種が受けられなかった人については，特別な事情がなくなったと認められる日から換算して2年以内〔BCGは4歳，Hibワクチン（乾燥ヘモフィルスb型ワクチン）は10歳，小児肺炎球菌ワクチン（沈降13価肺炎球菌結合型ワクチン：PCV13）は6歳，四種混合（沈降精製百日せきジフテリア破傷風-不活化ポリオ混合ワクチン：DPT-IPV）ワクチンは15歳までの年齢制限あり〕に，定期接種として受けることができる制度がある。

予防接種後の副反応

(1) 予防接種後の注意

　一定期間，種々の身体的反応や疾病がみられることがある。接種後30分以内の急激な症状の出現に注意する必要があるため，院内に待機する。

(2) 一時的な反応

　過敏症として，発疹，じんましん，紅斑，掻痒感などが起こることがある。
　また，一時的（2～3日）な反応として，発熱，倦怠感などの全身症状，発赤，腫脹，疼痛などの局所症状が起こることがある。

(3) 重大な副反応

　重大な副反応として，ショック，アナフィラキシー（じんましん，呼吸困難，血管浮腫など），その他，急性散在性脳脊髄炎（ADEM），肝機能障害，黄疸，喘息発作などに注意する。

(4) 予防接種後副反応疑い報告

　予防接種後に，健康被害が生じた，またはその疑いのある患者を診察した医師は，厚生労働省に報告しなければならない。予防接種副反応疑い報告書は，厚生労働省のWebページからダウンロードできる。報告書に必要な情報を記載し，厚生労働省が委託した医薬品医療機器総合機構（PMDA）安全性情報・企画管理部情報管理課へFAX（0120-176-146）にて報告する。新型コロナワクチンの場合には，専用FAX番号（0120-011-126）があり，送信先が異なるため注意する。
　また，PMDAの報告受付サイト[3]から，オンラインで報告書を作成し，提出することも可能である。

(5) 接種部位

　上腕後外部に接種することが多いが，同時接種する場合は2.5cm以上離して接種する（図2）[4]。
　母子手帳または予防接種手帳に接種部位を記録する。

ADEM：acute disseminated encephalomyelitis，急性散在性脳脊髄炎
PMDA：Pharmaceuticals and Medical Devices Agency，医薬品医療機器総合機構

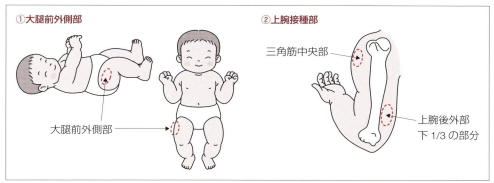

図2 予防接種部位　　　　　　　　　　　　　　　　　　　〔文献4〕より転載〕

 海外渡航時および帰国後の予防接種

海外渡航前に必要なワクチンは，定期接種のほか，検疫所もしくは渡航国のホームページで確認し，対象ワクチン取り扱い施設で接種することになる。たとえば留学に際して，予防接種証明書の提出が求められる場合もあるため，計画的な接種を勧める。

帰国後は，未接種もしくは継続中の場合は続けて接種を勧める。A類疾病ワクチンは，国内に居住中は年齢に合わせた適応となる。最寄りの保健所に問い合わせるとよい。

 医療者のワクチン

医療関係者は，自分自身が院内で病原体を媒介しないように，積極的に予防接種を受け，抗体価を維持する必要がある。また，自分自身が感染症から身を守ることで，欠勤などによって医療機関の機能低下をまねくことも防がなければならない。

B型肝炎，麻疹，風疹，水痘，流行性耳下腺炎の抗体価検査および予防接種については，医療機関の基準に沿って実施する。抗体価の評価および追加接種については，「医療関係者のためのワクチンガイドライン」[5]を参考にするとよい。

文献

1) 厚生労働省：ワクチンの接種間隔に関する規定を改正することに伴う対応について．第45回厚生科学審議会予防接種・ワクチン分科会副反応検討部会，令和元年度第13回薬事・食品衛生審議会薬事分科会医薬品等安全対策部会 安全対策調査会（合同開催）資料，2020年1月31日［https://www.mhlw.go.jp/content/10601000/000590724.pdf（2022年5月現在）］
2) 厚生労働省：定期接種実施要領（改正後全文）［https://www.mhlw.go.jp/content/000945763.pdf（2022年5月現在）］
3) 医薬品医療機器総合機構：報告受付サイト［https://www.pmda.go.jp/safety/reports/hcp/0002.html（2022年5月現在）］
4) 日本小児科学会：日本小児科学会の予防接種の同時接種に対する考え方．2020年11月24日改訂［https://www.jpeds.or.jp/uploads/files/doji_sessyu20201112.pdf（2022年5月現在）］
5) 日本環境感染学会：医療関係者のためのワクチンガイドライン 第3版．環境感染誌，35(Suppl II)：S1-S32, 2020
6) 予防接種ガイドライン等検討委員会・監：予防接種実施者のための予防接種必携，予防接種リサーチセンター，2021
7) 岡部信彦，他・監：予防接種に関するQ&A集．日本ワクチン産業協会，2021
8) 国立感染症研究所：日本の小児における予防接種スケジュール．［http://idsc.nih.go.jp/vaccine/dschedule.html（2022年5月現在）］
9) 岡田賢司：日本の現状と世界標準への道．特集 今だから知っておきたいワクチンの話題，小児科診療，75(4)：545-551, 2012
10) 及川 馨：ワクチンの具体的な接種方法．特集 今だから知っておきたいワクチンの話題，小児科診療，75(4)：553-560, 2012
11) 日本小児腎臓病学会・監：小児特発性ネフローゼ症候群診療ガイドライン 2020. 診断と治療社，2020

2.10 RSウイルス感染症のパリビズマブによる予防

Points
- 接種適応者に対して，パリビズマブの接種によるRSウイルス感染症の予防が可能である。
- 近年，RSウイルス感染症の流行時期が変動しており，その年度によってパリビズマブ接種の開始時期と終了時期が変わる可能性があることに留意する。

パリビズマブ

パリビズマブ（抗RSウイルスヒト化モノクローナル抗体製剤，商品名：シナジス®）は，遺伝子組換え技術によりつくられた，RSウイルスに対するモノクローナル抗体である。

モノクローナル抗体とは，人間が本来もっている免疫システムを薬に応用したもので，1つの抗原（ウイルス）を標的にして作用する。パリビズマブはRSウイルスを標的とする抗体で，RSウイルスが体内で増殖するのを抑制する作用をもっている。

パリビズマブの接種適応者

パリビズマブの接種適応者を以下にあげる。
① 在胎期間28週以下の早産で，12カ月齢以下の新生児および乳児
② 在胎期間29週〜35週の早産で，6カ月齢以下の新生児および乳児
③ 過去6カ月齢以内に，気管支肺異形成症（BPD）の治療を受けた，24カ月齢以下の新生児，乳児および幼児
④ 24カ月齢以下の血行動態に異常のある先天性心疾患（CHD）の新生児，乳児および幼児

表1　免疫不全症の詳細

分類	詳細
先天性・後天性免疫不全症	・T細胞機能異常を呈する原発性免疫不全症 　（複合型免疫不全症，DiGeorge症候群，Wiskott-Aldrich症候群など） ・HIV感染症，ステロイド・免疫抑制薬の使用
造血器悪性腫瘍 固形臓器腫瘍 骨髄不全症 造血幹細胞移植・固形臓器移植	・同種造血幹細胞移植 ・造血が改善するまでの自家造血幹細胞移植 ・高度の骨髄抑制が予想される化学療法施行中，または施行予定者 ・再生不良性貧血などの免疫抑制をともなう骨髄不全症
腎臓病 リウマチ・炎症性疾患 および免疫抑制をともなう薬剤の使用	・ネフローゼ症候群，慢性糸球体腎炎など ・リウマチ性疾患（若年性特発性関節炎，全身性エリテマトーデスなど），自己炎症症候群，炎症性腸疾患など

表2　ダウン症候群：以下のいずれかを1つ以上呈している場合は接種対象となる

解剖学的または生理学的・機能的異常	顕著な巨舌，舌根沈下，気道軟化による気道狭窄および合併する無呼吸，肺高血圧，肺低形成・異形成，肺気腫
呼吸器またはウイルス感染症の既往	呼吸系の合併症，ウイルス感染症，呼吸器感染症での入院歴がある
免疫に関する検査データ異常	リンパ球減少あるいはT細胞減少

BPD：bronchopulmonary dysplasia，気管支肺異形成症
CHD：congenital heart disease，先天性心疾患

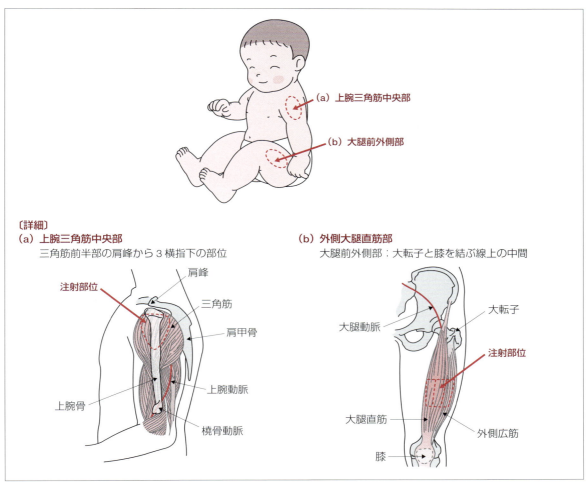

図1　推奨される接種部位

⑤ 24カ月齢以下の免疫不全（表1）をともなう新生児，乳児および幼児
⑥ 24カ月齢以下のダウン症候群（表2）の新生児，乳児および幼児

接種方法と接種量，接種部位

(1) 接種方法

2002年に「日本におけるパリビズマブの使用に関するガイドライン」[1]が発行され，パリビズマブの接種はRSウイルス感染症流行時期に行い，通常10〜12月に開始し，3〜5月に終了することとされていた。しかし，近年，RSウイルス感染症流行時期が大きく変わってきたことを受け，2018年にガイドラインの改訂が行われ，投与開始時期と終了時期に関しては，疫学的なデータを踏まえて検討することと変更された[2]。

パリビズマブの効果は約1カ月であるため，流行時期前後に毎月接種することが必要となる。なお，24カ月齢以下の先天性心疾患を有する新生児，乳児および幼児に対する接種の注意点として，パリビズマブ投与期間中に心肺バイパスをともなう開心術を行った症例の平均血中濃度は，術前に58％減少したことが報告されている[3]。そのため，パリビズマブの添付文書[4]には，心肺バイパス施行により，血中濃度が低下するため，その際は前回投与から1カ月を経過していなくてもすみやかに接種することが望ましい，と記載されている。

(2) 接種量

接種量は，体重により以下の計算式にて算出するが，1 mLを超える量は2つのシリンジに分けて接種する。

1回投与液量（mL）
＝体重（kg）× 15 mg/kg ÷ 100 mg/mL

(3) 接種部位

筋肉注射であるため，大腿部前外側部，上腕三角筋中央部（図1）に接種する。臀部の筋肉は容積が小さく，坐骨神経損傷の可能性があるため，接種は控える。

各部位左右を交互に接種する。

他のワクチンとの影響

他のワクチンとの同時接種，および接種スケジュールにかかわらず接種可能となる[5]。

保険適用

接種適応者は保険適用となる。

それ以外の人が接種を希望する場合は，自費となる。体重によって接種量が決まるため，費用は個々で異なるが，50 mg 製剤の薬価 59,912 円／瓶，100 mg 製剤の薬価 118,064 円／瓶であるため，おおむねの費用負担は1回あたり6万～24万円となる。

副作用

（1）重大な副作用

ショック，アナフィラキシーなどの重大な副作用が現れることがまれにある。

観察を十分に行い，チアノーゼ，冷汗，血圧低下，呼吸困難，喘鳴，頻脈が現れた場合には，投与を中止し，0.1％エピネフリン（アドレナリン）筋肉注射 0.01 mg/kg（最大 0.3 mg）の投与と，呼吸・循環・意識状態に重点をおいた保存的治療などの適切な処置を行う。

（2）その他の副作用

その他の副作用として，発熱，発疹，下痢，嘔吐，上気道感染，傾眠，肝機能値異常，血小板減少などがある。症状に応じて適切な処置を行う。

パリビズマブの効果

毎月投与することによって，ハイリスク患者において RS ウイルス感染症に関わる入院を 39～82％減少させたとの報告がある[6]。

固形臓器移植患者においては，RS ウイルス感染による入院率は，パリビズマブ投与群の4％に対して，非投与群では11％であった。

日本において1シーズン4回以上のパリビズマブ投与を受けた免疫不全児 27 例での RS ウイルス感染関連の入院は認めなかった[7]。

文献

1) 日本小児科学会 パリビズマブの使用に関するガイドライン作成検討委員会：日本におけるパリビズマブの使用に関するガイドライン．日本小児科学会雑誌，106（9）：1288-1292, 2002
2) 日本小児科学会 予防接種・感染対策委員会：「日本におけるパリビズマブの使用に関するガイドライン」の一部改訂について．2018 年 4 月［https://www.jpeds.or.jp/uploads/files/20180426palivizumab_kaitei.pdf（2022 年 5 月現在）］
3) Feltes TF, et al：Palivizumab prophylaxis reduces hospitalization due to respiratory syncytial virus in young children with hemodynamically significant congenital heart disease. J Pediatr, 143（4）：532-540, 2003
4) アストラゼネカ株式会社：シナジス筋注液 50mg／シナジス筋注液 100mg, 医薬品インタビューフォーム（2021 年 7 月改訂，第 9 版）
5) 日本小児科学会：日本小児科学会の予防接種の同時接種に対する考え方．2020 年 11 月 24 日改訂［https://www.jpeds.or.jp/uploads/files/doji_sessyu20201112.pdf（2022 年 5 月現在）］
6) American Academy of Pediatrics Committee on Infectious Diseases, et al：Updated guidance for palivizumab prophylaxis among infants and young children at increased risk of hospitalization for respiratory syncytial virus infection. Pediatrics, 134（2）：e620-e638, 2014
7) Mori M, et al：Palivizumab use in Japanese infants and children with immunocompromised conditions. Pediatr Infect Dis J, 33（11）：1183-1185, 2014

2.11 医療従事者への予防接種・抗体価管理・結核管理

Points

▶ 医療従事者の予防接種および抗体価の確認に関しては，日本環境感染学会が作成している「**医療従事者のためのワクチンガイドライン**」を参考にする。

▶ 医療施設に勤務する者の**抗体価を事務部門が一括して管理**し，データベース化することが好ましい。

▶ 医療従事者の結核管理として，**入職時の IGRA 検査**と，**定期的な健康診断**が必要である。

医療従事者の抗体測定および予防接種の重要性

医療従事者が麻疹・風疹・流行性耳下腺炎・水痘やインフルエンザ・百日咳などの流行性疾患を発症すると本人の重症化の可能性に加え，まわりの患者や医療従事者への感染源となることから，感染対策上，すみやかな対応が必要となる。医療従事者が発症した事例を経験した医療機関では，多数の抗体価測定，緊急ワクチンの接種，予定手術の延期など，医療経済的な観点も含めて，その影響は甚大である。水痘については院内発症事例が多数発生しており，院内発症のあった大規模小児医療施設のうち 19 % は病棟閉鎖が必要となったことが報告されている。

医療機関という集団として免疫度を高めること（mass protection）が院内感染対策では重要となるため，各医療機関は抗体測定，予防接種のシステムづくり，および確実な実施体制が求められる。日本環境感染学会による「医療関係者のためのワクチンガイドライン」[1] が参考になる。

麻疹，風疹，流行性耳下腺炎，水痘ワクチン

(1) 対象者

麻疹，水痘の感染経路は空気・飛沫・接触感染，風疹・流行性耳下腺炎の感染経路は飛沫・接触感染である。小児の医療従事者がこれらの感染症を発症した場合，周囲には乳児などのワクチン未接種児も多く，その影響は計り知れない。患者と接触する可能性のあるすべての医療従事者，学生などに対して，ワクチンの接種歴を確認し，状況に応じて抗体検査やワクチンの接種を行う。

(2) ワクチン接種のフローチャート

各医療機関は，医療従事者，学生が勤務・実習を開始する前に，予防接種の記録（母子健康手帳の予防接種欄，予防接種実施済証）の提出を求め，追加対応の必要性について評価を行う。

これらの記録は，勤務・実習中は本人および医療機関で保管し，必要時にすぐ参照できるシステムづくりが必要となる。

現在，麻しん，風しんワクチンは定期接種として，1 歳以降に 2 回の接種が行われており，また 2008 年 4 月から 2014 年 3 月まで，中学生および高校生を対象として，キャッチアップ接種が実施されたため，1990 年 4 月 2 日以降に生まれた者については，麻疹と風疹については 2 回の接種機会があったことになり，この世代の多くは，ワクチンを 2 回接種しており，十分な免疫を有すると考えられる。しかし，それより上の世代では，ワクチンを 1 回しか接種していない場合や，未接種あるいは接種歴不明の医療従事者も一定の数で存在する。

また流行性耳下腺炎と水痘に関しては，2014 年に水痘が定期接種化され，それまではどちらのワクチンも任意接種だったため，小児期に接種を受けておらず免疫をもっていない医療関係者も少なくない。医療従事者を対象として行った調査では，これらの疾患に十分な免疫を獲得していない医療従事者の疾患別の割合は，麻疹 1.5 %，風疹 9.6 %，流行性耳下腺炎 14.2 %，水痘 2.8 % であった[2]。

ワクチンの接種歴，既往歴が不明の場合は，血清抗体価の測定を行い，その値によってワクチン接種の要否を決定するか，抗体価を測定せずにワクチンを 2 回接種して記録を保管する。その場合のワクチン接種の対応フローチャートを図1 に，抗体価と必要予防接種回数を表1 に，それぞれ示した。

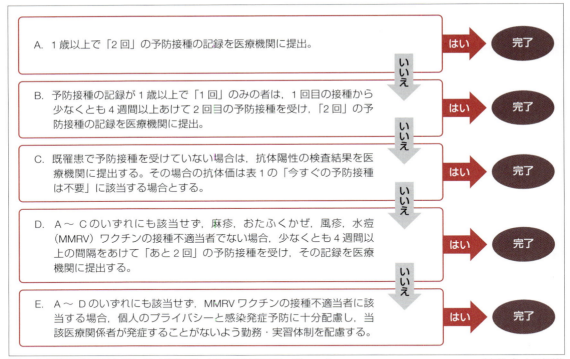

図1 医療従事者のワクチンガイドライン MMRV 対応フローチャート 〔文献1〕より転載〕

表1 MMRV 抗体価と必要予防接種回数（予防接種の記録がない場合）

	あと2回の予防接種が必要	あと1回の予防接種が必要	今すぐの予防接種は不要
麻疹	EIA法(IgG) 2.0 未満 PA法 1：16 未満 中和法 1：4 未満	EIA法(IgG) 2.0 以上 16.0 未満 PA法 1：16, 1：32, 1：64, 1：128 中和法 1：4	EIA法(IgG) 16.0 以上 PA法 1：256 以上 中和法 1：8 以上
風疹	HI法 1：8 未満 EIA法(IgG)A 2.0 未満 EIA法(IgG)B ΔA 0.100 未満 ※：陰性 ELFA法C 10 IU/mL 未満 LTI法D 6 IU/mL 未満 CLEIA法E 10 IU/mL 未満 CLEIA法F 抗体価 4 未満 FIA法G 抗体価 1.0 AI 未満 FIA法H 10 IU/mL 未満 CLIA法I 10 IU/mL 未満 LTI法J 6 IU/mL 未満	HI法 1：8, 1：16 EIA法(IgG)A 2.0 以上 8.0 未満 EIA法(IgG)B 30 IU/mL 未満 ELFA法C 10 以上 45 IU/mL 未満 LTI法D 6 以上 30 IU/mL 未満 CLEIA法E 10 以上 45 IU/mL 未満 CLEIA法F 抗体価 4 以上 14 未満 FIA法G 抗体価 1.0 以上 3.0 AI 未満 FIA法H 10 以上 30 IU/mL 未満 CLIA法I 10 以上 25 IU/mL 未満 LTI法J 6 以上 35 IU/mL 未満	HI法 1：32 以上 EIA法(IgG)A 8.0 以上 EIA法(IgG)B 30 IU/mL 以上 ELFA法C 45 IU/mL 以上 LTI法D 30 IU/mL 以上 CLEIA法E 45 IU/mL 以上 CLEIA法F 抗体価 14 以上 FIA法G 抗体価 3.0 AI 以上 FIA法H 30 IU/mL 以上 CLIA法I 25 IU/mL 以上 LTI法J 35 IU/mL 以上
水痘	EIA法(IgG) 2.0 未満 IAHA法 1：2 未満 中和法 1：2 未満	EIA法(IgG) 2.0 以上 4.0 未満 IAHA法 1：2 中和法 1：2	EIA法(IgG) 4.0 以上 IAHA法 1：4 以上 中和法 1：4 以上
おたふくかぜ	EIA法(IgG) 2.0 未満	EIA法(IgG) 2.0 以上 4.0 未満	EIA法(IgG) 4.0 以上

※ ΔAは，ペア穴の吸光度の差（陰性の場合，国際単位への変換は未実施）

EIA法：酵素免疫法，PA法：ゼラチン粒子凝集法，HI法：赤血球凝集抑制法，ELFA法：蛍光酵素免疫法，LTI法：ラテックス免役比濁法，CLEIA法：化学発光酵素免疫法，FIA法：蛍光免疫測定法，CLIA法：化学発光免疫測定法，IAHA法：免疫粘着赤血球凝集反応法

A：デンカ生研株式会社（ウイルス抗体EIA「生研」ルベラ IgG），B：シーメンスヘルスケア・ダイアグノスティクス株式会社（エンザイグノスト B 風疹/IgG），C：シスメックス・ビオメリュー株式会社（バイダスアッセイキット RUB IgG），D：極東製薬工業株式会社（ランピア ラテックス RUBELLA），E：ベックマン・コールター株式会社（アクセル ルベラ IgG），F：株式会社保健科学西日本（i-アッセイ CL 風疹 IgG），G：バイオ・ラッド ラボラトリーズ株式会社（BioPlex MMRV IgG），H：バイオ・ラッド ラボラトリーズ株式会社（BioPlex ToRC IgG），I：アボットジャパン株式会社（Rubella-G アボット），J：極東製薬工業株式会社（ランピア ラテックス RUBELLA II）

〔文献1〕より一部改変〕

この場合の抗体価の基準値は，感染を確実に防ぐことができる値を念頭に入れて定められたもので，発症した場合の周囲への影響が大きい医療従事者に適用される数値である．成人では小児より抗体陽転率が低いという報告もあり，この基準値に達するまでワクチンの接種をくり返す必要はない．

ワクチンにより免疫を獲得する接種回数は，1歳以上で2回を原則としている．

（3）注意事項

麻しん，風しん，流行性耳下腺炎，水痘の各ワクチンはいずれも生ワクチンであるため，妊娠していることが明らかな者，明らかに免疫機能に異常のある疾患を有する者，免疫抑制をきたす治療を受けている者には，接種を控える．

接種不適当者に該当する場合，勤務・実習にあたっては，疾患ごとに感染経路に応じた感染予防策を講じるとともに，ワクチンの接種を受けられないことによる不利益がないよう組織として十分な配慮が求められる．

B型肝炎ワクチン

（1）対象者

B型肝炎ウイルスは，血液を媒介するウイルス感染症としては最も感染力が強く，免疫のない感受性者がB型肝炎ウイルス抗原陽性の血液による針刺しを起こした場合の感染率は約30％と高い．したがって，患者や患者の体液に触れる可能性のあるすべての医療従事者は，B型肝炎ワクチンを接種し，B型肝炎ウイルスに対する免疫をもつ必要がある．

直接雇用する医療従事者については，当該医療機関が接種するべきである．業務委託の業者に対しては，従事者に対してワクチンを接種するよう，契約書類の中で明記するなどして，接種の徹底を図るべきである．

（2）B型肝炎ワクチン接種

B型肝炎ワクチンは，血液曝露の機会がある前に接種を終了していることが望ましい．接種は初回投与に引き続き，1カ月後，6カ月後の計3回投与を1シリーズとする．

1シリーズの3回目のワクチンを接種した1〜2カ月後にHBs抗体を測定し，陽性化の有無を確認する．10 mIU/mL以上に上昇している場合は免疫獲得と考えてよい．1シリーズのワクチン接種で，40歳未満の医療従事者では約92％で，40歳以上の医療従事者では約84％で基準以上の抗体価を獲得したとの報告がある[3]．1シリーズのワクチン接種後に基準以上の抗体価が獲得できなかった場合は，さらに1シリーズの再接種が推奨される．

追加の1シリーズにより，再接種者の30〜50％が抗体を獲得できる．使用するワクチンはメーカーによって抗原が異なるので，変えてみるという選択肢もある．

2シリーズでも抗体陽性化がみられなかった場合は，それ以上の追加接種での陽性化率は低くなるため，ワクチン不応者として血液・体液曝露に際しては厳重な対応と経過観察を行う．このような者がB型肝炎ウイルス陽性血への曝露があった場合，米国ガイドラインでは抗HBsヒト免疫グロブリンを，曝露直後と1カ月後の計2回投与することを推奨している．

ワクチンの接種歴はあるが，抗体が上昇したかどうかが不明な場合は，図2に沿って抗体検査とワクチンの接種を行う．

一度，抗体が獲得されれば，その後は長期にわたり発症予防効果が続く．また，経年により抗体価が基準値以下に低下した場合も発症予防効果は続くため，追加接種は不要とされている．なお，ワクチン不応者や経年により抗体価が基準値以下に低下した者に対して，追加接種を行うことは，被接種者に不利益となる事象が起きるわけではなく，希望があった場合や施設でのリスク・必要性に応じて各施設で判断し，接種を行う．

インフルエンザワクチン

（1）対象者

インフルエンザ患者と接触するリスクの高い医療従事者に対しては，自身への職業感染防止の観点，患者や他の職員への施設内感染防止の観点などから，積極的にワクチンを接種することが推奨される．

接種対象者は「予防接種実施規則」（厚生労働省令）第6条による接種不適当者に該当しない全医療従事者の接種希望者であり，妊婦または妊娠している可能性の高い女性や，65歳以上の高齢者も接種対象者に含める．

（2）インフルエンザワクチン接種

インフルエンザワクチン（インフルエンザHAワクチン）は，接種からその効果が現れるまで通常約2週間程度かかり，その効果は約5カ月間持続するとされている．日本のインフルエンザの流行は12月下旬から3月上旬が中心になるので，遅くとも12月上旬までに接種

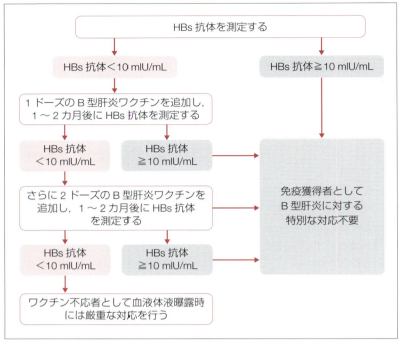

図2 ワクチン接種歴はあるが抗体の上昇が不明の場合の評価 〔文献1〕より転載〕

を完了することが勧められる。

医療関係者のほとんどは，インフルエンザワクチンの接種歴があり，インフルエンザウイルスに対する基礎免疫を獲得していると考えられる。そのため，通常は各年1回接種で十分である。医療関係者のうち，基礎疾患のために免疫が著しく抑制されている状態であることが考えられる場合は，医師の判断で2回接種としてもよい。

インフルエンザワクチンの効果に関しては，さまざまな研究がある。米国で行われた研究で，ワクチン株と流行株とが一致している場合に，健常成人（65歳以下）での発症予防効果は70～90％であった[4]。施設内で生活している高齢者での発症予防効果は30～40％と下がるが，入院や肺炎を防止する効果は50～60％，死亡の予防効果は80％であった[4]。日本における報告でも，65歳以上の健常な高齢者については約45％の発症を阻止し，約80％の死亡を阻止する効果があったとされている[5]。

(3) 注意事項

インフルエンザワクチンは不活化ワクチンであり，胎児に影響を与えるとは考えられていないため，妊婦は接種不適当者には含まれない。また，妊婦または妊娠している可能性の高い女性に対するインフルエンザワクチンの接種に関する日本国内での調査成績については，小規模ながら，接種により先天異常の発生率は自然発生率より高くならないとする報告がある。しかし，まだ十分なデータが集積されてはいないため，ワクチンの接種によって得られる利益が，不明の危険性を上回るという認識が得られた場合に，ワクチンを接種する。一般的に妊娠初期（妊娠14週まで）は自然流産が起こりやすい時期であり，接種する場合は，この点に関する被接種者の十分な理解を得たうえで行う。

百日咳ワクチン

(1) 対象者

百日咳菌に対する予防接種として，日本には三種混合ワクチンと四種混合ワクチンがあり，生後3カ月から接種が開始され，基礎免疫として乳児期に3回，追加免疫として幼児期に1回の接種が行われる。百日咳の抗体価は，追加免疫を行った後でも5年間程度で減弱することが知られており，学童や成人のコミュニティ内で百日咳が潜在的に流行していることが問題である。そのため，日本小児科学会が推奨する予防接種スケジュール（2022年4月改訂版）において，学童期以降の百日咳の予防として，5歳以上7歳未満に三種混合ワクチンの追加接種を推奨している。それに加えて，11～12歳

に接種する沈降ジフテリア破傷風混合トキソイドの代わりに，三種混合ワクチンを接種してもよいとしている。

また，新生児期に百日咳に罹患すると，無呼吸発作や肺高血圧によって致死的になることが知られている。米国では，妊婦に対して三種混合ワクチンを接種し，移行抗体によって新生児期の百日咳を予防することが推奨されている。

医療関係者の百日咳発症は，院内感染での感染源となり，伝播のリスクを高める。世界保健機関は，医療関係者への三種混合ワクチン接種による効果を示したエビデンスは十分ではないが，高い接種率があれば，乳児への院内感染予防戦略として有用であるとしており，妊婦や新生児・乳児をケアする医療従事者（妊娠中の母親に接触する可能性のある医療関係者も含む）を，予防接種の対象として検討することを提案している。

(2) 百日咳ワクチン接種

日本においても集団感染事例の報告があり，医学部での集団感染では，病院職員だけでなく，医学生の感染も報告されている[6]。そのため，接種対象は医療関係者だけでなく，医療・福祉・保育・教育に関わる学生も考慮することが望ましい。

抗体価と感染防御との関連は確立されていないため，ワクチンを接種する前の血清抗体価測定は推奨されていない[7]。

さらに，費用対効果分析では，医療関係者への三種混合ワクチンの接種は費用対効果があるとされているが，接種率が高くないことが課題となっている[8]。医療関係者へのワクチン接種率を高めるためには，接種費用だけでなく，百日咳含有ワクチン接種への理解が必要であり，とくに安全性を周知していくことが重要である。

(3) 注意事項

日本で販売されている三種混合ワクチン（DTaP）は，米国で販売されているもの（Tdap）と比べて，百日咳抗原（PT/FHA）量が多い。そのため，DTaP を接種した際に，局所反応が強く出る可能性がある。11～12歳を対象とした DTaP の国内第 III 相臨床試験では，接種部位の中等度以上の紅斑・腫脹・硬結が，それぞれ 69％，58％，28％で認められた[9]。

DTaP を 0.2 mL へ減量して接種することで，局所反応が減り，抗体価の上昇が得られることが報告されており[10]，医療従事者に対して DTaP の減量接種を行っている施設もある。

その他のワクチン

「医療関係者のためのワクチンガイドライン」[1]では，前述のワクチン以外にも，髄膜炎菌ワクチン，破傷風トキソイド，帯状疱疹ワクチンについて記載されている。

髄膜炎菌ワクチンは，髄膜炎菌を扱う可能性がある臨床検査技師や微生物研究者，無脾症・脾臓摘出後，持続性補体欠損症，HIV 感染症などの疾患を有する者，侵襲性髄膜炎菌感染症の発生頻度の高い地区（髄膜炎ベルトなどの海外）へ訪れる者に対して，接種が推奨されている。

破傷風トキソイドは，外傷などを被る危険性が高い医療関係者，災害医療に従事する可能性が高い医療関係者が対象となり，必要に応じて，過去の予防接種歴から破傷風トキソイドを含むワクチンを接種していない医療従事者や，規定量・回数の接種が行われていない医療関係者も，接種の対象となる。

帯状疱疹ワクチンは，50 歳以上の医療関係者で，以下の患者（白血病・悪性腫瘍患者，臓器移植患者，ステロイドや免疫抑制薬内服中の患者，HIV 陽性者・AIDS 患者，放射線治療患者，原発性免疫不全症の者，妊婦，新生児）との接触が想定される者が，接種の対象となる。

そのほか，ワクチン接種に関する詳細は，「医療関係者のためのワクチンガイドライン」[1]を参照するとよい。

事務部門との連携

麻しん・風しん・流行性耳下腺炎・水痘ワクチンについて入職（就学）前に予防接種の記録の提出を求め，記録が不明な場合は抗体検査を施行したうえで，必要な回数の予防接種を受け，免疫を獲得しておくことが強く推奨される。

これらの結果は事務部門でデータベースとして管理し，必要時に事務部門，職員健康管理部門，ICT などが供覧可能な状態であることが望ましい。

万が一，病院内で麻疹・水痘が発生した場合には，ウイルスに曝露後 72 時間以内に緊急ワクチンを接種することで発症を予防できる可能性があると報告されてい

DTaP：diphtheria toxoid, tetanus toxoid and acellular pertussis
Tdap：tetanus toxoid, reduced diphtheria toxoid and acellular pertussis

る．迅速に院内での感染拡大を防止するためには，職員の抗体価の測定結果，ワクチンの接種歴が必要部署において，24時間アクセス可能な状態であることが望まれる．

また，委託職員については，本来であれば，職員と同様に自施設での管理が望ましいが，病院の規模によっては困難な場合がある．この場合にも，必ず契約書類に上記の抗体測定およびワクチンの接種歴を管理する必要性を記載し，必要時に雇用施設側が確認できる体制を構築しておくことが必要である．

B型肝炎については，前述のように血液などを扱う前にワクチン接種を完了していることが望まれるが，完了していない場合は，血液などを扱うリスクの高い部署から優先的にワクチンの接種を完了できるよう事務部門，職員健康管理部門，薬剤部などで適宜調整を行う．

またインフルエンザワクチンについても，予防接種率向上のために，職員に対する教育・広報，接種に際しての職員への配慮（接種場所，経済的保障の確保など），接種率・接種効果のフィードバックが重要である．

医療従事者の結核管理

医療従事者の結核管理に関するガイドラインとして，日本結核病学会予防委員会による「医療施設内結核感染対策について」[11]や，厚生労働省インフルエンザ等新興再興感染症研究事業による「結核院内（施設内）感染対策の手引き」[12]，東京都福祉保健局による「医療機関における結核対策の手引」[13]などがある．

(1) 採用時のIGRA検査

新規採用職員に対して，採用時点（ベースライン）の結核感染歴を把握するために，インターフェロンγ遊離試験（IGRA）が推奨されている．すでに勤務している職員に対してもIGRAを実施して，ベースラインの検査結果を記録しておくと，結核院内感染が疑われる事象が発生した場合に，新たな感染の有無を診断するうえで，有用な情報となる．

結核病棟勤務者など，恒常的に結核菌感染の高い環境で勤務する者で，ベースラインIGRA陰性の者には，定期的なIGRA実施を検討する．

なお，新規採用職員に対するツベルクリン反応検査は，推奨されていない．

(2) 定期健康診断と日常の健康管理

感染症法第53条の2にもとづき，医療機関にはその従事者（職種を問わない）に対して，結核に係る定期健康診断（胸部X線検査）の実施が義務づけられている．医療機関は実施記録の作成，保管を行い，実施状況を管轄保健所に報告する必要がある．

年1回の健康診断だけで，すべての結核が早期に発見されることはないので，職員は日常の健康管理に留意する必要がある．とくに結核を疑わせる症状のある医療従事者は，患者等に感染を拡大させる危険性の高い群であることを自覚し，早期に診察・検査を受けることが重要である．受診の結果，結核と診断された場合には，すみやかに院内感染対策委員会（ICC）などの，院内の担当部署に報告し，医療機関は保健所と連携して必要な対策を講じる．

小児医療の特殊性

小児病棟で発生したウイルス感染症は，多くの児が感染症に感受性を有すること，子どもどうしの交流が多いことなどからリスクが高く，感染制御が困難となることが予想される．

したがって小児病棟では，児に接する可能性のあるすべての職員，学生，家族が集団で免疫を高めていくこと（コクーン戦略）が重要となる．小児病棟のみの問題にとどまらず，病院全体として費用などの問題を含め，ワクチンの接種を強力に推進する体制づくりが必要である．

文献
1) 日本環境感染学会：医療関係者のためのワクチンガイドライン 第3版. 環境感染誌, 35(Suppl Ⅱ)：S1-S32, 2020
2) Hatakeyama S, et al：Prevalence of measles, rubella, mumps, and varicella antibodies among healthcare workers in Japan. Infect Control Hosp Epidemiol, 25(7)：591-594, 2004
3) Averhoff F, et al：Immunogenicity of hepatitis B Vaccines. Implications for persons at occupational risk of hepatitis B virus infection. Am J Prev Med, 15(1)：1-8, 1998
4) Fiore AE, et al：Prevention and control of influenza: recommendations of the Advisory Committee on Immunization Practices（ACIP）, 2008. MMWR Recomm Rep, 57(RR-7)：1-60, 2008
5) 厚生省：インフルエンザワクチンの効果に関する研究（神谷班報告書）．臨床とウイルス, 28(4)：275-277, 2000
6) 国立感染症情報センター：高知大学医学部および附属病院における百日咳集団感染事例. IASR, 29(3)：70-71, 2008

IGRA：interferon-gamma release assay，インターフェロンγ遊離試験

7) Centers for Disease Control and Prevention：Immunization of Health-Care Personnel；Recommendations of the Advisory Committee on Immunization Practices（ACIP）. MMWR, 60(7)：1-45, 2011
8) Sandora TJ, et al：Pertussis vaccination for healthcare workers. Clin Microbiol Rev, 21(3)：426-434, 2008
9) 国立感染症研究所：百日せきワクチンファクトシート. 2017年2月10日［https://www.mhlw.go.jp/file/05-Shingikai-10601000-Daijinkanboukouseikagakuka-Kouseikagakuka/0000184910.pdf（2022年5月現在）］
10) 伊東宏明, 他：成人を対象としたジフテリア・百日咳・破傷風混合ワクチンの安全性と免疫原性. 日本小児科学会雑誌, 114(3)：485-491, 2010
11) 日本結核病学会予防委員会：医療施設内結核感染対策について. Kekkaku, 85(5)：477-481, 2010
12) 厚生労働省インフルエンザ等新興再興感染症研究事業：結核院内（施設内）感染対策の手引き 平成26年版. 2014年3月［https://www.mhlw.go.jp/file/05-Shingikai-10601000-Daijinkanboukouseikagakuka-Kouseikagakuka/0000046630.pdf（2022年5月現在）］
13) 東京都福祉保健局：医療機関における結核対策の手引. 2021年3月［https://www.fukushihoken.metro.tokyo.lg.jp/iryo/koho/kansen.files/iryoukikannotebiki1.pdf（2022年5月現在）］

Memo

2.12 針刺し後の血液・体液曝露予防

Points
▶ **血液・体液曝露時の対応フローチャート**を作成し，有事の際に迅速に対応できるように体制を整備しておく必要がある。

小児における血液・体液曝露の特徴

小児の採血や血管確保などの処置において，穿刺者と介助者複数で処置を行うことが多く，他者が関与して血液・体液曝露が発生する場面がある。

また，患者の動きにより状況が変化し，曝露してしまう場面も多い。

患者を制御する際などに，患者から抵抗され，噛みつかれることもある。軽微で済むことが多いが，受傷部位が手など感染併発のリスクが高い場合や，真皮に達する傷の場合は，口腔内細菌叢や皮膚の常在菌をターゲットとした予防的抗菌薬投与の適応がある。また，破傷風トキソイド（Td）の投与や，B型肝炎ウイルス（HBV）感染の評価を行う必要がある。C型肝炎ウイルス（HCV），ヒト免疫不全ウイルス（HIV）は唾液による感染のリスクはきわめて低いが，唾液に血液が混じっている場合は評価する必要がある。

また，微量採血後の分注時の受傷や，キャピラリーチューブの破損による受傷など，操作の困難さと処置の複雑さ，多様な器材の使用などの要因も，小児医療における血液・体液曝露に特徴的である。

針刺し，切創，粘膜曝露における感染の確率は，表1のとおりである。

 B型肝炎ワクチン

医療機関では，患者や患者の血液に接する可能性のある場合は，HBVに対して感受性のあるすべての医療従事者に対してB型肝炎ワクチン（組換え沈降B型肝

表1 血液媒介病原体による感染経路・感染率

ウイルス	感染経路				感染の可能性があるもの		
	針刺し，切創		粘膜・損傷皮膚	噛傷（咬傷）	報告あり	可能性あり	可能性小
	感染するリスク	感染率					
HBV	3回に1回	6～30％	◎	○	・血液 ・血液製剤 ・血性体液	・唾液 ・精液 ・膣分泌物	・尿 ・便
HCV	50回に1回	1.8％	○	△	・血液 ・血液製剤 ・血性体液	・精液 ・膣分泌物	・唾液 ・尿 ・便
HIV	300回に1回	0.2～0.5％	○	△	・血液 ・血液製剤 ・血性体液	・髄液 ・母乳 ・精液 ・膣分泌物	・唾液 ・尿 ・便

◎：感染する可能性が高い，○：感染率は低いが可能性あり，△：ごくまれに感染する　　〔文献1），2）を参考に作成〕

HBV：hepatitis B virus，B型肝炎ウイルス
HCV：hepatitis C virus，C型肝炎ウイルス
HIV：human immunodeficiency virus，ヒト免疫不全ウイルス

2.12 針刺し後の血液・体液曝露予防

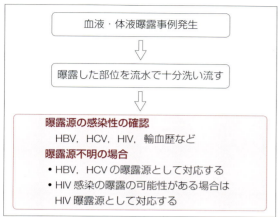

図1 血液・体液曝露時の対応

炎ワクチン）接種を実施しなければならない[3]。

● 血液・体液曝露時の対応

血液・体液曝露時の対応を図1に示す。

血液・体液に曝露した際は、曝露者は直ちに受傷部位を流水で十分に洗浄する。曝露部位の消毒に関しては、現段階では科学的根拠に乏しい。

部署責任者に報告し、曝露源（患者）の感染症検査を行う際は、同意書を作成したうえで患者に十分に説明し、同意を得ることが重要である。

● 検査・治療・フォローアップ

(1) HBV 曝露後対策

HBV 曝露後の対策フローチャートを図2[4]に、具体的な対応を表2[1]（p.90）に示す。

(2) HCV 曝露後対策

HCV 抗体陽性血液や体液に曝露した場合は、図3に準じて対応する。

曝露後予防として推奨されている薬剤はない。HCV 抗体が陽転化した場合は、肝臓科の受診を勧める。

(3) HIV 曝露後対策

まず、抗 HIV 薬の予防投与が必要かの判断が重要である。原則的には、HIV 感染成立の可能性がほとんどなければ予防投与は不要で、HIV 感染成立の可能性が考慮される場合には推奨される。女性の場合は、予防投与前に妊娠反応検査を実施する。

感染のリスクが高いとされる状況は、AIDS 患者、HIV-

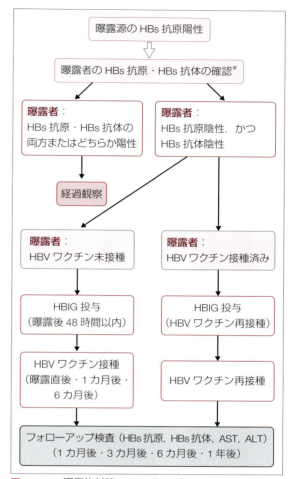

図2 HBV 曝露後対策フローチャート
※ HBs 抗体確認：過去に一度 HBs 抗体が陽転化した場合に、曝露時の検査および曝露後対応を不要とするかは、今後の検討課題である。
EIA または CLIA、RIA 法で 10 mIU/mL 以上を陽性とする。

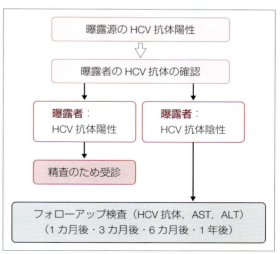

図3 HCV 曝露後対策フローチャート

表2 HBV 曝露後の対応表

		曝露源の HBs 抗原		
		陽性	陰性	不明もしくは未検査
曝露者の予防接種歴と HBs 抗体価[※1]	予防接種 未接種	HBIG[※3] 1回投与し，HB ワクチンシリーズ[※4]の接種	HB ワクチンシリーズ[※4]の接種	HB ワクチンシリーズ[※4]の接種
	予防接種済みで HBs 抗体価 陽性[※2]	治療なし	治療なし	治療なし
	予防接種済みだが HBs 抗体価 陰性[※2]	HBIG 1回投与し，HB ワクチンシリーズ[※4]の再接種 もしくは HBIG 2回投与[※5]	治療なし	曝露源がハイリスクであれば，HBs 抗原陽性として対応
	予防接種済みだが HBs 抗体価 不明	HBs 抗体価を確認 1. 抗体価が陽性 →治療なし 2. 抗体価が陰性 → HBIG 1回投与し，HB ワクチンブースター投与	治療なし	HBs 抗体価を確認 1. 抗体価が陽性 →治療なし 2. 抗体価が陰性 → HB ワクチンをブースター投与し，抗体価を1～2カ月後に確認

HBIG（B 型肝炎免疫グロブリン）は曝露後できるだけ早く（可能であれば 24 時間以内に）投与する必要があり，曝露後7日を超えて投与した場合の有効性は不明。
HB ワクチン（B 型肝炎ワクチン）も同様に，曝露後できるだけ早く（可能であれば 24 時間以内に）接種する。

※1 B 型肝炎ウイルス既感染者は，再感染に対して免疫があるため，曝露後予防は必要ではない。
※2 HBs 抗体価陽性とは HBs 抗体 ≧ 10 mIU/mL のことを示し，10 mIU/mL 未満であれば抗体価陰性とする。
※3 HBIG は 0.06 mL/kg/回を筋肉注射する。
※4 HB ワクチンシリーズとは，適切な接種間隔で HB ワクチンを3回接種することを示す。
※5 HBIG を1回投与して HB ワクチンを再接種する選択肢は，2回目の HB ワクチン3回接種シリーズを完了していない症例に推奨される。以前に2回目の HB ワクチン3回接種シリーズを完了したが抗体価上昇がない症例では，HBIG 2回投与の選択肢が好ましい。

〔文献1）を参考に作成〕

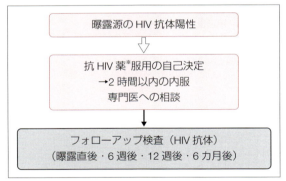

図4 HIV 曝露後対策フローチャート
※抗 HIV 薬について
- 曝露事象のリスクを分類して，曝露後予防薬の組み合わせを2剤，3剤と分けて判断する方法は取り止めとなった。
- 曝露後予防内服の第一推奨薬は，以下の2剤に単純化されている
〔ラルテグラビル（アイセントレス®）1錠 400 mg，1日1錠，1日2回。エムトリシタビン・テノホビル・ジソプロキシル配合剤（ツルバダ®）1錠，1日1回〕

RNA 量 1,500 コピー/mL 以上，針が中空，血液・体液が肉眼で見える，血管内に刺入された後の針での刺傷，深い傷であることなどがあげられる。曝露源となった患者の HIV に関する状態が不明な場合，事情を説明して，その患者に HIV スクリーニング検査を実施する。

感染のリスクが高い場合には，曝露後に抗 HIV 薬の多剤併用投与を開始し，4週間は予防内服を継続することを推奨する（図4）[5,6]。実際に内服すべきかどうかについては，ケースバイケースで専門医と相談のうえ，最終的には「曝露者」が決定する。内服する場合は，可及的すみやかに（2時間以内に）投与されることが望ましい。

いざ必要となった場合に，いつでも遅延なく曝露後予防投与が行えるように，院内でのフローを整備しておく。

HTLV-1：human T-cell leukemia virus type 1，ヒト T 細胞白血病ウイルス-1 型

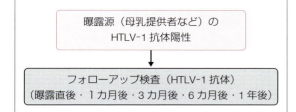

図5　HTLV-1 曝露後対策フローチャート

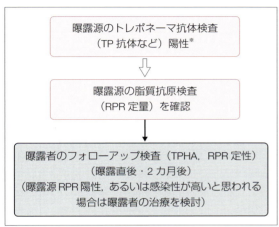

図6　梅毒曝露後対策フローチャート
※ VDRL, RPR といった非トレポネーマテストは, スクリーニングに用いられるが, 妊娠中は偽陽性を呈することがあり, FTA-ABS などのトレポネーマテストで確認する。トレポネーマテストは感染歴があれば生涯陽性なため, 治療効果判定には RPR が用いられる。

曝露後予防の経過観察

HIV 曝露後の検査は, ①曝露時ベースラインの検査, ②曝露後 6 週目, ③曝露後 12 週目, ④曝露後 6 カ月目が推奨されるが, 検査精度の進歩とともにフォロー期間が短縮されている記載もある[4,5]。

ヒト T 細胞白血病ウイルス-1 型（HTLV-1）や梅毒についても, 曝露後のフォローが検討される（図5, 図6）。

文献

1) Centers for Disease Control and Prevention : Updated U.S. Public Health Service Guidelines for the management of occupational exposures to HBV, HCV, and HIV and recommendations for postexposure prophylaxis. MMWR, 50(RR-11), 2001 ［http://www.cdc.gov/mmwr/PDF/rr/rr5011.pdf（2022 年 5 月）］
2) Jagger J, et al : Occupational transmission of hepatitis C virus, JAMA, 288(12) : 1469-1471, 2002
3) 日本環境感染学会：医療関係者のためのワクチンガイドライン 第 3 版. 環境感染誌, 35(Suppl II)：S1-S32, 2020
4) 国公立大学附属病院感染対策協議会・編：病院感染対策ガイドライン 2018 年版（2020 年 3 月増補版）. じほう, 2020
5) 洪 愛子・編：ベストプラクティス NEW 感染管理ナーシング, 学習研究社, pp2-16, 2006
6) 令和 3 年度厚生労働行政推進調査事業費補助金エイズ対策政策研究事業, HIV 感染症および血友病におけるチーム医療の構築と医療水準の向上を目指した研究班（研究分担者：四本美保子, 研究代表者：渡邊 大）：抗 HIV 治療ガイドライン. 2022 年 3 月 ［https://hiv-guidelines.jp/pdf/guideline2022.pdf（2022 年 5 月現在）］
7) 病院等における災害防止対策研修ハンドブック―針刺し切創防止版. 地方公務員災害補償基金, 2010

2.13 職員が感染症を発症した場合の対応（一般的な急性呼吸器感染症，胃腸炎など）

Points
▶ 小児は流行性ウイルス疾患に対して免疫をもたないことも多く，医療従事者が発症した感染症が院内感染の原因になりうる。
▶ 職員に感染症を疑う症状がある場合の**連絡経路の整備**が必要であるが，有症状時に**相談しやすい職場風土をつくる**ことも，同じく大切である。

　小児患者は成人患者と異なり，年齢相応の日常生活の介助が必要であり，とくに乳幼児期においては医療従事者との接触も濃厚である。そのため，感染の伝播経路としては接触感染によるものが多い。

　職員のもち込みによる感染症としては，接触感染ではノロウイルスなどの消化器系感染症，飛沫感染では，いわゆる感冒やインフルエンザなどの呼吸器感染症，空気感染では水痘，麻疹，結核などがあり，診断がつく前であっても可能性を踏まえ，すみやかにICTへの報告が必要である。乳幼児期は流行性ウイルス疾患に対する免疫をもっていない可能性が高く，患者に直接関わる職員はもとより，間接的に関わる職員においても，健康管理や感染症を発症した場合の勤務調整は，感染防止のうえで重要となる。

　本節では，職員が感染症を発症した場合の対応について述べる。ここでいう「職員」とは，医師，看護師，検査技師などのメディカルスタッフのみならず，業務委託で勤務する職員や実習生なども含まれる。

連絡体制

　まず，感染症状を有する職員は，すみやかに所属の上司へ報告することが重要である。

　報告を受けた上司は，職員には受診を勧めるとともに，平日診療日であればICTへ連絡する。

　ICTへの連絡は各施設の体制にもよるが，職員の情報が出勤時のことであれば，午前中までに病院全体の情報がICTへ集約されることが望ましい。

　夜間や休日の当直体制においては，各所属の代行者が発症した職員への対応や勤務調整を行い，管理当直の看護師へ報告する。管理当直看護師は，職員の動向と患者の状況を確認し，アウトブレイクの兆候がなければICTへの連絡は休日明けでよい。

　連絡の流れは，図1のとおりである。病院の職員であればICTとの連携もすみやかに行えるが，業務委託の職員については契約会社との連携となる。

　病院の感染対策担当者は，契約窓口となる事務担当者と契約会社の現場責任者の三者で話し合い，委託職員の管理体制と報告ルートについて確認し，委託職員の情報がすみやかに現場の責任者に流れるよう申し合わせることが必要である。実習生や研修生においても同様である。

　職員によっては，仕事を休むことで他の職員への影響を考えて報告を躊躇する者もいるが，職員自身が感染源とならないための対策であることを認識し，行動化できるよう日頃から感染防止対策の意識向上を図るとともに，相談しやすい職場風土をつくることが大切である。

ICTへの連絡の目安

　基本的には全例報告すべきであり，連絡方法に関しては各施設で運用を協議する。

　胃腸炎などの消化器系感染症では，職員の手を介して接触感染するため，勤務中に発症した場合はすみやかな報告が必要である。

　職員が感染症を発症した場合の初期対応は各所属の責任者になるため，誰に相談すればよいかわかるよう，ICTへの連絡先を明示するとともに，日頃からラウンドを通じてICTの活動を知ってもらうことも重要である。

ICTが行う確認事項

　連絡を受けたICTは，当該部署へ行き，以下の点について確認し，必要時対策を講じる。

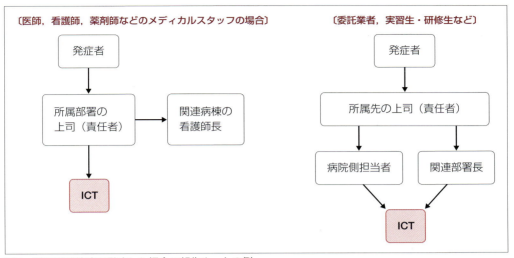

図1　職員が感染症を発症した場合の報告ルートの例

(1) 感染症を発症した職員の勤務状況と接触した患者の状況

発症の時期と勤務状況，接触患者の症状を確認し，患者への感染のリスクが高いと想定される場合は，主治医に連絡し，患者の病状を踏まえ，今後の治療について相談し，対応を決定する。

(2) 同様の症状を有する職員の有無

過去，数日間を通じて，部署内に同様の症状を有する職員がいないか情報収集し，複数名いた場合は時系列で情報を整理し，関連性を確認するとともに，伝播経路の絞り込みと対策を決定する。

(3) 感染経路別対策の実施状況

①飛沫予防策

濃厚接触した患者について必ずしも隔離の必要はないが，職員の感染症診断名に応じて観察期間を設け，症状の有無を観察する。職員間の伝播経路として，休憩室などの環境が想定される。そのため，接触した可能性がある職員に関しても，感染症診断名に応じて観察期間を設け，症状の有無を観察する。また，発症前から病原微生物を伝播しうる感染症（たとえば，インフルエンザなど）に関しては，観察期間中にサージカルマスクを着用して勤務させる。

②接触予防策

伝播経路は人の手を介するため，病棟内では，病室のドアノブや，スタッフステーションのテーブル，パソコンのキーボードなどの高頻度接触面を拭く。職員の休憩室のドアノブや職員用トイレも同様に行う。消毒薬は，職員の診断結果により選択する。

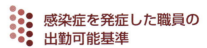 感染症を発症した職員の出勤可能基準

受診の結果，明らかな原因菌などが出ない場合，および，特定の病名診断を受けた場合について，職員の出勤可能な基準を付録③（p.302）に示す。

Memo

小児伝染性疾患

3.1 麻　疹

Points
- ▶ 麻疹ウイルスの感染経路は**空気感染**である。
- ▶ 発熱，咳嗽，結膜充血，眼脂などのカタル症状が2～3日続き，頬粘膜にコプリック斑が出現する。
- ▶ **全数報告対象疾患**であり，診断した場合は直ちに保健所に届け出る。

疾　患

(1) 原因と病態

麻疹（measles, rubeola）ウイルスはヒトのみを宿主とし，感染すると発熱，咳嗽，結膜充血，眼脂が出現し，頭部から体幹へと融合傾向のある紅斑が広がる。

(2) 症状，合併症

発熱，咳嗽，結膜充血，眼脂などのカタル症状が2～3日続き，頬粘膜にコプリック斑（Koplik's spot）が出現する（図1）。発熱は二峰性の経過をとることもある。その2～3日後に紅斑が頭部から出現し，体幹，四肢に広がることが多い。紅斑はやがて暗赤色の丘疹となり，融合傾向を示しながら治癒する。回復期には色素沈着を残す。小児では，下痢，嘔吐，腹痛を合併することも多い。合併症は，中耳炎（7％），肺炎（6％），脳炎（0.1％），重篤なものとして，まれではあるが罹患10年前後で発症する亜急性硬化性全脳炎がある。

(3) 診　断

ワクチンの接種状況，流行状況，症状から，典型例の臨床診断は可能であるが，ワクチンの接種歴はあるものの免疫が不十分で非典型的な症状が現れる修飾麻疹の診断は困難なことがある。検査上は，特異的IgM抗体高値，ペア血清によるIgG抗体の上昇，ウイルス分離同定やポリメラーゼ連鎖反応（PCR）による検出で行う。IgMは感染後1～3日で上昇し，2～4週間でピークとなるが，発症3日以内ではIgM偽陰性率は20％であるため，必ずペア血清でIgG抗体を評価する[1]。

麻疹は全数報告対象疾患（全数把握）であり，ウイルス分離同定やPCRで確定診断を行うため，咽頭ぬぐ

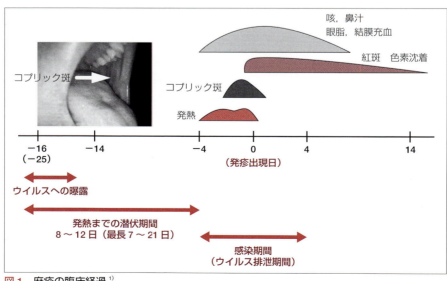

図1　麻疹の臨床経過[1]
（写真は巻頭カラー図①参照）

表1 麻疹の感染経路，潜伏期間，隔離期間

ウイルス排泄期間	発疹出現4日前〜発疹出現4日後（免疫不全者では症状のある間）
感染源	気道分泌物
感染経路	空気感染
感染予防策	空気予防策
必要な個人防護具	手袋，エプロン，サージカルマスク（麻疹感受性者はケアにあたらないようにする）

表2 麻疹患者への対応

	具体的な対応
身体の清潔	陰圧個室内で実施
排泄物の管理	・おむつは病室内で廃棄できるように，おむつボックスをトイレ内に設置する ・使用した便器・尿器はベッドパンウォッシャーにて洗浄・消毒を実施し，感染リスクを抑えてから通常の洗浄を行う
移送	・治療上必要な場合のみとし，必要最小限とする ・患者が病室から離れるときは，サージカルマスクを着用する ・事前に移動先に連絡し，移動経路も含めて他の患者と接触しないように調整する
説明	年齢に合わせ，以下について説明 ①個室隔離と空気予防策実施の説明 ②移動・移送時の注意点 ③手指衛生の方法とタイミング
遊び	病室内で，年齢に合わせて実施
学習	院内学級などの集団学習には参加しない

い液，血清，尿などの検体を，保健所を通じて地方衛生研究所へ提出する．

（4）治療

有効な抗ウイルス治療はなく，対症療法が中心である．低栄養などがある場合はビタミンAの投与を考慮する．

（5）予防

乾燥弱毒生麻しん風しん混合ワクチン（MRワクチン）や乾燥弱毒生麻しんワクチンの接種により免疫獲得が可能で，その有効性は95％である．

MRワクチンは定期接種であり，日本では1歳（第一期）と小学校入学前の1年間（第二期）の2回接種で，接種率は第一期98.5％，第二期94.7％である[2]．

（6）感染経路，潜伏期間，隔離期間

麻疹ウイルスの感染経路は空気感染（表1）である．潜伏期間は8〜12日（最長7〜21日），ウイルス排泄期間は，発疹出現4日前から発疹出現4日後までである[3]．

曝露者の隔離は，罹患患者との最初の接触日から5日後より，罹患患者との最終接触から21日目まで行う．

対応

（1）患者対応

臨床診断で麻疹が疑われた患者に対して，空気予防策を行う（表1）．麻疹感受性者はケアにあたらないようにする．

修飾麻疹の症状は非典型的であり，臨床症状のみで判断することは難しいため，否定できないときは否定できるまで陰圧個室隔離とすることが望ましい．

患者と保護者へ十分に説明し，同意を得たうえで陰圧個室管理とする（表2）．

（2）曝露者への対応

罹患患者の感染力があるとする日から患者を陰圧個室へ隔離した日までの病棟における接触患者（入退院，外出・外泊）を把握し，リストアップする〔具体的な予防策については，「3.11 曝露後予防」（p.140）を参照〕．

①入院中の児への対応

可能な範囲で外泊や退院を主治医と検討し，対応が必要な患者に対して曝露後予防を行う．免疫正常者（血液検査で証明された麻疹の罹患歴，MRまたは麻疹ワクチンを2回接種済み）であれば曝露後予防の対象外とする．

②退院した児への対応

曝露が判明した時点ですでに退院している患者には，主治医を通して保護者へ連絡し，曝露後予防の対応を考慮する．

③外来で曝露した児への対応

救急外来で曝露した患者に関しては，施設ごとに対応を検討する．市中での接触と同様に考え，特別な対応はしない例もある．

PCR：polymerase chain reaction，ポリメラーゼ連鎖反応

表3　麻疹患者に関わる物品管理方法

物品の種類	管理方法
清潔ケア物品	ベースン等は洗浄後・熱消毒, もしくは低水準消毒薬にて洗浄・消毒を行う
浴室	低水準消毒薬入りの洗浄剤で洗浄後, 乾燥させる ※陰圧個室内に浴室がある場合のみ使用可
食器, 哺乳びん・乳首	・食器は洗浄後, 熱消毒する ・哺乳びん・乳首は洗浄後, 0.01％次亜塩素酸ナトリウム溶液にて浸漬消毒を1時間行う
衣類	・特別な消毒は不要 ・洗濯洗剤により洗濯後, 乾燥させる
リネン	通常の洗浄を行い, 熱により乾燥させる
診察用具	〔体温計〕消毒用エタノールで清拭する 〔聴診器〕消毒用エタノールで清拭する 〔血圧計〕カバーは洗浄し, 乾燥させる。本体は消毒用エタノールで清拭する

(3) 外来対応

麻疹が疑われる患者は, 一般診察室とは隔離された陰圧個室で診察することが望ましい。

救急受診の受付の段階で発疹や発熱の有無を確認し, 発疹のある患者は一般診察室から隔離された個室で診察する。

(4) 病棟対応

麻疹は空気感染するため, 入院中の患者が1例でも新規に発症した時点で, アウトブレイクを疑い, 対応を行う (表2〜表4)。入院後, 罹患が確認された場合は, 患者が存在した空間, すなわち, 病棟, 院内学級で対応する必要がある。病棟対応は, 個々の施設によって慎重に判断すべきであるが, 感染の拡大を防ぐために新規入院患者の入院制限を行うことが望ましい。

潜伏期間が最長21日であるため, 罹患患者を隔離した日から21日間は麻疹感受性者の入院を制限する。

麻疹曝露を受けた病棟における
入院受け入れ基準の一例：
　①血清学的に証明された麻疹罹患歴がある
　②MRまたは麻しんワクチンを2回接種済みの免疫正常者

(5) 保健指導

免疫不全のない麻疹感受性者 (MRまたは麻しんワクチンの接種記録がない, 検査にもとづく麻疹罹患の記録がない) がいる場合は接触後72時間以内にワクチンを接種することが推奨される。重症化のリスクが高い, 1歳未満の乳児, 妊婦, 免疫不全者に対しては接触後6日以内の免疫グロブリン接種を推奨する。グロブリンを接種した乳児は, ワクチンの抗体価が得られにくいため投与量に合わせ, 3カ月から6カ月の間隔を空け, かつ1歳になったらMRワクチンを接種するように指導する。

(6) 届出

麻疹は, 感染症法の5類感染症 (全数把握) である。診断した医師は, 直ちに最寄りの保健所に届け出る。

(7) 職員対応

職員が麻疹抗体を保有していないことは, 麻疹に罹患するリスクがあるだけではなく, 患者に感染させるリスクがあることを十分に認識すべきである。とくに, 医療関係者が発症した場合は, 対応すべき曝露者が多くなるため, 抗体測定やワクチンの接種, γグロブリン投与, 予定手術の延期など医療経済的な損害も大きい。

日本における麻疹抗体価保有率は, 25〜35歳では90％前後であり, 10人に1人は抗体を保有していない[5]。1人が麻疹を発症した際に, どれだけの人に麻疹を感染させるかを表した基本再生産数 (R_0) は12〜18であり, 麻疹の感染力は, 風疹の R_0 6〜7, 流行性耳下腺炎の R_0 4〜10と比較しても高いとされる。

院内での感染リスクを最小限にするために, 医療関係者はMRまたは麻しんワクチンの接種が推奨される[6]。下記①, ②のどちらも満たさない場合には, 就業前にワクチンを2回接種する。
　①麻疹ウイルスを含むワクチンの2回接種記録がある
　②血液検査による免疫獲得の証明, もしくは血液検査で証明された罹患歴がある

このとき重要なのは記憶ではなく, 「記録」にもとづいて判断することである。

---Note---

抗体価陽性の基準

抗体価陽性の基準は, 日本環境感染学会では, EIA法 (IgG) で16以上, PA法で1：256以上, 中和法で1：8以上と定めている。

表4 麻疹に対する病棟での対応

	具体的な対応策
隔離対策	〔病室の選択〕 発疹出現4日前から発疹出現4日後は陰圧個室管理（免疫不全者では症状のある間継続） 〔感染対策〕 空気予防策
面会	面会者の制限 ※小児は保護者が患者に付き添うことが多い。しかし，麻疹抗体価が不明である保護者は院内での麻疹二次発生のリスクとなるため，麻疹罹患歴，2回の麻疹またはMRワクチンの接種，または麻疹抗体価陽性の証明がないかぎり，面会，付き添いともに不可とする。未罹患で，ワクチン未接種であれば，麻疹またはMRワクチンの接種を考慮する。入院を要する児との分離は，患者・保護者の双方にとって負担は大きく，隔離解除日より面会可能であることを含めた十分な説明と，院内対応への理解を求める必要がある。
ケア担当者の個人防護具（PPE）と手指衛生	〔必要な個人防護具の準備〕 手袋，エプロン，サージカルマスク 〔着脱のタイミング〕 ・患者診察・ケア前に手指衛生を実施し，個人防護具を着用する ・隔離エリア内で脱衣し，陰圧個室内の感染性廃棄物容器に廃棄し，手指衛生を実施後退出（室内に感染性廃棄物容器が準備できない場合は，ビニール袋に密閉してからエリア外に持ち出す） 〔手指衛生の徹底〕 ・「1処置2手洗い」を徹底する ・患者エリア内への入退室のタイミングで実施する
診察用具	体温計，聴診器，血圧計などは患者専用とする
清掃	感染期間内に退院する場合は，退室後，（陰圧空調を稼働させたまま）十分換気してから室内清掃を行う
食事	・陰圧個室内で摂取 ・食事の下膳は通常と同様
プレイルーム	・共有の場所は使用しない ・症状に応じて，ベッドサイドで遊びや学習の工夫
行政等への報告	〔発生届〕 ・感染症法では5類感染症（全数把握） ・患者の氏名，住所等を直ちに管轄の保健所へ届け出る 〔幼稚園・学校への連絡〕 保護者へ学校・幼稚園に連絡するように伝える（「学校保健安全法」により第2種に分類され，解熱後3日を経過するまで出席停止となる） 〔保育園への連絡〕 保護者へ保育園に連絡するよう伝える（「学校保健安全法」により第2種に分類され，解熱後3日を経過するまで出席停止となる）

曝露後予防

患者の年齢，MRワクチンの接種回数，免疫不全の有無により対応する（3.11節, p.140参照）。

(1) MRまたは麻しんワクチンの適応

下記①～③のすべてを満たす場合に，MRワクチン0.5mLまたは麻しんワクチン0.5mLを接種する。

①罹患患者との接触後72時間以内

②1歳以上，ワクチン未接種（1回のみ接種で，1回目の接種から28日以上経過している場合も接種は考慮されるが，2期接種の時期にあてはまらない場合は任意接種となることに注意）

③MRワクチン接種の禁忌患者ではない

(2) γグロブリン

①MRまたは，麻しんワクチンの適応がない

②罹患患者との接触から6日以内

上記①，②を満たす場合には，筋注（IMIG）または

静注(IVIG)の投与を行う。ハイリスク患者ではなく，体重＜30 kg の場合は，筋注用γグロブリン 0.5 mL/kg（最大 15 mL）の投与を考慮する（日本の筋注用γグロブリンの添付文書には，麻疹感染の予防の際の投与量は 0.1〜0.33 mL/kg と記載されていることに注意）。免疫不全患者や妊婦などのハイリスク患者，体重≧30 kg の場合は，IVIG 400 mg/kg の投与を考慮する[3]。日本には麻疹高力価のγグロブリンは存在しない。

文献
1) Koenig KL, et al：Identify-isolate-inform: a tool for initial detection and management of measles patients in the emergency department. West J Emerg Med, 16（2）：212-219, 2015
2) 厚生労働省：麻しん風しん予防接種の実施状況, 令和 2 年度（2020 年 4 月 1 日 〜2021 年 3 月 31 日）：http://www.mhlw.go.jp/bunya/kenkou/kekkaku-kansenshou21/hashika.html
3) Red Book, 32nd Edition, American Academy of Pediatrics, pp503-532, 2021
4) 厚生労働省：麻しんに関する特定感染症予防指針. 告示第 442 号, 平成 19 年 12 月 28 日（平成 28 年 2 月 3 日一部改正, 平成 31 年 4 月 19 日一部改正）
5) 国立感染症研究所感染症疫学センター：2013 年度麻疹予防接種状況および抗体保有状況—2013 年度感染症流行予測調査（中間報告）. 病原微生物検出情報（IASR）, 35（4）：109-111, 2014
6) 日本環境感染学会：医療関係者のためのワクチンガイドライン 第 3 版. 環境感染誌, 35（Suppl II）：S1-S32, 2020

Memo

3.2 風疹，先天性風疹症候群

Points
- 典型的には後頸部リンパ節腫脹に始まり，発熱と顔面から始まる融合しない小紅斑や丘疹が全身に広がり，3日間程度で軽快する。
- **全数報告対象疾患**であり，診断した場合は直ちに保健所に届け出る。
- **妊婦**が風疹に罹患すると，**先天性風疹症候群**の原因となりうる。
- 先天性風疹症候群の児は，長期にわたりウイルスを排泄する。

疾患

(1) 原因と病態

　風疹（rubella）ウイルスはヒトのみを宿主とし，出生後に感染した場合は発熱，発疹，リンパ節腫脹を主徴とする急性一過性感染症である風疹をきたす。

　また，先天性風疹症候群（CRS）は，妊婦が風疹ウイルスに感染し，その胎児が感染した結果，眼，耳，心臓などに特有の障害をきたした疾患である。

(2) 症状，合併症

　風疹は典型的には後頸部リンパ節腫脹に始まり，発熱と顔面から始まる融合しない小紅斑や丘疹が全身に広がり，3日間程度で軽快する（図1）。風疹の多くは自然経過する軽症疾患であり，不顕性感染も少なくないが，一部は関節炎や脳炎を呈する。

　先天性風疹症候群の典型例は，出生時より低出生体重，小頭症，黄疸などの肝炎所見，血小板減少，白内障，難聴，先天性心疾患を認める。

(3) 診断

　風疹は流行時に典型的な症状を認めれば臨床診断が可能であるが，検査上は特異的IgM抗体高値，ペア血清によるIgG抗体（HI法）の4倍以上の上昇，ウイルス分離同定やPCR法による検出をもって診断する。

　一方，先天性風疹症候群の診断は，風疹ウイルスによる感染の証明と，典型的な所見の存在による。この

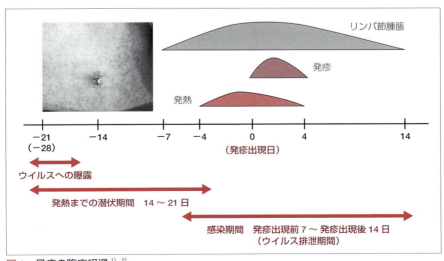

図1　風疹の臨床経過 [1], [2]
　　（写真は巻頭カラー図②参照）

CRS：congenital rubella syndrome，先天性風疹症候群

表1 感染予防策からみた風疹と先天性風疹症候群の違い

	風疹	先天性風疹症候群
ウイルス排泄期間	発疹出現7日前から出現14日後（通常7日）まで	生後6カ月をピークとして1年間は排泄がみられる（白内障患者の水晶体や髄液など深部組織検体からは1年以上の排泄がみられることもある）
感染源	気道分泌物	気道分泌物・唾液，尿
主な感染経路	飛沫感染	接触感染
感染予防策	飛沫予防策（ただし，咳エチケットができない場合は，接触予防策も追加して実施する）	・接触予防策（ただし，呼吸器症状がある場合は飛沫予防策も追加して実施する） ・尿中のウイルス排泄があることから，おむつ交換後の手指衛生の徹底を行う
必要な個人防護具	サージカルマスク（必要時：手袋，エプロン）	手袋，エプロン（必要時：サージカルマスク）

表2 風疹患者への対応

	風疹	先天性風疹症候群
身体の清潔	病室内ベッドサイドで実施	・病室内ベッドサイドで実施 ・沐浴室を使用する際には他児がいない状況で実施し，使用後の沐浴槽清掃，および着脱衣時に使用するおむつ交換台の清掃の徹底を行う
排泄物の管理	特別な取り扱いはしない	・おむつは丸め，ビニール袋に入れて口を閉じてから運搬する ・病院での廃棄時は感染性廃棄物として取り扱う
説明	年齢に合わせて，下記の内容を説明する ①個室隔離の説明（大部屋の場合はベッド上，安静） ②移動時の注意点 ③同室者の関わり方 ④手指衛生の方法とタイミング	保護者への説明を行う ①個室隔離・ベッド上での対応となること ②プレイルームを使用する際の注意事項 ③おむつ交換時の注意点 ④観察方法・ケアポイント方法 ⑤手指衛生の方法とタイミング
遊び	限られたスペースの中でも，年齢に合わせて実施する	発達において，月齢による変化があることから刺激への反応，音への反応等をよく観察しながら，月齢に合わせた遊びを行う
学習	入院中は治療・安静が最も必要になるが，症状や病態をみながら進める	

表3 風疹に対する外来での対応

	具体的な対応策
診察室	・一般外来受診は通常の診察室を使用するが，診察後，使用後に清掃を行う ・診察後にサージカルマスクを着用し，移動する
排泄物の管理	・一般のトイレ・おむつ交換台の使用後の清掃方法を指導する ・使用後のおむつは自宅から持参したビニール袋に入れ，決められた場所へ廃棄するよう指導を行う
授乳	・先天性風疹症候群の場合においては授乳スペース使用方法の案内を行い，以下の注意点を説明する －手指衛生のタイミングと実施，唾液の取り扱い方法，おむつ交換シートの使用方法

表4 風疹に対する病棟での対応

	風疹	先天性風疹症候群
隔離対策	〔病室の選択〕 ・個室管理が望ましいが、場合により大部屋でも可。ただし4人部屋へ入院させる場合は、他患者から2m以上離し、カーテンは閉めておく。同室者は風疹の罹患歴、または2回の風疹もしくはMRワクチンの接種歴がある者に限ることが望ましい ・同室者が感受性者となる場合には、患者個人だけではなく、同室者への説明も行う 〔病室での注意点〕 小児病棟の場合、日中は他の子どもの廊下移動等で接触の機会があるため、病室のドアは常に閉めておくことが望ましい	・大部屋 ・ただし、同室者となる患者は以下の点を考慮する 　－罹患歴・2回の風疹もしくはMRワクチンの接種歴がある 　－患者エリア内に立ち入る等がない 　－衛生行動が自立している
面会	〔小児の感受性者〕 室内への入室を禁止する 〔成人の感受性者〕 未罹患者、抗体価のない職員も入室を控える	未罹患・抗体価のない面会者・職員はケア・接触を控え、風しん含有ワクチンの接種を推奨する
移送	・患者が病室外へ出るときには患者にサージカルマスクを着用させ、事前に相手先に連絡し、免疫のない他患者と接触しないように時間、もしくは場所の調整をする ・マスク着用が困難な場合には、移送経路を工夫し、他患者と2m以内の範囲でスペースを共有しないように注意する	・事前に相手先に連絡し、共有スペースでの待ち時間を短くする ・医療者用の手指衛生物品・手袋（廃棄用ビニール袋）を持参し、移動を行う
ケア担当者の個人防護具（PPE）と手指衛生	〔必要な個人防護具の準備〕 風疹では、サージカルマスクを着用するが、飛沫・咳エチケットができない患者の場合には、接触予防策を追加し、手袋・エプロンも着用する	・手袋・エプロンを着用する ・上気道症状がある場合には、サージカルマスクを着用する
	〔着脱のタイミング〕 ・患者診察・ケア前に着用する ・患者エリア内で脱衣し、ビニール袋等で密閉するか、患者ベッドサイドに感染性廃棄物容器を設置し、手袋・サージカルマスク・エプロンを患者療養エリア内で外す 〔手指衛生の徹底〕 ・「1処置2手洗い」を徹底する ・患者エリア内への入退室のタイミングで実施する	
診察用具	体温計、聴診器、血圧計などは患者専用とする	
清掃	日常行われている清掃と同様に行う	
食事	・食堂の利用は避ける ・食事の配膳・下膳は通常と同様に行う	ベッドサイドでの授乳を行う
プレイルーム	共有のプレイルームは使用せず、ベッドサイドで可能な遊びの工夫を行う	月齢に合わせ、広いスペースでの遊び、運動等の刺激が必要になる時期には他児と時間をずらすなど、遊びの時間を確保する工夫を行う。プレイルームの使用前後は清掃を徹底して行う
行政等への報告	〔発生届〕 ・感染症法では5類感染症（全数把握） ・診断後直ちに届出を最寄りの保健所へ提出する 〔幼稚園・学校への連絡〕 保護者へ学校・幼稚園に連絡するよう伝える（「学校保健安全法」により出席停止となる。風疹は第2種に分類され、出席停止期間は発疹が消失するまでとなっている） 〔保育園への連絡〕 保護者へ保育園に連絡するよう伝える （風疹の場合は、「学校保健安全法」に準じた登園禁止期間がある） （先天性風疹症候群の場合、対応するまでの準備期間が保育園にある場合が多いため、入園時に保健所・保育園と相談し、準備が整えば入園となる）	

表5 風疹患者に関わる物品管理方法

物品の種類	管理方法
清潔ケア物品	ベースン等は洗浄後・熱消毒，もしくは低水準消毒薬にて洗浄・消毒を行う
浴室	低水準消毒薬入りの洗浄剤で洗浄後，乾燥させる
食器，哺乳びん・乳首	・食器は洗浄後，熱消毒する ・哺乳びん・乳首は洗浄後，0.01％次亜塩素酸ナトリウム溶液にて浸漬消毒を1時間行う
衣類	・特別な消毒は不要 ・洗濯洗剤により洗濯後，乾燥させる
リネン	通常の洗浄を行い，熱により乾燥させる
診察用具	〔体温計〕消毒用エタノールで清拭する 〔聴診器〕消毒用エタノールで清拭する 〔血圧計〕カバーは洗浄し，乾燥させる。本体は消毒用エタノールで清拭する

感染の証明は，患者咽頭ぬぐい検体からのウイルス分離同定，PCRによる検出，IgM上昇やIgG持続陽性高値による。

(4) 治療

いずれも有効な抗ウイルス治療はなく，対症療法が中心である。

(5) 予防

風疹は乾燥弱毒生風しんワクチン，あるいはMRワクチンの接種で90％以上が防御可能であるが，有効な曝露後の予防策は確立されていない。

したがって，先天性風疹症候群に対しては，妊婦が風疹ウイルスに感染しないよう予防することが重要である。

風疹含有ワクチンの接種対象者の変遷によって，接種を受ける機会がなかった，もしくは接種率が低かった世代の男性での風疹の流行が問題となっており，この世代の男性に無料でワクチンを接種する機会を与える試みがなされている。

(6) 感染経路，潜伏期間，隔離期間

風疹の場合，発疹出現前7日から出現後14日までウイルスが上気道から排泄され，飛沫感染で伝播する。曝露した患者の潜伏期間は14〜21日（通常16〜18日）である。

一方，先天性風疹症候群の患者は唾液や尿からウイルスを6カ月以上にわたり排泄する。このため，生後6カ月をめどに咽頭ぬぐい液の風疹PCR検査を行い，2回連続して陰性を証明するまでは，接触予防策を継続する。なお，先天性風疹症候群の白内障患者の水晶体や髄液など深部組織検体からは1年以上ウイルスが検出可能なこともある。さらに，先天性風疹症候群の患者に呼吸器症状がある場合は，湿性体液中で飛散する可能性もあり，飛沫予防策もあわせて実施する（表1，p.102）。

対応

(1) 患者対応

風疹ウイルスの伝播経路により対応が異なる。また患者の年齢に合わせた説明を行い，患者の理解と同意を得たうえで対応を行う（表2，p.102）。

先天性風疹症候群の発症者へは積極的にケアや保育を行い，成長発達を阻害しないように留意する。

(2) 曝露者への対応

曝露後3日以内の緊急ワクチン接種により，理論上発症を予防できるとされるが，実証はない。しかし，感染していない可能性も考慮して，その後の予防のため，免疫不全等の接種禁忌がなく，1歳以上でワクチン未接種であればワクチンを接種するとよい。

(3) 外来対応

外来においては，不特定多数の患者と接触しないよう，発熱・発疹などの症状によるトリアージと隔離対策を実施する。

先天性風疹症候群においては，外来受診のための来院時の注意事項について入院中から指導する。紹介例の場合は，来院前に連絡を行う（表3，p.102）。

(4) 病棟対応

施設内の経路別予防策の対応に沿って病棟内管理を行う。

先天性風疹症候群においては，咽頭ぬぐい液の風疹

PCR検査で，2回連続陰性が確認されるまでは，対応を継続する（**表4**，p.103）。器具類の洗浄・消毒方法については，風疹，先天性風疹症候群とも対応は同一となる（**表5**）。

(5) 保健指導

家族内の感受性者に対し，ワクチンの接種を推奨し，潜伏期間中の対応について指導する。

先天性風疹症候群の場合，適時手洗いと手洗い方法，おむつ交換時の注意事項，定期的な保健師の訪問を受けることについて指導する。さらに，発達状況や音に対する刺激反応の観察点についても指導する。

(6) 届　出

感染症法上の5類感染症（全数把握）であり，診断した医師は，直ちに（先天性風疹症候群の場合は7日以内に）最寄りの保健所に届け出る。

文献

1) Kutsuna S, et al：Images in clinical medicine. Rubella rash. N Engl J Med, 369 (6)：558, 2013
2) Red Book, 32nd Edition, American Academy of Pediatrics, pp648-655, 2021
3) 国立成育医療研究センター・編：ナースのための小児感染症 予防と対策. 中山書店, 2010

3.3 水痘, 帯状疱疹

Points
- 水痘・帯状疱疹ウイルスの初感染で起こるのが水痘, 再活性化で起こるのが帯状疱疹である。
- 水痘は**空気感染**する。帯状疱疹は原則接触感染だが, 免疫不全者に起こりうる播種性帯状疱疹（広範囲のデルマトームにわたって発疹が拡大）の状態では空気感染する。
- 皮疹は紅斑から始まり, 丘疹, 水疱へと変化し, 痂疲を形成して治癒する。被髪頭部にも発疹を認め, 同時にさまざまな段階の皮疹が混在することが特徴である。
- 水痘の**入院症例は全数報告対象疾患**である。

疾 患

(1) 原因と病態

水痘帯状疱疹ウイルス（VZV）はヒトのみを宿主とするウイルスである。VZV が初感染したときに生じる臨床像, すなわちかゆみをともなう全身の水疱をきたした状態が水痘である。

水痘治癒の後, VZV は脊髄後根神経節に潜伏感染し, 何らかの理由で特異的細胞性免疫が低下すると, 再活性化して帯状疱疹を引き起こす。

(2) 症状, 合併症

皮疹は紅斑から始まり丘疹, 水疱へと変化し, 痂疲を形成して治癒する。被髪頭部にも発疹を認め, 同時にさまざまな段階の皮疹が混在することが特徴である（図1）。最も多い合併症は, 皮疹への細菌の二次感染で, 黄色ブドウ球菌と, A 群溶血性連鎖球菌（GAS）が多い。頻度は低いが髄膜脳炎や急性小脳失調症, Reye 症候群などの中枢神経系合併症をきたしうる。帯状疱

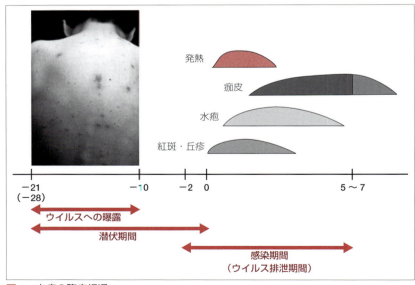

図1 水痘の臨床経過
（写真は CDC の Public Health Image Library [PHIL, http://phil.cdc.gov/] より転載, 巻頭カラー図③参照）

VZV：varicella zoster virus, 水痘帯状疱疹ウイルス
GAS：group A *Streptococcus*, A 群溶血性連鎖球菌

表1　水痘患者への対応・物品管理方法

	具体的な対応策
隔離対策	・陰圧個室隔離とする（状態が許せば，外泊／退院を検討する） ・陰圧室がない場合，個室収容とし，廊下側のドアは常時閉鎖し，開閉を最小限にする ・原則，感受性者は担当しない 〔隔離期間〕 すべての水疱が，痂皮化するまで
身体の清潔	・病室内で実施する ・爪は短くカットする（水疱を破裂させない）
ケア担当者の 個人防護具（PPE）	手袋，エプロンまたはガウンを着用する（水痘感受性者はケアにはあたらない）
診察・看護用具	・体温計，聴診器，血圧計などは患者専用とする ・退院後または汚染時は，消毒用エタノールで清拭消毒する ・洗浄可能な物は洗浄する
衣　類	私物の衣類は，ビニール袋に入れて密閉し，持ち帰る
リネン	使用後のリネンは，ビニール袋に入れて密閉し，感染性リネンとして提出する
清　掃	〔入院中〕 通常どおり。隔離室は最後に清掃する 〔退院時〕 ・患者退出後，十分に換気を行う ・高頻度接触面は，ていねいに環境清掃用（洗浄剤含浸）クロスで清掃する
排泄物の管理	便器・尿器・排泄物の管理は通常どおり
食　器	通常どおり
移　送	・治療上必要な場合のみとし，必要最小限とする ・患者が病室から離れるときは，サージカルマスクを着用する ・事前に移動先に連絡し，移動経路も含めて他の患者と接触しないように調整する
患者・家族指導	・隔離の必要性（面会は既往歴あり，VZVワクチンの2回接種記録あり，抗体価陽性の人に限る） ・病室ドアは常時閉鎖 ・入退室時の手洗い

疹は，1～3の皮膚感覚神経支配領域（デルマトーム）に一致して集簇した小水疱が出現し，かゆみや痛みをともなう。痛みは水疱出現前から認め，水疱消失後にも持続することがある。

悪性腫瘍，臓器移植後，原発性免疫不全症候群などにより免疫不全状態にある患者では，水痘が重症化することが知られている。このような患者では発疹がほとんどみられずに臓器障害が急速に進行することがあり（内臓播種性水痘），ときに致死的となる。病初期に腹部や背部の激しい痛みを訴えるのが特徴的とされている。帯状疱疹も免疫不全状態の患者においては，広範囲のデルマトームにわたって水疱が出現し，重症水痘と同様に臓器障害をきたすことがある（播種性帯状疱疹）。

妊娠第1三半期に胎児がVZVに感染すると，四肢の低形成，皮膚の瘢痕，眼の異常などの症状を呈することがある（先天性水痘症候群）。また，母体が出産5日前から出産2日後に水痘を発症した場合，児は母体から移行抗体を得ることができないため致死率の高い重篤な新生児水痘を発症しうる。

(3) 診　断

水痘，帯状疱疹ともに，特徴的な臨床像から診断は容易であるが，ワクチンを接種した後に発症する軽症例や内臓播種性水痘では典型的な皮疹がみられず，診断に難渋する可能性がある。

臨床検査としては血清抗体測定，水疱内容液や血清のPCR，Tzanck（ツァンク）試験（水疱内容物のギムザ染色で多核巨細胞や封入体を確認する），迅速抗原検査などが行われる。

(4) 治　療

健常小児では重症化のリスクが少ないため，かゆみ

表2 水痘・帯状疱疹ウイルス曝露者の感染リスク評価（チェックリスト）
「感染する可能性が大きい」の項目に該当する場合は，曝露後予防を検討する。リスク大・小は，疾患の特徴と小児の行動を考慮した。リスク評価の目安として活用してほしい。

	感染する可能性が大きい	感染の可能性は比較的小さい
1. 発症者の感染力を評価		
疾患	□ 水痘・播種性帯状疱疹	□ 帯状疱疹※
発疹の部位	□ 頭部（被覆保護されていない）	□ 体幹など（被覆保護されている）
肺炎	□ あり	□ なし
発生箇所	□ 複数	□ 単数
神経節（帯状疱疹の場合）	□ 複数	□ 1 神経節
2. 曝露者の感染のリスクを評価		
曝露者の免疫状態	□ 水痘既往歴なし	□ VZV ワクチンの接種歴あり（□ 1 回接種／□ 2 回接種）
	□ VZV ワクチンの接種歴なし	□ 水痘抗体価〔□ EIA 法 4.0 以上／□ IAHA 法 1：4 以上／□ 中和法 1：4 以上／□ 水痘抗原皮内テストで陽性（5 mm 以上）〕
	□ 細胞性免疫不全状態	
	□ ステロイドの全身投与	
	□ 免疫抑制薬使用	□ 既往歴あり（　　　歳頃）
曝露の程度	□ 感染期間中，限られた狭い空間で一定期間接していた（たとえば，家庭，保育園，幼稚園，学校を含む）	□ 同じ空間にいたが，比較的広いスペースであった（たとえば，同じ学校でも異なる教室，訓練・検査など）
	□ 同部屋である	□ 同じ病棟だが，直接の接触はない
	□ 症状ありの患者と遊んだ	

※播種性帯状疱疹の場合は，通常の帯状疱疹に比べて感染力は強く，水痘に準じて扱う。

表3 水痘・帯状疱疹に対する外来での対応

1. 感染拡大防止
〔発疹出現の自己申告がある，もしくは，受診後に発疹の存在が発覚した場合〕 患者をすみやかに個室（可能なかぎり，陰圧個室）へ案内する。その際，サージカルマスクを着用してもらい，他患者への接触が最低限となるよう配慮する 〔水痘・帯状疱疹の患者と接触した患者の場合〕 個室で対応する。また，病棟と外来との情報共有が円滑に行われるよう，観察期間中であることがひと目でわかるような表示やカルテの記載を行う
2. 発症者への対応
・空気予防策を遵守する ・突然の個室隔離となるため，十分な説明を行い，不安の軽減に努める ・検査等で移送する場合は，他患者との接触が最低限となるよう努める（表1参照）
3. 曝露者対応
外来での接触は，その場所が閉鎖空間か開放的な空間であるかにより，リスクが異なる。とくに免疫不全患者の場合は注意が必要である。 ・曝露者でハイリスクの患者（抗がん薬治療中，移植後，プレドニゾロン内服中など免疫不全者，循環器系疾患など感染による重症化が考えられる患者）は，免疫グロブリン製剤の投与，抗ウイルス薬の予防内服（いずれも保険適用外）などの対応が必要となるため，担当医師に確認を行う。家族や養育者などのなかで，水痘既往歴や VZV ワクチンの接種歴がない者に関しては，VZV ワクチンの接種が考慮される ・濃厚接触が疑われる免疫不全者でない感受性者は，VZV ワクチンの接種が考慮される

表4 水痘・帯状疱疹に対する病棟での対応

1. もち込み防止策
① 入院時にVZVワクチンの接種歴と皮膚症状の確認
　※ VZVワクチン接種による副反応は接種後1～3週間頃にみられることがあり，接種後，副反応出現の有無を確認できる期間をおくことが望ましい
② 予定入院前のVZVワクチン接種の推奨
③ 面会者の既往・VZVワクチン接種歴は母子手帳による確認を行う
④ 水痘発症が近隣地域でないか？　接触していないか？

2. 入院のときに水痘の患者と接触したことが明らかな場合の対応
① 水痘未罹患，VZVワクチン未接種で水痘患者（帯状疱疹患者）と明らかな接触歴がある場合（VZVワクチン単回接種者における発症事例も少なくないことに注意が必要であり，状況により判断する）
　• 接触後8日（帯状疱疹は10日）～21日間は入院不可とする
　• 入院加療が必要な場合は，上記期間中，陰圧個室管理とする
② 家族内に水痘発症者がいるなど，とくに濃厚接触と考えられる場合，VZVワクチン接種歴があっても観察期間中は陰圧個室などの予防措置を考慮する

3. 入院患者が水痘を発症した場合
① 症状の観察と経過を確認する
　• 発疹はいつ見つかったか？　いつ発生したと考えられるか？
　• 発疹の部位は？　範囲の変化は？
　• 痛みの程度は？　発熱は？　データの変化（血算・肝機能・凝固能）は？
　• 発症からの患者の行動範囲は？
② 発症患者の隔離と治療開始
　• 陰圧個室管理とする〔隔離期間中の日常ケアは，表1（p.107）参照〕
　• 感染隔離期間：すべての発疹の痂皮化まで（約5～7日程度，免疫状態により延長しうる）
　• 患者・家族へ説明：診断名，治療，感染対策について説明する

4. 水痘，帯状疱疹患者と接触した患者の感染対策
感染期間に接触した人をリストアップし，予防措置について検討する
① 感染期間の算出
　水痘　　：症状出現の2日前～すべての発疹が痂皮化した日（隔離を実施して以降は，病棟接触ととらえる必要はない）
　帯状疱疹：発疹出現日～痂皮化した日（隔離を実施して以降は，病棟接触ととらえる必要はない）
② 感染期間の患者の行動から接触者をリストアップする
③ リストアップされた人の免疫の有無を確認する〔リスク評価は，表2（p.108）参照〕
④ 曝露者の予防措置を検討，家族への説明を実施
⑤ 曝露者が潜伏期を経て，二次発症の可能性のある期間は，皮膚に発疹がないか観察をする
　〔二次発症の可能性がある期間を算出〕
　水痘・帯状疱疹：最初の接触日から8日後～最後の接触日から21日後
　※曝露後予防としてγグロブリン製剤を投与した場合は，さらに7日間延長（最後の接触日から28日後）
⑥ 曝露者が退院する場合は，患者が観察期間にあることを外来担当者にも伝達する
　（観察期間中の診察は陰圧個室が望ましい）
⑦ 病棟は，水痘・帯状疱疹発症にともない，二次発症の可能性のある期間については，感受性者の面会・入室を制限する。面会者にそのむねをお知らせする
　（面会者のVZVワクチン接種歴・既往歴を確認する）

※播種性帯状疱疹，免疫不全者の帯状疱疹での対応は水痘に準ずる。

止めなどの対症療法で十分であることが多い。年長児（とくに，12歳以上）や成人例，アトピー性皮膚炎のある小児などでは重症化が予測されるため，アシクロビル〔保険適用：顆粒剤（錠剤は小児適用外）〕あるいはバラシクロビル〔保険適用：錠剤（ただし，体重40 kg以上）〕内服を考慮する。

免疫不全状態にある患者では，アシクロビル点滴静注による治療を行う。

(5) 予　防

2014年10月から日本でも乾燥弱毒生水痘ワクチンが定期接種化された。2回接種による感染予防効果は98％とされている[1]。また，2016年3月より50歳以上の者に対する帯状疱疹の予防の目的で本ワクチンの

使用が可能となった。さらにそれとは別に，不活化ワクチンであるシングリックス®筋注用も50歳以上の帯状疱疹予防目的に，2020年1月より使用可能となった。

曝露後水痘発症予防としては，生ワクチン禁忌でなければ72時間以内に，できるだけすみやかに乾燥弱毒生水痘ワクチン接種を行うことが推奨されている。ワクチン禁忌例に対しては，接触7〜10日後から7日間，アシクロビルまたはバラシクロビルの予防内服（ただし，保険適用外）を行うか，接触後10日以内（できるだけ早期）のγグロブリン製剤（ただし，保険適用外）の投与が考慮される（3.11節，p.140参照）。

(6) 感染経路，潜伏期間，隔離期間

VZVは感染力が強く，病変部に触れた手を介する接触感染，水疱あるいは気道からの空気感染で伝播する。水痘患者は発疹が出現する約2日前からすべての皮疹が痂皮化するまでの期間，感染力を有するため，病院内では陰圧個室隔離が必要である。曝露した患者の潜伏期間は10〜21日であるが，γグロブリン製剤による曝露後予防を受けた場合は28日まで延長する。

対　応

入院中の患者が発症した場合は，すみやかに発症者を隔離する。

(1) 患者対応

VZVの伝播様式は空気感染・接触感染である。水痘感受性者はケアにあたらないようにする。水痘は感染力も強く家族内伝播の可能性があることからも，家族内での発症の有無を確認する。帯状疱疹は，発症部位と接触時間，曝露者の免疫状態などのリスクを評価し，対策を検討する〔患者対応は，表1（p.107）参照〕。

隔離を行う場合は，患者と家族に感染力が強いこと，病院内拡大防止のために，空気・接触予防策として陰圧個室で観察することを説明する。

陰圧個室管理となる患者でも，保育が行われるよう，学習時間が確保されるよう配慮する。

(2) 曝露者への対応

発症予防措置については，対象となる患者（曝露者）とその家族へ説明する際には，発症者の個人情報の取り扱いに十分配慮する。

発症患者との曝露の程度と曝露者の免疫により発症のリスクは異なる。とくに免疫抑制者の場合は，曝露後予防の適応についてリスク評価を慎重に行う必要がある。曝露リスクについて表2（p.108）にまとめた。「曝露リスクが大きい」に該当する項目がある場合は，曝露後予防の検討，発症の可能性がある期間の対応をより慎重にする必要がある。

(3) 外来対応

外来に水痘を疑う患者が受診した場合，診断後の対応，外来で接触した患者への対応について表3（p.108）にまとめた。家族からのすみやかな情報提供と，外来でのすみやかな対応が求められる。

(4) 病棟対応

病棟の入院患者の免疫状態，病院の設備により対応は異なるが，水痘患者は原則，陰圧個室管理とする。

検査などでの病棟移動は，他患者と接触しないように，あらかじめ各施設で移動経路や連絡方法などを調整しておく〔病棟対応については，表4（p.109）参照〕。

(5) 保健指導（家族対応，きょうだい面会）

家庭内での接触者についても，ワクチンの接種歴・既往歴を確認し，感受性者には，発症する可能性がある期間や，その間の医療機関受診の際の注意点，発症時の対応などを説明する。

発症者の家族・きょうだいは免疫を獲得していること（ワクチン2回接種記録あり，抗体陽性，明らかな罹患歴ありのいずれか）を確認のうえ，面会が許可される。水疱のケア（直接触れないこと）や手指衛生について指導する。

届出（「学校保健安全法」を含む）

水痘は2014年10月から，入院例のみ5類感染症全数報告対象疾患となった。7日以内に最寄りの保健所に届け出る。

また，外来患者も小児科定点医療機関の報告対象疾患である。「学校保健安全法」には，出席停止期間は「すべての水疱が痂皮化するまで」と定められている。

文献
1) Red Book, 32nd Edition, American Academy of Pediatrics, pp831-843, 2021
2) 国立成育医療研究センター・編：ナースのための小児感染症 予防と対策. 中山書店, 2010

3.4 流行性耳下腺炎

Points
▶ ムンプスウイルスは飛沫感染する。
▶ 発症した場合，髄膜炎や難聴などの合併症が問題となることがある。

疾 患

(1) 原因と病態

流行性耳下腺炎（おたふくかぜ，mumps）の原因であるムンプスウイルスは，パラミクソウイルス科の RNA ウイルスで，ヒトのみに感染する。

飛沫感染で伝播し，上気道で増殖後，ウイルス血症を介して各臓器（唾液腺，中枢神経，内耳，精巣など）に播種され，症状を呈する。

(2) 症状，合併症

単独，あるいは複数の唾液腺の腫脹（多くの場合は，片側耳下腺）（図1）を特徴とし，1～2日後に反対側が腫脹する。顕性感染率は 2/3 ほどである。

合併症として，髄膜炎，難聴，精巣炎，膵炎などがあげられる。髄液細胞数増多は 50 % の症例で認められるが，髄膜炎症状を呈するのは 10 % 以下である。日本において，顕性感染者の 1/1,000 で難聴を認めるという報告がある[1]。なお，これらの合併率は年長児ほど高い。

(3) 診 断

流行期には，片側ないし両側耳下腺の突然の腫脹が 2 日以上続き，他の原因がない場合に臨床診断される。

検査診断の基本は，唾液や髄液からのウイルス分離，ウイルス遺伝子の検出である。血清診断の場合，IgM 抗体の上昇，IgG 抗体のペア血清での上昇にて診断する。

(4) 治 療

特異的治療法はない。症状，合併症に応じた対症療法を行う。

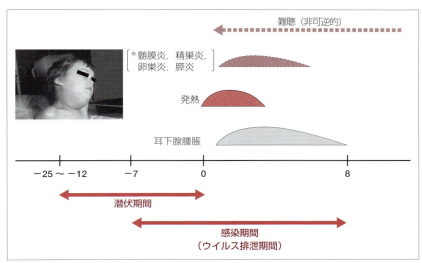

図1　流行性耳下腺炎の臨床経過
（写真は CDC の Public Health Image Library ［PHIL, http://phil.cdc.gov/］ より転載，巻頭カラー図④参照）
※合併症としてきたす可能性があるが，全例で起こるものではない。

表1 流行性耳下腺炎患者への対応

	具体的な対応策
身体の清潔	・病室内で行う ・浴室を使用する場合は他児との接触を避ける
排泄物の管理	・病室内で実施するか，他児との接触を避け，サージカルマスクを着用しトイレまでの移動を行う ・おむつは非感染性廃棄物として扱う
食事	・病室内（食器，注入器具は特別な取り扱いをしない）
移送	・患者の移動は最小限とする ・移送の際は飛沫を最小限にとどめるために，患者はサージカルマスクを着用する。マスク着用が困難な患者の場合は他患者と接触しないような移送経路を確保する
説明	・隔離を実施する際は子どもの恐怖感や罪悪感を軽減する必要がある ・子どもの発達段階ごとの病気に対する理解の仕方を踏まえ，病気の原因や隔離の理由について説明し，子どもに正しい知識を伝える
遊び	個室管理をされている患者は，部屋から出られないことによる行動制限などからストレスを感じている。子どもの成長・発達に応じて，病室内でストレスが発散できるような遊びを行う
学習	・「学校保健安全法」による隔離期間を通じて出席停止とする ・出席停止期間の基準は，「耳下腺，顎下腺または舌下腺の腫脹が始まった後5日を経過し，かつ，全身状態が良好となるまで」である

表2 流行性耳下腺炎に対する病棟での対応

	具体的な対応策
隔離対策	・入室前後の手指衛生を徹底する ・感染予防策は，標準予防策に加えて飛沫予防策を実施し，入室する際にはサージカルマスクを着用する。ただし，咳エチケットができない場合は，接触予防策を追加する ・個人防護具は患者エリア内で外し，ビニール袋に密閉するか，室内の感染性廃棄物容器に廃棄する ・個室あるいは集団隔離は，耳下腺腫脹後5日まで実施することが推奨される
面会	流行性耳下腺炎の罹患歴，ワクチンの接種歴がない感受性者の面会は控える
プレイルーム	・プレイルームの使用は不可とし，病室内での遊びを行う ・共有のおもちゃは使用しない
リネン	感染性のリネンとして，各医療機関の基準に従い，処理する
清掃	日常清掃と同様に行う
ケア担当者の個人防護具（PPE）と手指衛生	〔必要な個人防護具の準備〕 サージカルマスク，エプロン，手袋 〔着脱のタイミング〕 ・サージカルマスクを着用する ・咳エチケットのできない患者へのケア時にはエプロン，手袋を着用する ・処置前後の手指衛生を実施する
診察用具	体温計，聴診器，血圧計などは個別化し，患者専用とする
曝露者への対応	・腫脹7日前までさかのぼり，接触した患者の流行性耳下腺炎の罹患歴，ワクチンの接種歴を調査する ・感受性者に対しては，最初の接触日から12日後より，最後の接触日から25日まで接触隔離を行う ・"感受性者"とは，「流行性耳下腺炎の罹患歴やワクチンの接種歴がない者」または「EIA法で測定したIgG抗体が陰性の者」を指す ・発症患者との接触を認めた場合でも， 　①明らかな流行性耳下腺炎の既往 　②2回以上のおたふくかぜワクチン接種歴 　③抗体保有（EIA法でIgG抗体陽性） 　のいずれかを満たす場合は，曝露者として扱わない ・潜伏期間中の隔離期間は飛沫予防策で対応する
職員の対応	・感受性のある従業員の勤務について各医療機関で判断する必要がある ・勤務を継続する場合はサージカルマスクを着用し，重症者，妊婦，乳幼児を受けもたないなど，勤務内容の一部を制限することを検討する
行政等への報告	・保護者へ保育園／幼稚園／学校に連絡するように伝える ・「学校保健安全法」では第2種感染症であり，耳下腺，顎下腺または舌下腺の腫脹が始まった後，5日を経過し，かつ，全身状態が良好となるまでが出席停止期間である ・「感染症法」では定点報告対象（5類感染症）であり，指定届出機関（全国約3,000カ所の小児科定点医療機関）は週ごとに保健所に届け出る

表3　流行性耳下腺炎患者に関わる物品管理方法

物品の種類	管理方法
清潔ケア物品	ケア物品はなるべく専用とし，使用後は低水準消毒薬で洗浄し，乾燥させる
食器，哺乳びん・乳首	・食器は洗浄後，熱消毒を行う ・哺乳びん・乳首は洗浄後 0.01％次亜塩素酸ナトリウム溶液にて浸漬消毒を1時間行った後，乾燥させる
衣類	特別な対応は不要
医療器具	使用後は消毒用エタノール，または次亜塩素酸ナトリウム溶液などで消毒を行う

(5) 予　防

乾燥弱毒生おたふくかぜワクチンの接種が予防に有用である。日本で用いられているワクチンを1回接種した場合の発症予防効果は75〜90％という報告がある[1]。2022年5月現在，日本では任意接種対象となっているが，効果を確実なものとするためには2回接種が必要であり，先進諸国では1歳と4〜6歳の2回，ワクチン接種を行っている。

なお，曝露後の緊急ワクチン接種やγグロブリン製剤投与の発症予防効果は低いと考えられている。

(6) 感染経路，潜伏期間，隔離期間

飛沫感染で伝播する。潜伏期間は通常16〜18日だが，曝露後12〜25日での発症報告がある。

耳下腺腫脹後5日目までは，標準予防策に加えて飛沫予防策が推奨されるが，ウイルスは耳下腺，顎下腺，舌下腺腫脹の7日前から8日後まで唾液から分離される[2]。

対　応

(1) 患者対応

個室あるいは集団隔離とし，飛沫予防策を実施する。隔離を実施する際は子どもの年齢に合わせた説明をし，患者・患者家族に理解と同意を得たうえで対応を行う。

移動の際は，飛沫による感染拡大を最小限にとどめるために，患者はサージカルマスクを着用する（表1）。

(2) 曝露者への対応

曝露者に対する緊急ワクチン接種や免疫グロブリン製剤投与による予防効果は低いと考えられている。曝露の時期と潜伏期間から推定される観察期間（発症する可能性のある期間）は飛沫予防策を実施する。

(3) 外来対応

受付窓口や看護師による感染対策上のトリアージで，外来を受診する多くの患者のなかから感染症患者，または感染症が疑われる患者をすみやかに把握し，隔離する必要がある。外来エリアのわかりやすい場所に，感染症に特有な症状を提示するなどして，来院した患者・家族が症状についてスタッフに相談しやすい環境を提供することが重要である。

使用後の部屋の清掃は，日常の清掃と同様に行う。

(4) 病棟対応

市中感染の患者を受け入れる場合は，施設内の感染経路別予防策に沿って病棟管理を行う。

入院中の患者が発症した場合は，すみやかに発症者を隔離する。同時に接触者をリストアップし，感受性者について必要な管理を行う。

すでに退院した患者に対する対応は，各医療機関で判断する（表2）。

器具の洗浄：ムンプスウイルスはエンベロープを有するウイルスであるため，消毒薬抵抗性は比較的弱く，アルコール，次亜塩素酸ナトリウムによる不活化効果が期待できる（表3）。

(5) 保健指導

家族内の罹患歴，ワクチンの接種歴を確認する。感受性者は面会制限を行い，潜伏期間の説明も行う。

接触者に対する緊急ワクチン接種の発症予防効果はないとされるが，今後の発症予防のためにも感受性者に対しては，接種禁忌がなければワクチンの接種を推奨する。

文献

1) Hashimoto H, et al : An office-based prospective study of deafness in mumps. Pediatr Infect Dis J, 28（3）: 173-175, 2009
2) Mumps. Red Book, 32nd Edition, American Academy of Pediatrics, pp538-543, 2021
3) 庵原俊昭：ムンプスワクチン：現状と今後．臨床とウイルス, 38（5）: 386-392, 2010

3.5 百日咳

Points
- ▶ 百日咳は特有の咳発作を特徴とする**気道感染症**である。
- ▶ **感染力が強い病原体**であり，院内感染対策には注意する必要がある。
- ▶ **全数報告対象疾患**であり，診断後7日以内に保健所に届け出る。

疾患

（1）原因と病態

グラム陰性桿菌である *Bordetella pertussis*（百日咳菌）による感染症である。病因的には毒素性疾患とされており，百日咳毒素（PT），線維状赤血球凝集素（FHA），パータクチン（PRN），アデニル酸シクラーゼ毒素（ACT）などの病原因子を産生し，特有の症状を引き起こす。

（2）症状，合併症

特有の咳発作（痙咳発作）を特徴とする急性気道感染症である。鼻汁や咳嗽を呈するカタル期（1～2週間程度）を経て，咳き込みが次第に激しくなり痙咳期（2～4週間程度）に入る（図1）。この時期には，咳が立て続けに出る，いわゆるスタッカート（staccato），吸気性笛声（whoop），すぐに新たな咳き込み発作が始まりくり返すレプリーゼ（reprise）などの特徴的な症状を呈する。その後，回復期（数週～月単位）に入り，ゆっくりと改善する。夜間に咳発作が多い特徴があり，発熱はないか，あっても軽度である。

成人ではこのような特徴的な症状を示さないことも多いため，2週間を超える咳嗽が持続する場合，百日咳を疑う必要がある。

（3）診断

百日咳の診断（図2）は培養検査が原則とされているが，検出感度は低い。血清抗PT-IgG抗体価を測定する方法が一般的である。ペア血清による抗体価の上昇を確認すること，およびワクチンの接種歴を考慮することが必要である。PTのプロモーター領域を標的としたLAMP法は感度・特異度ともに高い検査であり，2016年に保険収載され，広く行われるようになってきている。

（4）治療

エリスロマイシン（14日）またはクラリスロマイシン（7日）が，保険適用のある治療薬である。アジスロマイシンについては，保険適用外であることに注意が必要である。月齢1カ月未満では，マクロライド系抗菌薬のなかで，肥厚性幽門狭窄症の副作用の頻度が少ないアジスロマイシンが推奨されるが，やはり保険適用外である。

（5）予防

本疾患の予防には，ワクチンの接種が最も効果的である。しかし，沈降精製百日せきジフテリア破傷風混合ワクチン（DPT）または沈降精製百日せきジフテリア破傷風-不活化ポリオ混合ワクチン（DPT-IPV）接種後，約5～10年経過すると，いったん獲得された免疫能が弱まるため，青年や成人が発症する事例が増加している。そのため，日本小児科学会は5歳以上，7歳未満でのDPT（DPT-IPVではないことに注意）ワクチンの接種を推奨している（ただし，任意接種）。また，同学会は，11～12歳で接種するDTの代わりにDPTを接種してもよいとしている（ただし，この場合も任意接種となる）。

成人症例から，ワクチン未接種の乳児への感染が危

PT：pertussis toxin，百日咳毒素
FHA：filamentous hemagglutinin，線維状赤血球凝集素
PRN：pertactin，パータクチン
ACT：adenylate cyclase toxin，アデニル酸シクラーゼ毒素
LAMP：loop-mediated isothermal amplification

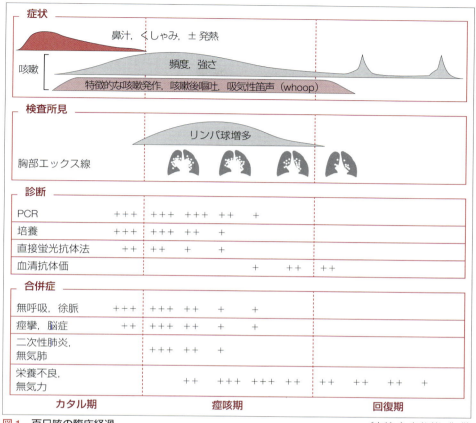

図1 百日咳の臨床経過 〔文献1〕を参考に作成〕

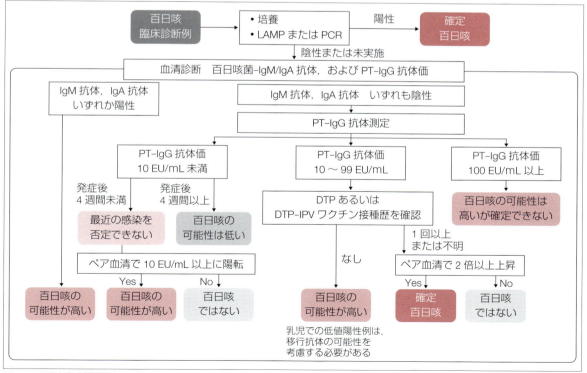

図2 百日咳臨床診断例での確定フローチャート 〔文献2〕より転載〕

表1 百日咳患者への対応

	具体的な対応策
身体の清潔	・病室内ベッドサイドで実施する ・入浴，沐浴，シャワーの際は，他の入院患者と接触がないようにする ・使用した後の浴室や物品は，清掃物品管理に準じて行う
排泄物の管理	特別な取り扱いは必要ない
説　明	年齢に合わせて，以下について説明する ・（個室）隔離の必要性，他患者となるべく接触しないこと ・サージカルマスク着用・咳エチケット ・手指衛生
遊　び	・年齢に応じて病室内で行える遊びを実施する ・おもちゃの共有は避ける ・共有する場合は，消毒が可能なものとする
学　習	入院中は治療や療養が最も必要であるが，病状や状態に応じて学習できるように環境を整える

表2 百日咳に対する病棟での対応

	具体的な対応策
隔離対策	〔病室の選択〕 ・個室または集団隔離で対応するが，困難な場合は大部屋対応可能。ただし，他の患者と2m以上離し，カーテンは閉める ・同室者は罹患歴がある者に限るほうが望ましい ・罹患歴のない者と同室にする場合は，患者とその家族，同室者に説明を行う
面　会	近親者は症状のないことを確認したうえで，飛沫予防策の徹底を指導し，サージカルマスクを着用して面会を行う
移　送	検査などでやむをえず病室外へ出る場合は，サージカルマスクを着用させる
ケア担当者の 個人防護具（PPE）と 手指衛生	・飛沫予防策が必要であるため，サージカルマスクを着用する ・ケア中に患者の飛沫を浴びる可能性がある場合は，エプロンやゴーグルの着用が必要となる 〔着脱のタイミング〕 ケア前に着用する。患者エリアの外へ出る前に脱ぎ，感染性廃棄容器に廃棄する。または，ビニール袋に入れ密閉する 〔手指衛生〕 「1処置2手洗い」を実施する
診察用具	体温計，聴診器，血圧計などは患者専用とする
清　掃	通常の清掃でよい
食　事	・他の患者とスペースを共有する食堂を利用しない ・配膳・下膳は通常と同じでよい
プレイルーム	プレイルームは使用しない。病室内またはベッドサイドでできる遊びを工夫する
行政等への報告	〔届出〕 5類感染症の全数把握疾患にあたる。診断後7日以内に届出を行う 〔幼稚園・学校への連絡〕 ・保護者へ学校／幼稚園／保育園に連絡するように伝える ・「学校保健安全法」では「特有の咳が消失するまで，または5日間の適切な抗菌薬療法が終了するまで」の出席停止期間がある

表3　百日咳患者に関わる物品管理方法

物品の種類	管理方法
清潔ケア物品	使用後は熱水洗浄，または浴用洗剤や低水準消毒薬で洗浄・乾燥させる
浴室	浴用洗剤で洗浄後，熱めの湯でしっかり洗い流す
食器	通常の取り扱い
衣類・リネン	通常の洗濯を行う
診察用具	原則，物品は患者専用とする 〔体温計〕 消毒用エタノールで清拭する 〔聴診器〕 消毒用エタノールで清拭する 〔血圧計〕 ・マンシェットのカバーは洗浄・乾燥させる ・本体は消毒用エタノールで清拭する

懼されている。

（6）感染経路，潜伏期間，隔離期間

百日咳菌は麻疹ウイルスと並んで感染力が強いとされている。主に飛沫感染により感染し，5〜21（通常7〜10）日間の潜伏期を経て発症する。「学校保健安全法」における出席停止期間は，特有の咳が消失するまで，または5日間の適切な抗菌薬治療が終了するまでである。

対　応

（1）患者対応

標準予防策に加え，飛沫予防策（必要に応じて接触予防策）を実施する（表1）。患者の年齢に応じてマスクの着用や手洗い，隔離の必要性を説明する。
ワクチン未接種の新生児や免疫不全者と患者の接触は極力避ける。

（2）曝露者への対応

濃厚接触者（同居家族，集団保育施設，医療施設）に対しては，年齢，ワクチンの接種歴，症状の有無にかかわらず，マクロライド系抗菌薬の予防内服（治療と同じ用法・用量）が推奨される（3.11節，p.140）。
ただし，保険適用外であることに留意する（2022年5月現在）。

（3）外来対応

患者にはサージカルマスクを着用してもらい，検査室などの共有スペースで，できるだけ他患者と接触しないよう，時間や場所（できるだけ他の患者と2m以上離れるか，パーテーションで仕切る）の工夫を行う。

（4）病棟対応

個室あるいは集団隔離を行う（表2，表3）。やむをえず大部屋で対応する場合は，他の患者から2m以上離し，カーテンは閉めておく。
患者移送の際には，患者にサージカルマスクを着用してもらう。検査などに移動する場合は，相手先に前もって連絡し，できるだけ共有スペースで他の患者と接触しないように工夫する。

（5）保健指導

咳エチケットとマスクの着用，手指衛生の指導を行う。
入院中は感受性者の面会は控える。やむをえない場合はサージカルマスクを着用し，面会を行う。

（6）届　出

感染症法上の5類感染症（全数把握）である。診断した医師は，7日以内に最寄りの保健所に届け出る。

文献

1) Principles and Practice of Pediatric Infectious Diseases, 5th ed. (ed. by Long SS, et al), Elsevier, p894, 2018
2) 日本小児呼吸器学会・日本小児感染症学会：小児呼吸器感染症診療ガイドライン2017, 尾内一信, 他・監修, 小児呼吸器感染症診療ガイドライン作成委員会・作成, 協和企画, pp, 239, 2016
3) 日本呼吸器学会 咳嗽・喀痰の診療ガイドライン2019 作成委員会・編：咳嗽・喀痰の診療ガイドライン2019, p34, 2019
4) 国立成育医療研究センター・編：ナースのための小児感染症 予防と対策. 中山書店, 2010

3.6 インフルエンザ

Points
- インフルエンザは飛沫感染するウイルスである。
- 感染, 重症化予防にはインフルエンザワクチンの接種が重要であり, 医療従事者は毎年必ず接種を行う。
- 院内アウトブレイク時などは, 抗インフルエンザ薬の予防投与について検討する。

疾 患

(1) 原因と病態

インフルエンザウイルス（influenzavirus）はオルトミクソウイルス科に属し, A, B, C の 3 型に分類される。

A 型と B 型はウイルス表面糖蛋白のヘマグルチニン（HA）と, ノイラミニダーゼ（NA）が抗原性を決定し, A 型では H1～H16 および N1～N9 の亜型に分かれる。

A 型は, トリや哺乳類にも感染し, ゲノム構造が 8 本の分節 RNA からなり, 同じ宿主に 2 種のウイルスが同時感染すると, 遺伝子が交雑し, 容易に組換え体ウイルスが出現する（遺伝子再集合）。

ヒト, トリ, ブタの間で遺伝子再集合が起こると抗原性がシフトし（antigen shift）, 新型インフルエンザウイルスが誕生し, 世界的大流行（パンデミック）となる。

一方, 同じ亜型のなかでのわずかな抗原性の変化（antigen drift）は, A, B 型ともに毎年のように起こっており, ワクチンの効果に影響する。

(2) 症状, 合併症

突然の発熱（2～4 日間持続）, 咳, くしゃみ, 咽頭痛に始まり, 頭痛, 筋・関節痛も多い。

急性脳症, 肺炎・呼吸不全, 横紋筋融解を合併することがある。合併症のハイリスク患者を表 1 に示す。

(3) 診 断

臨床では抗原抗体反応を用いた迅速診断キットが汎用されている。そのほか, ウイルス分離, 遺伝子検出, 血清抗体価により診断されることもある。

発症早期（とくに 12 時間以内）は偽陰性の可能性が高いため, 注意が必要である。

(4) 治 療

抗ウイルス薬（表 2）を発症 48 時間以内に投与することで, インフルエンザの主要症状が 1 日以上短縮する。

ノイラミニダーゼ阻害薬のオセルタミビル内服薬, ザナミビル吸入薬, ラニナミビル吸入薬, ペラミビル点滴静注薬が用いられる。また, 2018 年よりキャップ依存性エンドヌクレアーゼ阻害薬であるバロキサビル（ゾフルーザ®）が使用可能となったが, 小児におけるデータは不十分であり, 日本小児科学会は 12 歳未満の小児への使用は推奨していない（2022 年 3 月現在）。

表 1　インフルエンザ感染のハイリスク患者

① 2 歳未満の小児（とくに 6 カ月未満の乳児）
② 65 歳以上の成人
③ 以下の疾患群の患者
- 喘息, その他の慢性呼吸器疾患
- 心疾患（高血圧のみは除外）
- 腎疾患
- 肝疾患
- 血液疾患（鎌状赤血球症を含む）
- 代謝性疾患（糖尿病など）
- 副腎不全
- 神経疾患（脳, 脊髄, 末梢神経, 筋肉）
  例：脳性麻痺, てんかん, 脳卒中, 精神発達遅滞, 筋ジストロフィー, 脊髄損傷
- 免疫抑制状態（HIV 感染, ステロイド・免疫抑制薬・抗がん化学療法薬の使用）
- 長期のアスピリン使用を必要とする状態（19 歳未満）
  例：川崎病, 関節リウマチなど
- 妊婦, 産褥婦（分娩後 2 週間）
- 肥満（BMI ≧ 40）
- 介護施設や慢性期ケア施設に居住している

〔文献 1）を参考に作成〕

3.6 インフルエンザ

表2　日本で承認されている抗インフルエンザ薬[※1, ※2, ※3]

一般名	オセルタミビル	ザナミビル	ラニナミビル	ペラミビル	バロキサビル
商品名	タミフル	リレンザ	イナビル	ラピアクタ	ゾフルーザ
投与経路	内服	吸入	吸入	点滴	内服
対象年齢の目安	全年齢（低出生体重児または2週齢未満の新生児を対象とした，有効性および安全性を指標とした臨床試験の実施なし）	吸入可能な年齢	吸入可能な年齢	とくになし	日本小児科学会は12歳未満への積極的な投与は推奨していない
投与量例（治療）	以下の用量を1日2回，5日間 幼小児：1回2 mg/kg 新生児・乳児：1回3 mg/kg	1回10 mgを1日2回吸入，5日間	10歳未満：20 mg 10歳以上：40 mg 単回吸入	1日1回10 mg/kg 原則，単回点滴静注	成人および12歳以上の小児（80 kg未満）：1回40 mg，単回投与[※4]
投与量例（予防）	1回2 mg/kgを1日1回，10日間	1回10 mgを1日1回吸入，10日間	10歳以上：20 mg 1日1回吸入，2日間	適応なし	・成人および12歳以上の小児（80 kg未満）：1回40 mg，単回投与[※4] ・12歳未満で体重20kg未満の小児：適応なし
副作用	・消化器症状 ・異常行動（因果関係不明）	気管支攣縮	気管支攣縮	消化器症状	・消化器症状 ・耐性ウイルスの出現が懸念されている

※1　ファビピラビル（アビガン®）は，新型または再興型インフルエンザ感染症で，他の抗インフルエンザウイルス薬が無効，または効果不十分な場合にかぎり適応がある．
※2　新生児には推奨しない．
※3　詳細は各医薬品添付文書を参照．
※4　バロキサビルは，治療／予防で使用できる剤形，年齢・体重によって用法・用量が異なることに注意する．

表3　インフルエンザワクチンの年齢別の接種量・回数

月齢・年齢	1回接種量	接種回数
〜6カ月未満	接種対象外	
6カ月以上3歳未満	0.25 mL	2〜4週の間隔で2回
3歳以上13歳未満	0.5 mL	
13歳以上〜		1回

(5) 予防

生後6カ月以上から不活化ワクチン（インフルエンザHAワクチン）接種が保険適用となる（表3）．

感染阻止効果は年により異なるが，おおむね30〜50％程度とされる．血清抗体価誘導に優れ，重症化を防ぐ効果もある．医療従事者は毎年必ずワクチンの接種を行う．卵によるアレルギーがあってもアナフィラキシー，あるいは，重篤な反応の既往がなければ，「30分間その場で観察でき，蘇生の準備がある」条件で接種が可能である．

曝露後予防としての抗インフルエンザ薬の投与も保険の適用がある（表2，および3.11節，p.140参照）．

(6) 感染経路

飛沫感染で伝播するため，標準予防策に加えて飛沫予防策が必要である．

(7) 潜伏期間，隔離期間

潜伏期は1〜4日（平均2日）である．「学校保健安全法」で定められている出席停止期間は，発症した後5日を経過し，かつ解熱した日を0日とし，解熱した後，2日（幼児は3日）を経過するまでである（付録⑥，p.305参照）．

対 応

(1) 患者対応

院内での感染伝播を防ぐために，判明時より直ちに対策を開始する．年齢に合わせた説明を行い，理解と同意を得たうえで対応する（表4）．

表4 インフルエンザ患者への対応

	具体的な対応策
隔離対策	個室隔離またはインフルエンザ感染者どうしのコホーティングが望ましい。隔離が困難な場合で大部屋の場合も他患者とのベッド間隔を2m以上空け，カーテンなどで間仕切りをつくる。その際，感染により重症化する可能性のある患者，免疫不全患者とは同室にならないよう配慮する 〔隔離期間〕 「学校保健安全法」に定められた「発症後5日経過し，かつ，解熱後2日（幼児にあっては3日）」が目安となる
移送	・病室外への移動は極力，避ける ・検査などで移送する必要がある場合は，患者・職員ともにサージカルマスクを着用する ・移送先と調整して待合時間を最小限にし，共用スペース使用後は，接触箇所を消毒用エタノールで清拭する
身体の清潔	・原則，ベッドサイドで実施する ・共同浴室を使用する場合は他者と分離し，沐浴槽や浴室は洗剤で洗浄する ・接触箇所は消毒用エタノールで清拭する
食事	食事はベッドサイドでとり，食堂の利用は避ける
ケア担当者の個人防護具（PPE）	飛沫予防策として入室時にサージカルマスクを着用する。加えて，小児の場合は流涎や啼泣等による周囲環境・衣服への汚染もあることから，抱っこなどの濃厚接触時にはエプロンまたはガウン，手袋の着用が必要である
診察用具	体温計，聴診器，血圧計などは患者専用とする。やむをえず診察用具を共用する場合は，他患者に使用する前に消毒用エタノールで清拭する
説明	患者の発達段階に合わせた方法（おもちゃ，絵，わかりやすい言葉など）で，マスク・手洗いや室外に出ないことの必要性を説明し，行動の自己決定ができるよう促す
遊び	共用プレイルームは使用しない。しかし，子どもの成長発達やストレス回避にとって遊びは重要であるため，年齢に合った遊びを提供する
学習	院内学級は欠席する（「学校保健安全法」の出席停止期間の目安を参照）

（2）曝露者への対応

曝露者への対応については，3.11節（p.140）も参照してほしい。

①患者への対応

- 発症1日前から濃厚接触した患者（同室者，一緒に遊んだ患者，院内学級出席者，食堂で同じテーブルで食事など）をリストアップする。
- 二次感染することで重篤化が予測されるハイリスク患者に対しては，抗インフルエンザ薬の予防投与を検討する。その際は，保護者に説明し，承諾を得たうえで予防量を投与する。
- 濃厚接触患者は，潜伏期間である1～4日間は発症の可能性があると考え，他の病棟や部屋への移動，新入院患者と同室にすることは避ける。
室外に出る場合は，常時サージカルマスクを着用してもらうが，衛生行動や体調の表現が行えない患者は室内で過ごしてもらう。

②職員への対応

- 一般的に医療者は予防投与の対象にはならないが，サージカルマスクを着用せず発症患者と濃厚接触した場合や，同時期で複数発症している場合は，予防投与を検討する。
- 発症した職員は，感染力が低下するまで勤務を離れる。

（3）病棟対応

- 入院患者，職員がインフルエンザを発症した場合は，すみやかに院内のインフェクションコントロールチーム（ICT）に連絡する。
- 院内感染対策を講じても新規感染者が続く場合は，病棟閉鎖を考慮する。

院内でアウトブレイクを疑った場合の，具体的な対応の流れは，図1を参照する。

3.6 インフルエンザ

アウトブレイクの察知

STEP 1

アウトブレイクを疑う：検出数が1件/月 ⇒ 4件/週
〔症例定義の作成〕時，人，場所
例：1月5日～1月10日にA病棟に入院中で新たに発熱を呈した
　　患者で，インフルエンザ迅速抗原検査が陽性の症例（確定例），
　　迅速抗原陰性の症例（疑い例）

STEP 2

記述疫学
積極的症例の発見
例：新たに発熱を呈したA病棟の患者に，インフルエンザ迅速検査を実施
　　集団発生の特徴の図式化
①時＝インフルエンザ迅速抗原陽性者数（発熱のみと区別）をグラフ化する
　（流行曲線の作成）
②人＝特徴の図式化：集めた情報を1枚の用紙に簡単にまとめる
　（ラインリストの作成）
③場所＝ベッドの位置や移動情報の特徴を日ごとに図式化する
　（病棟マップの作成）
観察調査，聞き取り調査
現場での手指衛生の遵守状況や個人防護具着脱の状況調査

STEP 3

フィードバックと対応
原因・伝播経路の仮説・検証
例：A病棟でインフルエンザ患者を受けもつB科医師の個人防護具遵守率
　　が低下し，またプレイルームの共有により感染者が増加した
- 調査結果により，B科患者とプレイルームを共有していた患者で感染者
  が多くみられた。
- B科を中心に飛沫予防策の徹底（「1処置2手洗い」と個人防護具着脱の
  徹底），受けもち患者診察順序の見直し，プレイルームの消毒と一時閉鎖
  を行った。

STEP 4

介入後の継続的評価と終息宣言
手指衛生遵守率95％および個人防護具の適時使用実施率95％。流行期の
症候群サーベイランスの実施。新規検出症例が最終患者の発症から4日間
ないことを確認 ⇒ 終息宣言

対策の実施

対策の強化：
- インフルエンザの特徴※を踏まえてすぐにできる強化対策の実施
- 伝播経路の遮断
  （飛沫予防策の強化，環境整備の徹底，プレイルーム一時閉鎖）
- 発症患者の隔離予防策の徹底，接触者の観察期間の設定，曝露後予防策の検討

対策の評価

- インフルエンザ迅速検査陽性，あるいは，新規発熱出現患者の推移
- 伝播経路の遮断
- 飛沫予防策の遵守率
- 環境整備の実施率

未来の発生予防

- 個人防護具の適時使用率と手指衛生遵守率モニタリング
- 流行期の症候群サーベイランスの実施

図1　インフルエンザのアウトブレイク調査の流れ

※ インフルエンザの特徴は，気道分泌物への曝露（主に濃厚接触）で感染する，アルコール消毒薬が有効である，曝露後予防策がある，ことである。

> **Note**
>
> **母体がインフルエンザを発症した場合の対応**
>
> ○母体が分娩直前（7日以内）に，インフルエンザを発症した場合
> 　原則として分娩直後より母児を分離し，急性期の症状を有する母親から新生児への飛沫・接触曝露を防ぐ．
>
> ○母体が分娩後に発症した場合
> 　母児同室時：母体の状況が改善するまで母児分離を行い，療養する．新生児は，新生児室内で他児と2m以上空けた空間を維持するように，空間を調整し，児をケアする看護スタッフは観察期間中の症状の観察とケアを行う．
> 　授乳：母親が児をケア可能な状況であれば，マスク着用・清潔ガウン着用と，しっかりした手洗いを厳守すれば（飛沫・接触予防策），直接母乳を与えてもよい．母親がオセルタミビル・ザナミビルなどの投与を受けている期間でも母乳を与えてもよいが，搾母乳とするか，直接母乳とするかは，飛沫感染の可能性を考慮し，発症している母親の状態により判断する[7]．
>
> 　①オセルタミビルあるいはザナミビルを2日以上服用していること，②熱が下がって平熱となっていること，③咳や鼻水がほとんどないことの3条件を満たしていれば，サージカルマスクを着用し，直母を考慮してよい．
> 　それまでは，搾乳した母乳を健康な第三者が児に与えるように調整を行う．

（4）外来対応

- ポスター，問診票などで有症状者を早期発見，トリアージできるシステムをつくり，待合時には他患者と2m以上離れた場所を提供する．
- 咳エチケットポスターを掲示し，呼吸器症状のある患者にはサージカルマスクの着用を促す．
- インフルエンザ流行期には，受付を含む外来スタッフは，サージカルマスクの常時着用が望ましい．

（5）保健指導（家族対応，きょうだい面会）

- インフルエンザ流行時は外泊，外出を最小限にする．外泊・外出時の注意として，人混みを避けること，外出時にはマスクを着用すること，手洗いを厳守することをよく説明する．
- かぜ症状のある面会者は断る．病棟入口や面会簿記載台に注意喚起ができるような掲示を行う．

届　出

- 最寄りの保健所への届出：「感染症の予防及び感染症の患者に対する医療に関する法律」（感染症法）5類感染症（定点報告）として，インフルエンザ定点医療機関，および基幹定点医療機関が週単位で届け出る．基幹定点医療機関においては，インフルエンザによる入院患者についても報告する[3]．
- 学校への報告：保護者に学校へ連絡するよう伝える．「学校保健安全法」の第2種感染症であり，発症した後5日を経過し，かつ，解熱した後2日（幼児にあっては3日）を経過するまで出席停止と定められている[2]．

文献

1) Writing Committee of the WHO Consultation on Clinical Aspects of Pandemic（H1N1）2009 Influenza：Clinical aspects of pandemic 2009 influenza A（H1N1）virus infection. N Engl J Med, 362（18）：1708-1719, 2010
2) 文部科学省：学校において予防すべき感染症の解説．日本学校保健会, 2013
3) 厚生労働省：感染症に基づく医師の届出のお願い．[https://www.mhlw.go.jp/stf/seisakunitsuite/bunya/kenkou_iryou/kenkou/kekkaku-kansenshou/kekkaku-kansenshou11/01.html（2022年3月現在）]
4) 三浦祥子，他：感染経路別予防策．小児看護, 33（8）：1002-1013, 2010
5) 松井泰子：流行シーズンまっただなか！対応のすべて．インフェクションコントロール, 22（11）：1079-1087, 2013
6) Red Book, 32nd Edition, American Academy of Pediatrics, 2021
7) 妊婦もしくは褥婦に対しての新型インフルエンザ感染（H1N1）に対する対応Q＆A（医療関係者対象）[https://www.mhlw.go.jp/bunya/kenkou/kekkaku-kansenshou04/pdf/02-03-03.pdf（2022年3月現在）]
8) 日本小児科学会 予防接種・感染症対策委員会：2021/2022シーズンのインフルエンザ治療・予防指針, 2021年10月

3.7 流行性角結膜炎

> **Points**
> ▶ 流行性角結膜炎は**感染力が強く**，院内で発生した場合は注意が必要である。
> ▶ 拡大防止のためには，**接触感染対策を徹底**する必要がある。

疾　患

（1）原因と病態

アデノウイルスはエンベロープをもたない DNA ウイルスである。脊椎動物を広く宿主とし，現在 100 種以上が知られている。ヒトに感染するアデノウイルスは約 60 種あり，その赤血球凝縮の特性をもとに A 群から G 群まで 7 つのタイプに分けられる。

呼吸器，消化器，眼などに感染するが，流行性角結膜炎（EKC）は，主に D 群（8，19，37，53，54 型。E 群の 4 型も起こす）により引き起こされる。タイプによって，なぜさまざまな違った症候を引き起こすのかはよくわかっていない。

以下，EKC について述べる。

（2）症状，合併症

眼の異物感，眼脂，流涙が主な症状で，角膜上皮下に浸潤すると光への過敏や痛みをともない，視力障害をともなうことがある。急性発症ではじめは片側だが，感染力が強いため，もう一方の眼にも波及することが多い。診察では，眼瞼結膜の強い充血（図1）や眼瞼浮腫，濾胞（小さな隆起性病変）の形成が特徴的である。

図1 眼瞼結膜の症状
（写真提供：青木功喜先生，巻頭カラー図⑤参照）

耳介前リンパ節の腫脹もよくみられる。症状は軽快まで 1 カ月以上かかることもあり，角膜混濁が数カ月から数年残存することもある。ほとんどの場合，視力障害は残さず治癒するが，角膜損傷には注意が必要である。

（3）診　断

臨床的には，重症な急性濾胞性結膜炎，角膜点状上皮下混濁，耳前リンパ節腫脹・圧痛などの症状から診断する。

病原診断にはアデノウイルス迅速診断キットがあるが，感度 65〜98％程度，特異度 95〜100％であり，陰性であっても否定はできないことに注意が必要である。また，キットは国内だけでも 20 種類以上が市販されており，それぞれ対象とする検体採取部位（眼，咽頭，鼻腔，糞便）が異なることにも注意する[4]。PCR 法での定量的な検出も商業ベースで可能である。EKC の場合，検体は結膜ぬぐい液や結膜擦過物を用いる。

（4）治　療

現在，有効な抗ウイルス薬はなく，対症療法が中心である。

Note

母児同室中に母親が発症した場合

母親の眼症状が強く，児のケアができない場合は，一時，母児分離して母親が安静にできるように環境を整える必要がある。産後の母児の状態が安定しており，家族内での分離ができる環境が整っていれば早い時期でも退院し，自宅での療養を選択する場合もあるが，院内で療養する場合には児や周囲への感染伝播に注意が必要である。

母児のケアには接触予防策の徹底を行う。また，家族へのケア方法の指導も同時に行う必要がある。

EKC：epidemic keratoconjunctivitis，流行性角結膜炎

表1 流行性角結膜炎患者への対応

	具体的な対応策
身体の清潔	病室内ベッドサイドで実施
点眼の管理	・手指衛生を実施後，手袋を着用して対応 ・可能なかぎり，1回使い捨てが推奨されるが，不可能であれば片目に限定された症状の場合は，点眼薬は左右用を分けて処方し，症状のない側から行う
移送	・発症から14日間は個室管理とし，病室外へ出ることは禁止 ・何らかの理由で病室外へ移動しなければならない場合は，環境表面に触れないように注意し，可能であれば輸送車（車いす等）を使用 ・共有スペースは使用しない
説明	年齢に合わせ，以下について説明する ①個室隔離と接触予防策の実施 ②移動・移送時の注意点 ③手指衛生の方法とタイミング ④眼をこすらないこと，触れた場合は手指衛生を実施すること ⑤タオル類や寝具の共有使用の禁止 ⑥眼脂や流涙の付着物の廃棄方法
遊び	・病室内で，年齢に合わせて実施 ・次亜塩素酸ナトリウム溶液または消毒用エタノールで清拭可能な素材の遊具を使用
学習	・院内学級などの集団学習に参加しない ・症状や病態に合わせて，病室への訪問学習

表2 流行性角結膜炎に対する外来での対応

	具体的な対応策
診察室	・診断が確定されている場合は，病院内の待機時間を短縮するための調整を行う ・可能であれば専用の診察室使用を推奨するが，不可能な場合は順番を最後にする ・診察後は高頻度接触面を中心に，次亜塩素酸ナトリウム溶液または消毒用エタノールで清拭消毒を行う
排泄物の管理	・排泄物の特別な対応は不要 ・トイレ使用後は，清掃を行うことを説明し，終了後ナースコールをしてもらう ・使用後，高頻度接触面を中心に消毒用エタノールで清拭 ・排泄後の手洗いの実施を指導
授乳	授乳前後の手洗いの実施を指導

(5) 予防

アデノウイルスは，エンベロープをもたないため失活させるのが難しく，体表や環境表面に残り続けてしまう。EKCの原因となるアデノウイルスが，環境表面で35日間，活性を保ち続けていたという報告もある。

EKCは感染性が強く，しばしば学校や医療機関でのアウトブレイクを起こしている。そのため罹患した患者を診察する際には，適切な接触予防策と手指衛生を行うことが推奨される。また，流行性角結膜炎は1年を通じてみられるが，とくに夏季に多い。

(6) 感染経路，潜伏期間，隔離期間

直接的な接触や，眼診察の機器を介しての接触感染で伝播する。眼脂や流涙により汚染した手指，管理不十分な器具の使用，汚染環境を介して，しばしば医療関連感染が起こる。

医療機関においては，症状のある間は標準予防策に加え，接触予防策が必要となる。潜伏期間は2～14日程度である。

また，アデノウイルスによる結膜炎を発症した医療従事者は，最後に罹患した眼に症状が出現した日から14日間は，患者への直接的な接触を避けるべきである。

対応

(1) 患者対応

EKCは眼脂や流涙を介して接触感染を起こす。EKCは伝染性が高いため，個室管理し，接触予防策を行う。

患者の年齢に合わせた説明を行い，患者の理解と同意を得たうえで対応を行う（表1）。孤立感や疎外感を与えないように，接触予防策を十分に行ったうえで，成長発達を阻害しないように対応する。

(2) 曝露者への対応

接触者に対する隔離は不要であるが，注意深い観察と頻回の流水による手洗いが推奨される。

(3) 外来対応

不特定多数の患者が来院するため，感染対策上のトリアージと隔離対策を実施し，感染拡大の防止に努める（表2）。

(4) 病棟対応

伝染力がきわめて高く，乾燥にも強く，環境や物品に35日程度感染力が保持されるため，眼脂や流涙により汚染した手指，管理不十分な器具の使用，汚染環境を介して，しばしば医療関連感染が起こる。可能なかぎり感染者を外泊または一時退院させる。入院継続の場合

表3 流行性角結膜炎に対する病棟での対応

	具体的な対応策
隔離対策	〔病室の選択〕 発症から14日間は個室管理 〔感染対策〕 ・接触予防策 ・ドアは解放のままでかまわないが，患者は隔離エリア内で過ごすことを説明
面会	・面会者の症状の有無を確認 ・面会者は，面会前後の手指衛生の実施と，個人防護具の着用を考慮
移送	・隔離エリア内で過ごすことを原則とし，検査などで移動の場合は，環境表面に触れないように誘導し，可能であれば移送車などを使用 ・移送先には事前にEKCであることの情報提供と時間調整を依頼
ケア担当者の個人防護具（PPE）と手指衛生	〔必要な個人防護具の準備〕 隔離エリア内の入室は，手指衛生と手袋を着用し，全介助が必要な患者の場合や施設の状況に応じて，ガウン，サージカルマスクを着用して対応 〔脱着のタイミング〕 入室前：速乾性擦式手指消毒薬で手指衛生を実施し，個人防護具を着用し，隔離エリアへ入室 退出時： ・個人防護具は隔離エリア内で脱衣し，感染性廃棄物容器に廃棄し，手指衛生を実施後，退出（室内に感染性廃棄物容器が準備できない場合は，ビニール袋に密閉してから隔離エリア外にもち出す） ・手袋は，同じ患者であっても汚染したときはそのつど交換し，違う処置をするときは，同じ患者であっても手指衛生と組み合わせて交換 〔手指衛生の徹底〕 ・手袋の着脱前後で手指衛生を実施 ・流水と石鹸で手洗いを実施
診察用具	・体温計，聴診器，血圧計などは患者専用とする ・眼科用器具は使用ごとに滅菌または消毒 ・圧平眼圧計（アプラネーショントノメーター）のメジャリングプリズムはディスポーザブル仕様の製品を用いる ・個別化できない器具は，使用後，滅菌または0.05～0.1％次亜塩素酸ナトリウム溶液で浸漬消毒，または，消毒用エタノールで清拭消毒
清掃	高頻度接触面を中心に，次亜塩素酸ナトリウム溶液または消毒用エタノールで清拭
食事	・隔離エリア内で摂取 ・食事の下膳は通常と同様
プレイルーム	・共有の場所は使用しない ・症状に応じて，ベッドサイドでの遊びや学習の工夫
曝露者への対応	・発症から隔離までの接触者リストを作成し，最終接触から14日間は，症状の有無を観察 ・症状出現後は直ちに発症者としての対応 〔潜伏期間中のスタッフ〕 必要以上に顔に触れないこと 〔潜伏期間中の患者〕 行動制限を行い，病室を分散させず，コホーティングまたは個室管理し，表1に沿って指導
行政等への報告	〔発生届〕 ・「感染症法」では5類感染症（眼科定点把握） ・指定医療機関は，診断後，週単位で翌週月曜日に最寄りの保健所へ届出が必要 〔幼稚園，学校への連絡〕 保護者へ学校，幼稚園に連絡するように伝える（「学校保健安全法」により第3種に分類され，学校医そのほかの医師により伝染のおそれがないと認めるまで出席停止となる） 〔保育園への連絡〕 保護者へ保育園に連絡するよう伝える（「学校保健安全法」により第3種に分類され，医師により感染のおそれがないと認めるまで出席停止となる）

表4 流行性角結膜炎患者に関わる物品管理方法

物品の種類	管理方法
清潔ケア物品	〔耐熱性のもの〕 熱水消毒（80℃10分）や高圧蒸気滅菌 〔耐熱性でないもの〕 ・洗浄後，消毒用エタノールでの清拭消毒 ・金属以外の器具は0.05〜0.1％次亜塩素酸ナトリウム溶液で浸漬消毒
浴室	・病院内の共有浴室は使用しない ・使用する場合は最後の順番とし，使用後は，両性界面活性剤入り浴室用洗浄剤で十分に洗浄後，乾燥させる
食器，哺乳びん・乳首	〔食器〕 洗浄後，熱水消毒 〔哺乳びんや乳首〕 熱水消毒，洗浄後0.05〜0.1％次亜塩素酸ナトリウム溶液で30分〜1時間の浸漬消毒，または高圧蒸気滅菌
衣類	・0.05〜0.1％次亜塩素酸ナトリウム溶液を用いた洗濯 ・色・柄物の洗濯は56℃5分以上の熱水による洗濯
リネン	感染症リネンとして取り扱い，密閉して搬送後，56℃5分または95℃5秒で一次洗浄を行ってから通常洗濯
診察用具	・患者専用とする ・使用後は，次亜塩素酸ナトリウム溶液または消毒用エタノールで清拭 ・とくに眼科用器具は念入りな消毒または滅菌 〔眼科用器具〕 ・消毒用エタノールまたは滅菌 ・圧平眼圧計（アプラネーショントノメーター）のメジャリングプリズムにはディスポーザブル仕様の製品がある。不適切な再生処理により汚染病原体の不活化ができないと本器具を介したアデノウイルス等の施設的感染を引き起こすリスクをともなうため，圧平眼圧のメジャリングプリズムは基本的にディスポーザブル仕様の製品を用いること。 ・細隙灯を用いた眼底，隅角検査，点眼操作などでは，直接眼に接触しないように工夫する 〔体温計〕 消毒用エタノールで清拭 〔聴診器〕 ・0.05〜0.1％次亜塩素酸ナトリウム溶液で清拭 〔血圧計〕 ・清拭可能なマンシェットカバーは0.05〜0.1％次亜塩素酸ナトリウム溶液で清拭，不可能な場合は衣服に準じた洗濯 ・本体は，消毒用エタノールで清拭

には，発症後14日程度，接触予防策を実施する。

環境整備は，高頻度接触面を中心に，次亜塩素酸ナトリウム溶液，消毒用エタノールにより物理的に清拭を行う。点眼薬は可能なかぎり1回使い切りとする。

眼科処置時には，手指衛生と手袋の着用を確実に行う。入院中に発症した場合は，接触者リストを作成し，観察と対策を実施する（表3）。

器具類は，可能なかぎり患者専用にし，専用にできない場合には，使用後の消毒や滅菌を行ってから共有する（表4）。

(5) 保健指導

家族内の感染を防止するため，手洗い方法，リネン類（とくにタオルや枕カバー）の管理，洗面器類の共有使用の禁止，入浴順番や清掃等の管理について指導する。

潜伏期間も含めて実施するように指導する。

文献
1) 国立感染症研究所感染症疫学センター：感染症の話—流行性角結膜炎. 2014年4月1日改訂（https://www.niid.go.jp/niid/ja/kansennohanashi/528-ekc.html）（2022年5月現在）
2) Adenovirus Infections. Red Book, 32nd Edition, American Academy of Pediatrics, pp188-190, 2021
3) Bennett JE, et al：Mandell, Douglas, and Bennett's Principles and Practice of Infectious Diseases, 8th ed. Elsevier（Saunders）, 2014
4) 細川直登・編：感度と特異度からひもとく感染症診療のDecision Making. 文光堂, pp227-231, 2012

3.8 結核

Points
- 結核は，**空気感染**する病原体である。
- 肺結核以外に，他の臓器が病巣となる**肺外結核**，感染はしているものの明らかな臨床症状がなく，細菌学的検査や画像検査でも異常がない**潜在性結核**がある。
- 排菌がある期間は**陰圧個室**で，**N95 マスク**で対応する必要がある。
- 感染症法上の **2 類感染症**であり，診断した場合は直ちに最寄りの保健所に届出が必要である。

疾患

(1) 原因と病態

結核菌（主に *Mycobacterium tuberculosis*）による感染症である。肺結核のほか，他臓器（リンパ節，骨，腎，脳など）も病巣となりうる（肺外結核）。明らかな臨床的症状がなく，細菌学的検査や胸部画像検査〔胸部エックス線，コンピュータ断層撮影法（CT）など〕でも結核を示唆する所見がないにもかかわらず，結核菌に感染している状態を潜在性結核感染症（LTBI）とよぶ。

(2) 症状，合併症

乳児は重症化しやすく，発熱，哺乳不良，顔色不良，多呼吸，呼吸不全，けいれんで発見された場合は，粟粒結核，髄膜炎の疑いがある。

学童は成人同様，肺炎，胸膜炎や空洞形成を認め，長びく咳嗽・微熱や，胸痛を訴える。

(3) 診断

ツベルクリン反応（ツ反），インターフェロンγ遊離試験（IGRA）で，感染診断する。発病診断は，菌を検出すれば確実で，胸部エックス線やCTを診断補助とする。細菌検査は，喀痰（乳幼児や，成人でも喀痰採取が困難な場合は胃液）を 3 日間連続で採取し，抗酸菌塗抹・培養のほか，核酸増幅法（PCR 法など）を行う。

乳幼児は，菌検出率が半数に満たない。

(4) 治療

活動性結核の標準治療は，イソニアジド（INH），リファンピシン（RFP），ピラジナミド（PZA），エタンブトール（EB）の 4 剤で 2 カ月間治療し，その後 INH と RFP の 2 剤で 4 カ月間，合計 6 カ月間の治療である。その治療は専門家のもとで行われるべきである。

(5) 予防

LTBI には INH（または RFP）で発病予防する。乳幼児期においては，BCG（Bacille Calmette-Guérin，乾燥 BCG ワクチン）未接種者は発病リスクが高い。感染の疑いがある新生児は発病予防を開始し，3 カ月後にツ反，IGRA で感染診断して，内服の継続もしくは終了，BCG 接種を決める。ただし，乳児では IGRA の感度は低いことに注意が必要である。

(6) 感染経路

一般的に一次結核が多く，発端者は近親者が多い。

学童は，学校・塾など集団生活の場での感染もあり，感染源不明の例も多い。

(7) 潜伏期間，隔離期間

感染からツ反，IGRA 陽性となるまでの期間は 2 〜 10 週間が多いが，感染後 6 カ月で陽性となる場合もある。発病リスクは，感染後 6 カ月間が最も高く，2 年間は高リスク期間である。

新生児は感染後 3 カ月程度で重症化する例がある。

隔離期間は，喀痰塗抹陰性となるまで必要で（最低

CT：computed tomography，コンピュータ断層撮影法
LTBI：latent tuberculosis infection，潜在性結核感染症
IGRA：interferon-gamma release assay，インターフェロンγ遊離試験

表1 結核患者への対応

	具体的な対応策
身体の清潔	病室内・ベッドサイドで実施
排泄物の管理	・病室内のトイレを使用 ・おむつは通常の扱いで可 ・喀痰が付着したティッシュなどは，感染性医療廃棄物として扱う
説　明	年齢に合わせ， ①個室隔離について ②サージカルマスクの着用について ③咳嗽，くしゃみをする際のティッシュの使用について ④移動時の注意点 ⑤面会について ⑥病室内でできること を，患者の希望と病棟の状況を合わせて調整する
遊　び	患者の発達を考慮し，限られたスペースの中で月齢，年齢に合わせて工夫する ①プレイマットの設置 ②壁の装飾　など
学　習	入院中は治療・安静が最も必要になるが，症状や病態を考慮しながら進める

表2 結核患者に関わる物品管理方法

物品の種類	管理方法
清潔ケア物品	洗剤で洗浄後，乾燥させる
浴　室	洗剤で洗浄後，乾燥させる
食器，哺乳びん・乳首	通常の扱いで可
衣　類	・洗濯洗剤により洗濯後，乾燥させる ・特別な消毒は不要
リネン	特別な扱いは不要
診察用具	〔体温計〕 消毒用エタノールで清拭する 〔聴診器〕 消毒用エタノールで清拭する 〔血圧計〕 ・カバーは洗浄し，乾燥させる ・本体は消毒用エタノールで清拭する

表3 結核に対する外来での対応

	具体的な対応策
診察室	・来院時には，サージカルマスクを着用してもらう ・排菌のある活動性結核では，陰圧個室を使用する ・患者退室後，1時間換気する
排泄物の管理	・トイレ・おむつ交換台などは，日常実施されている清掃と同様に行う ・使用後のおむつは，持参のビニール袋に入れて持ち帰る，もしくは病院指定の場所へ廃棄するよう指導する

表4 結核に対する病棟での対応

	具体的な対応策
隔離対策	〔病室の選択〕 ・陰圧個室に収容する
面会	排菌していない家族は面会可能
移送	・可能なかぎり移動は避ける ・移動する場合，患者はサージカルマスクを着用する ・医療者はN95マスクを着用する ・事前に相手先に連絡し，準備を整える ・可能なかぎり，検査の順番は最後にする
ケア担当者の 個人防護具（PPE） と手指衛生	〔必要な防護用具の準備〕 ・N95マスクを着用 ・定期的にフィットテストを実施し，顔の形に合ったN95マスクを着用する ・患者が強い咳嗽をともない，喀痰を多く出している場合は，エプロン，フェイスシールド，手袋も必要である ・状況に応じて個人防護具を選択，着用できるよう準備しておく ・可能なかぎり患者との距離を保ち，飛沫を直接浴びないようにする 〔N95マスク着脱のタイミング〕 病室に入る前に着用し，病室から出たら外す 〔手指衛生の徹底〕 ・「1処置2手洗い」を徹底する ・WHOの「手指衛生ガイドライン」[1]の5つのタイミングに沿って実施する
診察用具	体温計，聴診器，血圧計などは患者専用とする
清掃	・日常実施されている清掃と同様に行う ・患者が退室した場合は，1時間換気し，清掃を実施する
食事	病室に配膳する
プレイルーム	病室内での遊びの工夫を行う
行政等への報告	〔発生届〕 ・2類感染症 ・診断した医師は，最寄りの保健所に直ちに届ける 〔保育園，幼稚園，学校への連絡〕 最寄りの保健所で対応

限），乳幼児と接する場合は培養1カ月陰性を確認するまでが望ましい。

対応

(1) 患者対応

排菌のある活動性結核は，陰圧個室隔離となるため，面会，入院生活に制限が生じる。そのため，患者の年齢に応じた説明を行い，患者の理解と同意を得たうえで対応する（表1）。また，入院生活が長期におよぶ可能性があるため，成長発達を阻害しないよう，遊びや学習の機会を提供し，ストレスの軽減などに配慮する。

器具類の洗浄，消毒は，一般的な方法で取り扱う（表2）。

(2) 曝露者への対応

院内で結核患者が発生した場合，当該保健所との連携を密にし，接触者リストの作成，接触者検診の予定を立てていく。詳細は，「感染症法に基づく結核の接触者健康診断の手引き」[2]を参照されたい。

(3) 外来対応

外来においては，不特定多数の患者が来院するため，来院時にはサージカルマスクを着用するようあらかじめ説明しておく（表3）。

来院後は，待合室を使用せず，診察は空気感染隔離室（AIIR）で実施する。

結核疑いのある患者の退出後，診察室の空気が99.9％換気されるまで次の診察を控える。診察室の時間換

AIIR：airborne infection isolation room，空気感染隔離室

気回数により診察室の空気を浄化するのに必要な時間は大きく変わるので，換算表（7.7節の表2，p.262）を参考にしながら，換気時間を設定する。

（4）病棟対応

結核診療に対応している病棟に入院管理となる（表4）。

（5）保健指導（家族対応，きょうだい面会）

確定例に関しては，排菌している間は原則面会不可。非確定例に関しては，家族に病変がない，咳嗽がないことを確認し，サージカルマスク着用で面会可能だが，確定診断がついた時点で面会不可とする。

（6）届 出

感染症法における2類感染症（全数把握）である。診断した医師は，直ちに最寄りの保健所に届け出る。

文献

1) WHO Guidelines Approved by the Guidelines Review Committee：WHO Guidelines on Hand Hygiene in Health Care: First Global Patient Safety Challenge Clean Care is Safer Care, World Health Organization, 2009
2) 石川信克・監，阿彦忠之・編：感染症法に基づく結核の接触者健康診断の手引きとその解説 平成26年改訂版．結核予防会，2014

Memo

3.9 クロストリディオイデス（クロストリジウム）・ディフィシル感染症

Points
- 小児，とくに新生児・乳幼児期は成人に比べて**無症候性の保菌者が多い**ため，検査適用に注意が必要である。
- **芽胞を形成する**ためアルコール消毒の効果が低く，流水＋石鹸での手指衛生の実施が重要である。

 疾　患

(1) 原因と病態

Clostridioides（Clostridium）difficile（以下，C. difficile）は，芽胞形成性・偏性嫌気性・グラム陽性桿菌で，クロストリディオイデス（クロストリジウム）・ディフィシル感染症（CDI）は C. difficile の産生する毒素により引き起こされる。

CDI は抗菌薬関連下痢症，腸炎の重要な原因の1つである。

(2) 症状，合併症

正常小児は比較的高率に C. difficile を保菌していることが知られており，新生児期には0～70％，1歳未満の乳児では14～44％，1歳で3.5～48％の保菌がみられ，以降，保菌率は低下し，成人と同様に数％に低下する[1,2]。

抗菌薬関連下痢症・腸炎では，発熱，腹痛，水様性下痢・血便が特徴的な症状である。ときに下痢は認めないものの，中毒性巨大結腸や腸管穿孔をきたす重症例も報告されている。

(3) 診　断

下痢または中毒性巨大結腸の症状があり，ほかに病因が明らかではなく，便検体で毒素産生 C. difficile が検出されるか，内視鏡的または病理学的に偽膜性腸炎の所見を認める場合に CDI と診断する。

C. difficile および毒素を検出するために，一般に利用できる検査は複数存在する。C. difficile は培養が難しいことから，ラテン語で難しいを意味する "difficile" と名づけられたが，現在は適切な条件で適切な培地を用いることで培養可能であり，培養が最も感度のよい検出法である。ただし，培養には時間がかかり，毒素産生の有無は培養のみでは判定できない。

毒素の酵素免疫測定法（EIA）は，迅速に検査が可能であるが，感度は低く，キットによっては毒素AおよびBを検出できるものもあれば，毒素Aのみを検出するものもある。一方で，GDH（glutamate dehydrogenase）抗原検査は感度が高く，C. difficile を迅速に検出可能であるが，培養と同様に毒素産生の有無は判定できない。そのため，これらの検査を組み合わせた 2-step 法が推奨される。そのほか，PCR や細胞障害試験も感度のよい検査であるが，一般には利用できない。

検査はあくまで症状がある場合にのみ行うべきであり，無症状患者のスクリーニングや，治療効果の判定目的の検査は推奨されない。乳児では保菌が多く，保菌とCDI の鑑別は困難であり，多くのガイドラインでは原則として2歳未満の乳児に対する C. difficile の検査を推奨していない[2-4]。

ただし，腫瘍患者や移植患者などの免疫抑制者のほか，ヒルシュスプルング病や炎症性腸疾患などの消化管疾患のある患者では，低年齢でも発症，重症化することがある。

原則として2歳未満の検査は推奨されないが，こうした状況下では，乳児においても検査，治療を考慮する。

(4) 治　療

CDI の治療は，まず不適切な抗菌薬投与の中止である。メトロニダゾール（30 mg/kg/日，分4）の7～14日間の内服治療が，初回治療および初回再発時の第一選択である。ただしメトロニダゾールは，脳，脊髄に器

CDI：Clostridioides（Clostridium）difficile infection，クロストリディオイデス（クロストリジウム）・ディフィシル感染症

表1　CDI発症者，有症状者への対応

	具体的な対応策
行動範囲	・排泄が自立し，手指衛生の手技・タイミングが習得できている患者は，失禁していなければ，とくに制限を行わない ・排泄が自立していない患者は，隔離解除のタイミングまで集団で共有するスペースでの遊び・学習は行わない
身体の清潔	・病室内で実施 ・隔離解除の時期がきたらシャワー浴を実施するが，入る順番，入浴後の清掃を徹底する
排泄物の管理	・汚染されたおむつは即座にビニール袋に入れ，口をしっかり結び，感染性廃棄物容器に廃棄する。廃棄方法と手洗いのタイミングは家族への指導も行い，医療従事者と同様に実践できるように環境を整える ・使用した尿器・便器は毎使用後，ベッドパンウォッシャーで洗浄・消毒する ・排泄が自立している患者は，トイレの使用前後での便座の清掃・手指衛生を徹底する
移送	・特別な方法での移送の必要はない ・下痢症状が強い場合は，移送先の他部門内で排泄物の処理ができるように準備し，移送を行う
説明	年齢に合わせて下記の内容を実施する ①病状の説明 ②行動制限がある理由 ③手指衛生の方法とタイミング ④同室者への関わり方，自分の疾患の伝え方 ⑤学校登校時の注意事項
遊び・学習	・限られたスペース内においても年齢に合わせて計画し，実施する ・入院中も学習が継続できるように病状をみながら進める

表2　CDIに対する病棟での対応

	具体的な対応策
隔離対策	〔病室の選択〕 ・排泄が自立している患者はトイレ付きの個室隔離が望ましい ・個室管理が不可能な場合は，他の患者が汚染された環境に触れないように専用空間を確保する ・複数患者発生時は大部屋でコホーティングを実施する ・患者ケア後は流水と石鹸を使った手洗いを遵守するよう指導する
リネン	・交換時には，手袋・エプロンを着用する ・感染性リネンとして取り扱う
診察・看護用具	・原則として体温計，聴診器，血圧計などは患者専用とする ・退院後は，洗浄可能な看護用品は，洗浄・消毒する
清掃	〔入院中〕 1日1回以上，通常の清掃 〔退院後〕 入院中および退院時の清掃に，次亜塩素酸ナトリウム溶液を使用する ※環境の表面消毒に1,000 ppm（理想5,000 ppm）の次亜塩素酸系消毒薬が最も有効だが，次亜塩素酸系消毒薬による物品などの腐食や臭気などの問題のため，使用は集団発生の状況に限定する。通常の物理的な洗浄・消毒作業でも菌量を低下させることは可能
家族への説明	〔汚染リネンの洗濯方法〕 付着物を除去後，洗濯

質的疾患のある患者には禁忌であることに注意が必要である。

重症例やメトロニダゾール内服治療無効例には，バンコマイシン内服（40 mg/kg/日，分4）やメトロニダゾール静注（日本では小児に対しては保険適用外）が適応となる[2-4]。

(5) 予防，感染経路，潜伏期間，隔離期間

感染予防のために，下痢症状のあるときの接触予防策の徹底，日常の標準予防策，手指衛生の徹底と，不要な抗菌薬治療を行わないことが重要である。

C. difficileは芽胞を形成するために，病院のさまざまな環境表面で生存可能である。患者や医療従事者が汚染された表面に接触することで間接的に伝播させる可

表3　CDI患者に関わる物品管理方法

物品の種類	管理方法
清潔ケア物品	〔耐熱性のもの〕 熱水消毒（80℃・10分間）や高圧蒸気滅菌 〔耐熱性でないもの〕 洗浄後，金属以外の器具は500～1,000 ppm次亜塩素酸ナトリウム溶液で30分間浸漬消毒
浴室	共有浴室は使用しない
食器，哺乳びん・乳首	〔食器〕 通常の洗浄と消毒乾燥を行う 〔哺乳びん・乳首〕 洗浄・熱水消毒後，125 ppm次亜塩素酸ナトリウム溶液へ1時間浸漬
衣類	・汚染した下着などの消毒は，500～1,000 ppm次亜塩素酸ナトリウム溶液へ30分間浸漬後に洗濯によって行う ・色もの・柄ものに次亜塩素酸は使用できないため，洗濯工程を2回くり返す
ベッド，シーツなどのリネン	・病室内でビニール袋に入れ，口を閉じてから運搬し，80℃以上の熱水で洗濯 ・便汚染が著しく，熱水洗濯ができない場合は，1,000 ppm次亜塩素酸ナトリウム溶液へ30分間浸漬し，洗濯
診察用具	患者専用とする 〔体温計〕 1,000～5,000 ppm次亜塩素酸ナトリウム溶液で清拭 〔聴診器〕 1,000～5,000 ppm次亜塩素酸ナトリウム溶液で清拭 〔血圧計〕 ・マンシェットのカバーは洗浄し，乾燥させる ・本体は1,000～5,000 ppm次亜塩素酸ナトリウム溶液で清拭

能性があり，最終的には糞口感染する。潜伏期間は不明である。

隔離期間は，下痢の改善を認めてから48時間以上経過し，かつ日常生活における手指衛生・排泄が自立していることを原則とする。隔離解除のための再検査は行わない。

　対　応

（1）患者対応

症状のある患者に対しては，接触予防策を行い，患者のトイレ時やおむつ交換時の流水での手指衛生を徹底する（表1）。

（2）病棟対応

発症者，有症状者ともに接触予防策を行う。
トイレ付きの個室に隔離することが望ましいが，個室が足りない場合は，便失禁のある患者を優先的に個室に収容し，複数の患者が発生したときにはCDI患者を大部屋でコホーティングする。無症状であれば原則として個室隔離は不要である。

芽胞はアルコール消毒が無効であることや環境汚染が重大な感染源であることなどから，CDIにおける感染対策は手指衛生，接触予防策，環境整備が重要となる（表2，表3）。手指衛生は流水と石鹸による手洗いを徹底する。

また，CDI患者のいた病室に，次に入院する患者にCDI発症のリスクが高いことが知られているので，CDI患者退出後の病室の最終環境消毒を行う。

（3）外来対応

可能であれば隔離室を利用するなど，他の患者との接触を防ぐようにする。患者使用後の環境やトイレは1,000 ppmの次亜塩素酸ナトリウム溶液で清拭する。

（4）アウトブレイク対応

入院患者でのCDトキシン陽性患者の増加を認めた際にはアウトブレイクを疑う。
とくに基礎疾患のある患者，抗菌薬を使用している（もしくは最近まで使用していた）患者での下痢症では，

早期に対象患者を特定し，個室隔離または大部屋でのコホーティングを行う。感染経路を特定し（とくに環境汚染や手指衛生），1,000〜5,000 ppm の次亜塩素酸ナトリウム溶液による環境の清浄化と手指衛生の徹底で制圧を図る。

(5) 保健指導（家族対応，きょうだい面会）

患者・家族へは接触感染隔離の必要性を説明し，トイレの使用前後での手指衛生の徹底を指導する。

また，隔離中のため必要最小人数の面会とし，面会者の入退室時の手指衛生も徹底させる。さらにおむつ交換方法や，便尿器が必要な場合はその取り扱い方法，汚染リネンの取り扱い方法を指導する。

(6) 届　出

感染症法における届出対象疾患ではないが，日常的にサーベイランスを行うことで，感染の頻度の上昇を早期に察知することができ，ベースラインより上昇した際には，院内への周知および保健所への相談を考慮する。

文献

1) Furuichi M, et al：Characteristics of Clostridium difficile colonization in Japanese children. J Infect Chemother, 20(5)：307-311, 2014
2) Schutze GE, et al：*Clostridium difficile* infection in infants and children. Pediatrics, 131(1)：196-200, 2013
3) McDonald MC, et al：Clinical Practice Guidelines for Clostridium difficile Infection in Adults and Children: 2017 Update by the Infectious Diseases Society of America（IDSA）and Society for Healthcare Epidemiology of America（SHEA）. Clin Infect Dis, 66：e1-e48, 2018
4) UK Department of Health and Health Protection Agency：*Clostridium difficile* infection: How to deal with the problem, Dec 2008
[https://assets.publishing.service.gov.uk/government/uploads/system/uploads/attachment_data/file/340851/Clostridium_difficile_infection_how_to_deal_with_the_problem.pdf（2022 年 3 月現在）]

3.10 新型コロナウイルス感染症

Points
- 新型コロナウイルス感染症は2019年12月以降，世界的に大きな問題となっている。
- 新しい情報が次々と発出されるので，常に**最新の情報をアップデート**する必要がある。
- 常日頃からの**標準予防策の徹底，3密を避ける工夫，患者の早期発見のための仕組みづくり**などが重要である。

 疾　患

(1) 原因と病態

2019年12月に中国で報告され，その後世界中に拡大したSARS-CoV-2（新型コロナウイルス）が原因であり，本ウイルスによる感染症を新型コロナウイルス感染症（COVID-19）という。無症状の場合から軽症の上気道炎，重篤な下気道炎や致死的な急性呼吸窮迫症候群（ARDS）まで幅広い病像を呈する。

(2) 症状，合併症

発熱や，咳嗽，鼻汁，咽頭痛などの気道症状，ときに下痢などの消化器症状をきたす。一定数の患者に嗅覚・味覚障害をきたすのも特徴的である。重症化すると肺炎からARDSをきたし致死的となる。とくに高齢者で重症化しやすく，小児は無症状から軽微な気道症状などの軽症例が多い。また，欧米を中心にCOVID-19罹患中，または罹患後に川崎病様の症状をきたす小児多系統炎症性症候群（MIS-C）という疾患概念が報告されている。

(3) 診　断

鼻咽頭ぬぐい液によるPCR検査が診断の中心である。ただし，検査陽性率は感染または発症からの日数によって変化し，最もウイルスを排泄している時期に検体を採取したとしてもその感度は7～8割にとどまることに注意が必要である。唾液による検査も可能であるが，感度は鼻咽頭ぬぐい液にやや劣るとされる。また，抗原検査も利用可能であるが，こちらもPCRに比べるとその感度は劣る。抗体検査については定性，定量など，さまざまな測定法の製品があるが，いまだその感度や特異度は定まっていない。

(4) 治　療

執筆現在（2022年5月），日本でCOVID-19に対して適応のある薬剤はレムデシビル，バリシチニブ，カシリビマブ／イムデビマブ，ソトロビマブ，モルヌピラビル，トシリズマブ，ニルマトレルビル／リトナビルの7薬剤である。前述の，症状・合併症の項でも記載したように，小児は軽症例が多く，ほとんどの場合自然軽快するため，治療の適用については慎重に判断する必要がある。

(5) 予　防

執筆現在（2022年5月），SARS-CoV-2ワクチンとして日本で承認されているのは，コミナティ筋注，スパイクバックス™筋注（旧販売名：COVID-19ワクチンモデルナ筋注），バキスゼブリア™筋注，ヌバキソビッド®筋注であり，日本を含めた世界中で開発が進行している。ワクチンの接種以外の予防策としては，日常生活においては密閉，密集，密接のいわゆる3密を避けること，適切なタイミングで手指衛生を行うことなどが有効とされ，医療機関においては適切な個人防護具の装着や，手指衛生が，感染予防に重要である。とくに，マスクの装着と眼の保護（アイシールドやフェイスシールド）が重要で，エアロゾルが発生する処置を行う際には，それらに加えてN95マスクや長袖ガウンの装着も必要となる。施設ごとに，場面ごとに，必要な個人防護具について決めておき，また事前に着脱訓練を行っておくことが望ましい。

COVID-19：coronavirus disease 2019，新型コロナウイルス感染症
ARDS：acute respiratory distress syndrome，急性呼吸窮迫症候群
MIS-C：multisystem inflammatory syndrome in children，小児多系統炎症性症候群

(6) 感染経路，潜伏期間，隔離期間

SARS-CoV-2 の主たる感染経路は飛沫感染，接触感染とされている．気管挿管時，気管内吸引時など特定の手技に関連してエアロゾル感染が発生しうるとされている．潜伏期間は 1～14 日（5 日前後が多い）とされているが，変異株のオミクロン株では潜伏期間が 2～3 日に短縮したとの報告がある．(表1)．ウイルス排泄期間は正確にはわかっていないが，現時点では発症の 2 日前から，発症後数週間程度と考えられている（とくに，便からの排泄期間は長いことがわかっている）．ただし，他者への感染性は発症後 7～10 日程度で消失すると考えられており，執筆時点（2022 年 5 月）では，発症日から 10 日間経過し，かつ症状改善から 72 時間経過していれば退院できる．

対 応

(1) 患者対応

SARS-CoV-2 は無症候感染も多く，また有症状だとしても他の気道感染症との区別は難しいことから，まずはすべての患者に行うべき標準予防策を徹底することが重要である．流行期の患者診療時には，最低限サージカルマスクと眼の保護（アイシールドやフェイスシールド，ゴーグルなど）は標準的に装着しておく必要がある．小児の場合，その多くは家族内感染であるため，家族を含めた周囲の流行状況の聴取はきわめて重要である．患者と保護者へ十分説明し，原則として個室に収容する（陰圧個室が望ましいが必須ではない）（表2）．確定診断がついている患者であれば，大部屋でコホートすることも可能である．児や保護者の精神的なケアに配慮し，オンラインによるコミュニケーションツールの導入などを検討する．

(2) 曝露者への対応

職員もしくは患者に COVID-19 の発生があった場合は，発症の 48 時間前までさかのぼり，接触者のリストアップを行う．その際にはマスクの着用の有無，眼の防護の有無，一緒に滞在した時間などがポイントとなる．とくに食事中や更衣室など，マスクを外している可能性が高い状況における曝露者の確認も重要である．

①入院中の児への対応

濃厚接触者と判断された児が発生した場合は，主治医を通して本人，家族に説明を行い，必要であれば個室への移動や PCR 検査の実施などを行う．適宜保健所に連絡し，相談しながら対応を進める．

②退院した児への対応

曝露が判明した時点ですでに退院している患者には，主治医を通して保護者へ連絡し，必要な措置を検討する．適宜保健所に連絡し，相談しながら対応を進める．

③外来で接触した児への対応

救急外来等で接触した患者に関しても主治医を通して保護者へ連絡し，必要な措置を検討する．適宜保健所に連絡し，相談しながら対応を進める．

(3) 外来対応

COVID-19 確定症例はもちろんであるが，症状から疑われる例，否定できない例についても，COVID-19 を念頭においた診察場所にて，個人防護具を着用のうえ診察する．可能なかぎり有症状者と無症状者の動線を分ける．くり返しになるが，すべての患者への対応で行うべき標準予防策の遵守が何より重要である．それに加えて，流行期の場合も施設ごとに，状況に応じた対応をあらかじめ決めておく．

表1　COVID-19 の感染経路・潜伏期間・隔離期間

	COVID-19
ウイルス排泄期間	症状出現 2 日前～3, 4 週間（ただし，感染可能期間は発症 2 日前から発症後 7～10 日程度と考えられている）
感染源	気道分泌物
感染経路	飛沫感染，接触感染，ときにエアロゾル感染
感染予防策	飛沫，接触予防策，エアロゾル発生処置時は空気予防策
必要な個人防護具	手袋，エプロン，眼の防護具（アイシールド，フェイスシールドなど），サージカルマスク ※エアロゾル発生処置時は N95 マスクおよび長袖ガウン

表2 COVID-19患者への対応

	具体的な対応策
身体の清潔	個室内で実施
排泄物の管理	・おむつは病室内でビニールに包む。その後，感染性廃棄物専用容器に入れて廃棄する ・個室内のトイレを使用する際，用を足した後は便座を閉め，水を流す ・便座クリーナーなどで使用前後に便座を清拭する ・便器・尿器を使用した後は熱水で処理（90℃，1分間）洗浄後，0.1％次亜塩素酸ナトリウム溶液で処理（5分間）を行う ・その後，通常の洗浄を実施
移送	・有症状時の移送は，極力避ける ・患者を移動させる必要がある際には，患者にサージカルマスクを着用させ，車椅子やストレッチャーを使用する 　※ただし，2歳以下の小児には着用させない。そのため移送経路の確保を徹底する ・他者と接触がないように，専用通路・エレベーターを使用するなどして動線の調整が必要である ・経路確保が困難な場合は，移動直前に同じフロアの部署へ患者移動の連絡を行い，5分間程度は患者が外に出ないように調整し，他者と接触する可能性がないように留意する
説明	年齢に合わせ，以下について説明する ①日常生活指導：マスク着用，手指衛生の方法とタイミング，個室の中での療養の必要性，日課の作成 ②病状や治療内容や感染対策に関する内容 ③移動・移送時の注意点
遊び	病室内で，年齢に合わせて実施する
学習	院内学級などの集団学習を中止し，Webによる授業への変更が可能かどうかを学校と相談する。また，自習できる課題の調整等を教員と相談しながら学習できる環境を整える

表3 COVID-19患者に関わる物品管理方法

物品の種類	管理方法
清潔ケア物品	清拭する際は単回使用ができる物品を選択し，洗浄・消毒が不要なように調整する
浴室	・通常，低水準消毒薬入りの洗浄剤で洗浄後，0.1％（1,000 ppm）次亜塩素酸ナトリウム溶液または消毒用エタノール（70％）で消毒する ・防護具を着用して実施し，浴室を出る前に防護具を脱衣する
食器， 哺乳びん・乳首	〔食器〕 ディスポーザブル食器を使用する 〔哺乳びん・乳首〕 熱水で処理（90℃，1分間）洗浄後，0.01％次亜塩素酸ナトリウム溶液にて浸漬消毒を1時間行う
衣類	・特別な消毒は不要 ・洗濯洗剤により洗濯後，乾燥させる
リネン	下記，①もしくは②を実施した後に通常の洗濯依頼を行う ①熱水消毒（80℃・10分） ②0.05％（500 ppm）〜0.1％（1,000 ppm）の次亜塩素酸ナトリウム溶液に30分間浸漬後，乾燥させる
診察用具	〔体温計〕 消毒用エタノールで清拭する 〔聴診器〕 消毒用エタノールで清拭する 〔血圧計〕 カバーのないものを使用し，消毒用エタノールで清拭する

表4 COVID-19に対する病棟での対応

	具体的な対応策
隔離対策	〔病室の選択〕 個室管理（陰圧個室が望ましい） 〔感染対策〕 飛沫・接触予防策，エアロゾル発生処置時は空気予防策
面会	〔面会者の制限〕 ・原則として面会は禁止である ・家族と患児はテレビ電話などを通じてコミュニケーションがとれるような工夫をする必要がある
ケア担当者の個人防護具（PPE），ゾーニング，手指衛生など	〔必要な防護具の準備〕 ・手袋・エプロン・眼の保護（アイシールド，フェイスシールド，ゴーグルなど）・サージカルマスク ・エアロゾル発生処置時はN95マスク 〔ゾーニングの設定〕 ・ゾーニングを明確にすることが重要である ・患者エリア（汚染エリア，レッドゾーン），と非汚染エリア（グリーンゾーン）に分け，その間での交差を徹底的になくす必要がある 　※場合によっては中間エリア（グレーゾーン）を設定する場合もある ・ゾーニングラインに合わせて防護具の着脱を行う 〔着脱のタイミング〕 着衣：患者診察・ケア前に手指衛生を実施し非汚染エリア（グリーンゾーン）で着用する 脱衣：患者エリア（レッドゾーン）内で脱衣する 　　　脱衣時に汚染がないように適宜手指衛生を行いながら脱衣する 　　　防護具は病室内の感染性廃棄物容器に廃棄し，手指衛生を実施後退出する 〔手指衛生の徹底〕 ・「1処置2手洗い」を徹底する ・患者エリア内への入退室のタイミングで実施する
診察用具	体温計，聴診器，血圧計，SpO_2モニターは患者専用とし，可能なかぎり自動計測器を使用する
清掃	〔在室中〕 ・高頻度接触面を中心に1日1回以上，0.05～0.1％（500～1,000 ppm）の次亜塩素酸ナトリウム溶液で清拭する ・床はワイプで埃を取る。 〔退院時〕 ・手袋，サージカルマスク，眼の防護具（フェイスシールドまたはゴーグル），長袖ガウン，専用の履物またはシューズカバー（準備できない場合は，非清潔区域を退室する際に靴の消毒を行うこと） ・環境表面は通常清掃に加え，高頻度接触面を中心に0.05～0.1％（500～1,000 ppm）の次亜塩素酸ナトリウム溶液かアルコールのクロスでの清拭を行った後，水拭き清掃を実施する。カーテンは，リネンと同様に洗濯する
食事	・個室内で摂取 ・使い捨て容器を使用し，個室内で廃棄する ・おやつの容器も使い捨て容器を使用する
プレイルーム	・他の患者と共有で使用するプレイルームは使用しない ・症状に応じて，ベッドサイドで遊びや学習の工夫を行う ・Webシステムを利用しての学習・遊びも考慮する
行政への報告	〔発生届〕 感染症法では新型インフルエンザ等感染症にあたり，患者の氏名，住所等を直ちに所定保健所へ届け出る

（4）病棟対応

病棟内で想定外の患者がCOVID-19を発症した場合は，迅速に対応する必要がある〔表3（p.137），表4〕。日常的にこのような状況を想定した訓練，対応マニュアルの作成などを行っておくとよい。病院幹部，保健所と密接に連携をとり，その後の病棟運営，院内周知や院外への公表の方法などについても検討する必要がある。

病棟ではまず，当該患者との接触者リストを現場と共同して作成し，患者および医療従事者の濃厚接触者のリストアップを行う。濃厚接触となった医療従事者に対しては就業停止措置，PCR検査の実施などの対応を行う。患者に対しては十分な説明のうえ，必要に応じて個室への移動，PCR検査等の対応を行う。

（5）保健指導

COVID-19は執筆時点（2022年5月）では新型インフルエンザ等感染症であり，患者が発生した場合はすみやかに保健所に届け出る。その後の保健指導については保健所と連携をとりながら行う。自宅療養者に対しては，外に出歩かないこと，必要時のマスクの着用，手指衛生のタイミングなどについて指導する必要がある。入院患者に対しては，マスクを着けられる年齢であれば診察時など他者と接触があるタイミングや，検査等で病室外に出ざるをえない場合はマスクを着用すること，適切なタイミングで手指衛生を行うことなどを指導する。

（6）職員対応

SARS-CoV-2に対するワクチンの接種を職員に対して徹底することに加えて，院内においてはまずは手指衛生を含めた標準予防策が徹底されていることが重要である。患者診療の場面では，マスク着用に加えて，眼の保護を含めた必要な個人防護具を着用できるように院内での調整を行う。私生活においては，日常からの手指衛生の徹底を基本とし，3密を避ける，リスクとなる行動を可能なかぎり避けることなどを周知する。また体調不良時に無理して働いたりすることがないよう，体調不良時はすぐに職場長に報告のうえで休むことができる環境を整え，休みやすい雰囲気をつくる。体調不良時は休業を徹底することも必要である。有症状の職員に対する検査については施設ごとのリソースとの兼ね合いもあるため，事前にルールを決めておくとよい。また復職についても，あらかじめ基準を設けておく必要がある。

予防処置

執筆時点（2022年5月）では，SARS-CoV-2に関する一般的に利用可能な曝露後予防策は存在しない。

文献

1) 令和3年度厚生労働行政推進調査事業費補助金 新興・再興感染症及び予防接種政策推進研究事業 一類感染症等の患者発生時に備えた臨床的対応に関する研究（代表研究者：加藤康幸）：新型コロナウイルス感染症診療の手引き 第7.2版，2022年5月9日
2) 日本感染症学会 COVID-19治療薬タスクフォース：COVID-19に対する薬物療法の考え方 第13.1版，2022年2月18日
3) 国立感染症研究所，国立国際医療研究センター 国際感染症センター：新型コロナウイルス感染症に対する感染管理 2021年8月6日改訂版

3.11 曝露後予防（麻疹，水痘，百日咳，インフルエンザ，侵襲性髄膜炎菌感染症）

Points
- 曝露後予防が可能な病原体を把握し，必要な場合は遅滞なく**曝露後予防策**をとる。
- 職員の麻疹，水痘，百日咳予防に関しては，**抗体価や各ワクチンの接種歴の把握**を行い，必要時にワクチンの接種を行うことが重要である。

曝露後予防策

小児は多くの感染症に対して感受性が高いため，小児病棟で発生した感染症は広がりやすい。

とくに，免疫不全状態にある患者が多い病棟では，院内感染が重症化・遷延化しやすいことが問題である。これらの感染症のなかには潜伏期が長いものも多く，別の理由で入院した後に発症する「もち込み例」がいつ出現するかわからない。加えて，免疫不全者における帯状疱疹のように再活性化による発症も出現しうる。

いざ病棟内で患者が発生した場合には，曝露後予防（post-exposure prophylaxis）が感染症の重症化の防止や院内感染の拡大防止の観点から重要な対策となる。この際，入院患者だけでなく，付き添い家族や医療者の曝露にも留意すべきである。

有効な曝露後予防策を講じることができる代表的な疾患について述べる。

麻疹

(1) 麻疹の曝露後予防における重要点

麻疹の詳細は3.1節（p.96）を参照してほしい。ここでは，曝露後予防を行ううえでの重要点に絞って述べる。水痘などと同様に，高度の免疫不全者では重篤化しやすく，致死的な経過となることも少なくないため，とくに免疫不全者の入院する病棟では，十分な予防を考慮すべきである。

潜伏期は7〜21日で，発疹出現の4日前から発疹出現後4日まで感染性を有する。免疫不全患者では，さらに長期間ウイルスを排泄する。感染力は非常に強く，臨床診断が困難なカタル期に最も感染性が高いため，水痘などと同様に病棟内第1例発生時点で，すでに他の患者，付き添い家族，医療者が曝露されて数日経過していることが想定される。

(2) 曝露後の予防投与

麻疹ウイルスに曝露された感受性者に対し，曝露後予防を検討する。免疫不全者は，既往やワクチン接種歴がある場合でも再感染のリスクがあり，曝露後予防の対象とする。

曝露後72時間以内の感受性者で，生ワクチンの接種不適当者（免疫不全，妊婦，乳児，ワクチンアレルギーの既往）でなければ，緊急ワクチン接種を行う。生ワクチン接種不適当者，または曝露後72時間を過ぎたが6日以内の場合，γグロブリンの投与が有効で筋注（IMIG）または静注（IVIG）の投与を行う。ハイリスク患者ではない，体重<30 kgの場合は筋注用γグロブリン0.5 mL/kg（最大15 mL）の投与を考慮する（日本における筋注用γグロブリンの医薬品添付文書には，麻疹感染の予防の際の投与量は0.1〜0.33 mL/kgと記載されていることに注意）。免疫不全患者や妊婦などのハイリスク患者，体重≧30 kgの場合は，IVIG 400 mg/kgの投与を考慮する。

曝露後5〜21日目（γグロブリンを投与した場合は28日目）までは麻疹発症のリスクがあり，三次発生を防ぐ対策（曝露者の早期退院，陰圧個室隔離など）を要する。

水痘

(1) 水痘の曝露後予防における重要点

水痘に関する詳細は，3.3節（p.106）を参照してほしい。ここでは曝露後予防を行ううえでの重要点に絞って述べる。

潜伏期は10〜21日で，発疹出現2日前から水疱が痂皮化するまで感染性を有する。感染力が強く，発症前からウイルスを排泄しているため，病棟内発生第1例

を認知した時点で，すでに他の患者や付き添い家族，医療者が曝露されて数日経過していることが多く，迅速な対応が求められる。

帯状疱疹では水疱内で増殖したウイルスの接触感染が主体であるが，播種性帯状疱疹では気道粘膜でもウイルス増殖を認めるため，空気感染および接触感染両方の伝播形式をとる。したがって，播種性帯状疱疹では水痘と同様に扱う。

(2) 曝露後の予防投与

水痘・帯状疱疹ウイルスに曝露された感受性者に対し，曝露後予防を検討する。免疫不全状態にある患者は，既往やVZVワクチン接種歴がある場合でも再感染のリスクがあり，曝露後予防の対象とする。ただし，水痘の曝露後予防は保険適用外である。

曝露後72時間以内の感受性者で，生ワクチンの接種不適当者（免疫不全，妊婦，乳児，ワクチンアレルギーの既往）でなければ，緊急ワクチン接種を行う。生ワクチン接種不適当者，または曝露後72時間を過ぎた場合，抗ウイルス薬の予防内服やγグロブリンの投与を検討する。

接触7〜10日後から7日間，アシクロビル（1回20 mg/kg，1日4回，1日最大量3,200 mg）またはバラシクロビル（1回20 mg/kg，1日3回，1日最大量3,000 mg）の予防内服（ただし，保険適用外）を行うか，接触後10日以内（できるだけ早期）のγグロブリン製剤（ただし，保険適用外）の投与が考慮される。γグロブリンについては，海外では水痘高力価γグロブリン（VariZIG®）が使用されることがあるが，日本では利用できないため通常のγグロブリン静注（IVIG）を400 mg/kgを1回投与する。

最初の接触日から8日後〜最後の接触日から21日後（γグロブリンを投与した場合は28日目）までは発症のリスクがあり，三次発生を防ぐ対策（曝露者の早期退院，陰圧個室隔離など）を要する。

百日咳

(1) 百日咳の曝露後予防における重要点

百日咳に関する詳細は3.5節（p.114）を参照してほしい。百日咳は新生児・乳児では重症化しやすいが，年長児や成人では，長引く咳のみで，典型的な発作性の咳嗽を示さず，しばしば診断が困難である。そのため診断されるまで菌の排出が続き，長期間感染源となる。潜伏期は通常7〜10日（最長5〜21日）であり，感染性はカタル期が最も強く，有効治療開始後5日まで感染性を有する。

とくに乳児や百日咳抗体を有さない免疫不全者が入院する病棟では，入院患者に対してだけでなく，たとえワクチンを適切に接種されていた場合でも，付き添い家族や濃厚接触をした医療者への曝露後予防が大切である。

(2) 曝露後の予防投与

年齢やワクチンの接種歴にかかわらず，感染者と同室入院患者，付き添い家族や医療者などの濃厚接触者にはマクロライド系抗菌薬（エリスロマイシン，クラリスロマイシン，アジスロマイシン）の予防投与が推奨される。ただし，保険適用外である。

新生児にエリスロマイシンおよびクラリスロマイシンを投与する場合には，肥厚性幽門狭窄症の発症に留意する。米国小児科学会（AAP）ではアジスロマイシン5日投与を推奨しているが，日本ではアジスロマイシンは百日咳に対して保険適用外である（ただし，肥厚性幽門狭窄症のリスクはアジスロマイシンが最も低い）。

適切な予防措置をとっていた医療従事者または患者（マスクの着用など）に対しては，予防投与は不要である。

インフルエンザ

(1) インフルエンザの曝露後予防における重要点

インフルエンザに関する詳細は，3.6節（p.118）を参照してほしい。インフルエンザの潜伏期は1〜4日で，発症前日から発症後7日間程度はウイルスの排泄を認めるが，最も感染性の強い期間は発症初期3日間である。感染力は強く，予期せぬ院内発生があると，しばしば院内で大流行が起き，病棟閉鎖や入院制限を余儀なくされることもある。

院内学級やプレイルームでの交流による接触にも，留意した曝露後予防が必要である。また，流行期には面会者からの曝露にも留意すべきである。

(2) 曝露後の予防投与

感染者と濃厚接触した入院患者に対して，承諾を得た

AAP：American Academy of Pediatrics，米国小児科学会

質　問	回　答	
あなたは，発熱していませんか？	している（　　℃）	していない
あなたは，せき・鼻水・のどがいたいなどの症状はありませんか？	ある （症状：　　　　）	ない
1カ月以内に，あなた自身が，はしか（麻しん），水ぼうそう（水痘），帯状疱疹，三日はしか（風しん），おたふくかぜ（流行性耳下腺炎，ムンプス），またインフルエンザにかかっていませんか？	かかった （病名：　　　　）	いいえ
1カ月以内に，はしか（麻しん），水ぼうそう（水痘），帯状疱疹，三日はしか（風しん），おたふくかぜ（流行性耳下腺炎，ムンプス），またインフルエンザにかかった人と，あなたは接触していませんか？	接触した （病名：　　　　）	いいえ
患者氏名　　　　　　　　　　　　　　　　　　面会者氏名		

図1　面会者・付き添い者問診票の例

うえで，抗インフルエンザ薬（オセルタミビル，ザナミビル，ラニナミビル，など）による予防投与を，接触後48時間以内のできるだけ早期に行うことを考慮する。とくに，二次感染することで重篤化が予測されるハイリスク患者には積極的に考慮する。現時点でペラミビルには予防投与の適応はない。

2歳未満の幼児，基礎疾患をもつ患者，免疫不全状態の患者，アスピリンの長期投与を受けている患者は，インフルエンザによる合併症の発症リスクが高いため，これらの患者に接触する医療者に対しても，曝露後の予防投与は考慮される。

 侵襲性髄膜炎菌感染症

（1）侵襲性髄膜炎菌感染症の曝露後予防における重要点

侵襲性髄膜炎菌感染症は，潜伏期間1～10日（多くが4日以内），免疫正常者においても無治療であれば，重篤な経過をたどりうる疾患である。

現在，日本での発症者数はきわめて少ないが，いったん発症者が出た場合，曝露後予防策は積極的に行うべきである。

また，侵襲性髄膜炎菌感染症患者は，治療にセフトリアキソンもしくはセフォタキシムを用いた場合を除き，鼻咽頭の除菌のために，退院前に予防投与するべきである点が他の疾患の場合と異なる。

さらに，曝露後濃厚接触者（ハイリスク接触者）による予防投与の適応となるのは，

①家庭内曝露（とくに2歳未満の小児）
②発症前7日以内の，子どもの世話や保育施設での接触
③発症前7日以内の，初発例（インデックスケース，

表1　侵襲性髄膜炎菌感染症の予防投与のレジメン

薬剤名	具体例（用法等）
リファンピシン	・妊婦には禁忌 ・相互作用に注意 ・生後1カ月未満の場合には専門家に相談 ・生後1カ月以内：5 mg/kgを12時間ごと，2日間 ・1カ月～12歳：10 mg/kgを12時間ごと，2日間（最大600 mg/日） ・12歳以上：600 mgを12時間ごと，2日間
セフトリアキソン	・15歳未満：125 mg筋肉注射，1回投与 ・15歳以上：250 mg筋肉注射，1回投与 注：日本において，医薬品添付文書の用法・用量には筋注の記載なし
シプロフロキサシン	・妊婦，小児に原則禁忌 ・500 mg投与 ・20 mg/kg，1回投与
アジスロマイシン	10 mg/kg（500 mg），1回投与 （予防投与は保険適用外）

※髄膜炎菌性髄膜炎の科学予防として，キノロン耐性菌が報告されている。分離菌の感受性成績をみて，経験的治療として選択した薬剤が耐性の場合には別の抗菌薬にスイッチする。

index case）の分泌物への直接曝露（キスや歯ブラシ，食事用具の共有による唾液の直接接触，密接な社会的接触）
④発症前7日以内の，口対口人工呼吸，気管挿管時の非防護的曝露
⑤発症前7日以内に患者と同じ住居でしばしば寝食をともにする接触
⑥飛行機で8時間以上，患者の隣に座った乗客

表2 感受性医療者の就業制限

感染症	就業制限の期間
麻疹	最初の接触後5日目〜最後の接触後21日目まで
水痘	最初の接触後8日目〜最後の接触後21日目まで（免疫グロブリン製剤を投与された場合は28日目まで）
風疹	最初の接触後7日目〜最後の接触後21日目まで
流行性耳下腺炎	最初の接触後12日目〜最後の接触後26日目まで
百日咳，インフルエンザ	接触後無症状の職員の就業制限は必要ない

集団感染の場合，医療従事者は複数の患者に接触していることになる。
そのため，「最初の患者に接触してから○日目〜最後の患者に接触してから○日目」という期間が，就業制限に設定される。
患者が1人の場合は「接触後○日〜○日目」となる。

〔文献5）を参考に作成〕

などである。

（2）具体的な曝露後予防策

予防的抗菌薬投与について，予防投与のレジメンの具体例を**表1**に示す（ただし日本では，保険適用外である）。

また，血清型A, C, Y, W135の髄膜炎菌による侵襲性髄膜炎菌感染症がアウトブレイクした場合に，米国では生後2カ月以上の小児，および成人には結合型髄膜炎菌ワクチンを接種することが推奨されている[1]。

家族の感染予防

入院中の患者が感染症に罹患しないようにするためには，外部から感染症がもち込まれないようなコントロールが重要である。入院時に，患者だけでなく家族に感染徴候はないか，感染症者との接触はないか，潜伏期間も考慮して聴取する。

面会者には，面会時に同様の内容を問診票（**図1**）などを用いて確認することが，感染症のもち込み防止に重要である。

また，患者から家族に感染することもある。感染した家族が病棟内を移動し，感染を拡大させることもある。あわせて家族間や市中で感染拡大させることもあるため，感染症罹患中の患者には，感染症に感受性のある家族は面会を控えるよう指導する。

職員の感染予防と曝露後就業制限

小児医療に従事する職員は，感染症に曝露するリスクが高い。曝露した場合は感染拡大防止のために，就業制限を遵守し，感染拡大防止に努めなければならない。

感受性者が曝露した場合は，21〜26日と，長期間の就業制限（**表2**）が必要である。職員が長期に就業制限を受けることは医療資源の大きな損失でもあるため，感染症の感受性を検査し，感受性者はワクチンを接種し，感染拡大防止に努める必要がある。ワクチンを接種できない職員や感受性のある職員は，自身の免疫状態を理解し，感染症患者との接触を避ける。

百日咳やインフルエンザは，曝露後無症状の職員の就業制限は必要ないが，発症のリスクは否定できない。感染防止の徹底や新生児や免疫不全者との接触を避ける，就業制限期間内は症状確認票を記載して提出を義務づけるなど，感染拡大防止について施設内の院内感染防止担当者と協議し，対応することが必要である。

文献
1) Red Book, 32nd Edition, American Academy of Pediatrics, pp519-532, 2021
2) 国公立大学附属病院感染対策協議会・編：病院感染対策ガイドライン2018年版（2020年3月増補版）．じほう，2020
3) 森内浩幸：水痘を中心としたウイルス感染症の院内感染制御．小児感染免疫，22(2)：181-186, 2010
4) 日本環境感染学会：医療関係者のためのワクチンガイドライン第3版．環境感染誌，35(Suppl II)：S1-S32, 2020
5) Bolyard EA, et al：Guideline for infection control in health care personnel, 1998 (CDC Personnel Health Guideline). AJIC, 26 (3)：289-354, 1998

Memo

抗微生物薬適正使用

4.1 小児における薬剤耐性菌の問題と抗微生物薬適正使用

Points
- 薬剤耐性菌（AMR）は世界的な健康問題であり，喫緊の国策に位置づけられている．
- 薬剤耐性菌の出現と拡散には抗菌薬使用量が関与する．
- 国内の小児への抗菌薬処方は5歳未満の気道感染症に多く，広域抗菌薬が占める割合が高い．

薬剤耐性菌の問題

薬剤耐性菌は感染症予後を悪化させる公衆衛生学上の脅威と認識されたことをうけ，2015年に世界保健機関は薬剤耐性菌に対する国際行動計画を採択し，2016年に日本政府は薬剤耐性菌アクションプランを発表した．薬剤耐性菌の出現と蔓延は抗菌薬使用に依存することから，その適正使用を進めることが対策の重要な要として掲げられ，2020年までに2013年から33％の経口抗菌薬の削減が数値目標として設定された．一定の成果はあったが，不適切な使用はまだ多く，新たな耐性菌もみられ，継続した対策が求められている．

小児における薬剤耐性菌の問題と抗菌薬適正使用の意義

（1）薬剤耐性菌と感染症予後

一般的に耐性菌による感染症は，非耐性菌による感染症に比して予後が悪いことが知られている．特に障害調整生命年（DALYs）で評価した場合には，特に乳幼児の負担が大きいことが報告されている．また耐性菌別にみた疾病負荷（全DALYに占める割合）は，第三世代セファロスポリン耐性大腸菌が全体の21.9％，MRSAの19.2％，カルバペネム耐性緑膿菌（16％），第三世代セファロスポリン耐性肺炎桿菌（13.2％）と報告されている[1]．

（2）抗菌薬過剰使用の問題点

抗菌薬の過剰な使用が耐性菌の出現や増加につながることは確認されている（表1）．さらに抗菌薬は常在菌層を乱し，下痢症や偽膜性大腸炎につながるほかに，アレルギー疾患やがんなどの発症に関与することも近年明らかになりつつある．

小児における抗菌薬使用状況

（1）日本の抗菌薬使用状況

国内で使用されている抗菌薬の90％以上は経口抗菌薬であり，大多数は外来処方からなる．国内の小児における経口抗菌薬の処方は1～5歳に集中し，特に1歳児に多い（図1）[2]．乳幼児は，感冒など一般的な感染症に罹患するリスクが高く，処方機会が多いことが要因と考えられる．さらに処方内容については，第三世代セフェム，マクロライドを中心とした広域抗菌薬が全体の80％を占める．日本の処方量自体は世界的には中等度であるが，広域抗菌薬の処方割合は世界でも最も高い部類に入ることが特徴である．

（2）小児の疾患別の使用状況

市中で遭遇する小児の感染症に対する抗菌薬の処方実態が調査され，抗微生物薬適正使用について検討されている[3-5]．

気道感染症：15歳以下の小児に使用された抗菌薬の処方理由を報告した研究で，上位診断名は，上気道炎，下気道炎，中耳炎，胃腸炎，インフルエンザであり，気道感染症については30％程度の抗菌薬処方率となっている．さらに，小児に処方される抗菌薬のうち，80％以上が気道感染症（上気道54.6％，下気道26.2％）に処方されている．

A群溶血性連鎖球菌感染症：18歳未満の小児におけ

AMR：antimicrobial resistance，薬剤耐性
DALYs：attributable disability-adjusted life-years，障害調整生命年

表1 抗菌薬使用の問題点

問題点	具体的な事例
病院における耐性菌増加	抗緑膿菌薬（特にカルバペネム系）の使用量と緑膿菌の感受性は相関する。施設内における適正使用の推進の目標値に用いる 【文献】• Pediatric Infection Control Network（PICoNet）：Infect Control Hosp Epidemiol, 41(9)：1042-1047, 2020
市中における耐性菌増加	外来における抗菌薬使用量とペニシリン非感受性肺炎球菌（r＝0.75；p＜0.001），マクロライド耐性肺炎球菌（r＝0.88；p＜0.001）やマクロライド耐性A群溶連菌（r＝0.71；p＝0.004）の割合は相関する 【文献】• Albrich WC, et al：Emerg Infect Dis, 10(3)：514-517, 2004 • Guillemot D, et al：Clin Infect Dis, 41(7)：930-938, 2005
アレルギー	2歳時点までに抗菌薬曝露を受けた小児は，喘息発症，アトピー性皮膚炎，アレルギー性鼻炎発症と関係していた 【文献】• Yamamoto-Hanada K, et al：Ann Allergy Asthma Immunol, 119(1)：54-58, 2017
がん	大腸がん患者は，非がん患者と比べて抗菌薬投与を受けた頻度が高く，量的な相関が認められている。特に，大腸近位端における発症リスクが高く，また嫌気活性のある抗菌薬でより高い関連が認められた 【文献】• Zhang J, et al：Gut, 68(11)：1971-1978, 2019

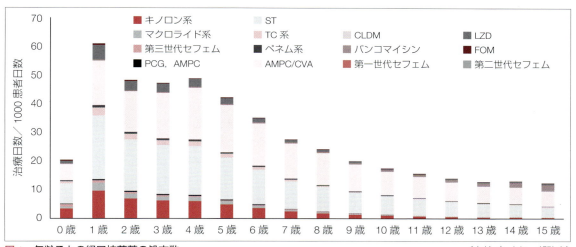

図1 年齢ごとの経口抗菌薬の処方数 〔文献2)より一部改変〕

るA群溶血性連鎖球菌感染症に対する外来処方のうち，第三世代セフェムが53.3％であり，次にペニシリン系抗菌薬が40.1％と続いた。

胃腸炎：急性胃腸炎に罹患した18歳未満の小児に対して，29.6％に抗菌薬が処方されており，18％にホスホマイシンが処方されていた。

文献

1) Cassini A, et al：Attributable deaths and disability-adjusted life-years caused by infections with antibiotic-resistant bacteria in the EU and the European Economic Area in 2015: a population-level modelling analysis. Lancet Infect Dis, 19(1)：56-66, 2019
2) Kinoshita N, et al：Nationwide study of outpatient oral antimicrobial utilization patterns for children in Japan (2013-2016). J Infect Chemother, 25(1)：22-27, 2019
3) Uda K, et al：Targets for optimizing oral antibiotic prescriptions for pediatric outpatients in Japan. Jpn J Infect Dis, 72(3)：149-159, 2019
4) Okubo Y, et al：Recent patterns in antibiotic use for children with group A streptococcal infections in Japan. J Glob Antimicrob Resist, 13：55-59, 2018
5) Okubo Y, et al：Recent prescription patterns for children with acute infectious diarrhea. J Pediatr Gastroenterol Nutr, 68(1)：13-16, 2019

4.2 病院における抗微生物薬適正使用支援プログラム

Points
▶ **抗微生物薬適正使用支援加算**が導入されたが，その取得には一定の要件を満たす必要がある。
▶ **抗微生物薬適正使用支援チーム（AST）**は多職種が連携して成り立つ組織である。
▶ 適正使用の推進には，抗微生物薬の使用許可制度のほかに，**prospective audit feedback**，**教育**が必要である。

 抗微生物薬適正使用支援プログラムの実践

(1) 組織づくり

病院において抗微生物薬適正使用を推進するには，病院長の命のもと，院内の正式な組織として，抗微生物薬適正使用支援チーム（AST）を設置し（図1），メンバーに責務とともに権限を与えることが必須である。ASTのメンバーには感染症専門医，薬剤師，看護師，臨床検査技師，事務担当者のほか，利害関係にある各診療部門の代表者の参加が必要である。

ASTメンバーは，臨床指標をモニタリングし，処方介入を行う。抗微生物薬の適正使用（薬剤の選択，投与量，投与期間など）が実際に，患者予後の改善，耐性菌出現や薬剤副作用の減少，医療費削減に寄与しているかを包括的に評価するためには，継続的な活動と多職種の協力が必要である。

(2) システムづくり

AST組織を結成した後に，具体的な作業として以下を行う。

①院内採用抗微生物薬の見直し（ASTで審議，薬剤委員会や院内感染対策委員会（ICC）で決議）

既存の抗微生物薬については原則として，
- 小児，妊婦において，より効果があり，安全性のデータのある抗微生物薬を継続
- 同様の効果をもつ抗微生物薬では，国際的に，よりデータのあるほうを採用

とする。

具体的には，特定疾患においてランダム化比較試験（RCT）が行われ，治療効果と安全性が確認されているものを選択する。新規の抗微生物薬採用に関しては，臨床的な必要性を加味し，前述の基準を必要条件とする。また，以下のような対処も考慮する。

- 院内採用の抗微生物薬を，エビデンスや使用用途が明確なものに制限し，同効薬は削除する。
- バンコマイシン・テイコプラニン・リネゾリドなどの抗MRSA薬，カルバペネム系抗菌薬，キノロン系抗菌薬は原則として許可制にする。
- 施設の患者特性や薬剤耐性菌の頻度により，必要と考えられる抗菌薬は異なるが，必要性の少ない一部の薬剤（リネゾリド，チゲサイクリン，ニューキノロン系など）については，限定採用として院内処方録に掲載しない。

②許可制・届出制の採用（ASTで審議）

広域抗菌薬の届出制度は，いずれの医療機関でも最低限必要とされているが，抗菌薬の処方制限にはつながりにくく，実行性をもたせるためには，処方制限のかかる許可制度が必要である。

③微生物学的なモニタリング（臨床検査室）

アンチバイオグラム（エンピリック治療を決定するための指標として，年間を通して分離された特定の菌種の抗菌薬感受性をまとめたもの）の作成が必須である。これは1年ごとに更新し，院内全体に周知する。

④抗微生物薬使用量モニタリング（薬剤部）

抗微生物薬の使用量は，抗微生物薬の種類・月ごとに算出し，AST，感染制御チーム（ICT）と共有する。

AST：antimicrobial stewardship team，抗微生物薬適正使用支援チーム

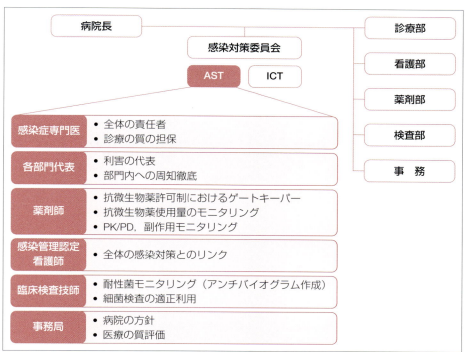

図1 抗微生物薬適正使用支援チームの組織例

（3）ASTによる介入の基本骨子

ASTに関わる国内外のガイドラインは，積極的（active）なアプローチとして，
- A1 =「現場への直接介入とフィードバック」
- A2 =「院内抗微生物薬の使用制限と事前の使用許可・届出制」

の2軸を提示している（図2）。
さらに付加的（supplemental）なアプローチとして，
- S1 =「感染症教育」
- S2 =「ガイドラインとクリニカルパスの作成」
- S3 =「抗微生物薬オーダー用紙」
- S4 =「抗微生物薬の併用療法」
- S5 =「de-escalation」
- S6 =「投与量の調節」
- S7 =「静注薬から経口薬への変更」

の要素を掲げている。なかでもA1，S2，S7はエビデンスレベルが高く，強く推奨されている。

A1：介入とフィードバック

感染症専門医や感染症教育を受けた薬剤師による直接介入が，適正使用推進には不可欠である。不適切な処方に対してフィードバックを行い，他薬への変更を促す作業が求められ，高い専門性を要する。この場合，処方制限そのものが目的ではなく，患者予後を改善することが主目的であることに留意すべきである。

実際には，主治医から専門家への患者相談（コンサルテーション）であることが望ましく，感染症全般の深い知識をもつ医師，あるいは，抗微生物薬のTDMやPK/PDに精通した薬剤師の存在が不可欠である。また円滑な関係の構築には時間を要する。

A2：抗微生物薬許可制の流れ

- 制限対象抗微生物薬ではオーダー上で制限がかかり，薬剤師への連絡による制限解除により，短期間（3〜5日）の処方が可能となるシステムを導入する。
- 処方医は処方理由を記載した使用許可願いを提出し，AST担当者（感染症専門医）が評価し，処方の延長の是非および期間を決定する。判定に対する疑義はAST委員長に申し立てし，議論する（図3）。

S1：感染症教育

感染症全般に関する知識や抗微生物薬の使い方は，すべての医療従事者にとって必要な基本的知識である。各医療機関の施設基準において求められている年に数回の教育講演，抗微生物薬適正使用マニュアルの整備などは必須である。一方で，講義形式の教育だけでは，

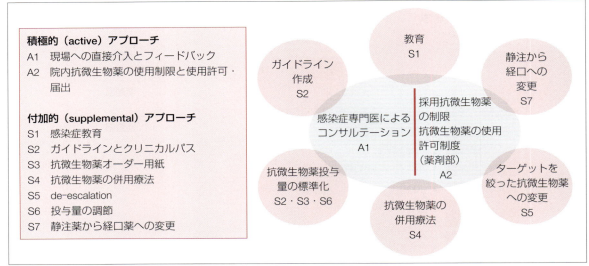

図2 抗微生物薬適正使用支援プログラムの骨子

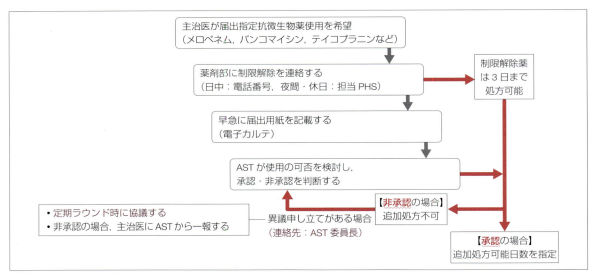

図3 許可制運用の流れ

行動変容には結びつきにくい。

　すなわち，感染症専門医の併診や相談により，患者を通した日常診療のなかでの継続的な教育や，レジデントを中心とした若手医師への少人数での感染症勉強会などが，行動変容には不可欠である。

S2：ガイドラインの利用

　自施設における微生物の疫学を加味した，エビデンスにもとづいた診療ガイドラインを作成する。また，これは各診療科を中心に作成し，ASTが監修することで，自主性と適性のバランスを保つ。

S3：抗微生物薬オーダー用紙

　抗微生物薬の適応症や投与量を記載した定型のオーダー用紙を用いることで，的外れな処方や処方ミスを回避することが可能である。ただし，紙面によるオーダーの場合は処方薬を絞ったリストの掲載が可能で，導入は比較的容易であるが，電子カルテによる処方の場合は各施設における情報管理システムとの協力作業が必要となる。

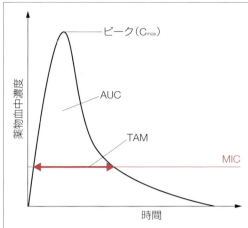

図4 PK/PD パラメータ

S4：抗微生物薬の併用療法

抗微生物薬が併用される状況は日常診療では多々存在するが，本来，併用療法が必要とされる感染症は限定的である（たとえば，併用による耐性化を防ぐために，結核の治療などでは多剤併用療法が行われる）。

不要な併用療法は，腎障害などの副作用の増加とも関係する。したがって，細菌性髄膜炎，敗血症などの救命が優先される重症感染症における初期治療でも，原因菌が同定された後には不要な抗菌薬を中止する必要がある。

併用が治療上必要とされる感染症には，結核，感染性心内膜炎（β-ラクタム系＋アミノグリコシド系），侵襲性 B 群溶血性連鎖球菌（GBS）感染症や侵襲性腸球菌感染症における初期段階でのアミノグリコシド系併用，壊死性筋膜炎におけるクリンダマイシン併用，クリプトコッカス髄膜炎におけるアムホテリシン B とフルシトシン併用など，比較的特殊な事例に限られる。

S5：de-escalation

重症感染症の初期に開始された広域抗菌薬，併用抗菌薬を培養結果に応じて，より狭域の抗菌薬に変更することを，de-escalation（段階的縮小）という。de-escalation は病原体治療に対する最適化の過程でもある。たとえば，MRSA 以外の黄色ブドウ球菌感染症に対してはより広域なバンコマイシンよりも第一世代セフェム系の治療効果が高いことや，腸球菌感染症に対してはカルバペネム系よりアンピシリンの効果が高いことなど

が，例としてあげられる。

S6：投与量の調整（PK/PD 理論）

抗菌薬治療の最適化には，各抗菌薬の特性を踏まえた PK/PD 理論にもとづく調整が必要である。

Pharmacokinetics（PK）は日本語では薬物動態学と訳され，Pharmacodynamics（PD）は薬力学と訳される。"PK" とは，「薬剤の投与量，投与経路，投与間隔等と，体内（主に血中）濃度の関係」であり，これは薬物の体内での吸収，分布，代謝，排泄等と密接に関係する。対して "PD" とは，「体内薬物濃度と効果（もしくは副作用）の関係」である。すなわち，PK/PD 理論とは，この PK と PD を組み合わせ，最大限の効果（もしくは最小限の副作用）を達成するための投与設計を得るための考え方である。

なお，抗菌薬の種類により投与設計の指標となるパラメータ（図4）が異なり，時間依存性の抗菌薬では最小発育阻止濃度（MIC）より高い血中濃度で推移した時間（time above MIC：TAM），濃度依存性の抗菌薬では最高血中濃度（C_{max}）に対する MIC の割合（C_{max}/MIC），または薬物血中濃度－時間曲線下面積（AUC）に対する，MIC の割合（AUC/MIC）が参考となる。

また，治療薬物モニタリング（TDM）とは，治療効果や副作用に関わる因子をモニタリングしながら，薬剤の投与量，投与間隔などを調整し，個々の患者ごとに最適な治療を行うことである。TDM が必要になる薬物の特徴としては，治療薬が効果を発揮する濃度と，副作用が

MIC：minimum inhibitory concentration，最小発育阻止濃度
AUC：area under the blood concentration time curve，薬物血中濃度－時間曲線下面積
TDM：therapeutic drug monitoring，治療薬物モニタリング

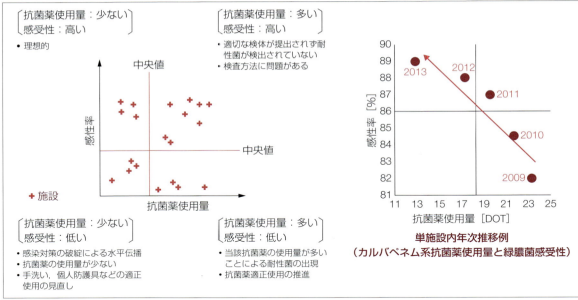

図5　AST介入後のカルバペネム系抗菌薬の使用量と緑膿菌のカルバペネム感受性の年次推移　〔文献1)より〕

出現する濃度の差（therapeutic window，治療域）が狭いことや，血中濃度が副作用域に達した場合に出現する副作用が重篤であることがあげられる。

対して，患者側の要因としては，肝腎機能障害による薬剤の代謝・排泄の低下や，広範囲の熱傷や腹水などによる体液漏出などで，体内における薬剤の分布容積が大きく変化し，治療域を達成するための投与量，投与方法の予測が困難な場合がある。

このほか，血液透析や体外膜式人工肺（ECMO）などの体外循環があり，薬剤の分布容積や排泄が大きく変化する場合，使用中の薬剤との相互作用が大きい薬剤を併用している場合，髄膜炎，敗血症などの重篤な感染症で，薬物濃度を迅速に適切な治療域に到達させる必要がある場合にも，TDMは有用である。

S7：静注薬から経口薬への変更

疾病の種類により，静注薬から生物学的利用率（bioavailability）の優れている経口薬に変更する方法をとることにより，入院期間の短縮や医療費の削減につながる。一般的に，第三世代セフェム系の生物学的利用率は低い。経口薬への変更が可能な疾患については，多くの場合，アモキシシリン，第一世代セフェム系抗菌薬，スルファメトキサゾール・トリメトプリム（ST合剤）などの経口薬で治療が可能である。

（4）モニタリング

ASTメンバーは以下の臨床指標を集計し，週・月ごとに評価を行う。下記の項目は感染対策向上加算，連携強化加算，サーベイランス強化加算等の施設基準等，病院機能評価の指標として，求められる可能性がある（2022年5月現在）。

①週ごと
- 処方制限薬の使用届出の遵守状況を評価する。
- 長期処方・不適正使用者のリストを確認し，フィードバックする。

②月ごと
- 抗微生物薬使用量：100患者・日（100×患者数×日数）あたりの使用日数（DOT）で提示（制限対象薬のほかに，監視対象薬としてタゾバクタム・ピペラシリン，セフェピムなどの抗緑膿菌活性のある薬剤の使用量をモニタリングする）
- 長期処方：14日以上使用している症例の割合，介入率
- 制限対象薬の届出遵守率，不適切使用の介入率

③年次
- 細菌の抗菌薬感受性と抗菌薬使用量との相関（antibiotic use and resistance），および，特定の

ECMO：extracorporeal membrane oxygenation，体外式膜型人工肺
DOT：days of therapy，抗菌薬治療日数

細菌の調査対象薬に対する感受性と調査対象薬の使用量をプロットする。図5に例として，AST介入後のカルバペネム系抗菌薬の使用量と緑膿菌のカルバペネム感受性の年次推移を示す。
- 抗微生物薬処方費用の算出を行う。

 小児における特徴

成人における抗微生物薬使用量の指標として抗微生物薬使用密度が用いられるが，患者ごとに投与量が大幅に異なる小児においては，DOTの使用が適切であることが，日本小児総合医療施設協議会（JACHRI）の検討で明らかになっている。DOT算出にあたっては，1日のなかで1回でも投与があれば1DOTとし，100患者・日を母数とする。

成人においてPK/PDの有効性が示されているのは，アミノグリコシド系の単回投与と，重症緑膿菌感染症に対するピペラシリンの投与時間延長などである。ただし，小児におけるPK/PDについては明らかでない点が多々存在するため，成書を参考にされたい。

文献
1) Monnet DL：Toward multinational antimicrobial resistance surveillance systems in Europe. Int J Antimicrob Agents, 15(2)：91-101, 2000
2) Bradley JS, et al：Choosing Among Antibiotics Within a Class: Beta-Lactams, Macrolides, Aminoglycosides, and Fluoroquinolones. In: 2014 Nelson's Pediatric Antimicrobial Therapy 20th Edition. American Academy of Pediatrics, Elk Grove Village, p.5, 2014
3) Gerber JS, et al：Identifying targets for antimicrobial stewardship in children's hospitals. Infect Control Hosp Epidemiol, 34(12)：1252-1258, 2013

Memo

4.3 外来における抗微生物薬適正使用支援プログラム

Points
- 日本での抗菌薬処方の 90％ 以上は経口薬であり，**一次医療機関における適正使用**が重要となる。
- 外来で抗微生物薬適正使用支援プログラムを実施していくための中核となる **4 つの要素**がある。

日本での外来における抗菌薬の処方実態と適正使用推進のターゲット

国内の抗菌薬の処方状況は 90％以上が経口薬であり[1]，外来での抗微生物薬適正使用が重要となる。二次・三次医療機関での一般・救急外来で処方される抗菌薬は，前節「4.2 病院における抗微生物薬適正使用支援プログラム」のなかで実践可能であるが，経口抗菌薬の処方の大半を占める一次医療機関はフィードバックが受けにくい環境にある。日本では，皆保険制度，乳幼児医療制度を背景とし，諸外国と比較して医療アクセスが良く，受診機会が多いという特徴がある。日本における小児の抗菌薬処方を世界と比較すると，先進国のなかでは広域抗菌薬が占める割合が群を抜いて高く，途上国を含めても中国，バングラディシュに次ぐ高さとなっている[2]。

日本での抗菌薬の処方実態（抗菌薬の種類，年齢，疾患名，診療科，処方頻度）について，ナショナルデータベースを中心とした解析が行われており，その結果を**表 1** に示した。2013 年から 2016 年にかけての日本の小児に対して処方された経口抗菌薬の内訳は，ペニシリン系 13％，セフェム系 36％，マクロライド系 38％，ニューキノロン系 6％であり，年齢別では就学前の 1〜5 歳で抗菌薬処方が最多であった[3]。疾患名（保険病名）では，小児の経口抗菌薬使用の 81％が気道感染症（上気道炎：55％，下気道炎：26％）に使用されていた[4]。診療科（標榜科）ごとで抗菌薬処方量を調査した報告では，耳鼻科での抗菌薬の処方が最多であり，小児科よりも多いことが明らかとなった[5]。さらに感染症病名のついた初診患者に対する抗菌薬処方頻度の検討では，処方頻度のばらつきが多いことが明らかとなっている[6]。

上述の解析結果は，処方頻度の多い「年代，病名，診療科」に対する抗微生物薬適正使用の啓発の重要性を示唆している。

外来における抗微生物薬適正使用支援プログラムの実践のポイント

日本感染症学会，日本化学療法学会を含む 8 学会合同の抗菌薬適正使用支援プログラム（ASP）実施のためのガイダンスが出されているが[7]，これらは主に二次・三次医療機関を対象としており，一次医療機関での具体的な方法論については記載が乏しい。米国疾病予防管理センター（CDC）は外来での ASP を行っていくための中核となる 4 つの要素，すなわち①深い関心をもつこと，②実行すること，③処方の把握と報告，④教育と専門家の助言をあげている（**表 2**）[8]。

（1）深い関心をもつこと（commitment）

医療者は適正使用に関心をもち，患者および医療者に対する啓発活動に取り組む必要がある。医療者への啓発として，厚生労働省は 2016 年に「薬剤耐性（AMR）対策アクションプラン」を発表し，具体的な抗菌薬処方の削減目標を掲げた。それにともない，「抗微生物薬適正使用の手引き」を公開し，抗菌薬が必要とならない対象を明示した。また，啓発活動として薬剤耐性対策に関するポスターを作成し，全国の市町村に配布している。米国では，成人患者を対象とした 5 カ所の一次医療機関で実施されたランダム化比較試験で，啓発ポスター（診察室内に担当医師の写真やサイン入りのポスター）により不適切な抗菌薬処方が減少したことが報告されており[9]，日本でもポスター配布等の啓発活動による効果を期待したい。

ASP：antimicrobial stewardship program，抗菌薬適正使用支援プログラム

表1　日本での抗菌薬処方実態

抗菌薬	解析結果	データベース
種類[3]	小児の抗菌薬処方量（DOTs）の内訳 　ペニシリン系：13% 　セフェム系：36% 　マクロライド系：38% 　ニューキノロン系：6%	薬剤レセプト 2013〜2016年
年齢[3]	小児の抗菌薬処方量（DOTs） 　1〜5歳が最多	薬剤レセプト 2013〜2016年
疾患名[4]	小児の病名ごとの抗菌薬処方量（DOTs） 　気道感染症：81% 　（上気道炎：55%，下気道炎：26%）	薬剤レセプト 医科レセプト 2013〜2016年
診療科[5]	国内3地域（東京都世田谷区，東京都府中市，兵庫県神戸市）における診療科別抗菌薬処方量（DOTs） 　耳鼻科：43% 　小児科：34% 　内科・小児科：9% 　皮膚科：6% 　内科：5%	薬剤レセプト 2013〜2016年
処方頻度[6]	感染関連病名の小児初診患者への抗菌薬処方頻度 　中央値：44.5%，四分位範囲：27.0〜62.8%，範囲：1.6〜97.7%	薬剤レセプト 医科レセプト 2013〜2018年

DOTs：days of therapy（抗菌薬処方日数）

表2　外来で抗菌薬適正使用を推進していくうえで重要な4つの要素

	中核となる要素	説明
1	Commitment 深い関心をもつこと	抗菌薬の適正使用と患者の安全に対して深く考え、処方に責任を持つこと
2	Action for policy and practice 実行すること	少なくとも1つの方策を行動にうつし、抗菌薬の処方の改善、評価、必要に応じた修正を行う
3	Tracking and reporting 処方を把握し報告すること	抗菌薬処方を把握し、臨床医に定期的にフィードバックする、または臨床医自身で自身の抗菌薬処方を振り返る
4	Education and expertise 教育と専門家の助言	臨床医と患者に対して抗菌薬処方に関する教育的コンテンツを提供し、適正使用に専門家委の助言が必要かどうかを評価する

表3　日本における小児に関連した薬剤耐性菌対策としての政策

発表時期	内容	備考
2016年	薬剤耐性アクションプランの策定	
2017年	抗微生物薬適正使用の手引き（第1版）の公表	6歳以上の小児が対象
2018年	小児抗菌薬適正使用支援加算の開始	3歳未満が対象
2019年	抗微生物薬適正使用の手引き（第2版）	乳幼児編が追加
2020年	小児抗菌薬適正使用支援加算の年齢拡大	対象年齢が6歳未満へ変更
2022年	小児抗菌薬適正使用支援加算の対象診療科変更	耳鼻咽喉科が対象 対象年齢は6歳未満

日本では，2018年4月から「小児抗菌薬適正使用支援加算」が開始となった（表3）。これは急性気道感染症または急性下痢症で受診した際に，「抗菌薬が不要な病態である」と説明することにより80点の診療報酬加算がつく制度である。医療者の抗菌薬適正使用への関心向上，保護者に対する啓発という点で有効性が期待される。加算導入前後で抗菌薬処方を比較した調査では，加算対象年齢の抗菌薬処方は減少し，さらに加算の対象年齢外の患者でも処方が減少したことが報告されている[10]。このような結果から，抗菌薬適正使用支援加算は，医療者および保護者に対する啓発として一定の効果が期待される。さらに，2022年度の診療報酬改定から，耳鼻咽喉科に対する抗菌薬適正使用支援加算が導入された（表3）。

(2) 実行すること
(action for policy and practice/stewardship program intervention)

二次・三次医療機関では，前項で紹介した「抗微生物薬適正使用支援プログラム」の実行が重要となるが，一次医療機関での実行は容易ではない。そのなかでも，採用薬の見直し，許可制・届け出制は困難であり，処方量モニタリングも一定の労力を要する（後述）。抗菌薬適正使用を実践することで過去と異なる診療を行うことになる臨床医が含まれる可能性があり，行動変容を起こすのは容易ではない。しかし，ワクチンの導入などを背景に細菌感染症の疫学情報は変化しており，それらの情報をもとに診療内容を変化させることは臨床医にとって重要なスキルである。厚労省が公開している「抗微生物薬適正使用の手引き」[11]は，どのように診療を変えていけばよいかわからない医師にとって有用な指針となりうる。

(3) 処方を把握し報告すること
(tracking and reporting)

二次・三次医療機関での処方の振り返りは，前項のASTを中心とした取り組みで処方動向を可視化することが可能である。一方，一次医療機関での処方動向の可視化については，具体的な方法論は確立していない。スウェーデンでは，一次医療機関での処方動向を集計するシステムを導入しており，適正使用の推進に有効であったことが報告されている[12]。日本国内での取り組みとして「門前薬局と連携した処方動向の振り返り」により，抗菌薬処方の可視化やセルフフィードバックを行い，適正使用推進に有効であったとする報告がある[13]。本報告は，一次医療機関での抗菌薬処方の振り返りが不可能ではないことを示唆しているが，門前薬局での集計に一定の負荷がかかるため，一次医療機関を対象とした抗菌薬処方の集計システム，可視化ツールの開発，導入が望まれる。

(4) 教育と専門家の助言
(education and expertise)

患者教育ツールとして，AMR臨床リファレンスセンター（国立国際医療研究センター内）のホームページ（http://amr.ncgm.go.jp/materials/）には，さまざまな年代を対象としたポスターや動画が公開されている。外来診療のなかで啓発活動を実施するには，時間や手間がかかるため，動画などの啓発ツールの有効活用，コメディカルと役割分担を行いながら実施していくことが必要になる。米国では，プライマリーケア医が急性上気道症状の小児患者に対して，抗菌薬のデメリットのみを伝えるより，メリットとデメリットの両方を伝えたほうが抗菌薬処方の減少と家族からの評価の上昇に寄与したとする報告があり[14]，日本でもどのような啓発方法の有効性が高いのかを検討していく必要がある。「抗微生物薬適正使用の手引き 第二版」[11]で乳幼児に対する項目が追加されており，医療者への啓発に重要な役割をもつ。また，地域の医療機関で連携し，小児感染症専門医と情報交換ができる環境があれば理想的である。

今後の課題

地域の抗微生物薬適正使用を推進していくうえで，二次・三次医療機関とプライマリーケアを担う一次医療機関との連携は必須である。プライマリーケアの現場で適正使用に取り組んでも，夜間等に二次・三次医療機関の救急外来を受診した際に，感冒に対して抗菌薬が処方される環境では，地域全体としての取り組みは機能しない。日頃から，薬剤耐性菌に対する問題意識と実践方法を共有しておく必要がある。また，ステークホルダーとしての保健所がリーダーシップをとり，二次・三次医療機関，医師会，薬剤師会等と連携する必要がある。一次医療機関の主体は無床診療所の開業医であり，その開業医の多くが所属する医師会でコンセンサスが得られるかどうかも重要となる。地域の薬剤師会，保険薬局の薬剤師の薬剤耐性菌対策の必要性への理解も同様に重要である。

文献

1) Yamasaki D, et al：The first report of Japanese antimicrobial use measured by national database based on health insurance claims data（2011-2013）: comparison with sales data, and trend analysis stratified by antimicrobial category and age group. Infection, 46（2）：207-214, 2018
2) Hsia Y, et al：Consumption of oral antibiotic formulations for young children according to the WHO Access, Watch, Reserve（AWaRe）antibiotic groups: an analysis of sales data from 70 middle-income and high-income countries. Lancet Infect Dis, 19（1）：67-75, 2019
3) Kinoshita N, et al：Nationwide study of outpatient oral antimicrobial utilization patterns for children in Japan（2013-2016）. J Infect Chemother, 25（1）：22-27, 2019
4) Uda K, et al：Nationwide survey of indications for oral antimicrobial prescription for pediatric patients from 2013 to 2016 in Japan. J Infect Chemother, 25（10）：758-763, 2019
5) Uda K, et al：Targets for optimizing oral antibiotic prescriptions for pediatric outpatients in Japan. Jpn J Infect Dis, 72（3）：149-159, 2019
6) Okubo Y, et al：Change in clinical practice variations for antibiotic prescriptions across different pediatric clinics: A Japan's nationwide observational study. J Infect Chemother, 27（11）：1621-1625, 2021
7) 8学会合同抗微生物薬適正使用推進検討委員会：抗菌薬適正使用支援プログラム実践のためのガイダンス．感染症学雑誌, 91（5）：709-746, 2017［https://www.kansensho.or.jp/uploads/files/guidelines/1708_ASP_guidance.pdf］
8) Sanchez GV, et al：Core elements of outpatient antibiotic stewardship. MMWR Recomm Rep, 65（6）：1-12, 2016
9) Meeker D, et al：Nudging guideline－concordant antibiotic prescribing: a randomized clinical trial. JAMA Intern Med, 174（3）：425-431, 2014
10) Muraki Y, et al：Impact of antimicrobial stewardship fee on prescribing for Japanese pediatric patients with upper respiratory infections. BMC Health Serv Res, 20（1）：399, 2020
11) 厚生労働省：抗微生物薬適正使用の手引き 第二版（健感発1205第1号, 令和元年12月5日）［https://www.mhlw.go.jp/content/10900000/000573655.pdf（2022年5月）］
12) Mölstad S, et al：Lessons learnt during 20 years of the Swedish strategic programme against antibiotic resistance. Bull World Health Organ, 95（11）：764-773, 2017
13) 黒崎知道：クリニックにおける外来抗菌薬処方動向分析―保険薬局と連携した簡便なセルフチェックの有効性―．感染症学雑誌, 94（3）：304-309, 2020
14) Mangione-Smith R, et al：Communication practices and antibiotic use for acute respiratory tract infections in children. Ann Fam Med, 13（3）：221-227, 2015

4.4 新生児・NICUにおける抗微生物薬適正使用

Points
- 新生児に対する抗菌薬投与によって，**壊死性腸炎**や**真菌感染症**を発症するリスクが増大する可能性がある。
- 早発型敗血症の詳細なリスクアセスメントによって，新生児への**エンピリック治療**を減らせる可能性がある。
- 血液培養結果にもとづく治療開始後の**早期の抗菌薬中止**により，総投与期間を減らすことが可能である。

抗菌薬投与が早期産児に及ぼすデメリット

抗菌薬を投与することで，正常な常在菌叢の特徴である菌の多様性が失われ，結果として細菌叢の変容（dysbiosis）や薬剤耐性菌保菌に至ることが確認されている。早期産児に対する5日以上の抗菌薬投与は，壊死性腸炎，気管支肺異形成，真菌感染症，網膜症，脳室周囲白質障害，死亡と関連することが報告されている（図1，表1）。これらの事象は，因果関係の証明には至っていないため解釈には注意が必要であるが，真菌感染症の発生などは，ほかの患者層でも知られている想定内の事象である。

早発型敗血症のリスク評価を行うための方策

米国の新生児GBS予防ガイドラインは，1996年の初版以降も複数回の改訂を経ている。いずれもリスク因子を踏まえ，母体や新生児に検査や抗菌薬投与などの介入を行うことが推奨されている。2002年の指針では，母体に絨毛膜炎の所見があった場合，あるいはリスク因子があるにもかかわらず母体への予防的抗菌薬投与が行われなかった場合に，新生児に対する介入を行うことが推奨として記載されていた。これは状態が安定している多くの児への過剰な抗菌薬投与につながっていた。その後改訂された2010年のガイドラインに準拠しても，13％が検査対象となり，11％が抗菌薬投与を受けるこ

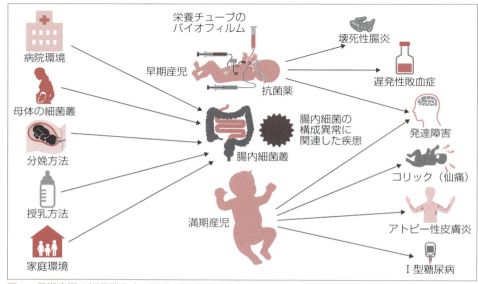

図1 早期産児の細菌叢変容の因子と関連する疾患 〔文献1）より〕

表1 早期産児が抗菌薬曝露を受けるリスク

アウトカム	報告されている事象
壊死性腸炎	長期の抗菌薬投与によって，壊死性腸炎発症のリスクが上昇した
侵襲性真菌感染症	第三世代セファロスポリンとカルバペネム系抗菌薬の投与歴がある児では，真菌感染症のリスクが高くなる
死亡	長期の抗菌薬投与を受けた児は，死亡リスクが高かった

〔文献2)を参考に作成〕

表2 新生児期の抗微生物薬適正使用の取り組みと効果

主な戦略	具体的な介入内容	抗微生物薬使用の減少幅
抗微生物薬使用を制限する	治療開始基準のプロトコル化	有意な変化なし〜10%程度
投与期間を短縮する	開始後48時間で自動的に中止	27〜35%減少
複合的な対策	上記のほかに，モニタリングとフィードバック，血液培養陰性報告を週末に行うなど	27〜76%減少

〔文献3)を参考に作成〕

とになったと報告されている。

従来の評価法ではリスク因子の重みづけが困難で，過剰な検査や治療につながる可能性が高く，2019年の改訂においてはリスク因子の評価法としてneonatal sepsis calculator（https://neonatalsepsiscalculator.kaiserpermanente.org/）が推奨されている。

Neonatal sepsis calculatorは保険診療のビッグデータをもとに開発されたもので，在胎34週以降に出生した児における早発型敗血症の発症リスクを，出生時の状態・情報（母体の体温，在胎週数，破水後の経過時間，母体GBS培養結果，母体への分娩中の抗菌薬投与の有無）から予測するツールであり，具体的なリスクを数値化できることが特徴である。患者の状態に関する評価方法についても客観的な指標を用いている。さらに，この予測をもとに，児への介入については，エンピリック治療群，評価対照群，経過観察群の3群に分けた対応が推奨されている。Neonatal sepsis calculatorを用いた診療が行われた結果，血液培養採取件数は14.5%から4.9%に減少し，生後24時間以内の抗菌薬投与は5.0%から2.6%に減少したにもかかわらず，感染症予後は変わることはなかった。

NICU・新生児における抗微生物薬適正使用の推進

抗微生物薬の使用開始の制限のほか，治療期間の短縮を主目的とした複合的な介入による成果があがっている。感染対策と同様に，複数の介入を同時に行うバンドルアプローチが最も成果があがることが報告されている（表2）。治療の最適化は，抗微生物薬を適時に使用することでもあり，新生児医療や感染症診療に精通していることが求められる。最終的にこれらの介入を行うことにより，新生児のアウトカムが改善するか否かは今後の検討課題である。

文献

1) Underwood MA, et al：Neonatal intestinal dysbiosis. J Perinatol, 40(11)：1597-1608, 2020
2) Esaiassen E, et al：Antibiotic exposure in neonates and early adverse outcomes: a systematic review and meta-analysis. J Antimicrob Chemother, 72(7)：1858-1870, 2017
3) Rajar P, et al：Antibiotic Stewardship in Premature Infants: A Systematic Review. Neonatology, 117(6)：673-686, 2020

Memo

アウトブレイク時の対応

5.1 感染症の集団発生時の対応（院内での危機管理・保健所への届出）

Points
▶ 感染症の集団発生に備えて，平時から院内での**危機管理体制**を整備しておくことが重要である。
▶ **アウトブレイク**が疑われる事例が発生した場合，発生部署での患者対応および実地疫学調査を行い，状況に応じて**保健所への届け出**が必要となる。

アウトブレイクの危機管理体制は平常時から整備する

医療機関では日常的に毎日，臨床分離菌や迅速診断検査のモニタリングを行うとともに，症候からの感染症サーベイランスの情報を診療科や看護部から収集し，日々の院内の感染症発生動向の把握に努める必要がある。現在一部の医療機関では，検査情報を収集したデータベースをもとに感染制御部（感染対策室）部門システムなどの稼働により，院内アウトブレイク監視マップが瞬時に閲覧可能となっている。また時系列の病原菌検出情報から，菌種・薬剤耐性などを区別して時系列の検出件数を表示することが可能であり，この数値を，統計的工程管理により部門システムの画面上での色別やアラート表示を利用して，警告することが可能である（**図1**）。こうした電子カルテと連動した部門システムは，感染対策業務の効率化や的確な対応をとるための重要なツールとなる。

感染症アウトブレイク（保菌を含む）の発生時には，いかに初動体制を俊敏に立ち上げ，対策に着手したかが最終的に二次・三次発症者発生の抑止につながる。

図2に，その発生～収束にいたるまでの流行曲線（epidemic curve）のモデルを示す。

病原体によっては，その強力な伝播力により，疑わしい患者が1例発生した段階で，施設内アウトブレイクの発生を想定して対応すべきものもある。感染症ごとに1人患者が発生すると，その感染症に免疫がない人たちの集団のなかで，どれだけの人に伝播するかという指数

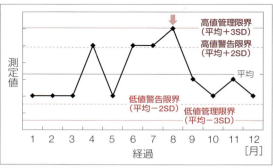

図1 統計的工程管理

が算出されており，「基本再生産数 R_0」とよばれている。R_0 が特に高い感染症としては麻疹：$R_0 = 12～18$ と百日咳：$R_0 = 12～17$ である。一方，ノロウイルス：$R_0 = 1.64～6.41$，インフルエンザ：$R_0 = 1.4～4$ と算出されている（付録⑦，p.308）。

病原体別のアウトブレイク調査開始の閾値設定を，各施設の感染対策マニュアルに附記しておくとよい。さらに院内で広がりやすい重要な病原体については，各施設内で初動体制として病原体ごとにどのような体制をとるのかについて，事前に施設内取り決めやワークフローを作成しておくべきである[1]。**図3**には施設内でバンコマイシン耐性腸球菌（VRE）が1例発生した場合のワークフローの例を示す。

カルバペネム耐性腸内細菌科細菌（CRE），バンコマイシン耐性黄色ブドウ球菌（VRSA），多剤耐性緑膿菌（MDRP），VREおよび多剤耐性アシネトバクター（MDRA）属の5種類の多剤耐性菌については，厚生労

R_0（R naught）：basic reproductive number，基本再生産数（アール・ノートと発音する）
VRE：vancomycin resistant *Enterococcus*，バンコマイシン耐性腸球菌
CRE：carbapenem resistant *Enterobacteriaceae*，カルバペネム耐性腸内細菌科細菌
VRSA：vancomycin resistant *Staphylococcus aureus*，バンコマイシン耐性黄色ブドウ球菌
MDRP：multidrug resistant *Pseudomonas aeruginosa*，多剤耐性緑膿菌
MDRA：multidrug resistant *Acinetobacter*，多剤耐性アシネトバクター

5.1 感染症の集団発生時の対応（院内での危機管理・保健所への届出）

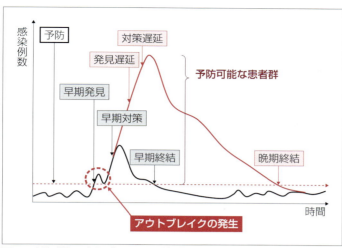

図2 病院感染アウトブレイクと流行曲線の関係

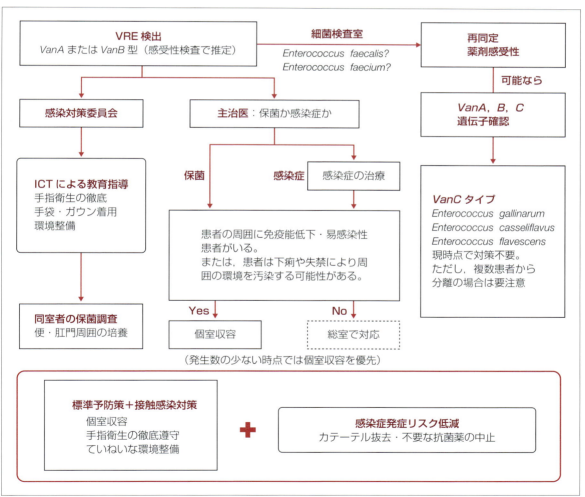

図3 アウトブレイク時の対応（VREが発生した場合のワークフロー）

〔文献2）より転載〕

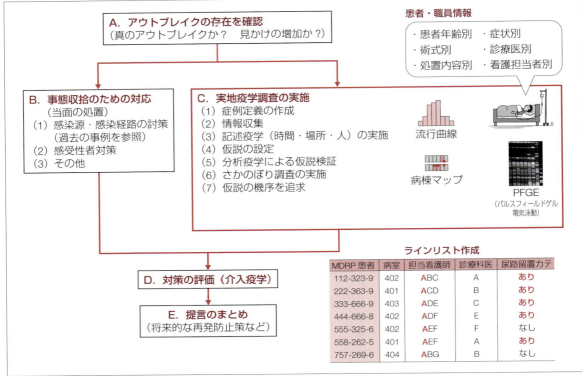

図4 アウトブレイク発生時の基本ステップ

働省から，保菌も含めて1例目の発見をもってアウトブレイクに準じて厳重な感染対策を実施するよう通達が出ている。これら新興多剤耐性菌には切り札となる抗菌薬がなく，治療に難渋し，感染症を発症した場合，高い致死率になるため厳重な感染対策が必要となる。また，中東呼吸器症候群（MERS）や新型インフルエンザなどの新興ウイルス性感染症についても厳格な体制が必要となる。

アウトブレイクが発生した場合のワークフロー

実際，アウトブレイクの疑いがもたれた場合にはそれが「偽性アウトブレイク（pseudo-outbreak）」なのか「真性アウトブレイク」なのかを見きわめる必要がある（図4)[3-5]。見きわめには，検査情報の精度管理や検体を採取した患者の臨床症状の確認などが必要である。また，関連するスタッフとの情報交換も解決の糸口となりうる。検査用培地の汚染や採血時の消毒薬の汚染など，実態として患者発生のない「偽性アウトブレイク」も数多く報告されているのでまず実態を調査する。

実態として感染症患者（あるいは保菌者）発生があった場合には，インフェクションコントロールチーム（ICT）や感染制御部門による調査介入を実施する。この際には，発生部署の患者対応と実地疫学調査を同時並行して行う必要があることから，規模に応じて事務担当者や関係部署からの協力人員の要請や外部専門家による支援が必要かどうかについても検討する。感染対策向上加算，指導強化加算，連携強化加算等により医療機関どうしの枠組がすでにでき上がっている場合，事前に発生時の連絡体制を整備しておくことが望ましい（2022年5月現在）。

保健所への届出

(1) 食中毒の場合

食中毒の原因には，以下のようなものがある。
①病原体（セレウス菌，黄色ブドウ球菌，リステリア，ウエルシュ菌，ボツリヌス菌，サルモネラ属菌，腸炎ビブリオ，病原性大腸菌，ノロウイルス，カンピロバクター，エルシニアなど）によるもの

MERS：middle east respiratory syndrome，中東呼吸器症候群

②寄生虫によるもの（ヒラメなどに寄生する粘液胞子虫のクドア，馬肉などに寄生する肉胞子虫のサルコシスティスなど）
③化学物質によるもの（シアン化合物，有機リン，トリカブト，貝毒，フグ毒，キノコ毒）

「食品衛生法」第58条では，「食品，添加物，器具若しくは容器包装に起因して中毒した患者若しくはその疑いのある者を診断し，又はその死体を検案した医師は，直ちに最寄りの保健所長にその旨を届け出なければならない」としている（確定診断を待たずとも疑わしいと判断した段階で報告する）。届出を受けると，保健所の職員が調査，原因の特定をもとに，関係方面の指導を行うことになる。

(2) その他の感染症の場合

医師は「感染症の予防及び感染症の患者に対する医療に関する法律」（以下，感染症法）にもとづいた届出を行う[7]。届出には，基準と疾患ごとの届出用紙が整えられている（厚生労働省ならびに各地方自治体のWebサイトからダウンロード可能）。

2014年9月19日からの変更は，以下の3点である。
① CREと播種性クリプトコックス症を5類感染症（全数把握）に追加
② 5類感染症（定点把握）の水痘のうち，「患者が入院を要すると認められるもの」が5類感染症（全数把握）に追加
③ 5類感染症（定点把握）の薬剤耐性アシネトバクター感染症が5類感染症（全数把握）に変更（付録①，p.298参照）

また，2015年1月21日からの変更点として，以下の①〜③などがあげられる。
① 中東呼吸器症候群（MERS）（病原体がβコロナウイルス属MERSコロナウイルスであるものに限る）と，鳥インフルエンザ（H7N9）が指定感染症から2類感染症（全数把握）に変更
② 重症急性呼吸器症候群（SARS）（病原体がβコロナウイルス属SARSコロナウイルスであるものに限る）の疾患名の変更
③ デング熱の診断基準の内容

医療機関内での院内感染対策を実施した後，同一医療機関内で同一菌種の細菌または共通する薬剤耐性遺伝子を含有するプラスミドを有すると考えられる細菌による感染症の発病症例（前述の5種類の多剤耐性菌は保菌者を含む）が多数発生するか（目安として1事例につき10名以上となった場合），または当該院内感染事案との因果関係が否定できない死亡者が確認された場合には，管轄する保健所にすみやかに報告することが通達されている。このような場合に至る前の時点においても，医療機関の判断のもと，必要に応じて保健所に報告または相談することが望ましいとしている。

文献

1) 小林寛伊：中小病院における主な病院感染症アウトブレイクの迅速特定（2010年3月26日案）．第9回院内感染対策中央会議，資料4，2010
2) 藤田直久：バンコマイシン耐性腸球菌感染症の治療と予防対策．医学のあゆみ，221(6)：500，2007
3) Reingold AL：Outbreak investigations — a perspective. Emerg Infect Dis, 4(1)：21-27, 1998
4) Cheko P：Outbreak Investigation. APIC Text of Infection Control and Epidemiology, Chapter 15, 1-9, 2000
5) Arias KM：Outbreak Investigation, Prevention, and Control in Health Care Settings: Critical Issues in Patient Safety, 2nd Ed, Jones & Bartlett Pub, 458, 2009
6) 厚生労働省：感染症法に基づく医師の届出のお願い[https://www.mhlw.go.jp/stf/seisakunitsuite/bunya/kenkou_iryou/kenkou/kekkaku-kansenshou/kekkaku-kansenshou11/01.html（2022年3月現在）]
7) 厚生労働省：医療機関における院内感染対策について（医政地発1219第1号，平成26年12月19日）

SARS：severe acute respiratory syndrome，重症急性呼吸器症候群

メチシリン耐性黄色ブドウ球菌（新生児室）

Points
- メチシリン耐性黄色ブドウ球菌は，特に**新生児室**において最もよく遭遇する薬剤耐性菌の1つである。
- 集団発生を察知するために，**監視培養を実施**することが考慮される。
- アウトブレイク基準を満たした場合，その原因を調査すると同時に，原因解消のために**手指衛生の徹底**を含む感染拡大防止対策を確実に実施する。

特徴

新生児集中治療室（NICU）をはじめとする新生児室では，メチシリン耐性黄色ブドウ球菌（MRSA）は代表的な薬剤耐性菌である。

MRSA の多くは医療従事者の手指や院内の環境を介して伝播する。新生児側だけでなく，分娩室や蘇生台など産科側から MRSA がもち込まれることもある。MRSA は水平伝播能力がきわめて高いため，質の高い対策が必要となる。

集団発生の察知方法
（日常からのデータ収集，院内／院外）

集団発生を早期に察知するために，日常から部署・病院内での発生頻度を把握しておく。

発生頻度の把握は，臨床検体における検出状況で行う。また，週または月に1回程度，アクティブサーベイランス，いわゆる監視培養を行うことが考慮される。後鼻腔，臍，皮膚，便などから1カ所，または複数カ所を培養し，検出状況を確認する。

アウトブレイクの基準

「通常発生しているレベル以上に増加すること」が臨床現場に即した"アウトブレイク"の定義である[1]。

新生児室（以下，NICU 含む）など，MRSA がほとんど検出されていない病棟では，「2件以上」検出されれば MRSA アウトブレイク，または疑いとなる[2]。

アウトブレイク調査の流れ

MRSA アウトブレイクが疑われた場合，どこで〔NICU なのか，継続保育室（GCU）なのか〕，いつから増加しているのかを，おおまかに調査する。

次に，MRSA 陽性の児（保菌，感染ともに）について，

表1　MRSA 保菌または感染症に関連する危険因子

〔時〕
MRSA 検出日齢，MRSA 検出日，手術日など

〔人〕
- 周産期歴〔在胎週数，修正週数，出生体重，性別，アプガースコア，分娩方法（経腟分娩／帝王切開），栄養（母乳／人工乳），母体腟培養，基礎疾患，出生（院内／院外），経管栄養開始日，手術歴の有無，抗菌薬使用の有無〕
- 臨床症状（発熱，下痢，発疹，消化不良，血便）
- 医療機器〔超音波検査の機器とゲル，保育器，医療機器使用の有無とその期間（中心静脈カテーテル，人工呼吸器，開瞼器，気管切開）〕
- その他（主治医，担当看護師，産科での主治医・看護師・助産師，MRSA 検出部位，基礎疾患，検査室や MRI 室などへの移動，聴診器，体温計，吸引カテーテル，パソコンのキーボード，電話，親族の医療関連勤務の有無など）

〔場所〕
NICU，GCU，新生児室，特定のベッド位置，蘇生室，分娩室，手術室，使用したインファントウォーマーなど

MRSA：methicillin resistance *Staphylococcus aureus*，メチシリン耐性黄色ブドウ球菌

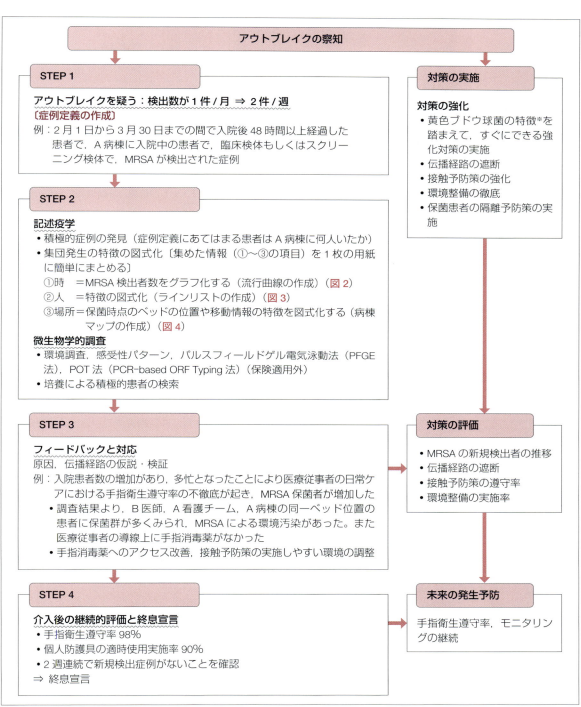

図1 MRSAのアウトブレイク調査の流れ
※皮膚・鼻腔の常在菌で伝播しやすい。環境表面でも生存可能

PFGE：pulse field gel electrophoresis，パルスフィールドゲル電気泳動
POT：PCR-based ORF typing（PCR：polymerase chain reaction／ORF：open reading frame）

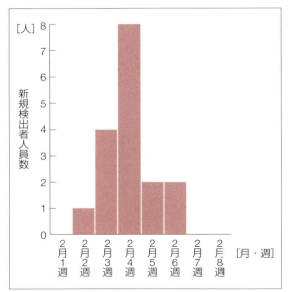

図2　MRSA検出者数のグラフ化（流行曲線）

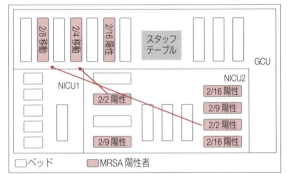

図4　保菌時点のベッドの位置，移動情報の特徴の図式化（病棟マップ）

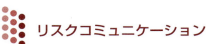

図3　人の特徴の図式化（ラインリスト）

その危険因子を詳細に調査分析して，過去の事例や文献情報も収集し，アウトブレイクの原因の仮説を立て，その要素を割合や率で比較して検討する（図1）[3]。

危険因子を分析する際には，各MRSA陽性児の危険因子（表1, p.166）への曝露状況を把握しなければならない（流行曲線やラインリストの作成）。曝露状況から危険因子，つまり感染源の仮説を立て，解析疫学（後ろ向きコホート研究，症例対照研究）で検証して，アウトブレイクの原因を突き止める。

NICUやGCUでの保菌または感染の拡大進行が速いと，病棟閉鎖に迫られ，地域の周産期医療に損害を与えうる。よって，実際にはアウトブレイクの原因を突き止めると同時に，接触予防策の徹底，特に手指衛生の強化，環境整備などの対応を迅速に行うことになる。

リスクコミュニケーション

（1）患者家族

保菌，感染症にかかわらず，検出された場合はできるだけ早期に，以下の内容を参考に家族に説明する。また，あらかじめ説明文書を作成しておくことも有用である。

- MRSAは抗菌薬が効きにくいが，有効な抗菌薬があること
- 免疫の弱い患者が感染すると重症化するので，MRSA陽性者には医療者側で，個人防護具の着用等の対応が必要となること
- 入院時にアクティブサーベイランスや感染対策についての説明を加えるのが望ましい[4]

（2）院内周知

アウトブレイクが疑われた場合は，ICT，病院幹部との会議を経て，臨時院内感染対策委員会（ICC）を開催し，アウトブレイクとして対応決定後，院内へ周知する。

（3）行政への報告

各施設において，一定期間内に新生児室や産科病棟などにおいて発生した院内感染のMRSA集積が通常より高い状態のとき，または厚生労働省による通知「医療機関における院内感染対策について」[5]の別記「医療機関における院内感染対策に関する留意事項　3-3. 介入基準の考え方及び対応」に従い，「1例目の発見から4週間以内に，同一病棟において新規に同一菌種による感染症の発病症例が計3例以上特定された場合又は同一医療機関内で同一菌株と思われる感染症の発病症例（抗菌薬感受性パターンが類似した症例等）が計3例以上特定された場合を基本」に，最寄りの保健所にすみやかに報告する。

5.2 メチシリン耐性黄色ブドウ球菌（新生児室）

表2 MRSAに対する病棟での対応と物品管理方法

対応	完全母子同室（個室）	NICU・GCU・新生児室
隔離対策	・母親がMRSAを保菌していても，母親と児を隔離する必要はない ・保菌の確認をした場合は，産科のみならず，新生児科やNICU・GCUと情報を共有する ・アクティブサーベイランスを行う場合，スクリーニング結果が出るまでは隔離対策を行う	・隔離室を使用する ・隔離室がなくコホーティングする場合は，新生児室の中央を避け，新生児室内にスペースを確保する
隔離対策の表示	病室前やネームプレート等にシールを貼付するなど，施設で決められた方法で感染経路別予防策実施中の表示をする	ネームプレート等にシールを貼付するなど，施設で決められた方法で感染経路別予防策実施中の表示をする
面会	原則として面会は家族のみとする	
ケア担当者の個人防護具（PPE）と手指衛生	可能であればMRSA患者の担当を限定する 〔必要な個人防護具の準備〕 手袋，エプロン，速乾性擦式手指消毒薬，感染性廃棄物容器を準備する	可能であればMRSA患者の担当を限定する 〔必要な個人防護具の準備〕 ・隔離エリア内や隔離室に手袋，エプロン，速乾性擦式手指消毒薬，感染性廃棄物容器を準備する ・各コットやクベースに手袋，速乾性擦式手指消毒薬を設置する
	〔着脱のタイミング〕 ・患者に接するときには手袋を着用する ・抱っこやおむつ交換，コットに接するときにはエプロンも着用する ・病室前または入室後すぐに，必要な個人防護具を着用し，病室内で脱衣する ・脱衣した個人防護具は，感染性廃棄物容器に廃棄する 〔手指衛生の徹底〕 ・「1処置2手洗い」を徹底する ・病室内への入退室時，個人防護具を外した後の手指消毒を徹底する	
診察・看護用具等	・体温計，聴診器，血圧計，パルスオキシメーター，メジャー，おもちゃ，はさみなどは患者専用とする ・洗浄や清拭が不可能なおもちゃは使用しない ・臍処置用の消毒薬は患者専用とし，綿棒やガーゼは個包装のものを使用する ・その他のケア用品も患者ごとに専用化，または単回使用の使い捨て製品を使用する ・尿量測定が必要な場合は，はかりを患者専用とする	
衣類・リネン・おむつ	・使用したリネンや肌着は，感染症専用の袋またはビニール袋に入れ，口を固くしめ「MRSA」と明記し，洗濯室へ提出する ・コインランドリーの使用は制限しない ・おむつは紙おむつを使用する	
清掃	・通常清掃を行う ・高頻度接触面は1日1回以上，環境清掃用（洗浄剤含浸）クロスなどで清拭を行う ・清掃担当者や委託清掃業者に清掃の順番や方法の確認を行う	
授乳，哺乳びん・乳首	・母親がMRSAを保菌していても，母乳で育てることを推奨する ・哺乳びんは通常どおりに洗浄・消毒を行い，区別する必要はない	・母親がMRSAを保菌していても，母乳で育てることを推奨する ・授乳は可能なかぎり病室で行う ・哺乳びんは通常どおりに洗浄・消毒を行い，区別する必要はない
他科紹介・検査時の対応	紹介状や検査伝票等に「MRSA」と記載し，MRSAが検出されていることを伝える	
母親・家族への指導	・スクリーンなどを使用する場合は，十分な説明と同意を得て，個人情報管理に留意する ・授乳前にはしっかり手洗いを行うよう指導する ・入退室時には手指消毒を行うよう指導する	
その他	可能であれば早期退院を検討する	

表3　MRSA発生時の物品の洗浄・消毒方法

物品	洗浄・消毒方法
沐浴槽またはベビーバス	低水準消毒薬で洗浄・消毒後，十分乾燥させる
哺乳びん・乳首	洗浄後，0.01％次亜塩素酸ナトリウム液にて浸漬消毒を1時間行う
衣類・シーツ等のリネン	・特別な消毒は不要 ・洗濯洗剤により洗濯後，乾燥させる
コット・クベース	・外せる部品は低水準消毒薬に浸漬消毒を行う ・外せない物は低水準消毒薬で清拭を行う
診察・看護用具等	・体温計，聴診器，メジャー，はさみは消毒用エタノールで清拭をする ・血圧計は，カバーは洗浄して乾燥させ，本体は環境清拭クロスで清拭する ・パルスオキシメーターのセンサー部分は破棄し，本体は環境清掃用（洗浄剤含浸）クロスで清拭する ・おもちゃは洗浄する

対　応

（1）調査開始と同時に実施すること

①手指衛生の強化

MRSAのアウトブレイク対策の最も重要なことは，手指衛生の遵守である。手指衛生の必要性と手技，タイミングに加え，手指衛生の知識の確認および技術教育・指導を行う（表2）。

②患者の対応および患者家族への説明と同意

患者家族に不要な不安を与えないように十分に説明し，感染拡大予防策に理解を求める。加えて，感染予防策の実施に際しては，個人情報の管理に十分留意し，配慮しながら実施する。

③環境整備と物品管理

高頻度接触面を中心に，1日1回以上の環境整備を徹底し，患者環境物品を整理・管理する（表3）。

④検出が予測される患者への対応

保菌患者と同室の患者（新生児）は可能なかぎり母児同室にし，もしくは1カ所に集めて対応する。さらに可能であればNICUユニット内，妊婦，褥婦，新生児の受けもちスタッフの担当を分けて対策を実施する。接触予防策は不要であるため，標準予防策を徹底する。

⑤アウトブレイク時における積極的症例の発見

アクティブサーベイランスを行っていない場合は，同室となった患者（新生児）を中心に症状出現の早期発見に努めるが，必要時，鼻腔培養によるスクリーニング検査を実施する。

（2）新生児室においておちいりやすい盲点

通常，健常新生児はMRSAスクリーニング検査を実施しないため，アウトブレイクの察知が遅れることがある。日頃の手指衛生の徹底により，交差感染を防止することが重要である。

（3）再発防止に向けた日頃からの取り組み

手指衛生の必要性を理解し，正しい手技，タイミングで行えるよう日頃から訓練を行う。

文献

1) 堀越裕歩，他：アウトブレイクに備える．日本未熟児新生児学会雑誌，26(2)：255-259，2014
2) World Health Organization：Disease outbreaks．[http://www.who.int/topics/disease_outbreaks/en/（2019年10月現在）]
3) 平成22年度厚生労働科学研究費補助金 新型インフルエンザ等新興・再興感染症研究事業 新型薬剤耐性菌等に関する研究班：NICUにおける医療関連感染予防のためのハンドブック 第1版，2011
4) 日本小児科学会，日本未熟児新生児学会：新生児集中治療室（NICU）におけるメチシリン耐性黄色ブドウ球菌（MRSA）保菌と感染症についての見解と提言 2014．日本小児科学会誌，118(5)：751-753，2014
5) 厚生労働省：医療機関における院内感染対策について（医政地発1219第1号，平成26年12月19日）

Note

MRSAの院外からのもち込み

MRSAの多くは院内における伝播が原因である。新生児側だけでなく，分娩室や蘇生台など産科側からMRSAがもち込まれることもある。実際，産科の超音波検査機器やカーテンからMRSAが検出されたこともあり，半年ごとなど定期的な環境培養も考慮される。

MRSAが院外からもち込まれることもある。院外出生児や，家族が医療関係者である場合などは注意が必要である。特に院外出生児は，入院時の培養結果が出るまでは「MRSA保菌児」として対応するべきである。もし特定の医療機関から紹介された新生児でMRSA陽性率が高い場合は，自施設を守るために，その医療機関への啓発活動も重要である。

5.3 RSウイルス

Points

- Respiratory Syncytial ウイルス感染症は，特に**乳児期に頻度が高い，急性呼吸器感染症**である。
- **新生児や早期乳児，免疫不全者**が罹患した場合には，ウイルス排泄期間が長期化し，感染対策を複雑化する要素となる。
- アウトブレイク時には，**発症者のコホーティングと手指衛生や接触・飛沫予防策の徹底**を含む感染拡大防止策を実施することが重要である。

疾患

Respiratory Syncytial（RS）ウイルス感染症は，RSウイルスによる急性の呼吸感染症で，どの年齢にでも発症しうるが，特に乳児期に頻度が高い。2歳までにほぼ全例が罹患する。罹患した乳児の約1～3％が入院し，早産児やチアノーゼ性心疾患・複雑心奇形，慢性肺疾患，免疫不全の児では重症化しやすい。

潜伏期間は通常4～6日（最長2～8日）で，治療は対症療法のみである。ウイルス排泄期間は，通常3～8日だが，免疫不全者や早期乳児では3～4週間におよぶ。

感染対策上，接触および飛沫予防策が必須である。

アウトブレイク調査

アウトブレイク調査は，まず「アウトブレイクが起こっているのではないか」と疑うことから始まる。疑った場合のアウトブレイク調査について，順を追って説明する（図1）。

（1）集団発生の認知

アウトブレイクの定義は，環境により異なる。

たとえば，流行性の感染症患者が入院する病棟と，本来，感染のない患者のみが入院している病棟では定義が異なる。前者では，明らかに水平伝播を疑う状況が確認できたときにアウトブレイクを考える。それに対して後者では，1例の発症でも，家族，職員も含めその経路について吟味し，アウトブレイクかどうか判断する必要がある。

国立感染症研究所や地域の衛生研究所が週報などで報告している定点医療機関での報告数を確認し，流行の有無を把握しておく。RSウイルスは成人や基礎疾患のない年長児では重症化することは少ないため[1]，家庭内で容易に感染する可能性があり，家族の感冒症状の把握も重要である。また，施設内の取り組みとして，迅速抗原検査の検体数と陽性数の情報を検査室から定期的に収集し，共有することも有用である。患者家族から得られる地域の幼稚園・保育園などでの流行の情報も，しばしば役立つ。

（2）集団ごとの症例定義，アウトブレイクの基準

症例定義は非特異的症状の症例では，抗原検査陽性例を「迅速陽性例」，未検査もしくは迅速検査陰性ではあるが，喘鳴などの症状・経過・接触歴で強く疑われる例を「疑い例」と考える。

また，流行性感染症ではない患者のみが入院している病棟では，オープンフロアや大部屋での同室者で，かつ，何らかの気道感染症状を認める例は「疑い例」と考える。しかしながら，新生児や重症心身障害児などでは典型的な症状を示さない場合もあり，周辺状況から積極的に疑い，検査を行う必要がある。

時間的要素として，RSウイルスの潜伏期間は最長で8日と考え[1]，発端者と考えられる症例をみた場合には潜在的な発端者が存在する可能性を考え，おおむね8日前の前後から面会者，職員を含め，疑い例を拾い上げる。

症例定義を満たした症例で，「時／人／場所」の要素に分けて特徴を分析することが基本である。前述のとおり，感染症患者の存在する病棟か否か，また要素に応じた分析結果をもとに，アウトブレイクかどうかを判断す

5章 アウトブレイク時の対応

アウトブレイクの察知

STEP 1
アウトブレイクを疑う：検出数が1件/週 ⇒ 4件/週
〔症例定義の作成〕時，人，場所
例：11月1日〜11月10日にA病棟に入院中で新たに鼻汁・咳嗽を呈した患者で，RSウイルス迅速抗原検査が陽性の症例（確定例），迅速抗原陰性の症例（疑い例）

STEP 2
記述疫学
- 積極的症例の発見
  例：新たに鼻汁・咳嗽の出現したA病棟の患者にRSウイルス迅速検査を実施
- 集団発生の特徴の図式化（集めた情報を1枚の用紙に簡単にまとめる）
  ①時 ＝RSウイルス迅速抗原陽性者数（鼻汁・咳嗽のみと区別）をグラフ化する（流行曲線の作成）
  ②人 ＝特徴の図式化（ラインリストの作成）
  ③場所＝ベッドの位置や移動情報の特徴を日ごとに図式化する（病棟マップの作成）

観察調査，聞き取り調査
現場での手指衛生の遵守状況や個人防護具着脱の状況調査

STEP 3
フィードバックと対応
原因，伝播経路の仮説・検証
例：A病棟でRSウイルス感染症患者受けもちのB科医師の手指衛生遵守率が低下し，またプレイルームの共有により感染者が増加した
- 調査結果により，B科患者とプレイルームを共有していた患者で感染者が多くみられた
- B科を中心に接触予防策の徹底（「1処置2手洗い」と個人防護具着脱の徹底），受けもち患者診察順序の見直し，プレイルームの消毒と一時閉鎖

STEP 4
介入後の継続的評価と終息宣言
- 手指衛生遵守率 98%
- 個人防護具の適時使用実施率 95%
- 流行期の症候群サーベイランスの実施
- 新規検出症例が最終患者の発症から8日間ないことを確認
  ⇒ 終息宣言

対策の実施

対策の強化
- RSウイルス感染症の特徴※を踏まえて，すぐにできる強化対策の実施
- 伝播経路の遮断（接触予防策の強化，環境整備の徹底，プレイルーム一時閉鎖）
- 発症患者の隔離予防策の徹底，接触者の観察期間の設定

対策の評価
- RSウイルス迅速検査陽性，あるいは，新規気道症状出現患者の推移
- 伝播経路の遮断
- 接触予防策の遵守率
- 環境整備の実施率

未来の発生予防
- 手指衛生遵守率
- 流行期の症候群サーベイランスの実施

図1 RSウイルスのアウトブレイク調査の流れ
※①主に気道分泌物への接触（濃厚接触あるいは手指や物品などの間接接触）で感染する
②新生児や成人では症状が非典型的なことが多い
③アルコール消毒薬が有効である

る。いずれの場合も，家族，職員も含め，その経路について吟味する必要がある。

（3）ラインリスト作成，スクリーニング

事前の調査で得られた情報をもとに，ラインリストを作成する。ラインリストは，「時／人／場所」を意識したデータの整理とともに，関与していると考えられる項目を含めた情報整理として活用する。ラインリストの項目としては，年齢，基礎疾患，免疫状態（液性，細胞性免疫情報），病室（ベッド配置，ベッド移動状況），発症の有無・発症日（診断日），入院日，迅速抗原検査結果（されていればPCR検査結果），補助的治療（ステロイド使用など），面会者の病歴（感冒症状の有無など），担当診療科と担当医師，担当看護師，プレイルームの使用の有無，他児との物品の共有なども重要である。

ここでの情報は，たとえば流行曲線のように，可能なかぎり「見える化（図式化）」することが重要である。

また，追加調査としてスクリーニングを実施する場合，RSウイルスでは迅速抗原検査が比較的容易である。

（4）要因分析，仮説の設定，フィードバック

「何がアウトブレイクの要素として怪しいのか」，「共通因子は何か」を考察しながら分析していく必要がある。

RSウイルス感染でのアウトブレイクの要因を考えるうえでは，対象患者群で，症状，年齢，免疫状態，基礎疾患の有無が重要な要素である。

非感染症患者中心の病棟では，特に非典型例の感染の有無の把握が重要である。呼吸器疾患などの基礎疾患により普段から喘鳴を認めやすい場合や，痰の喀出が不良な場合，さらには新生児や重症心身障害児も，注意深く感染の有無を判断することが必要である。

また，新生児・早期乳児では，ウイルス排泄期間が3〜4週間，免疫不全患者ではさらに長期化するといわれており，感染対策が複雑になることを認識する。

結果の解釈にあたっては，現場スタッフからの聞き取り調査や，実際の病棟に出向いての観察調査（個人防護具の着脱状況，手指衛生の遵守状況調査など）も重要であることにも留意する。

こうした調査結果をよく吟味したうえで，仮説を作成する。その仮説の解析を症例対照研究もしくはコホート研究を通して行い，得られた結果を現場にフィードバックし，感染対策に活かしていくことが重要である。

（5）継続的評価と終息宣言

RSウイルス感染症のアウトブレイク事象に対する記述，および解析疫学の結果，得られたことから現場へのフィードバックとともに介入を行い，その変化を継続的に評価する（介入疫学）ことが必要である。

アウトブレイクの終息は，最後の有症状者の症状出現後，ウイルス排泄期間[1]以上（通常8日以上，新生児では4週間，免疫不全患者で4週間経過かつ症状消失まで）経過しており，全患者の症状が消失して8日以上経過したことを確認できたときに宣言される。

最終的に将来的な再発防止策などを提言する。

感染対策の実際

RSウイルス感染症のアウトブレイクを疑った場合には，アウトブレイク調査と並行して，早期終息を目標に「感染拡大防止策」として，感染源（医療従事者，共有した

表1 RSウイルス感染症の感染対策の実際

	具体的な対応策
患者への感染対策 ①発症者（確定） ②有症状者 ③接触者	・患者・家族への隔離の必要性・経路別予防策の実施の必要性について説明し，同意を得たうえで対応する（表2，表3）[4] ・上気道症状（鼻汁，咳嗽），下気道症状（多呼吸，喘鳴，咳嗽，聴診上の水泡音，努力呼吸，鼻翼呼吸など）がある場合は，RSウイルス迅速診断検査を実施する ・原因がはっきりしない場合も，症状消失までは標準予防策に加えて，接触・飛沫予防策を実施する ・RSウイルス感染症発症者と接触した患者は，同意を得たうえで潜伏期間（最長8日間）内は，個室またはコホーティングを実施し，他児との接触は避ける
医療従事者への感染対策・指導	・RSウイルス感染症の感染拡大は主に患者との濃厚接触や分泌物に汚染された表面への接触によることが大きいことを再確認する ・標準予防策に加えて，接触・飛沫予防策を徹底するように指導する ・病棟内で発症者が複数人出た場合は，受けもちスタッフのコホーティングも考慮する ・スタッフの感染防止に対する意識向上を目的に，研修会を実施し，共通認識で対応できるよう指導する[4,5]

表2 RSウイルス感染症に対する病棟での対応と物品管理方法

	具体的な対応策
感染経路別予防策	標準予防策に加えて接触・飛沫予防策を実施する 〔隔離方法〕 ・個室隔離あるいは集団隔離（RSウイルス感染症患者と同室とする） ・患者のベッド間隔は最低2m以上確保する
隔離・予防策対応期間	・症状が軽快し，全身状態が良好になるまで ・新生児・乳児期早期と免疫不全者は4週間以上経過し，症状が消失するまでとする
手指衛生	患者接触前後・清潔ケア前・分泌物などに曝露された後，患者環境に触れた後など，手洗い，あるいは速乾性擦式手指消毒薬を使用し，手指衛生を実施する
ケア担当者の個人防護具（PPE）	・入室前にエプロン，サージカルマスク，手袋の順で着用する ・退室時は病室内で手袋，エプロンの順で外し，廃棄する（病室内にふた付きの感染性廃棄物容器を準備しておく） ・病室から出た後，サージカルマスクを外して廃棄する
診察・看護用具等	・体温計，聴診器，血圧計などは患者専用とする。使用後はアルコール含有クロスで消毒を実施する ・清潔ケアで使用する物品は患者専用とするか，使用後，ベッドパンウォッシャーなどで熱消毒を実施する
食器，哺乳びん・乳首	・食器は洗浄後，熱消毒を実施する ・哺乳びん・乳首は洗浄後，0.01％次亜塩素酸ナトリウム液にて浸漬消毒を1時間実施する
リネン	使用したリネンは水溶性ランドリーバック，あるいはビニール袋に入れ，口を完全に閉じて洗濯室へ提出する
環境整備	・環境表面においても，RSウイルスは長い間生存できるため，ベッド周囲（高頻度手指接触面）の環境用クロス清拭を1回／日以上実施する ・退院後は通常清掃を実施する
おもちゃ	・患者専用とし，他患者との共有使用，布製のおもちゃは避ける ・退院後に洗浄後，熱水消毒，0.01％次亜塩素酸ナトリウム液による浸漬消毒，アルコール含有クロスでの清拭のいずれかを実施する

物品，医療環境，家族など）や，感染経路（接触感染，飛沫感染）を意識して現状の把握と伝播予防のための対策強化，さらには，感受性者対策をすみやかに行う（表1〜表3参照）。

RSウイルス感染症の場合，発症者については個室隔離を最優先とし，その人数（疑い例も含む）および病棟事情によっては，同じ接触予防策であっても大／中／小に分けた予防策[2]（最大限に行うには個室収容：大，その次は大部屋にコホート：中，最低限は大部屋収容で対象患者に予防策：小）をとる。

(1) リスクコミュニケーション

患者および患者家族への説明にあたり，医療従事者の見解を統一したうえで，一貫した説明を行うことが重要である（表3）。

特に基礎疾患などがあり，パリビズマブ投与を受けている児の患者家族などは，RSウイルス感染のリスクについてしっかりと説明を受けていることから，ひとたび「RSウイルスのアウトブレイク」となると大きな不安と混乱をまねく可能性があり，アウトブレイクという言葉の使用を含め，慎重な対応が望ましい。

(2) 新たな発症者の監視，おちいりやすい盲点，病棟対応，病棟閉鎖など

RSウイルス感染症と気づかれない軽症例も多数存在することから，感染拡大の機会が持続するため，効果的に感染拡大を抑制することは困難である場合が多いといわれている[1]。

流行期で，入院する乳児・幼児に呼吸器症状がある場合は，RSウイルスのスクリーニングを実施し，早期発見に努め，適切な予防策対応を迅速に行うことが重要である。

ウイルスの排泄期間は通常3〜8日間であるが，乳児期早期や免疫不全患者の場合では3〜4週間も排泄が続くことがある[1]。また，症状消失後もウイルスを排泄している場合があるため，注意が必要である。

家族からのもち込みなども考えられるため，流行期中に家族が面会する際には，マスク着用と手指衛生を徹底

表3 RSウイルス感染症の患者・家族への対応（面会制限，指導内容）

感染拡大防止の観点から以下について説明する。
- 病室前に感染対策マーク（接触予防策用）表示，および，医療従事者が個人防護具を着用して入室すること〔子どもの権利条約，第2条準拠〕
- 入退室時は必ず手指衛生（水手洗いあるいは手指消毒）を実施すること
- 入院中の他患者・保護者との接触は避けること
- 家族が抱っこなどをする場合は，サージカルマスクを着用すること
- 入院中は病室内で過ごすこととなるが，遊びの提供はできること〔子どもの権利条約，第31条準拠〕
- 感染症状がある場合，面会を避けてもらうこと
- 持続点滴中は定期的に刺入部，輸液ライン，器械の作動確認をする必要があること
- 検査（採血，レントゲンなど），看護ケア，処置を実施する場合は，患者に説明して了解を得てから実施すること〔子どもの権利条約，第9条・第24条準拠〕

Note

RSウイルス感染対策におけるPCR検査

　群馬県立小児医療センターでは，RSウイルス感染症の症例定義として，非特異的症状の症例ではPCR検査での確認を行っている。迅速抗原検査が偽陽性と判明することもあるため（未発表自施設データ），抗原検査陽性例をスクリーニング陽性例，PCR検査陽性例を確定診断例としている。

　また，RSウイルス感染症アウトブレイクの際の終息決定は，自施設での経験では，抗原検査陰性の確認は必ずしも鋭敏な指標ではないと思われた。それゆえ，PCR検査導入以前は，最後の有症状者の症状出現後，ウイルス排泄期間以上（新生児で3週間，その他の年齢では8日以上，免疫不全では新生児で3週間，その他の年齢では8日以上を経過かつ症状消失まで）経過しており，全患者の症状が消失して8日（当時は7日）以上，経過したのを確認できたときに終息としていた。

　しかし，PCR検査ができる施設では，PCR検査での陰性を確認して終息の決定を行う方法もある。

〔山田佳之〕

してもらうよう協力を得る。さらに，きょうだいの面会は避ける。

　感染対策を厳重に実施したうえで，新たな感染者を出さない目的で，病棟閉鎖・入院制限も考慮する。

（3）院内周知，保健所等への報告・連絡・相談

　アウトブレイクが疑われた場合は，ICTコアメンバー，病院幹部との会議を経て院内感染対策委員会（ICC）を開催し，同委員会にてアウトブレイクとして対応するかどうかを決定する。アウトブレイクと判断した場合は各部署の院内感染対策委員を通じて，各部署に周知できるように対策の該当部署の状況・対応を報告する。保健所への報告・連絡・相談は病院内での規定をもとに実施する。

　指定届出機関の管理者は，当該指定届出機関の医師がRSウイルス感染症〔「感染症法」で5類感染症，小児科定点医療機関（全国約3,000カ所の小児科医療機関）が届出するもの〕患者と診断した場合は，「感染症法」第14条第2項の規定による届出を週単位で，翌週の月曜日に最寄りの保健所へ届け出る[3]。

文献
1) Red Book, 32nd Edition, American Academy of Pediatrics, pp628-636, 2021
2) 日本医療機能評価機構 認定病院患者安全推進協議会・編：感染経路別予防策．感染管理に関するツール集 2014年度版，pp11-24, 2014
3) 厚生労働省：感染症法に基づく医師及び獣医師の届け出について－RSウイルス感染症 [https://www.mhlw.go.jp/bunya/kenkou/kekkaku-kansenshou11/01-05-15.html（2022年3月現在）]
4) 国立成育医療研究センター・編：ナースのための小児感染症 予防と対策．中山書店，pp106-110, 2010
5) 厚生労働省：RSウイルス感染症Q&A（平成26年12月26日）[https://www.mhlw.go.jp/bunya/kenkou/kekkaku-kansenshou19/rs_qa.html（2022年3月現在）]

5.4 アタマジラミ，疥癬

Points
- アタマジラミ，疥癬ともに，主に**直接接触**により感染する疾患である。
- 診断および対応に際して，**皮膚科医と連携**することが重要である。
- 発症者の療養状況に応じて，医療従事者を含む**接触者に対する対応**が必要となりうる。

 原因，病態，症状

(1) アタマジラミ

アタマジラミ（head lice）は，ヒトの頭髪に寄生し，虫体は頭皮から吸血する（**表1**）。側頭部，耳介後部，うなじ付近にかけての寄生が多く，その部位に掻痒をともなうが，小児では無症状のことも多い。

世界的には12歳以下の子どもに多い傾向があり，人種差，社会経済状態の差との関連はない。

(2) 疥　癬

疥癬（scabies）は，ヒゼンダニの皮膚角層への寄生による皮膚感染症で，ヒトからヒトへ感染する疾患である。メスの成虫が角層にもぐって移動することによる強い掻痒と紅斑によって特徴づけられる。

感染後1〜2カ月の潜伏期間をおいて皮疹，掻痒などの症状が現れる。年長児，成人では指間部のしわ，手首屈側面，肘伸面，アキレス腱に多くみられる。

2歳未満の小児では発疹は水疱になることが多く，顔面，頭皮にみられる場合もある。

発疹，掻痒については，ダニ蛋白に対するアレルギー反応である。ヒゼンダニの寄生数は通常疥癬では患者の半数が5匹以下で多くて1,000匹であるが，角化型疥癬（ノルウェー疥癬）の場合は100万〜200万匹存在し，この場合，患者からはがれ落ちた痂皮，落屑に多数のダニが密集して存在するため，集団発生の感染源になる。

角化型疥癬は感染力がきわめて強く，潜伏期間は1週間程度に短縮する。角化型疥癬は重篤な基礎疾患をもっていたり，ステロイド薬，免疫抑制薬投与などにより免疫能の低下している人に起こる病型で，小児の発症はまれである。患部は肥厚した灰色から黄白色の角質増殖と痂皮に覆われる。

表1　アタマジラミとヒゼンダニの特徴

種　類	アタマジラミ	ヒゼンダニ（疥癬）
外　観	髪 → ← 卵	
体　長	2〜4 mm（卵：0.5〜0.3 mm）	0.4 mm 程度
寄生部位	頭髪，耳介後部，うなじ付近	指間部のしわ，手首屈側面，肘伸面，アキレス腱
潜伏期間	卵から成虫までの成長は3週間程度	1〜2カ月
症状発生時に調査する項目	・場　所：同室・同一ベッドでの遊び，就寝 ・遊　び：プレイルームでの遊び，共通した遊び ・活　動：院内学級の登校 ・物　品：タオルの共有，浴室の共有 ・担当者：医療スタッフ，教員	

〔写真：文献1）より転載〕

5.4 アタマジラミ，疥癬

アウトブレイクの察知

STEP 1

アタマジラミ，疥癬は，基本的に患者が1人でも発生した時点で対応が望ましい（疥癬はガイドライン[2]参照）

〔症例定義の作成〕
① 1例のみの発生 →
　曝露者：患者と同室者，集団保育，集団遊び，手を介したケアを行ったスタッフ
② 症例としての頭皮・皮膚の搔痒感，（小児科医）皮膚科医による診断（虫体・虫卵の確認）

STEP 2

記述疫学
- 積極的症例の発見（症例定義にあてはまる症例は病棟に何人いたか）
- 集団発生の特徴の図式化〔集めた情報（①～③の項目）を1枚の用紙に簡単にまとめる〕
  ① 時　＝アタマジラミ，疥癬患者発症者の推移をグラフ化する（流行曲線の作成）
  ② 人　＝特徴の図式化（ラインリストの作成）
  ③ 場所＝発症時点のベッドの位置や移動情報，同じ遊びを実施したなどの特徴を図式化する（病棟マップの生成）

STEP 3

フィードバックと対応
原因，伝播経路の仮説・検証
例：初発患者の診断が遅れ，その間に本人または医療者を介して感染拡大が起きた
- 調査結果より，初発患者と同じベッドで遊んだ患者，またプレイルームで共通した時間に遊んでいた患者，およびその面会家族に発症者がいた
- 環境整備の徹底，個人スペースの確保，濃厚接触を予防する予防策の確立

STEP 4

介入後の継続的評価と終息宣言
すべての患者の症状改善，治療完遂から6～8週後まで新規発症者なし
⇒ 終息宣言

対策の実施

対策の強化
- 伝播要因と思われる物品の除去
- 接触者の診察
- 〔アタマジラミ〕
  発症者の治療
  〔疥癬〕
  発症者と曝露者の治療
- 伝播経路の遮断
- 発症者への早期治療
- 接触予防策の強化
- 環境整備の徹底
- 集団保育時間の中止
- 衣服，寝具，媒介物の洗濯

対策の評価

- アタマジラミ／疥癬の新規発症者の推移
- 伝播経路の遮断
- 接触予防策の遵守率
- 環境整備の実施率

未来の発生予防

環境整備の徹底，物品管理

図1　アタマジラミ，疥癬のアウトブレイク調査の流れ

表2 アタマジラミ，疥癬に対する日常生活への援助

	アタマジラミ	通常疥癬	角化型疥癬
身体の清潔	・入浴順番は最後とし，入浴後の浴槽は60℃以上の湯でよく洗い流す ・肌に触れるものの共用は避ける ・1日1回以上，専用くし（目の細かいくし）で頭髪をとく（卵や卵の抜け殻をていねいに取り除く） ・洗髪は，フェノトリン0.4％（シャンプーまたはパウダー）を3日に一度ずつ（2日おきに）3〜4回くり返す ※通常のシャンプーはそれ以外の日に使用	・入浴順番は最後とし，入浴後の浴槽は50℃以上の湯でよく洗い流す ・肌に触れるものの共用は避ける	・入浴順番は最後とし，入浴後の浴槽は50℃以上の湯でよく洗い流す ・肌に触れるものの共用は避ける ・脱衣所に落ちた落屑は掃除機で清掃する
衣類・リネン	・衣類・シーツ・タオルは入浴時に毎日交換する ・使用後の衣類・リネンは，ビニール袋もしくは水溶性ランドリーバッグに密封し，運搬する 〔洗濯〕 60℃以上の湯に10分間浸した後，通常の洗濯を行う	・衣類・シーツ・タオルは入浴時に毎日交換する ・使用後の衣類・リネンは，ビニール袋もしくは水溶性ランドリーバッグに密封し，運搬する 〔洗濯〕 50℃以上の湯に10分間浸した後，通常の洗濯を行う	・衣類・シーツ・タオルは入浴時に毎日交換する ・使用後の衣類・リネンは，ビニール袋もしくは水溶性ランドリーバッグに密封し，運搬する 〔洗濯〕 50℃以上の湯に10分間浸した後，通常の洗濯を行う
寝具・マットレス	通常どおり	通常どおり	ベッドのマットレスを介した感染の可能性があるため，患者使用後は，虫体が死滅するのに要する10日間は他患者への使用を控える
清掃	通常どおり	通常どおり	落屑を残さないように掃除機で清掃する（入念に吸引する）

診断と治療

(1) アタマジラミ

虫体，虫卵を裸眼で見つけることは可能である。虫体は光を避け，すばやく動き，身を隠す。虫卵はフケ，ほこりと見間違えられることがあるが，頭を振ったり触ったりしても容易に動かないことが特徴である。

日常からのデータ収集の意義はないが，頭のかゆみを訴える患者がいる場合には，本症を念頭に，頭部のチェックを行う必要がある。

治療はフェノトリン含有シャンプー，またはパウダーによる洗髪を3日に1回，3〜4回（2週間）くり返す。また，専用のくしで髪をとかし，虫体・虫卵を除去する。できれば短く散髪・剃髪する（表2）。

(2) 疥癬

感染拡大予防策としては，早期発見が重要である。確定診断はヒゼンダニを検出することだが，通常疥癬の場合は見つけるのは困難なことが多い。

疑った場合には早期に皮膚科医の診察が必要である（図1, p.177）。治療はイベルメクチンの内服，フェノトリン，イオウ製剤，クロタミトンの外用で行う。クロタミトンは保険適用外であるが，保険審査上は認められている。また，安息香酸ベンジル（日本未承認，2歳以下には使用しない）を処方する場合，患者のインフォームドコンセントが必要である。

伝播経路，アウトブレイクの基準

(1) アタマジラミ

伝播は主に頭と頭の直接接触である。虫体は頭皮から離れても室温で3日間生存するため，くし，ブラシや帽子，寝具などの共用でも伝播は起こりうるが，多くはない。

保育園，幼稚園，小学校低学年では，友人どうしで頭を接触させて遊ぶことが多く，伝播の機会が多い。家庭内では，添い寝する母親に寄生することも多い。

小児病院，特に療養環境においては，幼児・学童の集団生活と同様の環境とみなすべきであり，さらにセラピ

表3 アタマジラミ，疥癬に対する病棟での対応

	アタマジラミ	通常疥癬	角化型疥癬
感染経路別予防策	・標準予防策＋接触予防策 －患者・衣服・リネン類に接触するときは，個人防護具（アイソレーションガウンと手袋）を着用する －頭と頭の直接接触は避ける ・可能であれば，退院および一時退院を考慮する ・退室時は，病室内で個人防護具を外し，感染性廃棄物容器へ廃棄する		・標準予防策＋接触予防策（入室前に個人防護具〔アイソレーションガウンと手袋〕を着用する） ・退室時は，病室内で個人防護具を外し，感染性廃棄物容器へ廃棄する
隔離対策	・隔離または集団隔離が望ましい ・患者の協力が得られれば，大部屋でも可 －ベッド内で他患者と一緒に遊ばない －プレイルームの使用は，時間をずらすなどの工夫を行う（他患者との濃厚な接触を避ける）		・隔離（通常1〜2週間程度） ・入院時，部屋移動時などは他患者と直接接触しないよう留意する ・部屋移動はベッドごと行う
面会	・通常どおり ・保護者（面会者）には頭と頭の直接接触は避けるよう説明する（必要時，アイソレーションガウンと手袋の着用を促す）		保護者（面会者）は，入室時に個人防護具（アイソレーションガウンと手袋）を着用する
診察・看護用具等	・体温計，聴診器，血圧計などは患者専用とする ・使用後のくしは，60℃以上の湯に5分以上浸し，付着した卵を殺卵してから再使用する	体温計，聴診器，血圧計などは患者専用とする	・体温計，聴診器，血圧計などは患者専用とする ・車いす，バギー，およびストレッチャーは専用とし，患者使用後は落屑を残さないように掃除機で清掃する（入念に吸引する）

スト，看護スタッフを介した伝播も考えられる。このような環境で1例の発生を認めた場合は，すでに広範囲にまん延している可能性もある。

(2) 疥癬

肌と肌の直接接触による伝播が主である。寝具を介して感染することもある。

疥癬診療ガイドライン[2]では，「同一の病棟で2カ月以内に2人以上の患者が発生した場合」を"集団発生"と定義している。

発症者への対応

(1) 日常生活への援助

虫体および虫卵の除去，さらに伝播拡大を防ぐよう援助する（表2）。学校，幼稚園，保育園へは発症した旨を連絡する。アタマジラミと通常疥癬では，適切な治療が開始されてから24時間経過すれば，通常どおり登園・登校が可能である。

(2) 外来での対応

アタマジラミおよび通常疥癬では，一般の診察室の使用は差し支えないが，診察終了後に使用したタオルやシーツは取り替える。

角化型疥癬では，診察室を特定し，診察終了後にシーツを取り替え，患者の行動範囲については落下した角層の落屑を掃除機で清掃する。

(3) 病棟での対応

原則，適切な治療がなされるまでは標準予防策に加え，接触予防策を実施する。過剰な対応は患者や保護者の心理的負担となるため，十分に配慮する（表3）。

有症状者への対応

掻痒や臨床症状などがあり，アタマジラミおよび疥癬感染の疑いがある場合には，すみやかに皮膚科医に受診させる。診断が確定した場合は治療を行う。

曝露（接触）者への対応

アタマジラミおよび通常疥癬では，寝具共用者や濃厚接触者にはすみやかに皮膚科医に受診させる。

集団発生した場合は，病棟ごとなど集団の単位で一斉に職員を含めた検査，駆除を行う。

角化型疥癬の場合，同室者は症状の有無を問わず予防的治療を考慮すべきである。

職員は患者との接触の頻度を確認して，予防的治療を検討する。

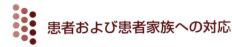

患者および患者家族への対応

患者の年齢に合わせた説明を行い，理解と同意を得たうえで対応を行う。

保護者は不安や誤解をもつ場合もあるので，十分な説明を行い，不安を取り除き，プライバシーを守る配慮が必要である。また，家族内で発生していないか，確認してもらうよう説明する。

文献

1) 名古屋市衛生研究所生活環境部：身の回りの「むし」たち［http://www.city.nagoya.jp/kenkofukushi/page/0000004789.html（2022年5月現在）］
2) 疥癬診療ガイドライン策定委員会：疥癬診療ガイドライン第3版．日皮会誌，125(1)：2023-2048，2015
3) Red Book, 32nd Edition, American Academy of Pediatrics, pp567-571, 663-665, 2021
4) 日本小児感染症学会：日常診療に役立つ小児感染症マニュアル2017．東京医学社，2017．
5) 国立成育医療研究センター・編：ナースのための小児感染症 予防と対策．中山書店，2010．
6) 国公立大学附属病院感染対策協議会・編：病院感染対策ガイドライン2018年版（2020年3月増補版）．じほう，2020

Memo

5.5 ノロウイルス，ロタウイルス

Points

- 小児における感染性胃腸炎の原因微生物として，ノロウイルス，ロタウイルスは重要であるが，特に**乳幼児や免疫不全者**では入院を要することも多い。
- ノロウイルス，ロタウイルスは感染力，伝播力が非常に強いため，**徹底した手指衛生と隔離予防策**に加え，特に流行期には**院内での感染伝播に注意**を要する。
- **潜伏期間が短いため**，アウトブレイクを認識した時点で，迅速にアウトブレイク対応を行うことが肝要である。

疾　患

感染性胃腸炎（流行性嘔吐下痢症）は，ノロウイルス（Norovirus），ロタウイルス（Rotavirus）等のウイルスが原因となって発症し，乳幼児によくみられる疾患である。

感染性胃腸炎の症状は病原体により異なり，また個人差もあるが，下痢，嘔吐，悪心，腹痛，発熱などをきたし，症状が重い場合は脱水症状を起こす。またロタウイルスを原因とする場合は，便が白色便になる場合もある。

治療は対症療法となる。ノロウイルス，ロタウイルスによる急性胃腸炎は毎年市中で流行を認め，小児は入院を要する患者も多いため，特に流行中は院内での感染伝播に注意を払う必要がある。

診　断

臨床診断が中心であるが，ノロウイルス，ロタウイルスは糞便中抗原検査が汎用化されている。

具体的対応とリスクコミュニケーション

(1) 院内発症の出現前

ロタウイルスは冬季嘔吐下痢症といわれるように，冬季に流行する。ノロウイルスは１年を通して発生するが，北半球では冬〜春にかけて発生しやすい。常に市中での流行状況に注意を払っておく必要があり，保育園などの患者の所属する集団や，家族内の胃腸炎の発生の有無は必ず確認する。急性胃腸炎のアウトブレイク対策は，患者の入院前から始まっている。

市中での流行中に，入院から48〜72時間以上経過した急性胃腸炎との接触歴がない患者に，嘔吐・下痢の症状がみられた場合は，集団発生が起きている可能性があると考える。

(2) 院内発症がみられたとき

ノロウイルスもロタウイルスも潜伏期間は１〜３日以内程度と短く，瞬く間に感染が拡大するおそれがあるため，まずアウトブレイクの基準を定めて早急に対応を開始する。そのために，症例定義を行う必要がある。ウイルス性胃腸炎は，罹患者の年齢や基礎疾患によりさまざまな程度の症状を認めるため，「嘔吐または下痢を発症」など，特異度よりも感度を高めるようにしたほうがよい。またアウトブレイクの基準については，施設の状況に応じてそれぞれ設定することも可能であるが，厚生労働省からの通達[1]などを参照すると，病棟あたり３〜４例の発症を認めればアウトブレイクとするのが妥当と思われる。ただし，「基準を満たす」ということは，「より厳しい対応（入院制限など）が必要になる」ということであり，その前にいかに感染の拡大を防ぐかが肝要である（図1）。

(3) アウトブレイク発生時

発症者のラインリスト（表1，p.183）を作成することによって，どのような経路で感染が伝播し，今後どのように拡がっていくのかを推測することが可能になる。その感染経路を断つことが対策の基本になるが，感染様式についてはノロウイルスの場合，乾燥した吐物による空気感染も指摘されているものの，ほとんどすべては接触感染と考えたほうがよい。

健常な成人では不顕性感染をきたしている可能性もあり，医療従事者と患者に付き添いの家族も含めて，直

アウトブレイクの察知

STEP 1
アウトブレイクを疑う：入院理由以外で胃腸炎症状が入院後に出現した患者が複数名いる
〔症例定義の作成〕
- 入院理由以外で下痢症状が出現している
- 確定患者：嘔吐・下痢症状があり，迅速検査で陽性もしくは培養検査が陽性
- 疑い患者：嘔吐・下痢症状があり，迅速検査は陰性もしくは培養検査が陰性

STEP 2
記述疫学
- 積極的症例の発見（症例定義にあてはまる症例は病棟に何人いたか）
- 集団発生の特徴の図式化〔集めた情報（①〜③の項目）を1枚の用紙に簡単にまとめる〕
  - ①時　＝確定患者・疑い患者の推移をグラフ化する（流行曲線の作成）
  - ②人　＝特徴の図式化（ラインリストの作成）
  - ③場所＝発症時点のベッドの位置や移動情報の特徴を図式化する（病棟マップの作成）

微生物学的調査
- 迅速検査
- 必要時培養検査（食中毒を疑うとき）

STEP 3
フィードバックと対応
原因，伝播経路の仮説・検証
例：病棟での医師の手指衛生遵守率が低下していた
- 調査結果より，同一診療科の患者に院内全体での発生がみられ，医療者を介した伝播が疑われた
- 流水と石鹸による手指衛生，接触予防策の徹底，実施しやすい環境の調整

STEP 4
介入後の継続的評価と終息宣言
- すべての患者の症状改善から疾患の潜伏期間を超えて新規発症者なし
- 手指衛生遵守率・感染経路別予防策順守率の改善
⇒ 終息宣言

対策の実施
対策の強化
- 確定・疑い患者を集団隔離
- 伝播経路の遮断
- 接触予防策の強化
- 流水・石鹸による手洗い
- 環境整備の徹底
- 高度接触面の0.02％次亜塩素酸ナトリウム液を用いた清掃の徹底
- 排泄物処理方法の確認
- 家族・医療従事者への説明・協力要請
- 新規入院患者受け入れ制限によるコホーティング

対策の評価
- 確定・疑い患者の新規発症の推移
- 伝播経路の遮断
- 接触予防策の遵守率
- 環境整備の実施率

未来の発生予防
手指衛生遵守率の維持，環境整備の徹底

図1　感染性胃腸炎（流行性嘔吐下痢症）のアウトブレイク調査の流れ

表1 ラインリストの項目

- 個別データ（患者の氏名，年齢，性別，食事内容，栄養摂取方法）
- 症状の有無（下痢，嘔吐，熱）
- 症状の出現はいつからか（持続期間）
- ベッド番号と病室名
- 診療チーム（診療科，看護チーム）
- 検査結果

表2 感染性胃腸炎に対する病棟での対応と物品管理方法

	具体的な対応策
隔離期間	症状が軽快するまで（症状消失後も1カ月程度，ウイルスの排出が続くこともあり，排泄物の処理には注意を払う）
患者配置	個室隔離（トイレ付き），またはコホーティング
手指衛生	流水と石鹸による手洗い
個人防護具（PPE）	手袋，エプロン（ガウン），マスク（使用後は感染性廃棄物として廃棄）
排泄物の管理	ビニール袋に二重に入れ，口をしっかり結び，感染性廃棄物として廃棄。または，自動おむつ密封パックシステム※の使用を考慮
診察用具	体温計，聴診器，血圧計などは個別化する
身体の清潔	・病室内で実施 ・使用後の物品は次亜塩素酸ナトリウム液やベッドパンウォッシャーで洗浄
リネン	・交換時は手袋，エプロン（ガウン），マスクを着用 ・ビニール袋に入れ，感染性リネンとして処理
遊び	・病室内のみ ・おもちゃは共有せず，使用後は次亜塩素酸ナトリウム液で消毒
面会	・必要最小限にとどめる ・面会者の手指衛生を徹底してもらう
環境対策	・清掃業者と清掃に関する取り決めを作成しておく ・高頻度接触面を中心に0.02％次亜塩素酸ナトリウム液で清掃する（便の付着がある場合は0.2％）
食事・食器	・配膳，下膳は最後とする ・栄養部などの関連する部門に，胃腸炎患者であることを連絡する
哺乳びん・乳首	洗浄後，次亜塩素酸ナトリウム液で消毒する

※使用済みのおむつ，手袋などを自動で密閉パックする機械

接的な接触だけでなく用具等を介した間接的な接触も感染要因になる。

また，対策の初期段階から発症した（またはリスクの高い）患者を隔離・コホーティングする必要があるため，アウトブレイク発生前から患者・家族には状況を説明し，了承を得ることが望ましい。家族は「誰が悪いのか」など責任を追及してくることがあるが，まずはアウトブレイクを未然に防ぐ（または終息させる）ことが優先であることを理解してもらい，協力が得られるようにする。

終息後も，原因などについて最終的な結論が得られた場合には，それにもとづいた説明と対応が必要である。

なお，まれではあるが，病院食からの食中毒は最初に否定する必要があり，多病棟にわたって発生していないかどうかを確認する。

対 応

(1) 外来での対応

有症状者を早期に把握し，隔離室を利用するなど，他の患者と接触を防ぐようにする。

また，保護者に必要性を説明し，協力を得る。会計時も事務担当者が保護者へ請求書を持参するなど，可能なかぎり他の患者との接触を少なくする。

(2) 曝露者への対応

患者の吐物，便に曝露した後は，すみやかに流水と石鹸による手洗いを行う。予防薬は存在しないため，潜伏期間から発症する可能性のある期間を推定し，症状出現の有無を観察する。無症状期間での活動制限はない。

(3) 病棟での対応

標準予防策に加え，接触予防策を講じる（表2）。排泄物の管理が不十分であると，乾燥し，舞い上がった排泄物により空気感染することもあるため，留意が必要である。また，面会家族への指導も含めた対応が必要となる（表3）。診断した際には，届出が必要となることもあるため，医療機関区分における当該施設の役割を把握しておく（表4）。

(4) 吐物の処理

嘔吐は突発的に起こることが多いため，周囲の環境を広範囲に汚染させる可能性が高い。吐物は乾燥しないうちに，0.1％（1,000 ppm）次亜塩素酸ナトリウム液を染み込ませたペーパータオルなどで，「外から内へ

表3 感染性胃腸炎の患者・家族への対応

	具体的な指導内容
隔離対策	・家族,理解できる患者には個室隔離の理由を説明する ・病室外へ出るのは最小限とし,他の患者・家族との接触を避ける
手指衛生	・清潔行動が自立している患者には排泄後の手洗いを指導する ・家族へは,おむつ交換など排泄物の処理をした後は流水・石鹸で手洗いを行うよう指導する
排泄物の管理	汚染したおむつは病室外へ持ち出さない(表2参照)
衣類・リネン	原則,自宅で洗濯する ・ビニール袋に衣類を入れ,水をため,ビニール袋の口をしばった状態でもみ洗いし,大きな汚染物を除去する。汚水はトイレに流す ・0.02%次亜塩素酸ナトリウム液に1時間以上浸漬消毒させる(酸素系漂白剤はノロウイルスには効果がないため留意する) ・家族のものと分けて洗濯する
学校等への連絡	〔幼稚園・学校〕 「学校保健安全法」において感染性胃腸炎は第3種感染症に分類され,医師が感染のおそれがないと認めるまでは出席停止となるため,保護者には幼稚園,学校へ連絡するよう伝える 〔保育園〕 嘔吐,下痢等の症状が治まり,普段の食事がとれることが登園の目安となる

表4 「感染症法」にもとづく届出

	感染性胃腸炎 (ノロウイルス,ロタウイルス)	ロタウイルス
届出が必要な医療機関区分	小児科定点医療機関	基幹定点医療機関
期日	5類感染症の一部にあたり,週単位(月曜〜日曜)で翌週月曜日に届け出なければならない	

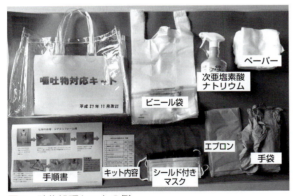

図2 吐物処理セットの例

一方向に」拭き取り,汚染を広げないようにする。
　迅速に処理が行えるよう,吐物処理セット(図2)を用意しておくとよい。

文献
1) 厚生労働省:医療機関における院内感染対策について(医政地発1219第1号,平成26年12月19日)
2) Damani N:Manual of Infection Prevention and Control, 4th Ed, Oxford University Press, 2019
3) ニザーム ダマーニ:感染予防,そしてコントロールのマニュアル すべてのICTのために 第2版(岩田健太郎・監,岡 秀昭,他・監訳),メディカル・サイエンス・インターナショナル,2020
4) MacCannel T, et al:Guideline for the Prevention and Control of Norovirus Gastroenteritis Outbreaks in Healthcare Settings. CDC, 2011 [last updated Feb 15, 2017] [https://www.cdc.gov/infectioncontrol/guidelines/norovirus/(2022年5月現在)]
5) Centers for Disease Control and Prevention:Updated Norovirus Outbreak Management and Disease Prevention Guidelines. MMWR Recomm Rep, 60(RR-3):1-15, 2011

5.6 耐性グラム陰性桿菌

Points
▶ 耐性グラム陰性桿菌の種類は多岐にわたるが，一部の高度耐性菌による感染症を発症した場合は，感染症法にもとづく届出対象となる。
▶ まれな**多剤耐性グラム陰性桿菌**が検出された場合は，保菌のみであっても1例認めたら，**アウトブレイクを疑い対応**することが必要である。

疾　患

　耐性グラム陰性桿菌の種類は多いが，多剤耐性菌やカルバペネム系抗菌薬に対する耐性菌も出現し，注目を浴びている。特に，カルバペネム耐性腸内細菌科細菌（CRE）感染症（5類感染症，全数把握対象），薬剤耐性アシネトバクター感染症（5類，全数把握対象），薬剤耐性緑膿菌感染症（5類，基幹定点把握対象）は「感染症法」にもとづく届出対象疾患である（付録①，p.298参照）。

　これらの菌は院内の湿潤環境などに存在し，ヒトの皮膚や腸管内にも常在しているため，環境に由来する外因性感染と患者自身の常在菌による内因性感染の双方が院内では問題となる。

アウトブレイクの定義と察知

　"アウトブレイク"の定義を「一定期間内に，特定の場所で，特定の人に，予想されるより多い感染症の発生」とする。一般には発症者を対象とするが，CRE，薬剤耐性アシネトバクター，薬剤耐性緑膿菌感染症などのまれな菌では，保菌を含めて1例でも察知が必要である。

　薬剤耐性菌のアウトブレイクを疑う基準や保健所への報告・相談の基準が示されている（表1）。部署によっては，症状がない入院患者へのアクティブサーベイランスも必要となる。自施設で日常的に各菌種の薬剤感受性状況を把握することにより，①突発的な発生を監視するとともに，②全国的あるいは近隣の施設と比較して，異常な耐性化率となっていないかを監視することから察知できる。

アウトブレイク調査の流れ

　アウトブレイク発生時には，調査の対象期間，対象部署，対象者の範囲を決めて症例定義を行い，調査範囲を決める（図1）。定義から得られた症例の各要素を抜き出し，仮説を立てながら，時，人，場所の要点に分けて関連性を分析する。

　腸内細菌などは，手指を介した接触感染が主な感染経路と考え，患者および医療従事者の接触点，それぞれの動線から発生要因を推測する。医療機器や栄養注入器具などの機器材の関与も考える。

　また，患者周囲のみならず，排泄物処理や水まわりなどの共通領域，家族や付き添い者の行動なども考慮する。

リスクコミュニケーション

　院内感染事例が確認されれば，担当医を中心に上席医師，感染対策担当医師がバックアップしながら，確認された具体的な事実関係を早期に患者・家族に説明するとともに，院内関連部署にも状況説明を行い，協力体制の構築に努める。

　また，早期に保健所に相談，あるいは届出を行い，社会的影響も鑑み，社会への公表を施設として決定する。

対　応

（1）発症者，保菌者への対応

　耐性グラム陰性桿菌の感染経路は，発症者・保菌者や医療従事者の手指を介した直接的な接触経路と，機器材や二次的に汚染された環境表面を介した間接的な接触経路である。発症者・保菌者への対応は，標準予

表1 耐性グラム陰性桿菌に対する病棟での対応と物品管理方法

	具体的な対応策
感染対策	・標準予防策 ＋ 接触予防策 ・耐性菌が喀痰など飛沫を発生する箇所から検出されている場合は，飛沫予防策を追加する
患者配置	基本的に個室管理が望ましいが，個室隔離が困難な場合は同菌種保菌者と同室とし，コホーティングを行う
診察用具	診察用具（体温計，聴診器，血圧計など）は患者専用とする ・体温計，聴診器は消毒用エタノールで清拭する ・血圧計は，カバーは洗浄し，乾燥させる。本体は消毒用エタノールで清拭する
ケア担当者の個人防護具（PPE）と手指衛生	〔必要な個人防護具の準備〕 手袋，エプロン，マスク，アイシールド，（必要に応じて）ガウンの着用 〔着脱のタイミング〕 ・患者診察・ケア前に手指衛生を実施し，着用する ・患者療養エリア内で脱衣し，手指衛生を実施する 〔手指衛生の徹底〕 ・「1処置2手洗い」を徹底する ・患者エリア内への入退室のタイミングで実施する
排泄，排泄物の管理	・処理時は，手袋，エプロン（ガウン）を着用 ・排泄物はビニール袋に個別に入れ，感染性廃棄物容器へ廃棄する（廃棄場所は病院の規定に従う） ・便器，尿器使用後は，ベッドパンウォッシャーによる熱水消毒や，次亜塩素酸ナトリウム液を用いた浸漬消毒を行う ・トイレは可能なかぎり患者専用とする
リネン	・使用したリネンは，ビニール袋に入れて運搬する ・通常洗濯（80℃10分）を行う
環境整備	・ベッド周囲や高頻度接触面は汚染の可能性が大きいため，環境清掃用（洗浄剤含浸）クロスなどで2回/日以上確実に行う ・水まわり環境清掃の手順を確認し，清掃を徹底する ・消毒薬・洗浄剤は検出されている菌に適したものを使用する 　例）0.02％次亜塩素酸ナトリウム液，0.2％塩化ベンザルコニウム液，および0.2％両性界面活性剤などを用いる
スタッフ教育・指導（医療者・コメディカル，清掃担当）	・耐性グラム陰性桿菌の特徴 ・感染対策について（手指衛生の徹底） ・抗菌薬適正使用について
説明	年齢に合わせ，以下について説明する ・個室隔離と接触予防策実施の説明　　・耐性菌についての説明 ・手指衛生の方法とタイミング　　　　・退院後の日常生活の注意点について
行政等への報告	・「医療機関における院内感染対策について」[3] 　－1例目の発見から4週間以内に，同一病棟において新規に同一菌種による感染症の発病症例が計3例以上特定された場合または同一医療機関内で同一菌株と思われる感染症の発病症例（抗菌薬感受性パターンが類似した症例等）が計3例以上特定された場合を基本とすること。ただし，カルバペネム耐性腸内細菌科細菌（CRE），バンコマイシン耐性黄色ブドウ球菌（VRSA），多剤耐性緑膿菌（MDRP），バンコマイシン耐性腸球菌（VRE）および多剤耐性アシネトバクター属の5種類の多剤耐性菌については，保菌も含めて1例目の発見をもって，アウトブレイクに準じて厳重な感染対策を実施すること。 　－医療機関内での院内感染対策を実施した後，同一医療機関内で同一菌種の細菌または共通する薬剤耐性遺伝子を含有するプラスミドを有すると考えられる細菌による感染症の発病症例（上記の5種類の多剤耐性菌は保菌者を含む）が多数に上る場合（目安として1事例につき10名以上となった場合）または当該院内感染事案との因果関係が否定できない死亡者が確認された場合には，管轄する保健所にすみやかに報告すること。また，このような場合に至らない時点においても，医療機関の判断のもと，必要に応じて保健所に報告または相談することが望ましいこと。

5.6 耐性グラム陰性桿菌

アウトブレイクの察知

STEP 1

アウトブレイクを疑う：検出数が1件/月 ⇒ 2件/週

〔症例定義の作成〕

例：2月1日から3月30日までの間に，入院後48時間以上経過した，A病棟に入院中の患者で，臨床検体もしくはスクリーニング検体により耐性グラム陰性桿菌が検出された症例

STEP 2

記述疫学
- 積極的症例の発見（症例定義にあてはまる患者はA病棟に何人いたか）
- 集団発生の特徴の図式化（集めた情報を1枚の用紙に簡単にまとめる）：
  - ①時　＝耐性グラム陰性桿菌検出者数をグラフ化する（流行曲線の作成）
  - ②人　＝特徴の図式化（ラインリストの作成）
  - ③場所＝保菌時点のベッドの位置や移動情報の特徴を図式化する（病棟マップの作成）

細菌学的調査
患者スクリーニング
環境調査
- 患者周囲環境，共用物品
- 水まわり環境（手洗いシンク，浴室，汚物室，トイレ，器材洗浄シンクなど）の乾燥や，清潔と不潔の混在を調査

STEP 3

フィードバックと対応

原因，伝播経路の仮説・検証

例：A病棟で，医師の手指衛生遵守率が低下，トイレ内の高頻度接触面の汚染により耐性グラム陰性桿菌保菌者が増加した
- 調査結果により，B科患者およびトイレを共有している患者に保菌者が多くみられ，トイレの高頻度接触面から耐性グラム陰性桿菌が検出された
- B科を中心に接触予防策の徹底，トイレの清掃手順を清掃業者と確認（便座，便器，レバーなどを同一クロスで清掃しないなど），環境整備を強化，トイレ使用後の手洗いの指導

STEP 4

介入後の継続的評価と終息宣言
- 手指衛生遵守率98%
- 個人防護具の適時使用実施率90%
- 定期的な職員による清掃のチェック
- 3カ月連続で新規検出症例がないことを確認
⇒ 終息宣言

対策の実施

対策の強化
- 耐性グラム陰性桿菌の特徴を踏まえて，すぐにできる強化対策の実施（表4）
- 伝播経路の遮断
- 接触予防策の強化
- 環境整備の徹底（表2）
- 保菌患者の隔離予防策の実施
- （必要に応じて）接触者・環境のアクティブサーベイランスを実施

対策の評価

- 耐性グラム陰性桿菌の新規検出者の推移
- 伝播経路の遮断
- 接触予防策の遵守率
- 環境整備の実施率

未来の発生予防

- 手指衛生遵守率モニタリングの継続
- 水まわり環境整備方法の統一と徹底

図1 耐性グラム陰性桿菌のアウトブレイク調査の流れ

防策と接触予防策を併用し，他患者への水平伝播予防に努める必要がある。

耐性菌が検出された場合は，新たな対応が必要となるため，患者や家族の状況に応じた説明を行い，同意を得たうえで，対応を開始する（表2）。

隔離環境では，感染対策が重要視されやすく，隔離されている子どもの権利が侵害されやすい。また，隔離による不安や苦痛などストレスが増大する。隔離された環境においては，「子どもの権利条約」第3条（子どもにとってもっともよいこと）を常に考慮し，成長発達を妨げないような遊びや学習など，日常生活上の工夫に努めることが重要である。

(2) 接触者への対応

多剤耐性グラム陰性桿菌は，免疫正常者が曝露しても，多くの場合は定着状態にとどまり，症状が現れないことが多い。監視培養を実施しないかぎり，発見は困難である。

保菌の場合も含めて1名から分離された時点で，周囲の他の患者に伝播している可能性は十分にある。伝播経路が明らかでない場合は，伝播状況確認を目的にスクリーニング検査を行うことも考慮する（表2）。

また，接触者の感染対策としては標準予防策を行う。

(3) 医療従事者への感染対策

耐性グラム陰性桿菌は菌種によって特徴があり，性質を把握したうえでとるべき対応を考えることが必要である（表3）。菌種によっては環境表面に長期間生存するため，手指を介した伝播や環境清掃に注意を要する。基本的なアウトブレイク対策として重要なことは，①他患者への伝播防止，②アウトブレイクの現状把握（表4），③スタッフ教育に分けられる（表1）。

(4) おちいりやすい盲点

耐性グラム陰性桿菌の感染対策における盲点として，①耐性菌によっては耐性遺伝子がプラスミド上に存在するものがあり，容易に他の菌株へ伝播すること，②耐性グラム陰性桿菌は感染しても定着状態にとどまることが多く，積極的に検査を行わなければ存在を確認できないことから，知らない間に院内で広がってしまう可能性があることがあげられる。

このように，感染対策の初動が遅れ，終息困難なアウトブレイクとなるおそれがあるため，早期に耐性菌のアウトブレイクを察知することが必要である。そこで，耐性グラム陰性桿菌のハイリスク群を対象に，選択的アクティブサーベイランスを行い，潜在的保菌者を効率的に検出することが重要である。

表2　耐性グラム陰性桿菌のアウトブレイク時におけるスクリーニング検査

	検査対象	採取する検査の部位と方法
患者	・耐性グラム陰性桿菌分離患者と同室患者 ・耐性グラム陰性桿菌分離患者と関連のある病棟入院患者，および同時期に入院歴のある患者 ・ハイリスク患者（同一病棟内，デバイス留置患者・免疫不全者） ・耐性菌分離状況に応じて，共通する医療器具を使用した患者	・喀痰 ・尿や便 ・直腸スワブ
環境	・分離患者周囲 ・手洗いシンク，スポンジ，歯みがき用シンク ・配膳・調乳用準備環境周囲，経腸栄養剤準備シンク，経腸栄養チューブ，洗浄用ブラシ ・患者用の湯冷まし湯（お茶）ポット ・汚物処理（蓄尿器），トイレ，尿便器，器材洗浄シンク，汚物室 ・浴室，沐浴用ベースン，シャワーボトル ・共有使用医療器材	スワブで環境表面をまんべんなくぬぐう

表3 グラム陰性桿菌の環境表面生存期間

菌種（属名）	生息環境の特徴，アウトブレイクの原因・対策例	環境での菌の生存期間
アシネトバクター属菌	・湿潤環境に生息しやすい（流し台，ブラシ，スポンジ，歯ブラシなど） ・ヒトの皮膚からも検出される ・吸引する環境，経管栄養チューブなど清潔であるべき物の乾燥が十分できるか確認する	3日〜5カ月
大腸菌	・腸内細菌であり，消化管内に生息する ・経腸栄養に使用する器具，お茶のポット，浣腸に使用する器具，吸い飲み，哺乳びんや乳首	1.5時間〜16カ月
肺炎桿菌を含むクレブシエラ属菌	・土壌，水，植物など自然界に幅広く分布 ・ヒトの腸管，呼吸器の常在菌	2時間〜30カ月以上
緑膿菌	・湿潤環境に生息しやすい（流し台，ブラシ，スポンジなど） ・蓄尿器・尿器の洗浄方法，乾燥 ・経管栄養チューブなど清潔であるべき物の乾燥が十分できるか確認する	6時間〜16カ月 （乾燥局面：5週間）
セラチア・マルセッセンス	・土壌，水，植物など自然界に幅広く分布 ・湿潤環境に生息しやすい ・病院内では，超音波ネブライザー，人工呼吸器に使用する加湿器	3日〜2カ月 （乾燥局面：5週間）

〔文献2）より一部改変〕

表4 耐性グラム陰性桿菌のアウトブレイクの現状把握

患者スクリーニング	アウトブレイク状況に応じ，回数・検査タイミングを検討
環境培養検査	・分離患者周囲 ・水まわり，トイレ，共有使用医療器材
感染源，感染ルートの解明	患者スクリーニング，環境培養結果，共通医療・看護ケアにて感染源・感染ルートを絞りこむ

文献

1) 米国疾病管理予防センター・編，満田年宏・訳著：医療環境における多剤耐性菌管理のためのCDCガイドライン2006．ヴァンメディカル，2007
2) 日本環境感染学会 多剤耐性菌感染制御委員会：多剤耐性グラム陰性菌感染制御のためのポジションペーパー 第2版．環境感染誌，32（Suppl Ⅲ），2017
3) 厚生労働省：医療機関における院内感染対策について，医政地発1219第1号，平成26年12月19日
4) 厚生労働省：院内感染対策中央会議提言について，厚生労働省医政局指導課 事務連絡，平成23年2月8日

5.7 新興感染症対策

Points
- ▶ **新興感染症**とは，新しい病原体による感染症のことをいう。
- ▶ 平時より信頼性の高い情報を収集し，**リスクアセスメント**を行う。
- ▶ 危機管理事案への対処のために，平時からの**組織体制構築**や**診療継続計画策定**，訓練の実施などの事前準備が極めて重要である。

はじめに

2019年にはラグビーワールドカップが開催され，大いに盛り上がった。2020年の東京オリンピック・パラリンピック競技大会の開催に向けて準備が進んでいたが，2020年初頭より新型コロナウイルス感染症（COVID-19）の世界的大流行が発生し，2022年現在もなお，終息の兆しすらみえていない。しかし現状を踏まえて，こうした感染症危機事案に対処すべく対策を講じる必要がある。どの程度の感染力があり，どの程度重症化するものか，さらにはどういう感染経路により感染が成立するのかによって対策は異なるが，本節では新興感染症対策の概要を述べる。

新興・再興感染症とは？

新興感染症（emerging infectious diseases）とは，新しい病原体による感染症を指し，最近の新型コロナウイルス（SARS-CoV-2）により引き起こされるCOVID-19はまさにその典型例である。ほかにもHIV感染症やエボラウイルス病，鳥インフルエンザ（H5N1やH7N9など），重症急性呼吸器症候群（SARS）に加え，小児（特に新生児や早期乳児）にsepsis like illnessをきたすパレコウイルス感染症も含まれる。

一方で，再興感染症（re-emerging infectious diseases）とは，予防接種や抗微生物薬の恩恵により患者が激減したものの，病原体や環境の変化にともない再流行した感染症の総称で，結核やマラリア，コレラ，百日咳などが代表例である。

リスクアセスメント

新興感染症が発生した場合，政府機関（厚生労働省，国立感染症研究所，検疫所，各国政府機関など）や国際機関（WHOなど），大学や研究機関等から信頼性の高い情報を収集する。ただ情報を集めるだけではなく，こうした情報にもとづきリスクアセスメントを行うことが重要である。

実際に評価を行うにあたり，**表1**のように5W1Hに準

表1　リスクアセスメントと体制整備のために必要な確認項目（5W1H）

誰が？ （Who）	どこで？ （Where）	いつ？ （When）	どのように？／なぜ？ （How/Why）	何を？ （What）
・患者属性 （年齢，性別，職業など）	・発生国 ・発生地域	・いつから発生しているか？	・疑似症/確定例の発生数の推移 ・感染源 ・感染経路 ・ヒト-ヒト感染の可能性 ・感染性・伝播性 ・感染リスク因子 ・重症化リスク因子	・原因微生物 ・潜伏期間 ・感染可能期間 ・症状・徴候 ・診断に必要な検査 ・治療法 ・予防法（ワクチンや曝露後予防内服の有無）

COVID-19：coronavirus disease 2019，新型コロナウイルス感染症

じた流行地域と流行状況，原因病原微生物，潜伏期間，感染経路，臨床的特徴（症状，合併症，重症度，死亡率などの予後），診断のための検査法，治療法，予防法などについての情報を収集する。こうした情報は，発生早期であればあるほどよいというわけではなく，また一度に過不足なく正確な情報が得られるわけではないため，日々，情報収集してアップデートし，くり返し評価することが必要である。これにより，全施設内での対応方針，具体的には施設の運用やスタッフおよび患者の配置，実施すべき感染対策，必要となるハード面・ソフト面の整備などが明確となる。

診療継続計画（BCP）の策定

BCPとは，事業継続計画（business continuity plan）の頭文字をとった言葉である。新興感染症，テロや災害，システム障害や不祥事といった危機的状況下におかれた場合でも，重要な業務が継続できる方策を用意し，生き延びることができるようにしておくための戦略を記述した計画書のことをいう。医療の現場では，「診療継続計画」に相当し，また新興感染症への対応は医療機関が主体となるため特別な配慮が必要となる。

新興感染症が発生した場合，流行地域や流行規模によって自施設への影響は異なる。自施設の所在地や，地域ごとの医療施設数や規模・機能によって，考慮すべきことが感染フェーズごとに異なる。まずは感染フェーズの概念を整理し，それぞれの時期に自施設が何を行うべきかを計画しておくことが必要である。新型インフルエンザ等の新興感染症が発生した際に，急激に増加する新型インフルエンザ等の患者への対応と，その他の慢性疾患の患者等への通常の医療を，平時よりも少ないスタッフで提供するために，あらかじめ各医療機関が診療継続の方法について検討したBCPの策定，および定期的な見直しが重要である。今般のCOVID-19の流行を受けて，「いまからできる！ 一般医療機関のための新型コロナ地域感染期の診療継続計画づくり」[1]も公表されているため，参考にされたい。

医療施設において集団発生（クラスター）が発生した場合の対応

本章の各節でも示してきたように，医療機関において集団発生はいつでも発生しうるものと認識しておかなければならない。特に，1類，2類感染症や指定感染症等の新興感染症の集団発生となると，各医療施設だけの問題ではなく，自治体（保健所）等との綿密な連携をとったうえで，実地疫学調査，感染対策（拡大防止策），医療機能維持の各視点から迅速に対応する必要がある。また，自施設のみで対応が困難な場合は，近隣の感染症指定医療機関や感染対策向上加算1（2022年度診療報酬改定）の基幹的な医療機関のICT，小児においては，日本小児総合医療施設協議会の感染管理ネットワーク内で他施設の専門家に協力を依頼することを考慮する。

近年のCOVID-19の流行を受けて，「新型コロナウイルス感染症（COVID-19）医療施設内発生対応チェックリスト」が発出されているので，実際の対応の参考にされたい（図1）[2]。

リスクコミュニケーション

新興感染症の発生時に限らず，感染症のアウトブレイク発生といった危機事案を含む緊急事態においては，リスクコミュニケーションが非常に重要である。日本では，感染症のアウトブレイクに関する報道や情報発信について，その方法や対応についての一定の見解や方針が示されている[3]。

一方で，その具体的な内容や目的，効果と影響，罹患者への対応，回復に向けた取り組み，安全確保や尊厳の尊重，人権とプライバシー保護など包括的なガイドラインは存在しない。そのため，世界保健機関（WHO）による合同外部評価（Joint External Evaluation；JEE）でも，日本はリスクコミュニケーションに関して課題があると評価されている[4]。このJEEは，国境を超えて影響を与えうる公衆衛生危機の影響を最小限にすることを目的に，WHOが制定した国際保健規則（International Health Regulations；IHR）の履行能力を，各国政府とWHO外部評価団が合同で評価し，改善に向けて優先的に取り組むべき課題を明確にする取り組みである。米国CDCでは，Crisis Emergencies and Risk Communicationsというマニュアルを作成し，体系化を図るとともに，そのリスクコミュニケーションに関する専門家の養成などにも取り組んでいる[5]。行政機関や民間企業，医療機関など組織の種類によって詳細は異なるが，その基本概念は共通しており，本節では感染症の性質を理解したうえで，大きく6つの要素に分け，エッセンスを紹介する（表2，p.193）[6]。

BCP：business continuity plan，診療継続計画

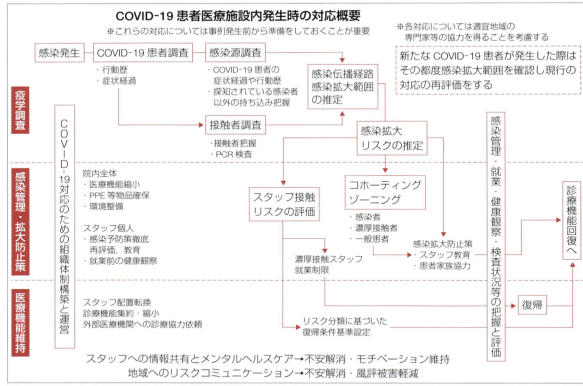

図1 COVID-19患者医療施設内発生時の対応概要 〔文献2)より転載〕

 新興感染症対策訓練の実施

　新興感染症対策は，事前準備とそれに沿った対応が重要である．実際に新興感染症が発生した場合に，事前準備なくスムースに対応することは困難である．そのための事前準備は前項までに述べたように，組織体制づくり（指揮命令系統の明確化）やBCPの策定，個人防護具（PPE）の備蓄など多岐にわたっている．実際の対応では，疑似症または確定患者の診療だけでなく，受付から外来対応，病棟での対応，関連する診療部門への周知，院内の動線の整理，連絡体制（内部だけでなく外部とのやり取りを含む），広報体制など，病院全体での対応が必要になる．

　病院の機能として新興感染症を受け入れている感染症指定医療機関等の一部の施設では，実務に加えて普段から訓練などを行う体制が整っているが，多くの医療機関ではそうではない．しかし，いざというときに備えて，こうした事案を想定した訓練を定期的に行っておくことは，自施設での課題を明確化し，改善する大きなチャンスである．訓練規模の大小により要する時間と労力は変わるが，必ず各部署の幹部を含めて，施設全体で実施することが重要である．

 おわりに

　COVID-19のいち早い終息が望まれるが，次なるパンデミックが近い将来起こらないとも限らない．本節で記載したような事前準備を厳密に行い，対応を講じる必要がある．

参考文献

1) 和田耕治：いまからできる! 一般医療機関のための新型コロナ地域感染期の診療継続計画づくり［https://plaza.umin.ac.jp/~COVID19/core/new_workbook.pdf（2022年5月現在）］
2) 国立感染症研究所感染症疫学センター：新型コロナウイルス感染症（COVID-19）医療施設内発生対応チェックリスト，2020年7月8日［https://www.niid.go.jp/niid/ja/diseases/ka/corona-virus/2019-ncov/2484-idsc/9735-covid19-21.html（2022年5月現在）］
3) 厚生労働省：新型コロナウイルス感染症が発生した場合における情報の公表について（補足）．(厚生労働省新型コロナウイルス感染症対策推進本部 事務連絡，令和2年7月28日）［https://www.mhlw.go.jp/content/

表2 アウトブレイク時におけるリスクコミュニケーションの6つのエッセンス

Be First (最初が肝心)	・感染症のアウトブレイクに関する情報をすみやかに共有することで，感染症の蔓延を食い止め，死亡をも防いだり減らしたりすることに役立つ ・多くの人は緊急事態で耳にする最初の情報を記憶しているため，はじめに受け取る情報は医療の専門家から発出されたものであるべきである ・特定の原因が不明でも，まず入手可能な事実を共有しておくことが重要で，その感染症による徴候と自覚症状，リスク因子，治療およびケアの選択肢，受診する時期について，情報を共有する
Be Right (正しい情報)	・正確な情報を伝えることが信頼獲得につながる ・現時点でわかっていること，わかっていないことを明確にし，そのギャップを埋めるために実行されていること，さらに情報を受け取るものに何ができるのかを含む内容を，伝達する情報の中に含める必要がある ・情報を発出する前に，ファクトチェックを厳密に行うことで，間違ったメッセージが伝わり信頼を失うリスクを最小限にすることができる
Be Credible (信頼獲得)	・誠実に，タイムリーに，そして科学的根拠があることが，受け手である人々の，情報や指針に対する信頼を高めることにつながる ・ある問いに対して，説明できる十分な回答をもっていないときは，その事実を認めて，解決に向けて適切な専門家と連携することが重要である．不確かなことを，安易に確約してはならない ・一般市民に対しては，臨床医の立場から，あくまで医療上の質問に対する回答に専念することが重要である
Express Empathy (共感)	・感染症のアウトブレイクは，恐怖感に加え，日常生活の破綻を引き起こす可能性がある．これが，未知のものや，新興感染症である場合には，さらに不確実さが増すことで不安が煽られうる ・一般市民が何を感じているか，何を求めているかを認識することは，情報の受け手の視点を考慮して推奨する際に，大いに参考となる
Promote Action (行動促進)	・感染症のアウトブレイクにおいては，予防に関する一般市民の理解と行動が，蔓延を食い止めるために極めて重要である ・行動のメッセージは，「短く，簡潔に，覚えやすいもの」にすることが重要である ・障害者や言語（外国語）に対する情報弱者への配慮も必要である
Show Respect (敬意を示す)	・敬意を示したコミュニケーションは，協調関係と相互理解を促進する ・地域社会（例：東京都，さらに細かくは地区や市区町村）や地域のリーダー（例：東京都知事や市区町村長，医師会長）によりもたらされた課題や解決策を傾聴する ・疾患に対する文化的信条や考え方，対応の違いがあることを事前に十分理解したうえで対応することにより，相互理解を促し，地域社会全体で連携していくことが必要である

〔文献6〕を参考に作成〕

000652973.pdf（2022年5月現在）〕
4）World Health Organization : Joint external evaluation of IHR core capacities of Japan: mission report: 26 February - 2 March 2018. 2018〔https://apps.who.int/iris/handle/10665/274355（2022年5月現在）〕
5）CDC : Crisis and Emergency Risk Communication (CERC), 2014 edition. 2014〔https://emergency.cdc.gov/cerc/ppt/cerc_2014edition_Copy.pdf（2022年5月現在）〕
6）CDC : CERC in an Infectious Disease Outbreak〔https://emergency.cdc.gov/cerc/resources/pdf/315829-A_FS_CERC_Infectious_Disease.pdf（2022年5月現在）〕
7）World Health Organization : Infection prevention and control of epidemic- and pandemic-prone acute respiratory infections in health care. 2014
8）田辺正樹・監訳：医療におけるエピデミックおよびパンデミック傾向にある急性呼吸器感染症の予防と制御 日本語版（WHO : Infection prevention and control of epidemic- and pandemic-prone acute respiratory infections in health care. 2014），国立保健医療科学院，2015〔https://www.niph.go.jp/publications/who_guide.pdf（2022年5月現在）〕

5.8 海外からの受診者（輸入感染症を含む）

Points
- 外国人の診療や海外での居住歴のある患者の診療に携わる機会が多くなってきている。
- 各医療機関の機能に応じて，あらかじめこうした患者の受け入れ体制を構築し，**対応マニュアルなどを策定**しておくことが肝要である。
- **海外における感染症の疫学情報**を信頼できる情報源から，タイムリーに把握しておくことも重要である。

交通手段の発達にともない，海外旅行がより身近なものとなってきている現在，海外で疾病に罹患した可能性のある患者が医療機関を受診するだけでなく，海外の医療機関に入院歴のある患者の受診や，海外の医療機関からの転院，日本に滞在中の外国人患者の受診や入院も増加している。

どの医療機関でも，いつ何時でもこうした患者が受診する可能性があると考え，事前に各医療機関内の体制を整えておく必要がある。

各医療機関における疫学を知る

小児に関わる医療機関にも，外来患者を中心に診療を行う施設から，一次・二次医療機関からの転院を受け入れるような三次医療機関，海外からの患者を受け入れる施設，さらには24時間365日受診可能な小児救急外来を有する施設まで，多岐にわたる。各医療機関における受診患者層を把握し，対応を決定する必要がある。

たとえば，広域から紹介患者を受け入れている施設や外国人居住者が周囲に多い施設であれば，海外における流行性疾患や新興感染症などのスクリーニングを実施する必要がある。

水際対策

（1）検 疫

2003年の重症急性呼吸器症候群（SARS），2009年のパンデミックインフルエンザ（H1N1），2012年の中東呼吸器症候群（MERS），鳥インフルエンザ

表1 検疫感染症（2022年3月現在）

「感染症法」にもとづく分類	感染症の種類
1類感染症	エボラ出血熱，クリミア・コンゴ出血熱，痘そう，ペスト，マールブルグ熱，ラッサ熱，南米出血熱
新型インフルエンザ等感染症	新型インフルエンザおよび再興型インフルエンザ，新型コロナウイルス感染症および再興型コロナウイルス感染症
2類感染症	鳥インフルエンザ（H5N1，H7N9），中東呼吸器症候群（MERS）
4類感染症	デング熱，チクングニア熱，マラリア，ジカウイルス感染症

（H7N9）に引き続き，2014年にはエボラウイルス病（EVD）が世界的に問題となっている。また，2020年初頭からSARS-CoV-2による新型コロナウイルス感染症（COVID-19）がパンデミック（pandemic）の状態となっている。

これらの感染症に対する水際対策として重要なのが，検疫（quarantine）である。

すなわち，国内に常在しない感染症の病原体が船舶または航空機によって国内に侵入することを防止するために，入国する人を一定期間隔離した状況において，ある感染症に罹患していないかを確認している。表1に検疫感染症を示す。

EVD：ebola virus disease，エボラウイルス病

(2) 新興・再興感染症の具体例と現状

次項に，主としてエボラウイルス病と MERS についての例を示す。しかしながら，検疫感染症の発生状況は時々刻々変化しており，常に最新の情報にアップデートする必要がある。また未知の病原体による新興感染症が発生し，いつその危険にさらされるかわからない状況において，国のレベルだけではなく，各医療機関レベルでも危機管理を行っておく必要がある。

病院での水際対策
（受診・入院時スクリーニング）

救急外来があり，不特定の患者が受診するような施設では，水際対策を実施することが望ましい。

病院受診時に，検疫感染症（2022年3月時点）のうち，特に COVID-19，エボラウイルス病，MERS，鳥インフルエンザ（H7N9）などについては，受付などでスクリーニングを実施，問診票へ海外渡航歴の項目を入れ，医療機関の入口に看板，院内の掲示板に「お知らせ」，「注意喚起」などの形式で患者から申告できるようにする。

こうした対策は，施設ごとの患者動線や診療の流れに合わせて行うことが効果的である。

これらの病原体には医療従事者のみでなく，特に病院の受付に常駐する事務担当者なども含めた，医療機関に勤務するすべての関係者および患者・患者家族が曝露する可能性がある。万が一，患者の感染が判明した場合の，施設としての診療継続計画（BCP）の作成や，実際の患者移送に関わるマニュアル整備や訓練なども普段から行っておくことが望ましい。

たとえば，エボラウイルス病疑いの患者が自施設を受診した場合には，滅菌手袋や長袖のガウンなどの接触予防策，飛沫予防策としての医療用マスクに加え，眼の防護としてゴーグルあるいはフェイスシールドを使用することが最低限必要とされているので，これらの着脱手順にも慣れておく必要がある。

海外渡航歴のある患者を
受け入れる場合

海外からの帰（入）国後に，発熱などを主訴に救急外来などを受診するケースは少なくない。熱帯感染症・輸入感染症診療に際して，まずは海外に渡航した事実を患者から問診で聞き出すことが第一段階である。

ここで海外渡航歴があった場合に，滞在場所（行動範囲）や滞在期間，旅行内容と目的，予防の有無などを詳細に確認する。病歴聴取は鑑別診断の絞り込みに有用で，渡航地域別におおまかには，アフリカへの渡航であればマラリア，南アジアへの渡航であれば腸チフス・パラチフス，東南アジアへの渡航であればデング熱・チクングニア熱などの可能性が高くなる。これらの疾患は治療介入が遅くなると重症化する可能性があり，いずれも鑑別にあげ，見逃さないことが重要である。診断や治療は特殊であり，実際の診療にあたっては，熱帯感染症の専門家がいる医療機関と連携をとれる体制にしておく必要がある。

輸入感染症として感染対策上，影響が大きいのは輸入麻疹である。空気予防策が必要な疾患であり，対策が遅れると曝露者が増え，二次感染も出現しうるため，早期に疑い例を覚知することが対策をとるうえで重要である。

さらに，2014年，わが国でも約70年ぶりの国内流行があったデング熱については，今後も発生する可能性が十分にあるため，各医療機関で受診した場合のフローをあらかじめ準備しておく必要がある。

マラリア・デング熱などの蚊媒介感染症に対する病院での感染対策として，水たまりの排除や草刈りなど，病院周辺環境整備を行い，防蚊対策を講じる必要がある。

Note

エボラウイルス病

エボラウイルス病（EVD，「感染症法」における1類感染症の分類上はエボラ出血熱と称する）は，感染者や感染動物の血液・体液への曝露による接触感染が主たる伝播形式とされている。

最近の報告によると，基本再生産数（R_0）については1.4～1.8程度とされている[1]が，現時点で確立された治療薬やワクチンがなく，罹患すると致死率が約50％と非常に高いため，予防に努めることが肝要である。

エボラウイルス病に対する検疫対応のフロー：
- 最新情報が厚生労働省のWebサイトに掲載されている。

各医療機関向けのエボラウイルス病対応に関する通知：
- 最新情報が厚生労働省のWebサイトに掲載されている。
- 院内での対応を適宜修正し，医療従事者へ周知する必要がある。

結核は，国や地域により発生頻度は高く，多剤耐性結核菌の出現が問題となっている。肺結核は空気予防策が必要な疾患であり，来院前，転院前に評価されていることが望ましい。

結核のスクリーニング対象者については，WHOは流行地（結核患者が人口10万人あたり100人以上）での滞在者を検査対象に含めている。ほかに，患者本人の症状の有無，家族や親近者での活動性結核の有無，実際に潜在性結核や活動性結核として治療を受けたことがあるか，HIV感染の有無などの情報をもとにスクリーニングを進める。「感染症法に基づく結核の接触者健康診断の手引きとその解説」[4]を参考にされたい。

表2　海外での感染症流行状況の情報源（2019年10月現在）

- 厚生労働省検疫所 FORTH
  http://www.forth.go.jp/
- 外務省が提供する医療・健康関連情報について（外務省）
  http://www.anzen.mofa.go.jp/kaian_search/index.html
- 世界の医療事情（外務省）
  http://www.mofa.go.jp/mofaj/toko/medi/index.html
- Disease Outbreak News（DONs）（WHO）
  http://www.who.int/csr/don/en/
- Travelers' Health（CDC）
  http://wwwnc.cdc.gov/travel/
- fitfortravel（Health Protection Scotland）
  http://www.fitfortravel.nhs.uk/home.aspx
- National Travel Health Network and Centre（NaTHNaC）
  http://nathnac.org/
- Malaria Atlas Project（MAP）
  http://www.map.ox.ac.uk/

海外医療機関に入院歴がある患者を受け入れる場合

ニューデリーメタロβ-ラクタマーゼ（NDM）産生菌などの多剤耐性グラム陰性桿菌やバンコマイシン耐性腸球菌（VRE）を含めた多剤耐性菌の問題は世界的に大きな問題となっている。

そのため，海外の医療機関で入院歴のある患者の場合，スクリーニング検査を実施することが感染対策を行ううえで重要である。実際，カナダ[5]，フランス[6]，オランダ[7]などでは，海外医療機関に入院歴のある患者に対するスクリーニングを行っている。

日本では，明確なスクリーニングの基準はないものの，2013年3月22日の厚生労働省からの事務連絡[8]にもとづき，カルバペネム耐性腸内細菌科細菌（CRE）などの特に国内ではまれな高度耐性菌の検出を目的とした耐性菌スクリーニング（便，または直腸スワブ）を実施することが推奨されている。

ただし，諸外国におけるCREは，日本の「感染症法」にもとづく届出対象となっているCRE感染症の原因菌とは同一ではないことに注意が必要である。

耐性菌スクリーニングには選択培地が有用で，たとえばMRSA選択培地，ESBL（基質特異性拡張型βラクタマーゼ）選択培地などが用いられる。

世界の流行状況，疫学情報へのアクセス

普段から海外でどのような疾患が流行しているかをアップデートしておくことは，海外からの患者を受け入れる場合だけでなく，職員に対しても，渡航に際して注意喚起が可能という意味で重要である。その際に情報源となるものを表2にまとめる。

Note

中東呼吸器症候群（MERS）

中東を発端とするβコロナウイルスによる感染症で，現時点で「感染症法」の2類感染症に分類されているが，2015年5月には韓国でのアウトブレイクが大きな話題となり，医療機関での二次・三次感染が問題となった。近隣であるわが国においても，常に発生のリスクがあると考えての実務的な対応を日々訓練し，備えることが望ましい[2]。

有効かつ確立した治療・予防はないため，罹患予防が最も重要であり，感染拡大防止のために，飛沫および接触予防策が重要である。基本再生産数（R_0）は，文献によると0.6としているものがあり[3]，季節性インフルエンザと比して感染力は弱いが，感染対策が不十分であった場合，医療機関内でのアウトブレイクが起こりうる。

NDM：New Delhi metallo-β-lactamase，ニューデリーメタロβ-ラクタマーゼ

文献

1) Khan A, et al：Estimating the basic reproductive ratio for the Ebola outbreak in Liberia and Sierra Leone. Infect Dis Poverty, 4：13, 2015
2) 日本環境感染学会 MERS 感染対策委員会：MERS 感染予防のための暫定的ガイダンス（2015年6月25日版）. 日本環境感染学会［http://www.kankyokansen.org/modules/publication/index.php?content_id=26（2022年3月現在）］
3) Cowling BJ, et al：Preliminary epidemiological assessment of MERS-CoV outbreak in South Korea, May to June 2015. Euro Surveill, 20(25)：7-13, 2015
4) 石川信克・監, 阿彦忠之・編：感染症法に基づく結核の接触者健康診断の手引きとその解説 平成26年改訂版. 結核予防会, 2014
5) Ho C, et al：Screening, isolation, and decolonization strategies for vancomycin-resistant enterococci or extended spectrum beta-lactamase producing organisms: a systematic review of the clinical evidence and health services impact. CADTH Rapid Response Report, 2012
6) Lepelletier D, et al：Risk of highly resistant bacteria importation from repatriates and travelers hospitalized in foreign countries: about the French recommendations to limit their spread. J Travel Med, 18(5)：344-351, 2011
7) Kluytmans-Vandenbergh MF, et al：Dutch guideline for preventing nosocomial transmission of highly resistant microorganisms（HRMO）. Infection, 33(5-6)：309-313, 2005
8) 厚生労働省：腸内細菌科のカルバペネム耐性菌について（情報提供及び依頼）.（医政局指導課 健康局結核感染症課 事務連絡, 平成25年3月22日）

Memo

Memo

小児感染対策の実践

6.1 小児救急・入院・外泊時のトリアージ

Points
- ▶トリアージは，治療の優先度と加療の場所を決定する患者評価の方法である。
- ▶感染対策では，入院・外来における感染症の早期発見と，他者との分離が目的となる。
- ▶患者家族からの情報収集だけでなく，周囲の流行状況を把握し，判断することも必要である。

トリアージとは

"トリアージ"とは，「Fleisherらの定義にもとづく患者評価の1つであり，治療の優先度と加療の場所を決定することである。加えて，その後の待機患者の再評価と必要な看護介入を含めた一連の看護ケアである」[1] とされている。

目的として以下の4点がある。
① 生命をおびやかす病態にある患者を迅速に見きわめる（Life Support）
② 現時点の問題の，重症度と緊急性を評価決定できる（Assessment）
③ 評価決定にもとづいて適切な加療場所へ誘導する（Disposition）
④ 診察を待っている患者の再評価と必要な看護介入を実践する（Reassessment and Care）

トリアージは，救急外来到着から10分以内に完了すべきであり，感染症患者の早期発見も重要である。

トリアージ場面での感染対策

（1）救急外来の場面

救急外来では，患者の状況がわからないままトリアージを開始する。感染症の早期発見は，他の患者を守るために重要である。そのため，通常のトリアージのほかに感染対策上のトリアージ（感染症トリアージ）も必要である。

小児では，麻疹，風疹，水痘，流行性耳下腺炎などの流行性ウイルス疾患の抗体価を有しない患者も多く存在する。とくに空気感染対策は必須である。

発熱，発疹，呼吸器症状，消化器症状を有する患者は，

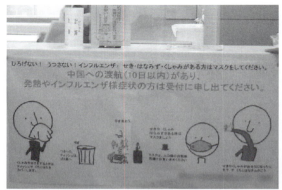

図1　注意喚起ポスター

受付の時点で確認し，陰圧室または個室に優先的に案内した後に，トリアージを行うことを考慮することが求められる。なお，新型コロナウイルス対策については，ここでは取り上げない。

受付に目立つ表示をして，注意喚起と患者の把握に努める（図1）。また，受付での表示のほか，問診票（図2）なども工夫し，感染症の把握，抗体価の把握に努める必要がある。ワクチン接種歴などもあわせて聴取し，流行性ウイルス疾患の抗体保有状況の把握にはより慎重を期して情報を収集する必要がある。

受診前から感染症が明確な場合は，専用の出入り口から直接病棟に入るよう指示するなどして，他の患者への接触を極力避けるよう配慮する。

救急車での受診については，流行状況に応じて他の感染症患者との接触状況を確認する。

かかりつけ患者で，感染予防策の必要な患者（高度耐性菌の保菌者など）については，カルテの目につきやすい場所に表示するなどの工夫が必要である。

（2）入院時の場面

予定入院の患者は，前回の外来受診から今回の入院

2014 年 12 月 5 日　改訂

ER 外来受診患者問診票

記入日　　　年　　月　　日

お名前　　　　　　　　　　　　年齢　　　歳　　　カ月

体重　　　　　　kg（測定日：本日　または　　　　月）

> 体重はお薬を処方する際に必要になります。
> この 1 か月以内に測定していない方はトリアージ前に測定してください。

（該当する□に ✔ チェックをお付けください）

1. 現在の症状を下記よりお選びください。

   - □ 身体に赤いぶつぶつ（発疹）がある
   - □ 耳の下が腫れている
   - □ はしか・風疹・水ぼうそう・おたふくかぜ・帯状疱疹・流行性角結膜炎・ヘルペスと診断された
     または，そのような病気の人が近くにいたことがあった
   - □ 付き添いの方に同様の症状（発疹・張れなど）がある

   - □ 熱がある　□ ひきつけ（けいれん）　□ 咳（ゼーゼー，ヒューヒュー）
   - □ 鼻水　□ 嘔吐　□ 下痢（水みたい・泥みたい）　□ 腹痛　□ 頭痛
   - □ けが（部位　　　　　　　　　　　　）
     けがの方は下記もご記入ください。
     三種または四種混合（破傷風）ワクチン接種（　回目まで済み／未）
   - □ その他

2. その症状はいつからですか？　　　　　　（　　　　　　　　　　　　　　　）

3. 以下のことはできていますか？
   ①水分は（□ 飲める　□ 少しずつ飲める　□ 飲めない）
   ②食事は（□ できる　□ 少しずつできる　□ できない）
   ③尿は　（□ いつも通り　□ 少なくなっている　□ でない　最後に出たのは＿＿＿時間前）

4. 現在治療中の病気はありますか？
   □ はい（　　　　　　　　　　　　　）　□ いいえ

5. 現在飲んでいるお薬はありますか？
   □ ある　　□ なし
   ＊「ある」とお答えになった方
   診察時にお薬手帳を見させていただくことがありますのでご用意ください。

6. 手術を受けたことがありますか？
   □ ある（　　　　　　）　□ いいえ

7. その他，ご心配なことがあればお書きください。

＊この問診票は今回のみ使用し，使用後は個人情報が漏れないよう廃棄いたします。

図 2　ER 受診時の問診票の例

入院前感染症チェック票（記入例）

診療券番号　　　　000000000

お名前　小児太郎　年齢 3 歳　　記入日　2012 年 8 月 13 日

　当院では病気のため，免疫が弱い子ども達が闘病生活をしています。病院の中で水ぼうそう（水痘）を発症すると病棟閉鎖を余儀なくされ，ご本人だけでなく周りのお子さんの検査・治療も中断・延期になることがあります。

　水ぼうそうワクチンをまだ受けておらず，かかったこともないお子さんは免疫がありません。また水ぼうそうの予防接種は 1 回だけでは完全に免疫をつけることができません。流行状況によって発症の危険性がある場合は，検査・治療を延期することがあります。

1 歳をすぎたお子さんは，入院 2 週間前（間に合わない場合は 2 日前）までに，2 回の水ぼうそうワクチン接種を強くおすすめします。担当の医師にご相談ください。

- 次のワクチンの接種状況をお答えください。
  （正確な日付が不明な場合は，年・月だけでもかまいません。）
  MR ワクチン：はしか（麻疹）・ふうしん（風疹）
  □ 接種していない　　☑ 1 回済み　2010 年 9 月 1 日　　□ 2 回済み　　年　月　日
  □ 麻疹に感染した　　年　月　日
  □ 風疹に感染した　　年　月　日

  水ぼうそうワクチン：水痘　　　　　　　　　　　（だいたいの日付でもかまいません）
  □ 接種していない　　☑ 1 回済み　2011 年 8 月　日頃　□ 2 回済み　　年　月　日
  □ 感染した　　年 月 日

  おたふくかぜワクチン：流行性耳下腺炎　　　　　（だいたいの日付でもかまいません）
  □ 接種していない　　□ 1 回済み　　年　月　日　　　□ 2 回済み　　年　月　日
  ☑ 感染した　2011 年 3 月　日頃

- 入院日の 3 週間前〜入院当日までに家族内・幼稚園・学校など周囲で水ぼうそう，はしか，ふうしん，おたふくかぜの発症者がいますか？
  はい　（いいえ）　　　　　　　　　　　　　はい　の方は担当医に相談してください。

- 入院 1 週間前〜入院当日までの間に，以下の症状がありますか？
  38 度以上の熱　　発疹（もともとあるアトピー等の皮膚炎以外のぼつぼつ）
  せき　　鼻水　　はいている　　げり　　（特になし）　　症状がある方は担当医に連絡してください。

- 入院当日の朝は全身皮膚をみて，発疹（ぼつぼつ）がありましたか？
  （あり）　なし　　　　　　　　　　　　　ある方は，すぐに入院受付にお申し出ください。

- この用紙は入院当日に入院受付にご提出ください。
  ご不明な点は，0△×-△×△-○○○○　内線　△△△△までお願いします。

図 3　入院時感染症の問診票（予定入院）の例

までの期間の，健康状態の変化を把握することが大切である．

入院が決定し，実際に入院するまでの間に，呼吸器症状・消化器症状の有無や流行性ウイルス疾患の罹患歴を確認し，ワクチン接種の必要性などを外来の場面で説明する．

入院当日には，健康状態をチェックし，問診票（図3）に記入して，来院時に内容を確認する．

緊急入院の場合は，ワクチンの接種歴，罹患歴，周囲での流行状況を確認し，患者がこの数週間に流行性ウイルス疾患に接触していないかを確認する必要がある．

（3）外泊時の場面

外泊時，体調の変化（発熱，発疹，呼吸器・消化器症状など）が生じた場合は，帰院前に電話連絡をするよう徹底する．

さらに外泊から帰院したときに，病棟へ入る前に症状の有無について確認するなど，病棟内での接触，曝露機会を極力，低減させることが必要である．

子どもの権利への対応

外来患者で隔離が必要な場合，保護者に隔離が必要な理由を説明し，保護者・患者ともに陰圧室または個室で待機してもらう．

狭い空間での待機は，子どもにとって非常にストレスになる．しかし，他の患者への感染のリスクを考えると極力，接触は避けたいところである．親との分離を避けつつ，患者，他の子どもへの不利益を最小限にすることが必要である．

外泊中の患者の場合，病状・疾患に応じて対応を考慮する．帰院させ，隔離を開始する場合と，外泊を延長または退院とし，入院中の他の患者への曝露の低減，他の患者が不利益を被らない方策も適宜検討することが大切である．

文献

1) 伊藤龍子，他・編著：小児救急トリアージテキスト．医歯薬出版，pp5-6, 2010
2) 宮坂勝之，他・著：小児救急医療でのトリアージ．克誠堂出版，pp2-21, 2006
3) 立花亜紀子，他・企画／編集：小児のための感染管理−看護師に必要な知識・技術・連携．小児看護，2010年7月臨時増刊号，33(8)：1062-1068, 1091-1098, 2010

6.2 隔離時に気をつけること

Points
- 感染対策上，隔離するときは，患者とその家族に十分に説明し，**同意を得る**ことが不可欠である。
- 隔離にともない，小児では母子分離や環境変化によるストレスを受けるため，**隔離中も理解力に合わせて説明する**など，そのつど声かけを行う。
- 隔離中も，遊びや教育の支援が受けられるよう，**保育士やCLSのサポート**を活用する。

隔離とは

病院内における患者の"隔離"には，
- 「精神保健及び精神障害者福祉に関する法律」にもとづく精神科医療における隔離
- 「感染症の予防及び感染症の患者に対する医療に関する法律」（感染症法）および「検疫法」にもとづく感染対策上の隔離
- 低免疫状態の患者を保護するための清潔隔離

がある。ここでは，検疫法で「検疫感染症」と規定されている1類感染症，新型インフルエンザなど国内への侵入を防止することが必要な感染症や新型コロナウイルス感染症を除く，日常的な感染症における感染対策上の隔離について述べる。

感染対策上の隔離は，感染症法の前文に「感染症の患者等の人権を尊重しつつ，これらの者に対する良質かつ適切な医療の提供を確保し，感染症に迅速かつ適確に対応すること」と述べられているとおり，強制的に実施するものではない。しかし，他に伝播する危険性がある感染症（発症，発症疑い，接触）が医療施設内で拡がることを防止するために，必要な医療行為でもある。

したがって，対象となる患者とその家族に対し，説明と同意を得ることが不可欠となる。そのうえで，必要な設備のある病室に収容し，個人防護具（PPE）の適正使用や環境管理などの対策を実施する。

また，隔離中は，患者に発生する可能性がある不安，抑うつやその他の気分の動揺，恥辱感，医療者の接触の減少などの反応を減少させるよう，継続した介入・支援を実施する[1]。

隔離時の対策

感染対策上，隔離が必要と判断された後の初動として行うことは，
- 実施する隔離予防策の決定
- 関係各所への連絡と隔離の準備
- 患者とその家族への説明と同意を得る

の3点である。隔離開始時のチェックリスト例を図1に示す。実際の隔離予防策のための対策や必要物品の準備・配置などは，2.1節（p.28）を参照してほしい。

これらの対策を実施することで重要なのは，「医療者が言動を統一」し，「同じ対策を同じように実施する」ことにある。それは医師，看護師だけでなく，室内に出入りするすべての職員〔放射線技師，理学療法士，作業療法士，保育士，チャイルド・ライフ・スペシャリスト（CLS），事務担当者，清掃担当者など〕も同様である。図1のチェックリストは，隔離予防策開始時の対応漏れを防ぐとともに，隔離予防策についてどのように説明されているか，どのような対策を実施しているかを確認する手段にも使用できる。

また，隔離予防策についての患者家族への説明内容も「文書などで実施する」とよい。隔離予防策開始時に行われる隔離予防策の説明は，病状の説明などと重複することもあり，患者家族は，口頭で説明されてもその内容を忘れてしまう場合がある。図2（p.206）に，感染症対策に関する説明書例を示す。

さらに，説明した医療者は，内容をカルテに記録することも忘れてはならない。

```
☑ 隔離予防策開始時確認事項
    ☑ 感染症名 【 RS ウイルス感染症                                    】
    ☑ 状況    【 (発症) ・ 疑い ・ 接触者 】
    ☑ 隔離開始日  2015 年 10 月 5 日 より
    ☑ 隔離終了日 または 終了の目安      年   月   日 まで
            【 症状がなくなり，検査で陰性が確認されるまで           】
    ☑ 感染経路と必要な対策 【 (接触) ・ (飛沫) ・ 空気 】
        ☑ 個別の対策 など
        ┌─────────────────────────────┐
        │ 個人のおもちゃはもち込まない（もち帰っていただく）。 │
        │                             │
        └─────────────────────────────┘
    ☑ 関係各所への連絡
        ☑ 当該病棟
        ☑ 主治医（当該科）
        ☑ 保育士，CLS，清掃担当など
        □ その他（            ）
    ☑ 患者への説明
    ☑ 家族（保護者）への説明
    ☑ カルテへの記載
    ☑ 特記事項
    ┌─────────────────────────────┐
    │ きょうだい（兄）も発症，自宅療養中。         │
    │ 両親も風邪症状あるため，症状がある間は面会を控えていただく。 │
    └─────────────────────────────┘
```

図1 隔離開始時のチェックリスト例

子どもの権利への対応

(1) 説明と同意

　隔離開始時には，先に述べたように十分な説明と同意取得が不可欠だが，子どもの場合，患者自身の同意を得られないまま隔離を行うことも少なくない。すなわち，感染対策上の隔離は，子どもにとって疾患の症状による苦痛だけでなく，親からの分離，慣れない環境・医療者への恐怖，閉ざされた空間への隔離といった苦痛をともなう処置である。これらの状況を理解しないまま継続していれば，子どもの不安やストレスを取り除けず，そのために医療者への不信にもつながってしまう。

　また，子どもは疾患の概念や医療処置，医療者の行為を正しく認識できず，発達に応じて**表1**（p.207）に示すような段階を経て理解するとの調査結果がある。

　つまり，子どもが状況を正しく理解をするためには，正しい知識や情報を伝え続けることが必要であり，それが医療者の子どもへの説明義務である。したがって，隔離開始時だけでなく，隔離期間中，継続して子どもの理解力に合わせた説明を行い，子どもの苦痛を軽減することにも配慮することが必要である。

　また，子どもだけでなく，家族（とくに母親）への説明も重要である。家族が不安を残したままで子どもに

感染対策に関する説明書

今回，以下の感染症の ⦅発症⦆・ 疑い ・ 接触 （いずれかに○）のため，感染対策を実施させていただきます。ご協力をお願いいたします。

• 感染症と実施する感染対策（該当項目にチェック）

感染症		感染対策
☐ 水痘・帯状疱疹 ☐ インフルエンザ ☑ 細気管支炎 　☑ RS ウイルス感染症 　☐ ヒトメタニューモウイルス感染症 ☐ 感染性胃腸炎 　☐ ノロウイルス感染症 　☐ ロタウイルス感染症 　☐ アデノウイルス感染症 ☐ 咽頭炎 　☐ アデノウイルス感染症 　☐ 溶連菌感染症 ☐ その他 　（　　　　　　　　　）	病室	☑ 個室隔離（室内安静，ドア閉め） ☐ 大部屋隔離（室内安静，ドア閉め）
	入室時に使用する個人防護具	☑ 標準予防策 　手洗い，手指消毒などの 　日常の感染予防対策 ☑ マスク ☑ ガウン ☐ 適時，防水のガウン ☑ 手袋 ☐ その他 　（　　　　　　　　　　）

• 実施期間（該当項目にチェック）
　☑ 感染症の症状が緩和し感染拡大の危険性がなくなるまで

　☐ 以下の潜伏期間の間
　　　　　年　　月　　日　～　　年　　月　　日　　まで

　☐ その他　（　　　　　　　）

• その他（面会についてなど，追加項目記載）

> ご両親の風邪症状がある間は，面会はお控えください。
> 室内の個人のおもちゃは汚染を避けるため，室内の消毒クロスで拭いて，一度お持ち帰りください。

以上，感染対策について説明しました。ご不明な点がありましたら，医師や看護師にお尋ねください。

説明者名　　○△　□×　　　　
＊説明者は説明したことをカルテに記載

図2　感染症対策に関する説明書例

表1 子どもの医療に対する理解の段階

ステージ1	隔離を「悪い行いをした罰」であると考える
ステージ2	医療行為の理由は理解しているが，処置時の苦痛に医療者は気がつかないと考える
ステージ3	病気の原因や医療行為，医療者の行為を理解する

接していると，子どももその不安を感じとってしまう。そのため，家族にも隔離開始時に十分に説明し，隔離期間中も子どもの病状や不在中の様子を伝え，家族の不安の軽減にも努める必要がある[2]。

(2) プライバシーの尊重

医療者は患者家族のプライバシーを尊重し，個人情報を保護しなければならない。

一方で，感染対策においては，統一した対策を実施するために医療者間での情報共有が必要である。したがって，病室前に決められたサインを掲示したりするが，これらの感染症に関する情報が医療者以外に広まった場合，接触者は発症者から不利益を被ったという認識に捕われがちなため，患者家族どうしのトラブルをまねく原因となることがある。

個人情報保護に十分配慮しながら，必要な対策を実施することが重要である。

(3) 隔離中の養育

子どもには，いかなる場合も遊びや教育を受ける権利がある。しかし，隔離予防策を実施している場合，医療者の訪室や他の患者との接触が減少し，社会から隔たりができてしまう。そのような環境でも，遊びや教育，生活の支援が受けられるよう，医療者の介入だけでなく保育士やCLSのサポートを活用する。

医療者は，保育士やCLSに患者情報を提供する際，実施している隔離予防策についても説明し，医療者と同様に実施するように伝え，協力を得るようにする。介入・支援で得た患者家族の情報をチームで共有し合い，連携して，患者と患者家族の支援を行うことが重要である。

また，いざというときに隔離予防策が正しく実施されるよう，保育士やCLSにも，平時から感染対策に関する教育と，個人防護具の着脱トレーニングを実施しておくとよい。

文献

1) Siegel JD, et al : 2007 Guideline for Isolation Precautions : Preventing Transmission of Infectious Agents in Health Care Settings. Am J Infect Control, 35 (10 Suppl 2) : S65-S164, 2007
2) 相吉 恵：チャイルド・ライフ・スペシャリストと看護師との連携. 小児のための感染管理 看護師に必要な知識・技術・連携, 小児看護, 2010年7月臨時増刊号, 33 (8)：1160-1168, 2010

6.3 面会

Points
- 面会は，子どもが入院中に受ける母子分離や生活範囲の制約などによる**ストレスを軽減する役割**を担う。
- 面会者は，ときに**感染源となるリスクがある**ため，面会時にはスクリーニングが必要である。
- 入院時にはあらかじめ，家族からのもち込みにより流行性ウイルス疾患の院内発生などが起こるリスクや，治療の中断や患者が生命への危機にさらされるリスクを説明し，**協力を依頼する**ことが重要となる。

面会とは

"面会"とは一般的には，「人と会うこと，対面すること」である。

小児の医療施設および小児病棟での面会は，付き添いを前提としている場合から，面会時間の制約を設けている場合まで施設により対応が異なり，一様ではない。また，面会や付き添いを行う家族も，両親と祖父母に限ることが多く，きょうだいの面会についても年齢制限を設けていることが多い。

子どもは，家族や友達らと遊びながら成長発達を遂げるものであるが，入院という環境は，母子分離や生活範囲などの制約から，ストレスを多く抱える環境となる。そのなかで，家族と過ごせる面会は，面会者や，時間などの制限があったとしても，子どもだけでなく家族にとっても分離への不安を軽減し，家族として過ごせる重要な時間となる。

面会の感染対策におけるリスク

面会は，子どもにとって守られるべき権利の1つではあるが，施設内の感染対策におけるリスクもある。

患者のリスクとしては，面会者からの感染が第一にあげられる。隔離予防策のためのCDCガイドライン[1]においても，複数の医療関連感染〔百日咳，結核，インフルエンザ，重症急性呼吸器症候群（SARS），その他の呼吸器系ウイルス感染症〕の感染源として，見舞い客が特定されている[2]。面会者は，面会者の子どもだけでなく，同室患者やその面会者にとっても感染源となることがあり，リスクが高い存在といえる。

面会者のリスクとしては，感染症患者に面会することにより，自らも感染することがあげられる。面会家族が子どもの身のまわりの世話を行うなかで，必然的に家族自身がウイルスや細菌などの微生物を含む体液や排泄物などに曝露されていることがほとんどである。とくに，おむつ交換などの排泄物の処理は，周囲への曝露リスクが高い行為であり，容易に微生物の伝播を起こす可能性がある。また，付き添いを行うにあたり，付き添い者の環境が整っておらず，食事が不規則で偏食傾向になること，簡易ベッドでの睡眠や，昼夜を問わず病状が不安定な子どもの世話を行うことで，家族自身も体調を崩しやすい状況にある。同室患者やその家族が感染症を発症するといったリスクもある。

面会時の感染対策

感染対策の基本的な考え方は，「もち込まない」，「拡げない」，「もち出さない」である。

まず，院内に感染症をもち込ませないようにすることが重要である。そのために面会者のスクリーニングが重要となるが，体調や感染者との接触，流行性ウイルス疾患の抗体獲得の確認は，面会者の自己申告に頼ることになる。また，感染症には潜伏期間，感染期間があるため，院内へのもち込みを100％防ぐことは困難である。しかし，入院中は，面会や付き添いを行う家族も，子どもらにとって環境要因の1つとなる。家族からのもち込みにより流行性ウイルス疾患の院内発生などが起こるリスクや，患者が治療の中断や生命の危機にさらされるリスクをあらかじめ説明し，協力を依頼することが重要となる。

面会者へのスクリーニングのために，面会者に対する

感染症チェック

　院内での感染症発症を防ぐための大切なチェック表です．同居されているご家族の感染症罹患歴，ワクチン接種歴について記入をお願いいたします．

　記入後は，面会者ボードの横にある回収箱に入れてください．

入院しているお子さんの名前： _____

　同居されているご家族ごとに，下記の感染症に罹患またはワクチン接種がある場合，《✓》チェックをお願いいたします．

	ご　家　族				
	父	母	(　　)	(　　)	(　　)
麻疹（はしか）					
水痘（みずぼうそう）					
風疹（三日ばしか）					
流行性耳下腺炎（おたふくかぜ）					

以下は職員が記載します．

　（　　）罹患歴・ワクチン接種歴に問題はありません．
　（　　）今後の対応について，説明を行います．

　　　　対応

　　年　　月　　日

　　　　主治医 _____

　　　　師長（代行）_____

　　　　　　　　　　　　　　　○○○病棟
　　　　　　　　　　　　　インフェクションコントロールチーム（ICT）

図1　流行性ウイルス疾患の抗体獲得の確認チェックリスト例

面会時の感染症チェック(きょうだい)

院内での感染症発症を防ぐための大切なチェック表です。ごきょうだいが面会される場合は,下記の感染症チェックにご協力をお願いいたします。

対象は13歳以上のごきょうだいです。

患者様の名前:＿＿＿＿＿＿＿＿＿＿＿＿＿＿＿＿＿＿＿＿＿＿＿

面会されるごきょうだいの名前:＿＿＿＿＿＿＿＿＿＿＿＿＿＿＿＿

1カ月以内に家庭や近所,学校で「感染症が流行していた」または,「表のような症状のある人と接触した(一緒に過ごした)」ことはありますか?

	流行や接触があった(✓でチェック)
感染症が流行していた	(感染症名:　　　　　　　)
熱がある	
咳が出る	
下痢やおう吐(吐く)がある	
体に発疹(赤いぶつぶつ,水疱(すいほう)等)がある	
耳下腺(ほほ〜耳の近く)が腫れている	

※チェックが1つでもあった場合,原則,面会はご遠慮ください。
不明な点がありましたら,主治医にご相談ください。

以下は職員が記載します。

(　) 面会を許可します。
(　) 今回の面会は見合わせます。

年　　月　　日

主治医＿＿＿＿＿＿＿＿＿＿＿＿＿＿＿＿＿

師長(代行)＿＿＿＿＿＿＿＿＿＿＿＿＿＿

○○○病棟
インフェクションコントロールチーム(ICT)

図2　体調確認チェックリストの例

流行性ウイルス疾患の抗体獲得の確認チェックリスト（図1, p.209），きょうだいの面会時の体調確認チェックリスト（図2, p.210）の例を示す。

次に，院内での微生物の伝播を防ぐため，家族の微生物への曝露リスクの軽減のために，手指衛生やおむつの交換方法など感染対策に必要なことは，面会や付き添いを行っている家族が理解できるようパンフレットや掲示物などを使用して，説明を行うことが重要である。

また，近隣や院内の感染症の流行状況を知らせることで，アドヒアランスを維持することにつなげることも必要である。

子どもの権利への対応

（1）保護者の責任と家族からの分離の禁止

子どもは，保護者からの適切な保護と援助を受ける権利と，いつでも家族と一緒にいる権利をもっている。そのため，面会者や面会時間の制限，家族の付き添いについては，子どもと家族の希望に応じて考慮する必要がある。

感染対策の視点から面会者や面会時間が制限されることがあるが，病状が不安定なうえに慣れない環境での治療は，不安や恐怖，さびしさが助長される。また，家族の子どもとの分離への不安も，子どもに影響する。子どもと家族の希望を確認し，システム上の問題だけなのか，何ができるのかを考えていくことが必要である。

とくに，入院が長期におよぶ場合や予後が不良な場合などは，きょうだいも含めた家族の時間の確保が重要となるが，個室での対応，手指衛生や咳エチケットの協力を依頼するなど，感染のリスクを減らす方法を考えながら，柔軟に対応することが求められる。

（2）説明と同意

面会の制限がある場合，子どもの理解が得られないままに，「時間だから」と面会が終了することや，きょうだいとの面会が制限されることがある。子どもにとっては，疾患や治療による苦痛だけでなく，家族からの分離を余儀なくされる。家族も，病気の子どもを医療施設に残して帰宅することに不安を感じ，自責の念をもつことがあるので配慮が必要である。

面会の制限がある場合は，その必要性を家族だけでなく，子どもにもわかるように，家族と協力しながら説明を行うことが重要である。

文献

1) Siegel JD, et al：2007 Guideline for Isolation Precautions：Preventing Transmission of Infectious Agents in Health Care Settings. Am J Infect Control, 35 (10 Suppl 2)：S65-S164, 2007
2) 米国疾病対策センター・編，満田年宏・訳著：隔離予防策のためのCDCガイドライン 医療環境における感染性病原体の伝播予防 2007, ヴァンメディカル, 2007
3) 中野綾美・編：小児看護学（1）：小児の発達と看護 第5版, メディカ出版, p32, 2015
4) 筒井真優美・監修：小児看護学 第8版, 日総研, 2016

6.4 子どもと親への指導・説明

Points
- 受診／入院の際,感染対策を要するかどうか,すみやかに判断できるよう,保護者には近隣での**感染症情報の提供**や,来院前に問い合わせを行うことを,**事前に指導**する必要がある。
- 説明の際は,子どもだけでなく家族にも**理解しやすい言葉**で話し,協力が得られるようにする。

感染症の拡大防止に向けた医療機関の体制づくり

医療機関では,院内での拡大防止,もち込み防止による影響を最小限にするために,入口や診察室・病棟入口など,来院者が着目するポイントとなる場所に感染対策に関する案内のポスターを掲示し,利用者へ理解と協力を求め,拡大防止策を講じていることが多い。

しかし,発熱・発疹・咳・下痢・嘔吐など,感染症を疑う症状にて診察を受ける子どもは,感染症であると診断されるまでは特別な防護策もなく,診察を待つ場合も少なくない。小児領域における感染症は,その病原体がウイルスの場合が多く,発症年齢や季節も疾患により異なる。

医療者は,子どもの年齢,市中で流行している感染症はないかなどの情報をもとに,すみやかに感染対策を実施する必要がある。また保護者には近隣での感染症に関する情報や,来院前に問い合わせを行うなど,予防行動がとれるように案内すること,医療機関として対応できる体制を整えることが大切である。

 ### 子どもと親への指導・説明

医療機関を訪れた子どもと親に,診察の結果と治療について説明することは,診察の場面では日常的に行われている。感染性疾患の場合は,感染症の感染力や伝播様式によっては隔離対策を迅速に行わなければならない場面がある。

たとえば空気感染を疑う場合(水痘,麻疹,結核など)には,陰圧個室へ隔離が必要となるので説明し,案内するが,親にとっては「いきなり個室にといわれた」,「感染者扱いされた」と不安を抱き,医療者へ不満を抱くきっかけとなる場合がある。

診断や治療に関する通常の説明に加えて,感染対策に関するていねいな説明が求められる。

説明の際は,家族が感染症をどのように理解しているのか,潜伏期間や感染期間,感染経路などに対する知識,他者への感染拡大(きょうだい,保育園／幼稚園などの友だち,家族,院内)の危険性などについて,なるべくわかりやすい言葉で説明する。

説明を十分理解できる年齢の場合は,行動範囲の制限や手指衛生など,協力をお願いしたい事柄について,患者本人にもできるだけ説明する。

治療や処置に対する不安や心理的混乱に配慮し,その悪影響を和らげるために「プレパレーション」がくり返し行われる。感染対策では,患者と家族に,個室管理やカーテン隔離,個人防護具を使用した対応,行動制限などが行われる。感染対策について,患者と家族は,「個室となり,ちゃんと診てもらえないのではないか」という心配,隔離されていることへの疎外感やさみしい思い,「他の患者へ広がるかもしれない」という不安とストレスなどの思いを抱く。プレパレーションを行うときの情報伝達で配慮する点は,感染対策に関する不安や心配な点について,以下の①～⑥を念頭におくことが大切である。

①ていねいに説明する
②正しい知識を提供する
③子どもの情緒表現の機会を与える説明文を用いて行う
④対策の内容が患者・家族が整理できるように順序を考える
⑤医療者だけではなく患者と家族が実践することで拡大防止になること,感染対策は皆が取り組むことが大切であることを伝える
⑥一方的な説明ではなく疑問点や気になる点を確認し,理解力に応じてフォローする

表1　病院のこども憲章

1. 必要なケアが通院やデイケアでは提供できない場合に限って，こどもたちは入院すべきである．
2. 病院におけるこどもたちは，いつでも親または親替わりの人が付き添う権利を有する．
3. すべての親に宿泊施設は提供されるべきであり，付き添えるように援助されたり奨励されるべきである．親には，負担増または収入減がおこらないようにすべきである．こどものケアを一緒に行うために，親は病棟の日課を知らされて，積極的に参加するように奨励されるべきである．
4. こどもたちや親たちは，年齢や理解度に応じた方法で，説明をうける権利を有する．身体的，情緒的ストレスを軽減するような方策が講じられるべきである．
5. こどもたちや親たちは，自らのヘルスケアに関わるすべての決定において説明を受けて参加する権利を有する．すべてのこどもは，不必要な医療的処置や検査から守られるべきである．
6. こどもたちは，同様の発達的ニーズをもつこどもたちと共にケアされるべきであり，成人病棟には入院させられない．病院におけるこどもたちのための見舞い客の年齢制限はなくすべきである．
7. こどもたちは，年齢や症状にあったあそび，レクリエーション，及び，教育に完全参加すると共に，ニーズにあうように設計され，しつらえられ，スタッフが配属され，設備が施された環境におかれるべきである．
8. こどもたちは，こどもたちや家族の身体的，情緒的，発達的なニーズに応えられる訓練を受け，技術を身につけたスタッフによってケアされるべきである．
9. こどもたちのケアチームによるケアの継続性が保障されるべきである．
10. こどもたちは，気配りと共感をもって治療され，プライバシーはいつでもまもられるべきである．

〔EACH Charter，1988（野村みどり・訳）より〕

また，子どもとのコミュニケーションの観点では，以下の点に注意する．
① 子どもの目の高さに合わせて説明する
② 落ち着いた声で話す
③ 少ない言葉ではっきり，具体的に話す
④ 肯定的な話し方をする
⑤ 正直に話す
⑥ 何を行うのか事前に話す
⑦ 質問できる十分な時間をつくる
⑧ 反応できる時間を与える
⑨ 対策に参加できるようにする
⑩ 患者の発達段階・理解力に合わせた接し方をする

指導・説明をする際には「病院のこども憲章」（表1）の考えや「小児看護領域で特に留意すべきこどもの権利と必要な看護行為」（表2）を念頭にていねいに行う．

具体的な内容

感染症について，医師は，感染症の概要（病原微生物，主な症状，発症年齢の傾向，潜伏期間，伝播様式，治療，感染対策，経過と予後，法律的な分類など）と，病院（病棟）で行う感染対策について，治療・処置の前に必要な情報を提供する．

感染対策では，経路別予防対策（空気感染，接触感染，飛沫感染）と，日常ケアで注意するべき手順，物品管理などについて説明を行う．入院時の説明，もしくは感染症発生時に行う，感染対策に関する説明が必要な主な項目を表3（p.215）にまとめた．説明の際はパンフレットやポスターを用いて，いつでも確認できることが望ましい．

日常的に行われているおむつ交換では，清潔／不潔を意識していない手順となっている場合もある．親が行っている手順を確認し，汚染の拡大防止を考慮した，より清潔な手順で実践できるよう説明する（6.8節の図1，p.227参照）．

感染症により注意すべきポイントが異なるが，感染症を発症した患者とケアする親・看護師は，濃厚接触する機会が多く，常に接触感染対策を意識し，よりていねいに，慎重に，ケア用品を取り扱うことが求められる．

感染対策について，口頭説明だけでは十分理解されないこともあるので，パンフレットやポスターなどでいつでも親がその手順を確認できるようにすること，そして医療者も同じ手順で実践することが必要である．

感染対策は，標準化された手順と一定のルールに従い，実践することが拡大防止につながる．そのためにも親の理解や健康への認識を評価し，その人に合った指導をていねいに行うことが重要である．

表2　小児看護領域で特に留意すべき子どもの権利と必要な看護行為

〔説明と同意〕
① 子どもはその成長・発達の状況によって，自らの健康状態や行われている医療行為を理解することが難しい場合がある。しかし子どもたちは，常に子どもの理解しうる言葉や方法を用いて，治療や看護に対する具体的な説明を受ける権利がある。
② 子どもが受ける治療や看護は，基本的に親の責任においてなされる。しかし，子ども自身が理解・納得することが可能な年齢や発達状態であれば，治療や看護について判断する過程に子どもは参加する権利がある。

〔最小限の侵襲〕
① 子どもが受ける治療や看護は，子どもにとって侵襲的な行為となることが多い。必要なことと認められたこととしても子どもの心身にかかる侵襲を最小限にする努力をしなければならない。

〔プライバシーの保護〕
① いかなる子どもも，恣意的にプライバシーが干渉されない，または名誉および信用を脅かされない権利がある。
② 子どもが医療行為を必要になった原因に対して，本人あるいは保護者の同意なしに，そのことを他者に知らせない。特に，保育園や学校など子どもが集団生活を営んでいるような場合は，本人や家族の意思を十分に配慮する必要がある。
③ 看護行為においても大人の場合と同様に，身体の露出を最小限にするなどの配慮が必要である。

〔抑制と拘束〕
① 子どもは抑制や拘束されることなく，安全に治療や看護を受ける権利がある。
② 子どもの安全のために，一時的にやむを得ず身体の抑制などの拘束を行う場合は，子どもの理解の程度に応じて十分に説明する。あるいは，保護者に対しても十分に説明を行う。その拘束は，必要最小限にとどめ，子どもの状態に応じて抑制を取り除くよう努力しなければならない。

〔意思の伝達〕
① 子どもは，自分に関わりのあることについての意見の表明，表現の自由について権利がある。
② 子どもが自らの意思を表現する自由を妨げない。子ども自身がその持てる能力を発揮して，自己の意思を表現する場合，看護師はそれを注意深く聞き取り，観察し，可能な限りその要求に応えなければならない。

〔家族からの分離の禁止〕
① 子どもは，いつでも家族と一緒にいる権利を持っている。看護師は，可能な限りそれを保証しなければならない。
② 面会人，面会時間の制限，家族の付き添いについては，子どもと親の希望に応じて考慮されなければならない。

〔教育・遊びの機会の保障〕
① 子どもは，その能力に応じて教育を受ける機会が保証される。
② 幼い子どもは，遊びによってその能力を開発し，学習につなげる機会が保証される。また，学童期にある子どもは，病状に応じた学習の機会が準備され活用されなければならない。
③ 子どもは多様な情報（テレビ，ラジオ，新聞，映画，図書など）に接する機会が保証される。

〔保護者の責任〕
① 子どもは保護者からの適切な保護と援助を受ける権利がある。
② 保護者がその子どもの状況に応じて適切な援助ができるように，看護師は支援しなければならない。

〔平等な医療を受ける〕
① 子どもは，国民の一人として，平等な医療を受ける権利を持つ。親の経済状態，社会的身分などによって医療の内容が異なることがあってはならない。
② その子にとって必要な医療や看護が継続して受けられ，育成医療などの公的扶助が受けられるよう配慮されなければならない。

〔文献1〕より転載

表3 子どもと親へ指導・説明を行うときの主なポイント

指導項目	主な内容	目的とポイント
健康チェック	①発熱・発疹・消化器症状・呼吸器症状がある場合 ②ピリピリした痛み（帯状疱疹），眼やにや充血（流行性角結膜炎）の症状がある場合 ③長引く咳があるとき（結核，百日咳，マイコプラズマ肺炎など） ④近隣で流行している感染症はないか？その他，気になる症状があるとき 上記に該当する場合は職員に声をかけ，健康確認する。	〔感染症のもち込み防止策〕 ①症状ありの場合は面会を控えるよう求める。何らかの理由があるときは，マスク着用のうえ，短時間とするなど，院内ルールに従い対応する ②きょうだい面会における健康チェックは，ウイルス感染症の潜伏期にある可能性もあることから，ワクチン接種歴や既往歴，接触の有無と程度を確認する
おむつ交換	①必要物品の準備 ②汚染おむつを取りのぞいた後に，手をきれいにする（手袋を外す，手指消毒をする，ウエットティッシュで清拭するなど） ③終了後の手指衛生 ④環境整備と清拭	〔正しい手順でおむつ交換を行い，汚染の拡大防止を図る〕 ①家族により手技は異なるため，実際の手順を確認のうえ，説明する ②流行性胃腸炎の流行期は注意する ③おむつ交換の手順については写真やイラストで表示し，家族がいつでも確認できるようにする ④おむつ交換後，ベッドサイドを離れるときは，ベッド柵の上げ忘れに注意するよう，安全面にも配慮する
手洗い	①手洗いが必要な場面（病室入室時，退室時，汚染物を扱った後など） ②流水下の手指衛生の手順とポイント（指先や拇指は忘れやすいところである）	〔手指衛生を行い，病原菌の伝播防止を図る〕 ①装飾品や長い爪，付け爪等がある場合は，手指衛生が十分行われない可能性がある。こまめな手指衛生を推進する ②手指衛生が必要な場面〔入室前，退室時，汚染物を取り扱った後（吸引，おむつ交換，口腔ケア後）など〕について説明する ③流行性胃腸炎，RSウイルス感染症の場合は，流水下の手洗いを推奨する ④手指衛生の啓発ポスターを掲示する（居室入口やシンクに，手指衛生の手順・洗い残しやすい部位をポスター提示して，注意喚起する）
環境整備	①ベッド周囲の環境整備 ・私物・医療ケア用品を置きすぎない ・経口に用いる物品と排泄ケア用品（おむつ交換用品など）が混在しないようにする ・環境清拭掃除がしやすいように整頓する ・フリースペースを設ける ・床に物を置かない ②安全を考慮した配置	〔私物は節度ある量を管理することで，私物の汚染防止を図る〕 ①限られたスペースであるため，準備する量の目安を説明する ②患者周囲環境は，誰が見てもわかるように，ある一定のルールのもと管理されるのが望ましい。家族へ床頭台の使い方を説明する ③物を床に置くと，床の汚れをベッド上にあげる可能性があるため，床面には物を置かない
マスクの正しい着用	①ノーズピースを鼻の形に合わせる ②あごまで覆うようにプリーツを広げる。隙間を少なくするように顔に合わせる ③マスクの表面は汚染されているので，マスクの表面に触れないようにする ④手はこまめに洗う ⑤マスクが大きい場合は，ひもの一部を結び，ゴムを短くするなどの工夫をする	〔飛沫予防策。インフルエンザをはじめとする飛沫感染の院内拡大を防止する〕 ①感染症発生時や隔離対策を実施するときに用いる ②マスクを着用している人を怖がる子どももいることから，着用の時期・場面は明確にする ③マスクの表面は汚染されていることから，こまめな手洗いを行う

(表3続き)

指導項目	主な内容	目的とポイント
手袋の取り扱い	①手袋交換は手洗いの代替にはならないので，手袋を脱いだ後は手指衛生を行う ②手袋を着用したまま環境表面を触らない ③手袋はケアの直前に着用する ④使い捨ての手袋は一度使用したら廃棄する	〔接触予防策の推進〕 ①流行性胃腸炎では，排泄物を取り扱う機会も増えるため，親には手袋の着用を勧める。正しい取り扱い，着脱のタイミングについてその手順を指導する（院内ルールに従う） ②汚染した手袋で環境を触ることで，汚染拡大の可能性が生じるため，着用するとき／外すときには注意すること，着用したまま別の作業をしないことなどを説明する
隔離ガウンの取り扱い	①接触予防策の際に用いる ②使用後の隔離ガウンの表面（とくに前面）は汚染しているので，外すときは前面に触れないようにする ③脱いだ後は手が汚染している可能性があるので，流水下の手洗い，または手指消毒薬による手指衛生を行う ④隔離ガウンを着用したまま居室を離れない。子どものベッドサイドを離れるときは外す	〔RSウイルス感染症や流行性胃腸炎など，接触予防策を必要とする患者と接する（抱っこなどの）場合の曝露防止に使用する〕 ①取り扱いの手順や保管方法など，院内ルールに従って説明する ②隔離ガウンを一部再利用する場合の管理は，かごやビニール袋など，一時保管できるものを準備する（ベッド柵につり下げた管理は，エプロンの横を人が行き来するたびに汚染曝露する可能性がある）。管理方法を統一する
排泄物の取り扱い	〔吐しゃ物の取り扱い〕 ①必要物品，消毒液の濃度（0.1％次亜塩素酸ナトリウム溶液），排泄物の片づけの手順，注意点，マスク手袋の着用 ②部屋の換気 ③吐物・清掃に用いた用具や，着用した衣類の管理 ④便・尿の取り扱い〔おむつ交換，6.8節の図1（p.227）参照〕	〔不適切な処理による曝露防止〕 ①マスクや手袋，エプロンを正しく着用する ②排泄物はすみやかに廃棄し，手指衛生を行う。手袋を脱いだ後の手指衛生を必ず実施する。手指衛生前に周囲環境に触れないようにする ③吐物はビニール袋で封をする ④乳幼児はベッド柵の上げ忘れがないようにする
カーテン隔離	①ベッドサイドに入るとき，離れるときは，必ず手指衛生を行う ②面会中はマスクを着用する ③他の患者に接触することは控える	〔飛沫感染症発症患者を大部屋で管理する場合の隔離対策として実施する〕 ①カーテンですべてを覆うと患者の観察が困難である。カーテンを触れた手で他の患者のベッドサイドを触れて拡大する可能性がある。部屋の広さを考慮し，隣の患者との距離を2m以上に保ち，カーテンの一部を開けるなど，安全面・カーテンに接触しないで，患者のベッドサイドに行けるような，カーテンの使い方を工夫する ②大部屋で1人，カーテン隔離し，その後，感染症が拡大すると「うつされた」と訴える家族もいることから，同部屋の家族には発症者のプライバシーにも配慮して説明する
個室隔離・陰圧個室隔離	①居室内での過ごし方と注意点（陰圧室の二重扉は同時に開けない） ②個人防護具を着用した状態で居室から出ない ③居室を出るときの手順と注意点	〔空気予防策もしくは感染症発症者を隔離対策し，拡大防止を図る〕 ①詳細は経路別の感染対策参照 ②退室時の手指衛生や個人防護具の取り扱い方法について，院内ルールに従い，説明する ③個室管理では，居室の場所により観察が行き届かない場合があるため，事故防止という観点からも定期的にこまめな観察を行うよう，訪室する

文献

1) 日本看護協会：小児看護領域で特に留意すべき子どもの権利. 小児看護領域の看護基準 2006年度改訂版, 日本看護協会出版会, p62, 2007
2) 五十嵐 隆, 他・監, 田中恭子・編：ガイダンス 子ども療養支援, 中山書店, 2014
3) 及川郁子・監：子どもの外来看護. へるす出版, 2009
4) 中田 諭・編：小児クリティカルケア看護 基本と実践. 南江堂, 2011

6.5 おもちゃ・プレイルームの管理

Points
- 患者間で共有したおもちゃは，**使用後，消毒処理が必要**となるため原則，共有は避けるべきである。
- 共有したおもちゃは，**使用前のものと混在しないように区別して管理**し，使用する**消毒薬は低残留性のものを選択**する。
- プレイルームは，**汚染時にすぐ清拭消毒**ができるよう，床材をフローリング材等にしたほうがよい。

遊びと感染

　子どもにとっての「遊び」は，生活そのものである。遊びによってさまざまな発達が促されている。しかし，入院している子どもたちの生活は，疾患や治療によって制限されることが多く，十分に遊ぶことができる環境とはいえない。

　そのなかでも，医療従事者は可能なかぎり成長発達を促す関わりを行うために，日々，プレイルームでの遊びや，おもちゃを用いた遊びの提供を行っている。

　子どもは日常ケアの多くを他者に依存しており，医療従事者との接触が濃厚であるという特徴がある。また，「何でも口に入れてしまう」，「ハイハイをする」，「腹臥位になって遊ぶ」などの特徴もある。プレイルームは，複数の子どもたちが集まりおもちゃを共有する機会が多く，プレイルームでおもちゃを口に入れてしまったり，床の上で寝転んで遊んだりすることは感染の機会を増加させる。

　かぜの原因となるRSウイルスなどは，患者の鼻汁に含まれたウイルスが，皮膚や衣類やおもちゃなどの物品，それらに接触した手指においても感染性を保ち，それらが眼や鼻に触れることで伝播するという報告もある。医療現場における隔離予防策のためのCDCガイドライン[1]によると，入院患者が使用したおもちゃから病原性細菌が検出されたり，風呂の汚染されたおもちゃが小児腫瘍病棟での多剤耐性緑膿菌（MDRP）の集団感染に関与していたという報告もある。

　感染の機会を増加させないために，子どもの特徴を理解して，適切におもちゃなどの管理を行う必要がある。ここではおもちゃとプレイルームの管理について述べる。

おもちゃの管理

　入院中に子どもが使用するおもちゃは，自宅から持参する個人用のおもちゃのみとし，共有は避けるべきである。

　子どもの「何でも口に入れてしまう」という行動特徴により，おもちゃは唾液で汚染されることが多い。汚染されたままのおもちゃを，別の子どもが使用することで感染につながるため，原則，共有はしない。しかし，プレパレーションツールのように共有する物品もあるため，管理方法を決定し，対応する。

　隔離予防策のためのCDCガイドラインでは，おもちゃ（玩具）の管理について「小児患者に医療を提供している施設や小児用玩具が置いてある待合室を設備している施設（産婦人科医院やクリニックなど）では，玩具を定期的に洗浄および消毒する方針や手順を確立する」[2]としている。

(1) 洗浄と消毒

　共有したおもちゃは，使用ごとに洗浄と消毒を行う。材質上，洗浄できないおもちゃは，汚染を除去した後に清拭消毒を行う。

　消毒方法は，熱水消毒（80℃10分間）[3]と，消毒薬による消毒がある。乳児が使用するおもちゃは口に入れることで粘膜と接触するため，セミクリティカルでの処理が必要である。消毒薬は，口に入れても人体への影響が低残留性の消毒薬を選択する。アルコールや次亜塩素酸ナトリウムは低残留性の消毒薬であり，おもちゃの消毒に適している。

　汚染されたおもちゃは，専用の入れ物を用意してそこ

(2) おもちゃの材質と処理方法

共有のおもちゃは、洗浄と消毒ができるプラスチック製や布製のものを選択する。

容易に洗浄ができない木製やぬいぐるみなどは使用しない。材質別の処理方法を表1に示す。

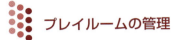

プレイルームの管理

プレイルームは多くの子どもたちが使用する場であるため、プレイルームの使用は感染症状のない子どもに限るなどの対策が必要である。

また、プレイルームでは、乳幼児がハイハイや腹臥位になって遊べる環境になっている場合が多い。そのため唾液で床が汚染される機会が多く、そこから感染拡大につながる危険がある。プレイルームは常に清潔に保つ。

床に使用する素材は、汚染時に清拭消毒ができるようにフローリングや耐水性のある塩化ビニルの床材などが望ましい。じゅうたんの上をプレイルームとして使用しなければならない場合は、汚染時に洗浄や拭き取りができないので、ウレタン製のプレイマットを敷くなどして、汚染部分を交換できるようにする。テーブルやいすも清拭できる素材のものを使用し、清掃しやすいように配置する（図1、図2、図3）。

また、プレイルームに飾りつけを行う際には、清拭できない紙や布をそのまま使用することは避け、接着剤付き透明コートフィルムでラミネート加工を施し、洗浄や清拭ができるようにしてから使用する。

表1　おもちゃの材質別処理方法

	洗　浄	熱水消毒	消毒薬による消毒	注意点
プラスチック製	・洗浄できるものは洗浄剤で洗浄後、乾燥させる ・洗浄できないものは汚染物を拭き取る	熱水処理が可能なものは、熱水消毒（80℃10分間）した後、乾燥させる	・消毒薬含浸のクロスで清拭後、乾燥させる ・耐水性のものは消毒薬に浸漬消毒後、乾燥させる	アルコールを含む消毒薬は材質劣化のおそれがあるので、使用しない
紙　製	・撥水加工されているものは汚染物を拭き取る ・撥水加工されていないものは、汚染時は廃棄する		撥水加工してあるものは、清拭消毒する	・絵本などはあらかじめ防水加工の施されているものを用意するか、紙製のものは清拭消毒ができるラミネート加工をして使用するとよい ・紙だけのものは汚染時、廃棄する ・年長児の本は唾液が付くことはほとんどないため、通常の紙製でよい
金属製	・洗浄できるものは洗浄剤で洗浄後、乾燥させる ・洗浄できないものは汚染物を拭き取る	熱水処理が可能なものは熱水消毒（80℃10分間）後、乾燥させる	消毒薬含浸のクロスで清拭後、乾燥させる	次亜塩素酸ナトリウムによる腐食のおそれがあるため、使用しない
布　製	洗浄する	熱水消毒（80℃10分間）後、乾燥させる	消毒薬含浸のクロスに浸漬消毒後、乾燥させる	容易に洗浄できないものは共有はしない（ぬいぐるみなど）
木　製	・洗浄できるものは洗浄剤で洗浄後、乾燥させる ・洗浄できないものは汚染物を拭き取る		消毒薬で清拭後、乾燥させる	・防水加工されているものは洗浄可能だが、木目に水分がしみ込んでしまうので、浸漬はできない ・容易に洗浄できないものは共有しない

図1 プレイマットの設置

図2 壁の装飾

図3 学習スペース

ベビーカー・ベビーラックの管理

ベビーカー・ベビーラックは，唾液や排泄物などの体液による汚染を受ける可能性が高い。交差感染予防のためにも，共有は避け，患者ごとに専用で使用すること

が望ましい。

やむをえず共有で使用する際には，患者ごとに使用したリネンを交換する，直接寝かせたりせずに，バスタオルや処置用シートを使用する。

使用後は，本体を清拭消毒するなどの管理を行う。

子どもの権利

入院中は治療を優先するために，ときに成長発達への支援が不十分になることがある。日本看護協会が出している小児看護領域の看護業務基準[4]によれば，「教育と遊びの機会の保証」は小児看護領域でとくに留意すべき子どもの権利の1つとされている。

また，病院の子どもヨーロッパ協会（EACH）が提唱している病院のこども憲章（6.4節の表1，p.213参照）でも「こどもたちは，年齢や症状にあったあそび，レクリエーション，及び，教育に完全参加すると共に，ニーズにあうように設計され，しつらえられ，スタッフが配属され，設備が施された環境におかれるべきである」とされている。

このように，入院中であっても遊びは重要であり，そのための環境やおもちゃを整備し，提供していかなければならない。

文献

1) Siegel JD, et al：2007 Guideline for Isolation Precautions：Preventing Transmission of Infectious Agents in Health Care Settings. Am J Infect Control, 35（10 Suppl 2）：S65-S164, 2007
2) 米国疾病対策センター・編，矢野邦夫，他・訳編：改訂2版 医療現場における隔離予防策のためのCDCガイドライン，メディカ出版，p50, 2007
3) 大久保憲，他・編：2020年版 消毒と滅菌のガイドライン 改訂第4版，へるす出版，2020
4) 日本看護協会・編：看護業務基準集2016年改訂版，日本看護協会出版会，2016
6) William AR, et al：Guideline for Disinfection and Sterilization in Healthcare Facilities, 2008 [https://www.cdc.gov/infectioncontrol/pdf/guidelines/disinfection-guidelines-H.pdf（2022年5月）]
6) 米国疾病対策センター・編，満田年宏・訳著：医療施設における消毒と滅菌のためのCDCガイドライン2008, ヴァンメディカル，2009

EACH：European Association for Children in Hospital，病院の子どもヨーロッパ協会

6.6 点滴の管理

Points
- 注射や点滴などを病棟で調製する際は，無菌的な調製方法や，消毒・手指衛生について，**十分な情報提供・教育が必要**である。
- 調製する環境は**清潔を保つ**。調製台は，不要な物品を置かず，開始前にアルコールクロスで清拭する。
- 調製時は手指衛生を行い，サージカルマスクと未滅菌手袋を着用し，**無菌操作**で行う。

考え方

　感染制御・医療安全の観点から，注射や点滴などの無菌製剤は，クリーンベンチ内で薬剤師により調製されることが望ましい。

　しかし，日本では，中心静脈栄養剤や抗がん薬などの一部の製剤を除き，薬剤師がすべての点滴調製をクリーンベンチ内で行うことができる状況や環境が整っている施設はまれである。そのため，病棟での調製にあたり，無菌的な調製方法や，消毒，手指衛生について，十分な情報提供，教育が必要である。

　まず，医療従事者の手には，黄色ブドウ球菌や環境から伝播したセラチア菌などが付着していることを理解する。汚染されたままの手で注射・点滴調製を行うと，輸液が汚染され，血流感染を引き起こす原因となる。そのため，調製前には速乾性擦式手指消毒薬による手指消毒，未滅菌手袋の着用が求められる。

　さらに，調製中は，ダブルチェックの際に口から飛沫が飛び散るおそれがあるため，マスクを着用し，「ナースコールやPHS対応などで作業を中断しない」ことを作業担当者だけでなく，周囲のスタッフも理解することが大切である。

　調製した注射・点滴は保管せず，すみやかに投与する。点滴に混入した細菌は6時間を経過すると増殖が始まるとされており，投与終了までの時間が長い場合は，菌の混入はさらに深刻な問題となる。

　注射・点滴調製および投与に際し，注意したいポイントを表1に示した。

点滴調製開始前に確認すること

　点滴調製を行う環境は「清潔を保つ」ことが必要である。病棟にパーテーションで区別された場所を設置することが望ましいが，これが無理な場合は，注射の混合調製専用の調製台を準備する。

　設置場所は感染性廃棄物容器や流し台から距離を置き，エアコンの吹き出し口の真下は避ける。流し台には，緑膿菌やセラチア菌が繁殖しやすい。調製台に水しぶきがかかったり，流し台を使用するスタッフがすぐ脇を行き来したりする場所は避け，少なくとも2mは間隔を空けて設置する。

　調製台の上には，アルコール綿，速乾性擦式手指消毒薬，針捨てボックスなど，「必要な物品のみ」を置く。アルコール綿はつくり置きしたものは使用しない。針捨てボックスは調製専用として，血液の付着した針は入れない。患者ごとに，清潔なトレーを用意し，必要な注射薬，シリンジ・針などの滅菌衛生材料をセットしておく。

　点滴調製に使用するシリンジ・針などの滅菌衛生材料は，清潔が保たれる場所で保管する。調製台の引き出しに入れる場合は，詰め込むことで袋の破損が発生するため，8分目程度にする。使用期限にも留意し，期限の短いものから使用する。

　開始前に調製台をアルコールクロスで清拭する。

点滴調製中・終了時に確認すること

　調製を開始する直前に，速乾性擦式手指消毒薬で手指衛生を行い，サージカルマスクと未滅菌手袋を着用する。手袋を着用したら，環境周囲やPHS，自分の鼻，髪の毛などを触らない。

表1　病棟における注射・点滴の調製チェックリスト

〔注射調製台とその環境〕
- □ 注射調製台は専用とする
- □ 注射調製台は，スタッフの出入りの多い場所を避け，閉鎖あるいは区別できる場所を確保する
- □ 注射調製台は，医療廃棄物を捨てるエリアと動線が重ならず，流し台のしぶきが届かないように，十分な距離を空けて設置する
- □ 注射調製台には必要物品のみが設置され，十分なスペースが確保されている
- □ 注射調製台に置くのは，患者個人ごとにセットされた医薬品，シリンジ，針，輸液ルート以外では，非貫通の針捨てボックス，アルコール綿，速乾性擦式手指消毒薬などに限定する
- □ 輸液ライン，シリンジなどの滅菌衛生材料は，ほこりのたまらない所に保管する

〔調製開始前〕
- □ 点滴作業台は，作業開始前に，毎回アルコールクロスで清拭する
- □ サージカルマスクを着用する
- □ 作業開始直前に速乾性擦式手指消毒薬で手指衛生を行い，未滅菌手袋を着用する
- □ シリンジなどの滅菌衛生材料は包装の破損や汚れ，期限を確認し，使用直前に開封する

〔調製中〕
- □ 調製を開始したら，終了するまで中断せずに調製を終える
- □ 薬液容器の穿刺部を消毒し，その後は指がゴム栓に触れないように注意する
- □ 針捨てボックスは，血液の付着した針を捨てるものとは区別し，調製専用とする

〔調製終了〕
- □ 調製した注射液は，保存することなくすみやかに投与を開始する
- □ 単回使用バイアルの薬液および調製に使用したシリンジ・針は，他の患者に使用せず，廃棄する
- □ 保存剤を含む多容量バイアル（インスリン，ヘパリンなど）は開封日を記載し，穿刺のつど，新しいシリンジと針を使用する
- □ 調製に使用した針はリキャップせず，すみやかに非貫通の針捨てボックスに廃棄する

〔投与開始〕
- □ 接続直前に速乾性擦式手指消毒薬で手指衛生を行い，未滅菌手袋を着用する
- □ 接続部（ポート）はアルコール綿を用いて，2～3回ごしごしと念入りに消毒する
- □ 接続部（ポート）のキャップは，一度外したものは再使用しない

ダブルチェックなどの必要以外は会話を避け,作業は中断しない.マスクは,口腔内,鼻腔内に保菌している菌が注射液に混入することを防ぐので,鼻と口をきっちりと覆うように着用する.

調製開始直前に,滅菌衛生材料を開封する.このときに,ほこり,汚れ,包装の破損がないか確認する.

調製時,薬液ボトルの穿刺口をアルコール綿で消毒する.その後はゴム栓部分を触らないよう注意する.調製中は無菌操作を行い,針先に指が触れるなど「少しでも汚染の可能性があれば,薬液や使用したシリンジ・針を廃棄」する.

薬液の取り置きはしない.単回使用バイアルの使用は 1 患者に限定し,残液を次の患者に使うことはしない.同一患者であっても,投与時間が異なる場合は,一緒に調製して冷蔵庫に保管するなどの対応はとらない.

インスリンやヘパリンなど複数回使用を目的として保存剤が入っているものは,開栓日をバイアルに直接記入し,必ず,指示された保管方法,開封後の使用期限を守る.使用のつど,ゴム栓部分をアルコール綿でごしごしと念入りに消毒し,新しいシリンジと針を用いて穿刺する.調製作業中に汚染した可能性がある場合は,直ちに廃棄する.

注射・点滴投与時に確認すること

調製終了後はすみやかに投与を開始する.

ベッドサイドで準備が整ったら,速乾性擦式手指消毒薬で手指衛生を行い,未滅菌手袋を着用する.手袋着用後は,カーテンや患者環境には触れない.輸液ルートの接続部はアルコール綿で数回ごしごししっかり消毒する.一度外したキャップは再度使用することはしない.

投与終了後は,使用した空ボトルや輸液ルートを感染性廃棄物容器に廃棄する.

何らかの事情で投与までに時間が空く場合は,調製した注射薬や点滴は冷蔵庫などでの保管はせず,廃棄する.目安として,米国の無菌調製のためのガイドラインUSP797[1)]では,病棟のようなクリーンベンチがなく開放された場所で調製した注射薬は,調製開始から 1 時間以内に投与開始することが求められている.

手指衛生,無菌操作の重要性

注射液は直接体内に入り込む医薬品であり,無菌であることが必須である.

一般病棟で調製された注射薬の 14.7〜26.7 % に細菌汚染があったという報告があり,過去には汚染された点滴によるアウトブレイクや感染事例の報告もあった[7, 8]。

注射・点滴調製は,無菌操作が求められることを常に意識して実施する必要がある.投与に際しては,ポートの清潔管理とともに,刺入部の観察(2.3 節,p.44 参照)を行うことが血管内留置カテーテル関連感染の早期発見につながる.

血管内留置カテーテル関連感染の感染源・感染経路は,①皮膚の常在菌がカテーテル挿入部から混入,②調製の段階で汚染された注射薬・点滴,③接続部の汚染がラインに混入,の 3 つである.

感染源・感染経路の遮断のため,手指衛生,無菌操作を理解することが大切である.

文献
1) United States Parmacopeia : General Chapter ⟨797⟩ Pharmaceutical Compounding-Sterile Preparations [https://www.usp.org/compounding/general-chapter-797]
2) 医療機関における院内感染対策マニュアル作成のための手引き(案)[更新版](160201 ver. 6.02),平成 25 年度厚生労働科学研究費補助金(新興・再興感染症及び予防接種政策推進研究事業),「医療機関における感染制御に関する研究」(研究代表者:八木哲也)(H25-新興一般-003)
3) 日本病院薬剤師会・監,日本病院薬剤師会学術第 3 小委員会・編:注射剤・抗がん薬無菌調製ガイドライン,薬事日報社,2008
4) 国公立大学附属病院感染対策協議会・編:病院感染対策ガイドライン 2018 年版(2020 年 3 月増補版),じほう,2020
5) Siegel JD, et al : 2007 Guideline for Isolation Precautions : Preventing Transmission of Infectious Agents in Health Care Settings. Am J Infect Control, 35 (10 Suppl 2) : S65-S164, 2007
6) 米国疾病対策センター・編,満田年宏・訳著:隔離予防策のための CDC ガイドライン 医療環境における感染性病原体の伝播予防 2007,ヴァンメディカル,2007
7) 野口義夫,他:高カロリー輸液の調製時およびセット交換時の細菌汚染について,Pharmacy Today, 4:27-33, 1991
8) 橋本守,他:混合輸液療法における最近汚染,日本農村医学会雑誌,41:1038-1041, 1993

6.7 栄養物品管理

Points
- 哺乳びんや調乳器具は，**使用ごとに洗浄・消毒**を行う。
- 経管栄養に使用する物品は，**原則，使い捨て**とする。
- 再利用する場合には，施設内で決めた**ルールを守る**。

生きていくために必要な栄養を摂取することは必要不可欠である。とくに小児は成長・発達が活発であるため，生命を維持するだけでなく，発育を促すためにも栄養を摂取しなければならない。

このように生命維持や成長・発達に必要不可欠な栄養摂取であるが，使用する物品の汚染が原因で，食中毒になることがある。

日本ではあまり報告はないが海外では *Cronobacter sakazakii*（旧名：*Enterobacter sakazakii*）や *Salmonella* spp. に汚染された乳児用調整粉乳や，調乳で用いた器具によるアウトブレイクがしばしば報告されている[1]。

新生児や経管栄養を受けている患者は，易感染状態であることが多いため，栄養物品は適切に管理することが重要である。

哺乳びん

WHOと，国連食糧農業機関（FAO）の「乳児用調製粉乳の安全な調乳，保存及び取扱いに関するガイドライン」では，*C. sakazakii* が乳児の哺育器具の表面部分に付着し，バイオフィルムを形成するため，「哺乳器及び調乳器具（たとえば，哺乳カップや哺乳ビン，リング，及び乳首）は，その使用前に徹底して洗浄及び滅菌することが重要である」と提唱している。

滅菌ができない場合は，次亜塩素酸ナトリウム溶液に1時間以上浸漬させる。

経管栄養物品

経管栄養に使用するイルリガードル，栄養バッグ，チューブはディスポーザブル製品であり，原則，単回使用とする。

（1）円筒型投与容器（イルリガードル）

円筒型投与容器には，単回使用する製品と，くり返し使用できる製品がある。くり返し使用できる製品は，次亜塩素酸ナトリウム溶液への浸漬による消毒のほかに，食器洗浄機での熱洗浄も適している。

（2）バッグ型投与容器（栄養バッグ）

バッグ型の投与容器は，構造上，洗浄や乾燥が難しいため，原則，単回使用とする。

（3）栄養チューブ

栄養チューブは，構造上，内腔まで洗浄・乾燥させることが難しいため，原則，単回使用とする。

カテーテルチップ型シリンジ

経管栄養の場合，内服薬の投与や，チューブ内腔のフラッシュなどにカテーテルチップ型シリンジを使用することが多い。

カテーテルチップは原則，単回使用とする。

調乳用器具，経腸栄養剤作製用器具

（1）調乳用器具

調乳用器具は滅菌できる物品は滅菌することが望ましい。

滅菌ができない場合は中性洗剤を用いて洗浄し，次亜塩素酸ナトリウム溶液に浸漬させる。

（2）経腸栄養剤作製用器具

経腸栄養剤は，粉末状のものと液体状のものがある。また，A液とB液を混ぜ合わせて作製するものや固形

FAO：Food and Agriculture Organization of the United Nations，国連食糧農業機関

表1 経管栄養物品の管理方法

	熱洗浄	消　毒 （次亜塩素酸ナトリウム溶液）	保　管	交　換
哺乳びん	○	○	乾燥させ，清潔な場所で保管，または次回使用時まで浸漬	汚れが目立つ，破損するまで使用可
円筒型投与容器 （イルリガードル）	○	○	乾燥させ，清潔な場所で保管，または次回使用時まで浸漬	単回使用 または1回／週
バッグ型投与容器 （栄養バッグ）	×	×	（原則，単回使用）	（原則，単回使用）
栄養チューブ	×	×	（原則，単回使用）	（原則，単回使用）

表2 次亜塩素酸ナトリウムの希釈方法（全量1L溶液）

作成したい濃度		主な使用用途	原液濃度 1%		原液濃度 6%		原液濃度 10%	
w/w%	ppm		原液	水	原液	水	原液	水
1.0	10,000	―	原液		167	833	100	900
0.1	1,000	血液・吐物・排泄物の消毒	100	900	17	983	10	990
0.05	500	―	50	950	9	991	5	995
0.02	200	リネン・食器・調理器具など	20	980	4	996	2	998
0.01	100	経管栄養セットなど	10	990	2	998	1	999

〔単位はmL（ミリリットル）。1mL未満は原液を切り上げで算出〕

状など，さまざまである。

　経腸栄養剤の作製に使用した物品も，中性洗剤で洗浄し，次亜塩素酸ナトリウム溶液に浸漬させる。ただし，金属製器具は，次亜塩素酸ナトリウム溶液で消毒するとさびや腐食の原因となるため，食器洗浄機などによる熱洗浄が望ましい。

　表1に経管栄養物品の管理方法一覧を示す。

次亜塩素酸ナトリウムによる消毒方法のポイント

　消毒で重要なことは「消毒の性能に関する3つの基本的要素」をきちんと守ることである[4]。消毒の3要素とは，①濃度，②温度，③時間である。次亜塩素酸ナトリウム溶液による消毒も，この3要素に注意しながら消毒を行う。

（1）濃　度

　濃度が低すぎると，殺菌効果が期待できないため計測をきちんと行い，正しい濃度で消毒する。

　また，洗浄後の水分が次亜塩素酸ナトリウム溶液に入ると濃度が薄まってしまうため，洗浄後は水分をよく除去して，濃度の低下を防ぐ。

（2）温　度

　希釈液の温度や室温が低いと効果が十分期待できないため，20℃以上で使用することが望ましい。

　また，次亜塩素酸ナトリウムは高温・直射日光によって分解されるため，直射日光の当たらない冷暗所で保管する。

（3）時　間

　微生物を殺菌するには，一定時間，消毒液と接触させる必要がある。

チューブなど，内腔がある物品は空気をすべて除去し，内腔にもしっかり消毒液を浸して，消毒液と接触させることが重要である。

（4）その他の因子

洗浄前に有機物が残っていると殺菌作用が低下するので，消毒の前には，台所用洗剤などの中性洗剤とスポンジを使ってしっかり洗浄する。

また，次亜塩素酸ナトリウム溶液は，経時変化を起こしやすいため，希釈後は24時間で交換し，汚染の原因となる継ぎ足し使用はしない。

次亜塩素酸ナトリウム溶液の調製方法

表2に，次亜塩素酸ナトリウム溶液の調製方法（全量1L溶液）を示す。

文献

1) World Health Organization in collaboration with Food and Agriculture Organization of the United Nations : Safe preparation, storage and handling of powdered infant formula Guidelines, 2007 ［http://www.who.int/foodsafety/publications/micro/pif_guidelines.pdf］
2) 厚生労働省：乳児用調製粉乳の安全な調乳，保存及び取扱いに関するガイドラインについて（2007年6月4日）［https://www.mhlw.go.jp/topics/bukyoku/iyaku/syoku-anzen/qa/070604-1.html（2022年5月）］
3) 尾家重治，他：経腸栄養剤の細菌汚染例. Chemotherapy, 40(6) : 743-746, 1992
4) 尾家重治：シチュエーションに応じた消毒薬の選び方・使い方，じほう，2014
5) 大久保憲，他・編：2020年版 消毒と滅菌のガイドライン 改版第4版，へるす出版，2020

6.8 おむつの管理

Points
▶ 排泄物は**感染性がある**ため，おむつ交換時は**標準予防策**を遵守し，**個人防護具を着用**する。
▶ おむつ交換時は，個人防護具の着脱と手指衛生のタイミングが重要である。
▶ おむつ交換時は，感染対策に注意し，**ベストプラクティス**に沿って実施する。

おむつ交換における基礎知識

尿や便などの排泄物には感染性があるため，おむつ交換を行う場合は標準予防策を遵守し，プラスチックエプロンや手袋を着用する。下痢をしている場合など，飛散することが予測される場合は，プラスチックエプロンと手袋に加えて，サージカルマスクやゴーグルを着用する。おむつ交換時に手指衛生や個人防護具（PPE）の着脱が適切に実施されなかった場合や，使用後のおむつの管理が適切に実施されなかった場合は，おむつ交換実施者により周囲環境を介し，病原体が伝播し，接触感染の要因となる。

統一された方法でおむつ交換を実施するために，手順をマニュアル化し，適切な個人防護具の着用や手指衛生のタイミングを明確にすることが重要である。

おむつ交換時の感染対策

おむつ交換時の感染対策のポイントは，次のとおりである。
- 個人防護具の適切な着脱と手指衛生のタイミングに注意し，標準予防策を遵守する。
- 排泄物の計測が必要な場合は，おむつをビニール袋に入れたまま計測する。
- 使用後のおむつはビニール袋に入れ，密閉し，周囲環境を汚染しないように廃棄物容器まで運び，廃棄する。

また，おむつ交換のベストプラクティスを**表1**に示す（巻頭カラー図⑥も参照）。

（1）手指衛生

おむつ交換実施前に，流水と液体石鹸による手洗い，

表1　おむつ交換のベストプラクティス

①手指衛生
②個人防護具（プラスチックエプロン，手袋）を着用
③おむつ交換
④汚染されたおむつをビニール袋に入れ，密閉する
⑤汚染した手袋を外す
⑥手指衛生
⑦手袋交換
⑧新しいおむつ，寝衣を整える
⑨手袋，プラスチックエプロンの順に外す
⑩おむつを計測し，廃棄物容器に廃棄する
⑪手指衛生

または速乾性擦式手指消毒薬による手指消毒を行う。

実施後にも，医療従事者の汚染された手指を介した交差感染を起こさないように，流水と液体石鹸による手洗い，または速乾性擦式手指消毒薬による手指消毒を行う。下痢症状を引き起こすノロウイルスやロタウイルスなどアルコールが効きにくい病原体の場合は，おむつの交換後，必ず流水と液体石鹸による手洗いを行う。

（2）個人防護具の着用

おむつ交換実施時は，プラスチックエプロンと手袋を着用する。下痢をしている場合など飛散することが予測される場合は，プラスチックエプロンと手袋に加えてサージカルマスクやゴーグルを着用する。

保育器に収容されている児の場合は，排泄物に直接，医療従事者の衣服が触れることはないが，保育器の外側の環境表面に衣服が接触するため，プラスチックエプロンの着用も推奨される。

（3）廃棄用ビニール袋の準備

ビニール袋は汚染したおむつの廃棄用と，おしり拭き

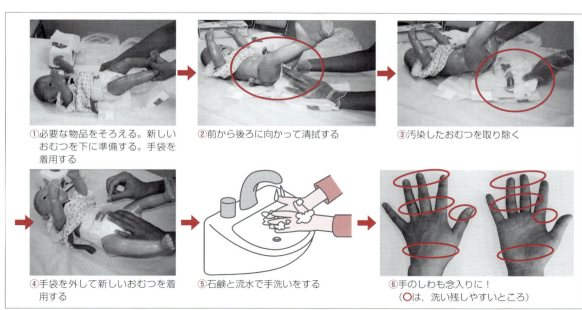

図1 患者家族用のおむつ交換の手順に関するパンフレットの例

シートや個人防護具の廃棄用の2枚，準備する。また，おむつ計測時に汚染したおむつをビニール袋から取り出さずに測定できるように，あらかじめビニール袋の重さを測定しておく。

(4) おむつ交換の実施

おむつ交換では個人防護具の着脱と手指衛生のタイミングに注意し，汚染したおむつやおしり拭きシートで，シーツやベッド周囲の環境を汚染しないように行う。とくに，保育器に収容されている児の場合は，壁や手入れ窓を汚染しないようにする。

排泄物や汚染されたものに触れた後は，おむつ交換の間でも必ず手袋を交換し，汚染された手袋で新しいおむつや寝衣を整えないようにする。

手袋を外した後は速乾性擦式手指消毒薬による手指消毒を行い，新しい手袋を着用する。

また，患者家族にも同様の手順で行ってもらう（図1）。

(5) 使用後のおむつの管理

汚染したおむつは床に直接置かないようにする。また，衣類やシーツなど周囲環境を汚染しないよう，すみやかにビニール袋に入れ，口を密閉し，指定の廃棄物容器に廃棄する。廃棄物容器までの運搬時は周囲環境を汚染しないように注意する。

排泄物の計測が必要な場合は，汚染したおむつをビニール袋に入れ，密閉したまま計測する。

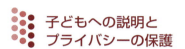

子どもへの説明とプライバシーの保護

おむつ交換を行う前には，患者および家族におむつ交換の必要性や方法を説明し，同意を得る。とくに，外陰部を露出する介助には羞恥心をともなうため，患者および家族の気持ちに十分に配慮した援助を行う。実施中は，カーテンやスクリーンを使用するなど，プライバシーの保護に努める必要がある。

また，おむつは新生児や，排泄の自立する前の乳幼児だけでなく，入院や治療にともなう排泄障害がある場合にも使用される。そのため，子どもの月齢や年齢，排泄の自立状況と排泄習慣，治療にともなう排泄状況の変化を把握し，コミュニケーションをとりながら，子どもの羞恥心に配慮してニーズに応じた援助を行っていくことが重要である。

文献

1) 栗原通子：Q32 オムツ交換時の注意点を教えてください．新生児感染管理なるほどQ&A（大城 誠・編著），ネオネイタルケア 2014年秋季増刊，pp163-168，2014
2) 小石明子：排泄ケア・オムツ交換．図解でわかる！ みんなの感染対策キホンノート（インフェクションコントロール編集室・編），インフェクションコントロール 2014年秋季増刊，pp175-176，2014
3) 坂田真理子：臍処置・オムツ交換．NICU看護技術必修テキスト（岡 園代・編著），ネオネイタルケア 2011秋季増刊，pp203-209，2011
4) 茂内陽子：患者の日常生活援助①—身体の清潔ケア，排泄ケア—．インフェクションコントロール，21(10)：994-1004，2012

6.9 リネンの管理

> **Points**
> ▶ リネンは，さまざまな病原性微生物に汚染される可能性がある物品であり，医療現場ではリネンに関する適切な感染対策が必要である。
> ▶ 正しいリネン管理は，医療施設における環境整備の基本であり，標準予防策でもリネンの取り扱いは重要である。
> ▶ 使用後リネンと使用前（未使用）リネンのそれぞれについて，管理方法を確認する。

使用後リネンの管理

使用後のリネンには，血液・体液や，病原微生物が付着している可能性がある。このため，すべての使用後リネンは，感染性のある物品として取り扱う。

使用後リネンを取り扱う際には，適切な個人防護具（マスク，ガウン，手袋）を着用する[1]。

また，異物混入を防止する目的で，リネンを振ったり払ったりしている光景をみかけるが，リネンに付着した病原微生物が拡散するので危険である。使用後リネンはていねいに取り扱う[2]。

使用後リネンは，病室で直ちに専用容器（ランドリーバッグなど）に収容することが望ましい。可能なかぎり使用後リネンは使用前リネンと交差しないように，取り扱いの順序や，保管場所に留意する。

使用後リネンに明らかな血液，体液，排泄物が付着している場合は，とくに「感染性リネン」として専用の耐水性容器に収容し，各医療施設内で，消毒処理（80℃10分以上の熱水処理など）を行ってから，外部業者に委託することが多い。

使用後リネンの処理

現在では，使用後リネンの処理を外部業者に委託していることが多い。外部委託業者では，リネンを洗濯し，加えて適切な消毒処理（80℃10分以上の熱水処理，または250 ppm次亜塩素酸ナトリウム溶液へ30分浸漬処理など）を実施し，病原微生物を除去している[3]。

消毒処理のなかでも熱水処理は，コストが低く簡便であり，洗濯施設や衣類への影響が少ないため，多くの業者で採用されている方法である。

一方，「感染症の予防及び感染症の患者に対する医療に関する法律」（感染症法）における1～3類感染症の病原体に汚染されたリネンは，各医療施設において一次消毒（80℃10分以上の熱水処理など）を実施することが求められている[4]。

使用前（未使用）リネンの管理

適切な処理が実施されたリネンは，再度，医療現場へ配達される。処理後のリネンは病原微生物が可能なかぎり除去されているため，使用時まで清潔に保管する必要がある。

とくに倉庫で保管する場合，ごみやほこりが付着しないよう，床に近い場所は避け，キャビネットに収容する，またはカバーを使用するなどの工夫を行うことが望ましい。

使用前リネンを，使用後リネンや他の汚染物品と同じ場所に保管しない。

使用前リネンの芽胞形成菌汚染

上述のように，使用後リネンは熱水処理によって消毒されることが多いが，通常の処理では除去できない微生物も存在する。

セレウス菌やクロストリディオイデス・ディフィシルなどの芽胞形成菌は，熱・乾燥・消毒薬の存在下など，一般細菌の生存に不利な状況においても，「芽胞」という構造物を形成し，身を守る。

芽胞は，熱・乾燥・消毒薬に対して，高い耐性をもち，80℃10分の熱水処理後にも生存する。このため，多数の芽胞形成菌に汚染されたリネンには，熱水処理後にも芽胞が付着した状態にある。脱水・乾燥の過程で

表1 リネン管理におけるチェックポイント

使用前リネンの管理
- ☐ 使用前リネンは、適切な場所に保管されている
- ☐ 使用前リネンは、カバーで覆われるなど、ほこり・ごみが付着しないように工夫されている
- ☐ PICU・NICU・新生児ユニットで使用されるリネンは、定期的にセレウス菌汚染のチェックが行われている

リネン使用中の管理
- ☐ 血液・体液・排泄物で汚染されたリネンは直ちに交換する

使用後リネンの管理
- ☐ 使用後リネンは、適切な個人防護具（マスク・ガウン・手袋）を着用して取り扱っている
- ☐ 使用後リネンは、振ったり、払ったりせずに、ていねいに取り扱っている
- ☐ 使用後リネンは、ランドリーバッグ等、適切な容器に収容されている
- ☐ 血液・体液・排泄物に汚染されたリネンは、感染性リネンとしてわかりやすく表示して専用容器に収容し、消毒処理を行ってから外部業者に委託している
- ☐ 1～3類感染症の原因微生物に汚染されたリネンは、感染性リネンとしてわかりやすく表示して専用容器に収容し、消毒処理を行ってから外部業者に委託している

使用後リネンの処理
- ☐ 使用後リネンを適切な方法で消毒処理している（または、委託業者がどのような処理を行っているか把握している）

芽胞が一定量以上残された状態で、洗濯後・使用前リネンとして各医療施設に配達されてしまう可能性がある。

とくにセレウス菌は、洗濯機そのものを汚染し、リネンを高度汚染することが知られているため、注意が必要である[5]。リネンに付着したセレウス菌は、医療従事者の手指やリネン類を介して輸液ルートなどに混入し、患者に血流感染症を起こすことが知られており、多くの施設から医療施設内アウトブレイクが報告されている[5]。

リネンの定期的な細菌培養は必要ないといわれているが[2]、セレウス菌による被害報告が相次いでいる日本においては、リネンのセレウス菌汚染を定期的にチェックするシステムを各医療施設で考慮してもよい（表1）。

とくに、セレウス菌による重篤な感染症を発症しうるPICU・NICU・新生児室では、リネンのセレウス菌汚染に十分注意する必要がある。

芽胞に高度汚染されたリネンは廃棄するなどの処理を行う。汚染が軽度であれば、十分な水量を用いた洗濯で芽胞は除去される。

PICU, NICUにおけるリネン管理

PICU, NICUであっても、リネンは一般病棟と同様に、適切な洗濯処理を行われていれば問題なく、滅菌処理されている必要はない[2]。

しかしながら、前述したように、セレウス菌汚染の可能性には十分注意を払う必要がある。

布製のおもちゃ類について

ぬいぐるみなど、布製のおもちゃ類については、医療施設でどのように取り扱うべきか、明確な定めがない。このため、布製のおもちゃ類は、まったく管理されていないこともまれではない。

子どもが使用する布製のおもちゃ類は、病原微生物だけでなく、有機物や排泄物によっても汚染されるので、こまめな洗浄・消毒が感染対策上、必要と考えられる。しかし、そのような対応は現実的には困難である。

このため筆者の施設では、原則として布製のおもちゃ類は個人使用のものに限定し、共有するおもちゃ類はアルコール清拭が容易な素材（ビニール製など）のものを推奨している。

文献
1) Garner JS：Guideline for isolation precautions in hospitals. The Hospital Infection Control Practices Advisory Committee. Infect Control Hosp Epidemiol, 17(1)：53-80, 1996
2) Sehulster L, et al：Guidelines for Environmental Infection Control in Health-Care Facilities. Recommendations of CDC and the Healthcare Infection Control Practices Advisory Committee (HICPAC). MMWR Recomm Rep, 52(RR-10)：1-42, 2003
3) 医療関連サービス研究会・編：医療機関業務委託関係法令解説集 改訂版, ぎょうせい, pp609-610, 2000
4) 厚生労働省：感染症法に基づく消毒・滅菌の手引きについて（健感発0130001号, 平成16年1月30日）
5) Sasahara T, et al：Bacillus cereus bacteremia outbreak due to contaminated hospital linens. Eur J Clin Microbiol Infect Dis, 30(2)：219-226, 2011

6.10 環境整備

Points
- 環境整備は，諸室の清浄度に合わせた**清潔度の保持と除塵・除染**に加え，必要に応じて**消毒**も実施する。
- 病原微生物が定着しやすい**水まわりの環境は清浄**に保つ。
- 環境清浄化の促進ができているか，**定期的に清掃実施（日常清掃点検表を作成）**の状況を確認することが，医療施設内の感染対策につながる。

環境整備は，患者に安全で快適な療養環境の提供を目的とする。病院内は「見た目にきれい」な状態にするだけでなく，諸室の清浄度に合わせた清潔度の保持と，除塵・除染に加え，必要に応じて消毒も実施する。とくに病原微生物が定着しやすい水まわりの環境は，清浄に保つ必要がある。本節では，環境整備の基本である病室および共用エリア環境の清浄化，水まわりの環境整備，加湿器について述べる。

病室環境

「医療施設における環境感染管理のためのCDCガイドライン」[1]では，環境表面は医療関連感染への関与が少ないため，消毒や滅菌の必要はほとんどなく，日常的に汚れを除去することが推奨されている。

患者環境の清掃は，医療従事者や患者が直接触れることのない天井，壁，床と，頻繁に接触するベッド周囲や床頭台，いすなどの部分に分けて考える。

したがって，病室環境の清浄化の基本は，清掃と接触頻度に応じた清掃方法が必要であり，環境表面に付着した血液や体液の汚物は，直ちに清拭・清掃することが重要である。

（1）ゾーニングについて

病院内の各室（区域）は，用途に適合する空気清浄度を維持するために，区域分けを行う。これを，「ゾーニング」という。空気清浄度のクラス分類と該当室は「病院設備設計ガイドライン（空調設備編）」[2]に示されている（付録⑩, p.313）。

本ガイドラインでは，清浄度のクラスが一般区域を含めて6段階にゾーニングされており，清掃器材・用具は汚染拡散防止のため，ゾーニングごとに色分けをして管理するとよい（表1）。

（2）一般病室の日常清掃

空気中の細菌は，ほこりに付着した状態で浮遊してい

表1　清掃用具のカラーリング例

清掃に関するゾーニング		該当室（代表例）	空調設備に関するゾーニング[※]	
区域名	区域の色		清浄度クラス	名称
清潔区域	青系統	層流式超清浄手術室など	Ⅰ	高度清潔区域
		一般手術室，易感染患者用病室など	Ⅱ	清潔区域
通常医療区域	緑系統	未熟児室，NICU・ICU・CCU，分娩室など	Ⅲ	準清潔区域
		一般病室，新生児室，診療室など	Ⅳ	一般区域
一般区域	白系統	事務室，会議室，食堂，医局など	—	—
汚染拡散防止区域	黄系統	放射線管理区域諸室，細菌検査室・病理検査室など	Ⅴ	汚染管理区域
	赤系統	トイレ，使用済リネン室，汚物処理室，霊安室など		拡散防止区域

※ 日本医療福祉設備協会：病院設備設計ガイドライン（空調設備編）HEAS-02-2022，日本医療福祉設備協会，2022 によるゾーニング

るため，ほこりを最小限にすることが重要であり，そのための清掃方法・清掃用具の選択も重要となる。また，清掃方法は，汚染の拡散を防止するための「オフロケーション方式」（常に，新しいモップを使用する）を採用している施設が多くある。

　患者エリアで，汚染されている可能性のあるベッドまわりの環境表面や，接触頻度の高い環境表面は，清拭と消毒が必要である（表2）。高頻度接触面は，環境除菌・洗浄剤（エタノール，次亜塩素酸ナトリウム含有製品など）を用いて清拭する。健常皮膚に接触するすべての環境表面が対象となる。

　床は直接，手指が触れないため，消毒の必要はない。ただし，血液や体液などで目に見える汚れは，日常的にスポット拭き（血液や体液で環境表面が汚染されたときは，汚染部分だけに消毒薬を用いて清拭消毒を行うこと）で汚れを除去する。

　消毒薬・洗浄剤は，正しい量，希釈濃度，接触時間を守ることで，環境表面に定着している病原体を除菌できるといわれている。そのため，洗浄剤は正しく使用することも重要である。

(3) 清掃カートの必要物品

　①手袋，②清掃用洗浄剤，③床清掃用洗浄剤，④シンク用洗浄剤，⑤マイクロファイバークロスモップ，⑥マイクロファイバークロス，⑦床用モップ，⑧補充用ペーパータオル・トイレットペーパー，⑨使用済みモップ・クロス入れ，⑩ビニール袋，⑪速乾性擦式手指消毒薬などをそろえる（図1）。

(4) 集塵モップ

　モップは，マイクロファイバークロスモップや静電気を利用したダストクロスモップが多く使用されている。いずれの製品も使用後は洗濯機で洗浄し，乾燥させれば何回でも使用でき，効率性がよい。

　マイクロファイバークロスモップは，化学的に組成された直径 8 μm 以下（髪の毛の 1/100）の超極細繊維で，繊維断面が鋭角や多角の形状をしているため，汚れやほこりの除去率が高い。木綿と同等以上の吸水性・保湿性をもち，速乾性に優れている。ドライ拭き，ウェット拭きのどちらにも使用できる（図2）。

表2　環境表面の清掃

日常清掃 （毎日行う清掃）	・原則として，洗浄と清掃を実施する（標準的に消毒液を用いる必要はない） ・高頻度接触面は1日1回以上の清掃を行う 　（ドアノブ，手すり，ベッド柵，オーバーテーブル，ナースコール，電気スイッチ，パソコンのキーボード，輸液ポンプ操作パネル，心電図モニター類の操作パネルなど） ・原則として床の清掃は，専用ケミカルを用いた湿式清掃を行う ・手洗いシンクは，1日1回は清掃業者が清掃する。作業シンクなどは各部署で清掃を行う（シンク専用の網たわしを使用する） ・浴室は，使用前に（1日1回）専用ケミカルで洗浄し，乾燥させる ・トイレの清掃は使用される頻度によって1日1〜3回程度行う（汚染の状況により適宜，行う）。専用ケミカルで洗浄する ・汚物処理室は，1日1回程度清掃を行う
定期清掃 （ワックス清掃や空調清掃など）	換気口，空調清掃は年2回実施する 〔単層塩ビ（ポリ塩化ビニル）シート〕 　器械洗浄：1回/週，1回/月，または随時 〔長尺シート〕 　洗浄＋ワックス塗布：3回/年 〔カーペット〕 　スチーム洗浄1〜2回/週，1回/月，または随時 〔カーテン〕 ・洗濯：病棟3〜4回/年，外来1〜2回/年（目安） ・汚れた場合は適宜，交換する
特殊清掃 （血液，体液などにより，環境が汚染された場合に行う除染・消毒方法）	・血液などの汚染物は，まずはペーパータオルなどで取り除く ・専用ケミカル剤などで洗浄する ・0.05〜0.5%に希釈した次亜塩素酸ナトリウム溶液をペーパータオルに浸し，5〜10分間ペーパータオルで覆い，消毒する ・最後に水拭きを行う

図1　清掃カート

 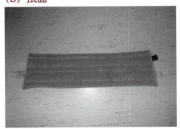

図2　マイクロファイバークロスモップ

(5) 洗浄剤, ワックス

サニテーション（衛生管理）の先進国である米国やEU各国の病院では，感染制御・環境負荷・費用対効果を重視した明確な指針が示されている。日本においては，病院清掃で使用される消毒薬・洗浄剤等の認証制度や使用方法などに関する指針が明確に示されていない。

従来は，定期的な清掃を重視し，消毒と清掃を区別する考え方であったが，近年，薬剤耐性菌の出現やアウトブレイクにより，感染対策を考慮した日常的な清掃が重視されている。ノンクリティカルの場所を清掃することも標準予防策の1つになる。

環境表面の清浄化には，洗浄作用と消毒作用を1剤であわせもつ洗浄消毒薬の使用が簡便である。とくに，米国環境保護局（EPA）登録の病院用洗浄消毒薬が使用されている。

洗浄消毒薬は，第4級アンモニウム塩系洗剤，両性界面活性剤，消毒用エタノール，次亜塩素酸ナトリウムや加速化過酸化水素の含有製品を日常的に使用している。

床表面の汚染防止や耐久性向上のため，ワックスを使用している施設が多い。しかし，手指消毒などで使用するアルコール系消毒薬により塗膜の溶解や白化が発生するため，その補修等の管理が問題となっている。耐アルコールのワックスや，ワックスを溶解・白化させないアルコール系消毒薬もあるので，製品選択時にメーカーに問い合わせるとよい。

EPA：Environmental Protection Agency，米国環境保護局

日常清掃の手順

基本的な清掃の手順を，下記①〜⑧に示す。
① 部屋のごみを取り除く。
② 高いところの清掃（病室天井に近いところ・ドアの上部・桟・立面の上部・カーテンレールのほこりなどをクロスで拭き取る）
　※高い場所から低い場所の順に清掃場所を移動させる。
③ 部屋の奥から出口に向かって，一方向で行う。
④ 水平面の清掃，床頭台の上や，オーバーベッドテーブル，いす，ベッド柵，ドアノブや電気スイッチ，ナースコールなど，手指の高頻度接触表面の湿式清拭を行う。
⑤ 床の清掃（乾式清掃でごみを除去し，その後ほこりを舞い上げないように集塵クロスで清拭し，湿式清掃を行う。木製モップの柄は，細菌の温床になるので避ける）
⑥ 清掃クロスやモップは，規定面積ごとに洗浄または交換する。
⑦ モップ先は，洗濯機処理後に高熱乾燥を行う。手洗いする場合は，洗浄後に塩素系消毒薬で浸漬処理する。
⑧ カーテンやブラインドは，目に見える汚れがあれば洗濯・清拭する。

ME機器や処置・治療用の機器の設置により，清掃できる床面が限られる。機器表面の清掃，整理整頓，配線の工夫など，施設ごとに，いつ，誰が，どのように清掃するのかルールの策定をする。

プレイルーム・食堂の環境整備

療養中の患者にとって，医療施設は生活の場である。プレイルームは多くの患者が利用する。食堂も食事以外に，学習や遊び場として活用される場合もある。
不特定多数の人が共有する場所であるため，日々清掃・整理整頓を行うことが感染防止につながることから，衛生的な管理が重要となる。
食堂やプレイルームは病室と同様に，患者や家族の生活の場でもあることから，高頻度接触面には環境除菌・洗浄剤を用いて衛生環境を維持する。
小児領域のおもちゃは，安全性や感染を考慮した製品を選択する。衝撃に強く，使用後に清拭や洗浄が容易に行える製品を選び，設置する。
主な注意事項を以下にあげる。
① 洗浄・クリーニング等が容易なおもちゃを選択する。
② 毛皮の付いたぬいぐるみは禁止する。
③ 大型固定式の遊具は，最低週1回と，目に見える汚れのあるときに，いつでも環境除菌・洗浄剤による清拭清掃を行う[2]。
④ 血液や体液等の付着があるときは，直ちに清拭消毒を行う。
⑤ 口に入るサイズのおもちゃは，誤飲のおそれがあるので原則，使用を禁ずる。
⑥ 薬品を用いて消毒処理したおもちゃは十分洗浄し，残留消毒薬が小児に影響しないよう管理する。
⑦ 感染性胃腸炎や流行性角結膜炎などの接触感染を起こす感染症が流行している時期には，おもちゃの共有は制限することが望ましい。
⑧ おもちゃに亀裂や破損がないことを確認する。

小児病棟は，血液・免疫疾患をもつ患者や，ステロイドホルモン，抗がん薬などの薬物治療により免疫抑制状態にある患者が多く入院しており，院内感染が発生しやすい環境である。そして易感染状態にある患者は，感染予防を目的に，プレイルームでの遊びの時間を制限され，他の患者と遊ぶことができずにいる場合が少なくない。
易感染患者がプレイルームで遊ぶ場合には，他の患者との遊び方の調整や，乳児／幼児／学童の年齢に応じ，遊ぶ時間を区切るなどした使用方法の工夫も必要である。易感染状態にある患者は，清掃後，環境表面が清浄化され，浮遊塵埃の少ない時間に使用する。必要時にはマスク着用も促し，遊んだ後は手洗いを習慣化し，二次感染防止に努める。

水まわりの環境整備

手洗いシンクや流し台，汚物処理室や浴室などは，常に水を使用する場所である。湿潤環境は細菌の温床となりやすいため，常に清潔と乾燥を保つことが重要である（図3）。
流し台は一般的に，栄養剤専用の流し台と，器材洗浄用の流し台に区別し，使用している施設が多い。哺乳や注水，経管栄養剤の準備は栄養剤専用の流し台を使用する。とくに，哺乳や水分補給に使用される器材や操作環境は，衛生管理の徹底が求められる。常に食中毒防止や事故防止対策を考慮し，実施することが重要である。哺乳びんや乳首など使用後の器材は，自施設の運用

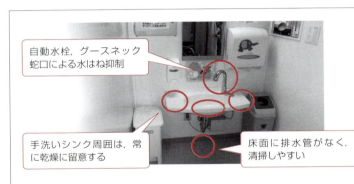

流し台（シンク）まわりの注意点
①不要な物品は置かない。
②水はねは直ちに拭き取る。
③物体表面は乾燥した状態を保つ。
④シンク周囲に清潔物品を置かない（水はねによる汚染を防止するため，シンクから1m以上離す）。
⑤使用後の器材はすみやかに片づける。
⑥洗浄用スポンジの管理方法を決める。

- 自動水栓，グースネック蛇口による水はね抑制
- 手洗いシンク周囲は，常に乾燥に留意する
- 床面に排水管がなく，清掃しやすい

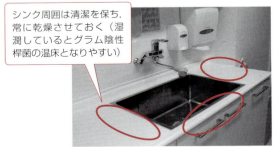

- シンク周囲は清潔を保ち，常に乾燥させておく（湿潤しているとグラム陰性桿菌の温床となりやすい）

図3 流し台の環境整備

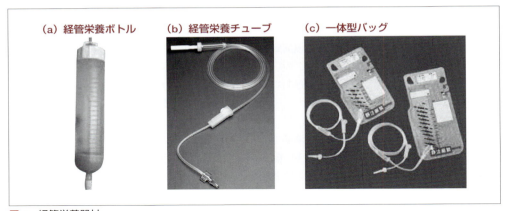

図4 経管栄養器材

ルールに従って取り扱う。

 経管栄養器材の処理

栄養補給に使用される栄養バッグは，一体型の単回使用の製品が推奨されている。栄養バッグのチューブセットは内腔が細く，洗浄や消毒，乾燥など，処理しにくい構造であるため，再使用しない（図4）。

再使用した器材による感染事例が発生した場合は，使用した医療施設側の責任が生じる。器材コストや慣習で器材を再使用するのではなく，再使用によるリスクを考慮し，施設ごとの運用ルールや責任の明確化が必要で

ある（管理についての詳細は6.7節，p.223を参照）。

 **ミルクウォーマー**

ミルクウォーマーは38〜42℃で常に加温されており，多くの施設で使用されている。湯せん式ミルクウォーマーは常に温水が張られているため，湿潤環境から微生物が発育しやすい状況といえる（図5）。

感染リスクの観点から，乾式のミルクウォーマーが多く使用されている。構造がシンプルで手入れしやすく，常に乾燥状態が保てるなど，機能性が高い。整備の方法は，自施設の運用ルールに従って実施する。取り外

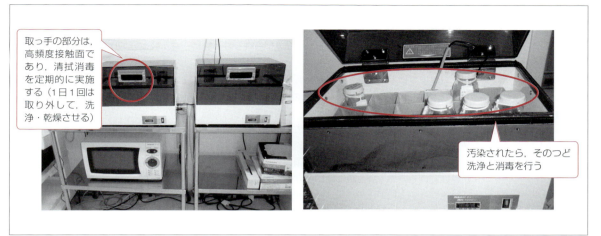

図5　乾式のミルクウォーマー

せる部分は，1日1回，洗浄・消毒・乾燥を実施する。取り外しのできない部分は，環境除菌・洗浄剤や消毒用エタノールを用いて清拭消毒を実施する。

浴室・シャワー室

　浴室・シャワー室は湿気がこもりやすく，常に湿潤環境である。細菌だけでなく，かびの発生にも注意が必要である。入浴時に使用されるシャワーチェアや浴室専用ストレッチャーは，皮膚の感触や安定性からスポンジ素材を使用した製品が多い。スポンジ素材は乾燥しにくく，かびが生えやすいため，スポンジ素材が使われていない製品を使用すべきである。やむをえず使用する場合は，使用後の管理方法を決めておく。

　入浴介助に使用するエプロンは，ディスポーザブルの製品を使用すると，衛生管理しやすい。乾燥や洗濯などが省略でき，業務整理につながる。

　浴室の清掃は，水分を拭き取り，乾燥させ，湿気が残らないよう換気する。一般的な浴室清掃の手順を以下に述べる。

①シャワーチェア，浴槽，シャワー室内は，洗浄剤を使用し，スポンジでこする。
②洗浄剤をシャワーで流し，集塵クロスで浴槽，壁面などを拭き上げる。
③浴室内の床面をデッキブラシでこする。
④排水口にたまったごみを取り除く。
⑤浴室内の床面を乾いたモップで拭き上げる。
⑥脱衣所内は，化学繊維のほうきで掃いた後，専用ケミカル剤を浸み込ませたモップで全体を清拭する。
⑦使用済みのリネン類は，各フロアの所定投函袋に入れる。
⑧作業用具を片づけ，モップ，集塵クロスなどは専用の洗濯機で除菌洗浄し，乾燥させる。

生花の取り扱い

　医療施設では，施設内や病室に生花を置くことがしばしば見受けられる。切り花の花びんの水からはグラム陰性桿菌が分離されるので，衛生面で禁止している施設もあるが，「医療施設における環境感染管理のためのCDCガイドライン」[1]では「免疫不全がなければ，花びんの水や鉢植え植物は感染源とはならない。移植患者や重症の後天性免疫不全症候群（AIDS）患者の病棟以外であれば制限は不要である」と記載されている。

　生花は，免疫不全患者以外の病室で感染に影響することはないといった文献もあるが，予防的に以下の対応を行うとよい。

①生花の取り扱いを患者自身は行わない。
②生花に触れる際には手袋を着用し，作業終了後は手指衛生を行う。
③花びんの水は隔日で交換し，病室内の流し台は使用しない。

清掃の評価

　医療施設内の清掃の多くは，清掃受託業者により実施されている。

　環境表面が清潔に維持されているか，日々の清掃方法を確認することが重要である。各施設でも清掃点検表を用いてさまざまな取り組みが行われている。環境

> **Note**
>
> **流しのオーバーフローについて**
>
> 　オーバーフローとは，「水があふれるさま」をいう。また，流し台（シンク）の上部に設置されている「水があふれ出ることを防ぐ排水口」もオーバーフローとよぶ。
>
> 　流し台のオーバーフロー（後者）は，ためた水が排水される場所であるが，清掃できない構造であり，水場を好むグラム陰性桿菌が繁殖するリスクがある。したがって，病院の流し台は衛生管理上，「オーバーフローがないタイプの流し台」が望ましい。これは手洗いなどの流し台だけでなく，水槽や沐浴槽も同様である。
>
> 　もし，現在使用している流し台にオーバーフローが付いている場合は，オーバーフローの中をしっかり洗浄してからステンレステープなどを貼ってふさぐとよい。また今後，流し台を交換や増設する場合や病院の新築時には，オーバーフローがないタイプの流し台を選択するべきである。日本国内で販売されている既製品の流し台には，必ずといってよいほどオーバーフローが付いているので，発注時に確認が必要である。

　管理ルールの実践確認（決められたことが実践されているか），環境清浄化の促進ができているかを清掃受託業者と連携し，定期的に清掃実施（日常清掃点検表を作成）の状況を確認することが，医療施設内の感染対策につながる。

加湿器

　病室の湿度は，部屋の広さ，使用されている建材，機密性，換気回数や温度に影響を受ける。

　適切な湿度は，皮膚や粘膜を保護し，自浄作用を高める。とくに冬は空気が乾燥するため，加湿器の使用は一般家庭，事務所や学校など幅広く行われている。また，インフルエンザ対策として加湿器が普及している。

　水噴霧方式の加湿器は，ネブライザーに類似している構造から微生物汚染を受けやすく，1996年に発生したレジオネラ感染症は超音波加湿器が関与しているとの報告がある[4]。院内感染事例から，加湿器の使用を禁止している医療施設も少なくない。病院内での加湿器の使用は推奨できないが，使用する際は自施設の取り決めを定めておくことが望ましい。

　加湿器の種類は，水蒸気を発生させるメカニズムで3つに分けられる。

①気化方式：加湿材が常に水についている状態で，タンク内にも水がたまっている。加湿材は汚染を受けやすいが，細菌は環境中には放出されないと考えられている。

②蒸気方式：水をヒーターで沸騰させ，その蒸気によって加湿する方式である。

③水噴霧方式：水に超音波の振動を与え，霧状にして加湿する方式で，水や回路に汚染があれば，そのまま空気中に拡散される（エアロゾルが発生する）。

　加湿器の機種選定は，エアロゾルを発生させない方式が推奨される。CDCガイドラインでは，エアロゾルを発生させる大容量加湿器は毎日，滅菌か高水準消毒がなされ，滅菌水のみを補給する場合以外は使用してはならないと勧告している。

　各方式の加湿器のメンテナンスは，メーカーが推奨する方法で行う。使用機器材の洗浄・消毒は，Spauldingの分類（付録⑨，p.312）を参考に行う。

文献

1) Sehulster L, et al：Guidelines for Environmental Infection Control in Health-Care Facilities. Recommendations of CDC and the Healthcare Infection Control Practices Advisory Committee（HICPAC）. MMWR Recomm Rep, 52(RR-10)：1-42, 2003
2) 日本医療福祉設備協会：病院設備設計ガイドライン（空調設備編）HEAS-02-2022, 日本医療福祉設備協会, 2022
3) 全国ビルメンテナンス協会：新版 病院清掃の基本と実務, 全国ビルメンテナンス協会, p108, 2008
4) 國重龍太郎, 他：当院における院内レジオネラ感染対策部署間連携活動支援システム構築の検討. 環境感染誌, 30(1)：14-21, 2015
5) 大久保憲, 他・編：2020年版 消毒と滅菌のガイドライン改訂第4版, へるす出版, 2020
6) 廣瀬千也子・監, 小野和代, 他・編：洗浄・消毒・滅菌と病院環境の整備. 中山書店, 2005
7) 猪狩英俊・監, 石和田稔彦, 他・責任編集：千葉大学病院 病院感染予防対策パーフェクト・マニュアル, 診断と治療社, 2015
8) William AR, et al：Guideline for Disinfection and Sterilization in Healthcare Facilities, 2008 [https://www.cdc.gov/infectioncontrol/pdf/guidelines/disinfection-guidelines-H.pdf（2022年5月）]
9) Siegel JD, et al：2007 Guideline for Isolation Precautions：Preventing Transmission of Infectious Agents in Health Care Settings. Am J Infect Control, 35(10 Suppl 2)：S65-S164, 2007

部門別の感染対策

7.1 新生児集中治療室（NICU）

Points
- 早産児は自然免疫，獲得免疫ともに正期産児よりも低い。また，母体からの受動抗体が少ないため，早産であればあるほど**易感染状態**にある。
- 早産児の感染対策は，手指衛生・環境整備など標準予防策が基本である。
- NICUに従事する職員には，流行性ウイルス疾患のワクチンのほか，**百日咳のワクチンの接種**も推奨される。

新生児集中治療室とは

新生児集中治療室（NICU）は，早産児，低出生体重児，各種の疾患や合併症をもつハイリスク新生児を，24時間365日連続して集中的に，全身管理，治療する部門であり，厚生労働省が施設基準を設けている。

日本で新生児医療が開始されたのは1950年代であり，1958年に未熟児養育医療制度が実施されるようになった。1986年には，診療報酬で新生児特定集中治療室管理料が初めて認められた。

新生児の免疫の特徴

胎児期は免疫寛容状態となっており，早産児は自然免疫，獲得免疫ともに正期産児よりも低い。また，母体からの受動抗体が少ないため，早産であればあるほど易感染状態にある。皮膚も重要な感染防御のバリアであるが，早産児は角層が薄いため十分な機能を果たさない。角層は，生後2週間程度で急速に成熟する。

子宮内は無菌状態であり，胎児は常在細菌叢をもち合わせていない。出生を機に，さまざまな微生物に曝露することで細菌叢を形成していく。NICUに入院する児は，直接母乳（直母）などによる母親との皮膚接触ができないことが多く，母親由来の常在細菌叢を得る前に病原微生物が定着することがある。

新生児感染症の特徴

新生児は感染しやすく，かつ急速に重篤化しやすい。発熱などの感染徴候に乏しく，炎症の指標となるC反応性蛋白（CRP）や白血球（WBC）などの数値の異常が出にくいことから，明らかな徴候が認められるときには，すでに感染症，敗血症などの重篤な状態におちいっていることもある。

なんとなく元気がない，皮膚色が悪いなど，「いつもと違う」サインに気づくことが重要である。そのほか，哺乳力の低下，無呼吸の増加，腹部膨満，易刺激性なども敗血症の初期にみられる症状である[1]。

新生児への感染経路

母体からの垂直感染には，子宮内での経胎盤感染や，膣や子宮頸管からの上行感染，出生時の経産道感染，経母乳感染があり，ほかに，水平感染がある（図1）。

経胎盤感染を起こす病原体は，トキソプラズマ，風疹ウイルス，サイトメガロウイルス（CMV），水痘帯状疱疹ウイルス，麻疹ウイルスなどがあり，血行性に胎盤を介して胎児に感染する。加えて，母体の膣内に存在する病原体が絨毛羊膜炎や臍帯炎を引き起こして，上行性に感染することがある。

経産道感染は，産道を通過する際に直接，児に感染するものであり，細菌や真菌，単純ヘルペスウイルスが原因となる。

母乳感染で問題となるのは，ヒト免疫不全ウイルス（HIV），ヒトT細胞白血病ウイルス-1型（HTLV-1），サイトメガロウイルスなどである。

医療関連感染としては，弱毒菌による日和見感染のほか，メチシリン耐性黄色ブドウ球菌（MRSA）を中心とした薬剤耐性菌が，医療従事者の手指や器具，環境を

NICU：neonatal intensive care unit，新生児集中治療室
CMV：cytomegalovirus，サイトメガロウイルス

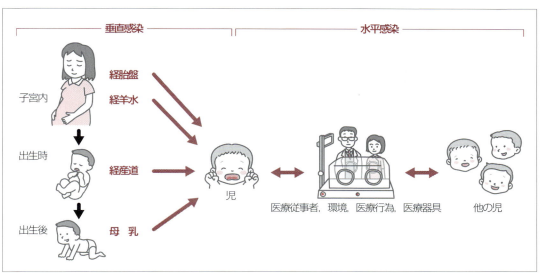

図1 NICUにおける感染経路

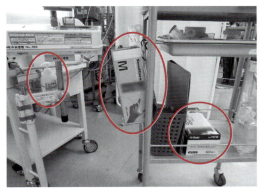

図2 ベッドサイドの速乾性擦式手指消毒薬と個人防護具の配置

図3 温乳器の側の速乾性擦式手指消毒薬の配置

介して伝播する水平感染がある。

また，NICUに入院している児は，血管内留置カテーテルや人工呼吸器などを使用していることが多く，医療器具関連感染を起こす可能性が高い。

NICUにおける感染対策

（1）手指衛生遵守のための具体的方策

流水手洗いと速乾性擦式手指消毒薬の両方を，場面に即して，効果的に使用することが重要である。

速乾性擦式手指消毒薬は，無呼吸発作などへの緊急対応時に迅速に使用できるよう動線を考えた位置に設置するようにし，患者間で共有する包帯交換車（包交車），温乳器などの機器類の側にも設置する（図2，図3）。

病原体の伝播防止のために，日本のNICUでは，手指衛生の実施に加えて，未滅菌手袋を使用することが推奨されている。使用する場合は，手袋も動線に合わせた場所に配置する（図2，図3）。ただし，手袋は手指衛生の代用にはならないこと，交換のタイミングが重要であることを念頭におく。手袋を着用することで手指衛生の遵守ができなかったり，手袋を脱がずに電子カルテなどを操作したりして，手袋使用がかえって感染リスクを高めるといったデメリットになる側面もある。

手指衛生遵守状況の把握と評価，遵守率向上のための方法の1つに，世界保健機関（WHO）が提唱する「手指衛生の5つのタイミング」にもとづいた直接観察法がある[2]。これにより，手指衛生の遵守率を客観的に測るだけでなく，スタッフの手指衛生に対する意識を把握できるほか，速乾性擦式手指消毒薬や，個人防護具（PPE）など，手指衛生に関する物品配置を評価することができる。

頻回な手指衛生により，NICU で勤務するスタッフは手荒れを起こしやすい。手荒れを起こした手指は，皮膚のバリア機能が破綻し，また細菌に対する防御機能が低下している状態であるため，MRSA を含む黄色ブドウ球菌が定着しやすい。手指衛生の遵守とともに，保湿剤を使用したスキンケアなどの手荒れ対策も重要である。

(2) NICU の環境整備

皮膚の細菌叢の形成が未成熟な新生児は，病原微生物の定着から感染症を引き起こす可能性がある。ノンクリティカルに分類される体温計や聴診器であっても，可能なかぎり個別管理とし，共有する場合には適切に洗浄，消毒したうえで使用する。

NICU に入院する児は，保育器の中で栄養や排泄物の処理などすべてのケアを受ける。これは，清潔，不潔，その両方に関わるケアのすべてが狭い空間で行われることを意味している。

また，保育器内は高温・多湿な環境であるため，微生物が繁殖しやすい環境となっている。そのため，保育器を清潔に維持することは重要事項である。日常清掃は低水準消毒薬を用いて清拭を行うが，保育器内の細菌が薬剤抵抗性を獲得する場合がある。使用後の保育器は，洗浄や浸漬消毒することが最善であるが，洗浄できない部分は清拭をする。また，エチレンオキサイドガスやホルムアルデヒドなどの化学的消毒も可能ではあるが，これらは「特定化学物質障害予防規則」（厚生労働省令）で指定される化学物質であり，作業者の健康管理や消毒薬の残留濃度の定期的な測定など，法律に則った管理が必要となる。もちろん，児に対する残留ガスの影響も十分に考える必要がある。

保育器の交換頻度について，明確なガイドラインはないが，先行研究では 1～2 週間での交換が妥当とされており，施設内でルールを決めて実施する[4]。

保育器内で使用するリネン類は，洗濯された清潔なものであればよく，滅菌は絶対必要ではない。しかし，芽胞を形成するセレウス菌は，通常の病院リネンの洗濯工程では死滅しない。洗濯を外注している場合は，連続洗浄の過程でセレウス菌が濃縮していることがあるため，注意が必要である。

(3) MRSA 対策

厚生労働省による日本院内感染対策サーベイランス事業（JANIS）によると，NICU における感染症の原因菌としては MRSA が最も多く，原因菌の 12.8 ％を占める[5]。免疫能が未熟であり，常在細菌叢をもたない新生児が入院する NICU において，MRSA 対策は重要な課題である。

母乳の口腔内塗布が，口腔内常在細菌叢の確立と，MRSA 保菌に予防効果があるとされ，多くの施設で実施されている。口腔内常在菌であるコリネバクテリウム（*Corynebacterium* spp.），咽頭常在菌であるα-連鎖球菌が MRSA 定着を阻止するためである。同様に，生後早期の母子の皮膚接触も咽頭常在菌の獲得を促進し，MRSA の定着を阻止できる[3]。

MRSA の感染経路は，接触伝播である。アクティブサーベイランス（監視培養）の実施は，MRSA の保菌の早期発見，接触予防策の早期開始につながる。標準予防策としての手指衛生に加え，手袋やエプロンなどの個人防護具の使用，コホーティングやスタッフの固定化により伝播を防止する。MRSA のアウトブレイク時などの状況下においては，医療従事者が自身の鼻腔に触って MRSA を保菌してしまうことを予防するために，マスク着用などが行われることがある（5.2 節，p.166 参照）。

ワクチンの接種

(1) NICU に従事する者

NICU に従事する者にかぎらず，すべての医療従事者は，麻疹・水痘・風疹・流行性耳下腺炎の免疫を獲得したうえで勤務することが原則である[6]。また，インフルエンザ患者と接触するリスクの高い医療関係者においては，自身への職業感染防止，患者や他の職員への施設内感染防止，およびインフルエンザ罹患による欠勤防止など，いずれの観点からも，積極的にワクチンの接種が勧められる[6]。

成人の百日咳罹患が増加している。2019 年には，20 歳以上の患者数が全患者の 23 ％を占めた[7]。NICU に入院している児が百日咳に罹患すると，肺炎や脳炎など重症化することがあるため，NICU に従事する者にはワクチンの接種を考慮する。

(2) NICU に入院している児

ワクチンの接種が可能な暦月齢 2 カ月以上で，医学的に安定している児には，NICU に入院している間にワクチンの接種を勧める[3]。ただし，ワクチンの接種後に無呼吸や徐脈などがみられることがあるため，48 時間は観察を行う。複数のワクチンの同時接種も可能である。

接種の優先度が高いワクチンは，乾燥ヘモフィルス b 型ワクチン（Hib），沈降 13 価肺炎球菌結合型ワクチン（PCV13），沈降精製百日せきジフテリア破傷風-不

活化ポリオ混合ワクチン（DPT-IPV），ロタウイルスワクチン〔経口弱毒生ヒトロタウイルスワクチン（RV1），5価経口弱毒生ロタウイルスワクチン（RV5）〕，組換え沈降B型肝炎ワクチン（HBV）である．Hib，PCV13，RV1/RV5，HBVは生後2カ月から，DPT-IPVは生後3カ月から接種でき，これらは定期接種である．

　RV1/RV5は，副作用の腸重積が起こりにくい低年齢で実施する．経口生ワクチンであり，ワクチン株による水平伝播の可能性があるため，退院時もしくは外来での接種が望ましい．

文献

1) 仁志田博司：免疫系と感染の基礎と臨床．新生児学入門第4版，医学書院，pp332-358, 2012
2) WHO Guidelines Approved by the Guidelines Review Committee：WHO Guidelines on Hand Hygiene in Health Care：First Global Patient Safety Challenge Clean Care is Safer Care, World Health Organization, 2009
3) 平成22年度厚生労働科学研究費補助金 新型インフルエンザ等新興・再興感染症研究事業 新型薬剤耐性菌等に関する研究班：NICUにおける医療関連感染予防のためのハンドブック 第1版, 2011
4) 池田知子：環境整備・器具の消毒．新生児感染管理なるほどQ&A（大城 誠・編著），ネオネイタルケア 2014年秋季増刊，pp119-121, 2014
5) 厚生労働省 院内感染対策サーベイランス事業：NICU部門JANIS（一般向け）期報・年報，2020年1月～12月年報，集計日2021年6月1日［http://janis.mhlw.go.jp/report/nicu.html（2022年5月現在）］
6) 日本環境感染学会：医療関係者のためのワクチンガイドライン 第3版, 環境感染誌, 35(Suppl II)：S1-S32, 2020
7) 国立感染症研究所：2019年第1週から第52週*までにNESIDに報告された百日咳患者のまとめ，2019年第52週週報データ集計時点（*第1週～第52週：2018年12月31日～2019年12月29日）

Memo

7.2 産科病棟における新生児室

Points
- 児の出生後は血液・羊水が付着しており，初回沐浴が終了するまで，共有物品の管理は徹底する。
- **母乳**は，出生した子どもが子宮外環境に適応するための重要な役割を担っており，子どもの免疫が発達するまでの間，**感染予防に大きな役割**を果たす。

特徴と役割

(1) 感染対策からみた新生児室

新生児室は，「産科病棟における新生児室」という位置づけで運用されていることが多い。

(2) 初回沐浴までの感染対策

新生児の清拭は，新生児の皮膚の成熟度に合わせ，拭き方，皮膚に対する圧のかけ方など，清拭の方法や回数を検討する。

清拭を行う時期は，生後少なくとも2～4時間とし，子どもの状態が安定していることを確認してから行う。

胎脂は，角層が十分に機能しない出生週数では，代用角層として皮膚のバリア機能を有していることから，無理には取り除かず，皮膚の状態をみながら部分清拭から行っていく。

皮膚は，超早産児でも出生2週間頃に成熟してくるとされており，体全体の清拭を行わずに汚れのある部分のみを愛護的に拭くことが大切である。清拭の順番は清潔部位から始め，汚染度の高い部分は後にする。

出生時は血液などの体液が付着しているため，標準予防策の遵守が必要である。初回沐浴までの間，共有して使用する物品（体重計，体重測定に使う沐浴準備台）の管理は，徹底する。

感染リスクとその対応

(1) 面会

環境の維持，および新生児の連れ去り防止などの安全確保の目的から，入室の管理が必要になる。

可能であれば，他の入院児とは別室（面会室など）での面会が適切である。

具体的な感染予防策については，自施設に合わせた対応が必要となる。

(2) 面会の対応と家族への説明

面会は，子どもの両親に限ることが望ましい。施設の状況に合わせ，面会できる家族の範囲・対応を明確にする（祖父母は窓ごしでの面会にとどめるなど）。

また，子どもからMRSAなどの耐性菌が検出された場合，医師から説明を行う。その際，医療従事者は接触予防策（マスク，ビニールエプロンまたはガウン，プラスチック手袋を着用）を実施することを説明する。家族には手指衛生を徹底してもらう。

家族に接触予防策を実施するかどうかは，自施設で検討する。

(3) 入室前の健康チェックの内容

入室前に，面会日，子どもの名前，面会者名，入室時間，退室時間，発熱（37℃以上）の有無，咳の有無，下痢などの消化器症状の有無，嘔吐の有無，発疹の有無，その他の体調不良の有無，流行性疾患罹患者との接触歴などを確認する（図1）。

母乳の重要性と管理

母乳は，出生した子どもが子宮外環境に適応するための重要な役割を担っており，子どもの免疫が発達するまでの間，感染予防に大きな役割を果たす。母乳分泌を維持するために，多くの施設では，出産後6時間から1日8回の搾乳を行うよう母親に指導している。

母乳の構成物質は，栄養の補給，免疫・感染防御，発達の促進という3つの機能を有している。そのため，新生児，とくに早産児にとって，母乳は重要なものとして位置づけられている。また，母乳は子どもの食品であ

新生児センター入室前チェック

赤ちゃんの感染防止のためにご協力をお願いします。

年月日　：　H＿＿＿．＿＿＿．＿＿＿
入室時間　：　＿＿＿　時　＿＿＿　分
お子さんのお名前　：　＿＿＿＿＿＿＿＿＿＿
面会者名　：　＿＿＿＿＿＿＿＿＿＿　（続柄　：　＿＿＿＿＿）

下記の質問にお答えいただき，**スタッフの確認後**，入室をお願いします。
あてはまるものに○を付けてください。

1. 咳　　　　　　　　　　　　　あり　　　なし
2. 37.0度以上の発熱　　　　　　 あり　　　なし
3. 下痢　　　　　　　　　　　　あり　　　なし
4. 嘔吐　　　　　　　　　　　　あり　　　なし
5. 発疹　　　　　　　　　　　　あり　　　なし
6. 麻疹（はしか）・水痘（水ぼうそう）・流行性耳下腺炎（おたふくかぜ）・風疹（3日はしか）にかかった人と接触しましたか？
　　　　　　　　　　　　　　　あり　　　なし
7. インフルエンザにかかった人と接触しましたか？
　　　　　　　　　　　　　　　あり　　　なし
8. その他，体調不良はありませんか？　　あり　　　なし

確認者サイン　：　＿＿＿＿＿＿＿＿＿＿

退室時間　：　＿＿＿　時　＿＿＿　分

図1　新生児入室前の健康チェックの問診票例

り，食品衛生の視点を入れて，取り扱うようにする。

母乳は搾乳から授乳するまでの過程で細菌に汚染されないよう注意する。母乳を冷凍した場合，-20℃での凍結により，ヒトT細胞白血病ウイルス-1型（HTLV-1）やサイトメガロウイルス（CMV）は感染力が減弱する。他の感染症の危険性を低下させるため，搾乳前の手指衛生や使用する器材の管理，母乳の保管にも注意する。

母親が入院中で生母乳が使用できる場合，直母，または滅菌した哺乳びんに搾乳した生母乳を入れ，専用の冷蔵庫，冷凍庫に保管する。取り違えないようにラベルに搾乳日時と母親の氏名を記載する。記載のないものは使用しない。

文献
1) 川野佐由里：妊娠期〜育児支援の観察眼・技術を磨く．妊産婦と赤ちゃんケア，日総研出版，3（5）：81-88, 2010
2) 大城 誠・編著：新生児感染管理なるほどQ&A，ネオネイタルケア2014年秋季増刊，pp97-99, 145-147, 169-176, 2014

7.3 産科病棟

Points
- 産科病棟では，血液や羊水などの湿性生体物質の飛散が多いため，環境整備は重要である。
- 分娩時には，助産師の眼の保護などの標準予防策を基本とする。

産科病棟の特徴と役割

産科病棟は，妊産婦および褥婦・新生児のケアを主に行っている。妊娠・出産は自然な営みであり，妊産婦が安心して子どもを出産し，育てる楽しさを実感できる，豊かで安全な出産環境を提供することが求められている。

最近では，産婦の主体性や自然志向を重視し，仰臥位分娩から，産婦にとって無理のない姿勢で分娩するフリースタイル分娩を取り入れている施設もある。2011～2012年度 厚生科学研究によってまとめられた「科学的根拠に基づく快適で安全な妊娠出産のためのガイドライン」[1]でも，夫や家族の立ち合い分娩や，自由な姿勢で過ごせる出産環境の整備，およびフリースタイル分娩が推奨されている。

また，産後の母子同室，および母乳育児支援や新生児ケアを行う環境を整えている産科単独の病院もあるが，分娩件数が少ない病院では，他の診療科との混合病棟となっており，新生児のMRSA感染率が高いことが指摘されている[2]。

母子の感染リスクを回避するため，病棟の一部を産科専用の「ユニット」として運用する，産科混合病棟におけるユニットマネジメントが勧められている[3]。

産科病棟における特徴を踏まえ，適切な感染対策を実施し，院内感染を防止することが重要である。

産科の感染リスクとその対応

妊産婦および褥婦，新生児は，免疫機能が低下あるいは未熟であるため，易感染状態である。面会者に対しては，面会時の体調や，1カ月以内の小児ウイルス性疾患に罹患した人との接触の有無を含め，問診票による確認を行い，院外から感染がもち込まれないように注意する必要がある。面会者は夫や祖父母に制限するなど，面会者の制限も設ける必要がある。きょうだいの面会

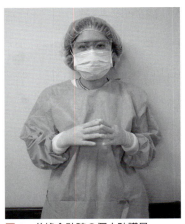

図1 分娩介助時の個人防護具

については自施設で取り決めが必要である。

問診の実施のほか，ワクチンの接種歴や罹患歴を確認し，必要に応じてワクチンを接種してもらう。前もって，妊婦健診で通院している間に，家族についても確認をとるなどの対策が必要である。

医療従事者の感染リスクとして，分娩時の血液・体液の飛散による血液曝露や環境汚染があるため，分娩時の夫や家族の立ち合い，産後の母子同室における面会者への対応が必要である。

血液曝露に対する対策として，医療従事者に対してB型肝炎ワクチンの接種を勧め，針刺し防止対策，血液・体液曝露防止対策，皮膚粘膜曝露対策と，その教育が必要である。また，麻疹，風疹，水痘，流行性耳下腺炎のワクチンの接種も必要である。

分娩室は，血液や羊水などの飛散により，環境が著しく汚染されることが想定される。とくにフリースタイル分娩では産婦が自由な体位をとるため，汚染範囲が広がることもある。分娩後の分娩室の環境整備，とくに清掃には次頁で示すような細かい管理が必要である。

分娩時の感染対策および環境整備

（1）血液・体液曝露防止対策

感染防止対策の基本は標準予防策、経路別予防策である。産科病棟の特徴や感染リスクを考えて、個人防護具を適切に使用する。分娩の直接介助を行う助産師は、袖付きガウン、手袋、シューズカバー、サージカルマスク、ゴーグルを着用する（図1）。

とくに分娩時の血液や体液が飛散し、眼の粘膜に曝露する危険性が高いため、ゴーグルの着用は必須である。

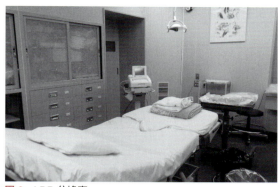

図2　LDR分娩室

（2）分娩室の環境整備

最近の分娩室は、温かく家庭的な雰囲気の部屋に、高機能な医療機器が備え付けられているLDRが整備されている施設が多い。"LDR"とは、「陣痛（Labor）, 分娩（Delivery）, 回復（Recovery）が1つの個室」で、産婦が移動することなく過ごせ、リラックスして出産することができる設備である（図2）。

血液が付着した分娩台は、次亜塩素酸ナトリウム溶液を使用し、消毒する。分娩台、ベッド柵、無影灯の取手など、周囲の清掃には環境清掃用（洗浄剤含浸）クロスを使用して、常に清潔に保つことが必要である。

図3　コンテナ容器と予備洗浄スプレー

（3）医療機器の後片づけ

分娩室で使用する医療機器についても、分娩監視装置に使用する胎児心拍数陣痛図（CTG）ベルトなどは1患者ごとに交換し、洗濯を行い、コード類も環境清掃用（洗浄剤含浸）クロスで清拭し、収納する。

（4）滅菌物の管理

分娩縫合セットは、滅菌、個包装されたものを用いる。使用後の分娩縫合セットは血液で汚染されているため、病棟での一時洗浄や浸漬洗浄は行わない。1セットごとにコンテナ容器に入れ、血液などの汚れの乾燥・固着を防止するために予備洗浄スプレーを噴霧し、中央滅菌材料室で、洗浄・消毒・滅菌を行うのが望ましい（図3）。

一次洗浄を廃止し、中央化することで、医療従事者の労力の軽減、および血液曝露を防止することができる。

（5）リネンの管理

分娩時に使用するリネン類は、できるだけディスポーザブルのものを使用する。

分娩直後の新生児には、羊水や血液、体液が多量に付着しているため、バスタオルはディスポーザブルとして使用し、通常、1回の分娩につき2枚必要となる。

分娩直後の新生児は、1枚のバスタオルで羊水を拭き取った後、もう1枚のバスタオルで包み、保護する。

（6）廃棄物の分別

分娩室内には、一般ごみと血液付着物を分別して廃棄することができるよう、2個のキックバケツを準備し、分別しやすいように、ビニール袋の色を変えるなどして工夫すると便利である。また、ごみ箱自体に、ビニール袋を二重に装着すると汚染を防ぐことができる。

妊産婦、褥婦への説明

産科病棟では、妊産婦および褥婦がリラックスして過ごせる環境を重視している。

しかし、医療従事者が感染防止対策に使用する個人防護具を着用することで、産婦を緊張させてしまうこともある。双方にとって、安全で快適な環境をつくること

CTG：cardiotocogram, 胎児心拍数陣痛図

が重要であることを説明し，理解を得ることが必要である。

文献

1) 厚生労働科学研究妊娠出産ガイドライン研究班・編：科学的根拠に基づく快適で安全な妊娠出産のためのガイドライン2013年版, 金原出版, 2013
2) 北島博之：わが国の多くの総合施設における産科混合病棟とMRSAによる新生児院内感染との関係. 環境感染誌, 23(2)：129-134, 2008
3) 日本看護協会：より充実した母子のケアのために 産科混合病棟ユニットマネジメント導入の手引き, 日本看護協会, 2013 [http://www.nurse.or.jp/home/publication/pdf/guideline/sankakongo.pdf（2022年5月現在）]

Memo

7.4 小児集中治療室（PICU）

Points
- 重傷外傷・先天性疾患の術後・感染症患者・免疫不全者など**さまざまな病態の患者が入院**するため，患者の応対に合わせたベッド配置が必要である。
- 感染対策は，標準予防策を基本とし，患者の状況に合わせた経路別対策が重要である。
- さまざまなデバイスが挿入されているため，**デバイス関連サーベイランス・バンドルアプローチ**などが重要である。

PICUの特徴と役割

小児集中治療室（PICU）には，内科系・外科系を問わず，生命をおびやかす意識障害，呼吸障害，循環不全，多臓器障害などを呈する，もしくは呈しうる重篤な小児患者が集まる。PICUは，最重症患者の治療に必要な機器および人員が配置され，患者に対して集中的に治療や看護を行う急性期病床である。

PICUに入室する患者は，生理学的・免疫学的に障害があることが多く，感染のリスクが高い患者群であると同時に，感染してはならない患者群でもある。

PICUは一般小児病棟に比べ，表1のような特殊性があり，入室患者は院内感染のリスクが非常に高く，PICU内の感染対策は患者の予後を決めうる。また，重篤な症状を呈する感染症に遭遇するリスクが高く，感染対策が不十分な医療従事者は危険にさらされてしまうため，個人防護具の適切な使用が重要である。

手指衛生

院内感染は，医療従事者の手指を介して伝播するリスクが高く，手指衛生が感染対策のうえでも重要な行為とされている。院内感染のリスクが高いPICU内においては，手指衛生に加えて患者配置，環境整備などの複合的な対策をとることが重要である。

迅速な対応が要求されるPICUだからこそ，正確にすばやく手指衛生をする必要がある。2002年にCDCから手指衛生のガイドライン[1]が出され，速乾性擦式手指消毒薬による手指衛生が日本にも導入された。その場で実施可能な速乾性擦式手指消毒法は，処置・ケア回数の多いPICUではフィットする。コンプライアンスを高めるために，速乾性擦式手指消毒薬を使いやすいように各ベッドに複数設置することや，スタッフが個人で携帯するという工夫は有効と考えられる。

一方で，アルコールが効きにくい病原体（ノロウイルス，ロタウイルスなどのエンベロープをもたないウイルス群，クロストリディオイデス・ディフィシルなどの芽胞形成菌など）がいることは知っておく必要があり，このような病原体に接する機会の前後や，目に見える汚れ・有機物がある際など，流水を用いた手洗いも適切に行なわなければならない。

また，PICUは中心静脈カテーテル確保や胸腔穿刺，腰椎穿刺など，無菌的に行うべき処置が多いのも特徴であり，このような清潔処置前には，手指の常在菌まで減少させる手術時手洗い（surgical handwashing）を行う。

患者隔離

隔離予防策では，患者をただ隔離するだけではなく，2007年にCDCより発表されたガイドライン[2]でも記されているように，感染症の有無にかかわらずすべての患者に標準予防策をとること，疾患により感染経路別予防策を追加することが肝要である。

隔離予防策において実施される患者隔離には，大きく2種類ある。

①感染源隔離：感染症患者から，医療従事者や他の患者に病原体が拡散することを防ぐのが目的とされる。空気感染する病原体を排出する可能性のあ

PICU：pediatric intensive care unit，小児集中治療室

表1　感染症の観点からみたPICUの特殊性

- 中心静脈カテーテル，動脈カテーテル，尿道留置カテーテル，気管チューブ・人工呼吸器，胃管・食道経由経腸栄養（ED）チューブ，ドレーンチューブなど，体に複数のデバイスが挿入されていることが多く，デバイスを介した感染症のリスクが高い
- 基礎疾患がある患者が多く，易感染性があるため，弱毒菌でも感染をきたしうる
- 複数の診療科が関わるため，医師によるもち込みの感染症が多い
- 処置回数が多く，交差感染のリスクが高い
- 成人とは異なるケア（抱っこなど）があり，交差感染のリスクが高い
- 重症であるがゆえ，治療もしくは予防のために抗菌薬が投与されていることが多い。そのため，薬剤耐性菌を獲得しやすい
- 全国的にPICUの数が少なく，地域のみならず海外からも患者が集まるため，さまざまな耐性機構をもった薬剤耐性菌の保菌者，ないしは感染症患者が集まりやすい。ときに国外からの入室者があった場合には，特殊な薬剤耐性菌に出会うことがある
- 急変対応が多く，急変時は感染対策の破綻をきたしやすい

る患者においては，「陰圧」で個室管理を行う。
②予防隔離：易感染者を病原体から守るために隔離する。原則，他の部屋に対して「陽圧」で管理する。

一般に，これら2つの意味において患者の個室病室への収容が望ましい。個室では感染防止のための各種対策が行いやすいという長所もある。

一方で，重症患者が集約されるPICUにおいては，個室への隔離はスタッフの目が行き届かない原因にもなり，機器のアラーム音も聞こえにくくなるため，患者の変化に気づきにくいという短所もある。成人のCUにおける研究ではあるが，個室隔離された患者のほうが医療事故の発生が多かったとする報告がある。患者隔離はこれらを留意したうえで，適切に実施する必要がある。

感染源隔離が必要な疾患は，空気感染をする水痘，麻疹，結核である。ロタウイルスやノロウイルスといった感染力の強い病原体，高度耐性菌を保有している患者は，PICUでは容易にアウトブレイクにつながるため，個室への隔離を行うことが多い。一度，PICU内で病原体のアウトブレイクが発生すると，入室制限，病棟閉鎖をしなければならないケースもあり，代替の受け入れ先が少ないことに加え，病院の金銭的損失が生じるという観点からもアウトブレイクの予防は重要である。

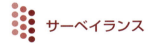

サーベイランス

サーベイランスを行う目的は，PICU内の感染の発生率を把握し，実施している感染対策の評価と改善，アウトブレイクの早期発見をすることである。また，サーベイランスを行うことでスタッフの感染予防の意識向上にもつながる。

サーベイランスにおいて重要な点は，定義を明確にすることである。これがあいまいであると，一定のクオリティでの評価ができず，サーベイランス自体が無意味になりかねない。全国的なサーベイランス事業上の定義を用いることで，他施設との比較が容易となるため，米国疾病対策センター/全米医療安全ネットワーク（CDC / NHSN），日本環境感染症学会の日本医療関連感染サーベイランス（JHAIS），厚生労働省の日本院内感染対策サーベイランス（JANIS）における疾患定義などを参照する。

集中治療部門では，中心ライン関連血流感染（CLABSI），人工呼吸器関連肺炎（VAP），カテーテル関連尿路感染（CAUTI）の，3つの医療関連感染のサーベイランスが行われることが多い。

CLABSI：central line associated bloodstream infection，中心ライン関連血流感染
VAP：ventilator associated pneumonia，人工呼吸器関連肺炎
CAUTI：catheter associated urinary tract infection，カテーテル関連尿路感染

表2 PICUにおける院内感染率

調査対象となった医療施設の属性	CLABSI		CAUTI		VAP	
	発症率[※1]	器具使用比[※2]	発症率	器具使用比	発症率	器具使用比
小児循環器・呼吸器系	1.4	0.72	2.1	0.22	0.2	0.42
小児内科系	1.2	0.43	3.4	0.21	0.3	0.31
小児内科・外科系	1.4	0.46	2.7	0.21	0.8	0.37
小児外科系	0.9	0.37	0.7	0.35	0.4	0.29

※1：発症率 = $\dfrac{イベントの発症数}{のべ器具使用日数} \times 1,000$　　※2：器具使用比 = $\dfrac{のべ器具使用日数}{PICUのべ入院患者日数}$

〔文献3〕より〕

VAPに関しては，厳密な疾患定義が難しい点が問題となっており，CDC / NHSNは，成人では2013年よりVAPから人工呼吸器関連事象（VAE）へ疾患定義が切り替えられているが，小児はVAEのサーベイランス対象になっていない。

参考として，表2に，2012年のNHSNサーベイランス[3]を参照したPICUにおける院内感染のデータを示す。このような全国的なデータと比較することにより，自施設の感染対策上の問題が理解でき，対策を効果的に進めることができる。

PICU内でのバンドルアプローチ

集中治療領域では，"バンドルアプローチ"という概念が普及してきている。バンドルとは，「束」という意味であり，「エビデンスにもとづいた予防や治療のための複数の介入を，同時に「束」にしてまとめて行うことで，最大限の効果を得ようとするもの」である。

PICUにおいて実施されるバンドルアプローチには，カテーテル関連血流感染（CRBSI），VAP，CAUTIに対してのものが一般的である。なお，混同されがちであるが，CLABSIはサーベイランス上の定義，CRBSIは臨床診断上の定義であり，定義が異なる。

いずれのデバイス関連感染においても，共通することは，デバイスの早期抜去が最大の予防であるということである。バンドルの使用は有効であるが，教科書的な推奨にしばられず，自施設の特徴により適宜，更新していくのがよい。

ECMO，人工透析中の患者における感染対策

体外式膜型人工肺（ECMO）や人工透析器（腹膜透析を除く）は，中心静脈カテーテルや動脈カテーテルといった血管内デバイスに類似しており，施行中の医療関連感染の発症リスクは高いが，その感染予防は決まった方法がない。米国感染症学会（IDSA）のCRBSI予防ガイドライン[4]にもこれらの特殊デバイスへの言及はなく，ECMOに関してはExtracorporeal Life Support Organization（ELSO）ガイドラインがあるが，感染対策に関してはあいまいな記載しかない。

感染予防策の実務は施設ごとに委ねられている現状がある。基本的に局所管理は重要と考えられており，刺入部の管理は中心静脈カテーテルに準じる。

ECMOと感染症に関しては，施行期間が血流感染症の最大のリスク因子である。とくに10日を超えるECMOの使用は，感染症発症率の有意な上昇と関連している。そのためECMO施行期間の短縮が感染予防において重要であり，適切な原疾患の治療，標準的な集中治療管理が重要である。ECMO施行中の抗菌薬の予防投与も議論があるが，基本的には推奨する根拠はない。予防投与に関しては症例・施設ごとに検討をしていく必要がある。

一方で，小児では，ECMO実施中は深鎮静することが多く，体温管理もされていることから，感染徴候を拾いにくい。連日，血液培養を提出するなどして対応する方法もある。

VAE：ventilator associated event，人工呼吸器関連事象
CRBSI：catheter related bloodstream infection，カテーテル関連血流感染
ECMO：extracorporeal membrane oxygenation，体外膜式人工肺

低体温療法中の感染対策

PICUで経験される特徴的な治療方法として，低体温療法がある。現在，心肺停止蘇生後の患者に対して有効性が確認されている治療法であるが，頭部外傷，脳炎・脳症など，施設により適用に幅がある。低体温療法中の患者は，以下の理由により，感染症のリスクが上昇する。

① 低体温にともなう免疫抑制
② 低体温療法中は，挿管下で筋弛緩薬を含めた深鎮静管理となることが多く，唾液の気道へのたれ込みが増加
③ 脳炎・脳症などでは免疫抑制薬が使用されることが多い

主にVAPの感染リスクが増加するため，バンドルアプローチによる予防をより意識しなければならない。とくに気道感染の徴候には注意を払うべきである。気道吸引物の性状に注意し，分泌物の増加やグラム染色による判断で感染徴候があれば，治療開始の閾値は下げてよい。

選択的消化管除菌／選択的口腔咽頭除菌

1984年に，オランダから選択的消化管除菌（SDD）の概念が発表された[5]。本概念は，抗菌薬を用いて消化管内の細菌を殺し，院内発症の感染を減らそうとする試みである。具体的には，静注抗菌薬と消化管に吸収されない抗菌薬（ポリミキシンB，トブラマイシン，アムホテリシンBなど）の内服を併用し，患者が保菌している市中感染の起因菌，院内感染の起因菌を除菌する。上述の報告によると，これにより院内感染症発生率の劇的減少を認めた。

本概念が発表された後，数々の検証が行われており，SDDに関するメタ解析では院内肺炎発生率，死亡率などをアウトカムとして有意な結果が出ている。その後，除菌の範囲を口腔内のみとした選択的口腔咽頭除菌（SOD）でも，SDDと同様生存率を改善させることが示された。SODにおいてはSDDに比べ，コストの面，副作用の面から利点がある。

有意な結果を結論する多くの研究がありながら，一方で，SDD/SODには批判も根強く，依然として有用性に関する結論が出ていない。主な批判としては，local factorの問題と，耐性菌選択の問題である。前者においては，有効性を報告するメタ解析に含まれる論文のうち，複数の論文がオランダから報告されており，オランダは耐性菌が少ない国であるということである。すなわち，SDD/SODの標準的に使用されるレジメン（処方内容）においてはMRSA，VRE，基質特異性拡張型β-ラクタマーゼ（ESBL）産生菌などが，カバーできない菌として問題となり，これらの耐性菌が問題となっている地域においてはメタ解析の結果であっても有効性が鵜呑みにできない。MRSAが多い日本では十分なサンプル数，良質なデザインでの研究はまだない。

SDD/SODの乱用により耐性菌が選択されるリスクをはらんでおり，SDD/SODを日本のPICUにおいて適用するのは，時期尚早であろう。今後の知見の蓄積，再評価が待たれる治療法である。

PICU内における感染症診療

PICU内において適切な感染症診療を行うことは，患者予後の改善だけでなく，耐性菌の減少につながり，感染対策上も重要である。

PICUで診るような重症小児患者であっても，感染症診療の原則は同じである。基本は「患者背景」，「起因微生物」，「感染臓器」，「重症度」を評価し，適切な抗微生物薬を適切な投与量で使用する。重症であるほど，盲目的に広域な抗微生物薬を使用しがちであるが，原則を外してはならない。

抗菌薬の使用については，とくに抗MRSA薬，カルバペネム系抗菌薬は，耐性菌拡大防止の観点からこれらでなくては治療ができない患者に対して使用すべきで，乱用は慎むべきである。簡潔に適用を述べれば，抗MRSA薬は「β-ラクタム系抗菌薬耐性のグラム陽性球菌感染症が疑われるとき，もしくは血液培養でグラム陽性球菌が陽性で培養結果が不明のとき」であり，カルバペネム系抗菌薬は「ESBLやAmpC産生菌，他剤で代用できない緑膿菌，アシネトバクター属などの感染症」である。一方で，これらの薬剤を投与しておけば安心できるわけではない。抗MRSA薬はグラム陰性桿菌には（ごく一部の例外を除いて）効果がなく，カルバペネム系抗菌薬においても，表3に示すように効果がない細菌は複数存在する。もちろん細菌以外には効果がない。

また，薬剤の投与量にも注意を払う。急性期の重症患者は薬物の吸収，代謝，分布，排泄が定常状態から大

SDD：selective digestive decontamination，選択的消化管除菌
SOD：selective oral decontamination，選択的口腔咽頭除菌

表3 カルバペネム系抗菌薬が無効な細菌

グラム陽性球菌	・MRSA ・MRCNS（メチシリン耐性のコアグラーゼ陰性ブドウ球菌） ・VRE（バンコマイシン耐性腸球菌）
グラム陰性桿菌	・*Stenotrophomonas maltophilia* ・*Burkholderia cepacia* （メロペネムのみ効く）
その他	・*Corynebacterium jeikeium* ・*Rhodococcus equi* ・*Mycoplasma* ・*Legionella* ・*Rickettsia* ・*Chlamydophila* ・*Spirocheta* ・*Clostridium difficile*

〔青木眞：レジデントのための感染症診療マニュアル 第3版, 医学書院, 2015, p.140 より〕

きく外れていることが多い。腎機能障害があれば薬剤は減量する調整が必要で，ECMOや人工透析回路などが接続されている患者においてはプライミングボリューム分の循環血液量の増加があるため，薬剤は増量が必要である。さらに，PICU内ではさまざまな薬剤が投与されるため，薬物間の相互作用で薬物の血中濃度が変動する。このように，PICU内では一概に投与量を決めることが困難なケースが多く，治療薬物モニタリング（TDM）の対象薬剤に関してはこれを利用することが望ましい。過量投与のリスクはもちろんだが，過少投与のリスクも生じうるため，感染症がうまく治療できない際は薬剤投与量の見直しが有効なことも多い。

PICUにおける感染対策のポイント

以上に述べたことをまとめると，次のようになる。
- 「PICUは感染源と易感染者が混在する」場である。それゆえ感染対策が非常に重要である。
- 「手指衛生」は感染対策の基本であり，流水手洗いと速乾性擦式手指消毒薬による手指消毒をうまく使い分ける。
- 「患者隔離」は必要十分に行う。過少にならず，過剰にならず，適切に実施する。
- 自施設の感染対策の向上のため，アウトブレイク早期発見のため，「サーベイランス」を適切に実施する。
- 「デバイス関連感染」においては，バンドルアプローチが有効である。ECMO，人工透析管理中のデバイス管理は中心静脈カテーテルの管理に準じる。予防投与に関しては，コンセンサスがない。
- 「低体温療法」中は，VAPをはじめとした院内感染徴候にとくに留意する。
- 「SSD / SOD」を日本のPICUで適用するのはまだ時期尚早である。
- PICU内の感染症は，適切に評価し，適切な抗微生物薬をもって，適切な治療期間，治療を行う。「抗MRSA薬，カルバペネム系抗菌薬」の適用を知り，施設内で定めておくとよい。

文献

1) Boyce JM, et al：Guideline for Hand Hygiene in Health-Care Settings. Recommendations of the Healthcare Infection Control Practices Advisory Committee and the HICPAC/SHEA/APIC/IDSA Hand Hygiene Task Force. Society for Healthcare Epidemiology of America/Association for Professionals in Infection Control/Infectious Diseases Society of America. MMWR Recomm Rep, 51（RR-16）：1-45, 2002
2) Siegel JD, et al：2007 Guideline for Isolation Precautions：Preventing Transmission of Infectious Agents in Health Care Settings. Am J Infect Control, 35（10 Suppl 2）：S65-S164, 2007
3) Dudeck MA, et al：National Healthcare Safety Network（NHSN）report, data summary for 2012, Device-associated module. Am J Infect Control, 41（12）：1148-1166, 2013
4) O'Grady NP, et al：Guidelines for the prevention of intravascular catheter-related infections. Am J Infect Control, 39（4 Suppl 1）：S1-34, 2011
5) Stoutenbeek CP, et al：The effect of selective decontamination of the digestive tract on colonisation and infection rate in multiple trauma patients. Intensive Care Med, 10（4）：185-192, 1984

7.5 無菌室（クリーンルーム）

Points
- ▶患者は，造血幹細胞移植により免疫が下がっているため，環境整備・標準予防策が重要である。
- ▶面会者の健康チェック・家族のワクチン接種など，患者を感染から守ることも大切である。
- ▶療養環境は，陽圧管理とし，日本造血・免疫細胞療法学会のガイドライン（造血細胞移植後の感染管理）に準拠することが望ましい。

無菌室とは

"無菌室（クリーンルーム）"とは「造血幹細胞移植患者が入室する病室」のことで，病室内の気圧設定を含む，さまざまな条件を満たす必要がある。現在，CDCは「防護環境（protective environment）」とよぶことを提唱している。

日本造血・免疫細胞療法学会による「造血細胞移植後の感染管理」[1]では，下記の要件を満たすべきとしている。

- 流入する空気をHEPAフィルターで濾過する
- 室内空気流を一方向性にする
- 室内空気圧を，廊下に比較して，陽圧にする
- 外部からの空気流を防ぐため，病室を十分にシールする
- 換気回数は1時間に12回以上とする
- ほこりを最小限にする努力をする
- ドライフラワーおよび生花や鉢植えをもち込まない

また，診療報酬の無菌治療室管理加算（2022年4月現在）においても，個室であることや滅菌水の供給が可能であることのほか，空気の清浄度や空気の流れについても要件が定められている。

無菌室に入室する患者の特徴と感染のリスク

造血幹細胞移植を行う患者は，「前処置」として通常よりも大量の抗がん薬による化学療法や放射線療法を行い，腫瘍細胞や骨髄細胞を破壊する。その後，造血幹細胞の提供者（ドナー）から採取された造血幹細胞を輸注（移植）し，新たな骨髄の生着を目指す。造血幹細胞移植には，提供者や移植する幹細胞の採取部位により，いくつかの種類があり，造血幹細胞移植の方法や免疫抑制薬の使用，移植片対宿主病（GVHD）の出現などにより，免疫不全の状況や期間もそれぞれ異なる。

造血幹細胞移植を行う患者は強度の免疫不全状態であり，中心静脈カテーテルなどのデバイスに関連した感染，前処置やGVHDによる皮膚・粘膜の障害からの感染を起こしやすい。環境に棲息している微生物や，体内に保有している常在細菌叢による日和見感染を起こすのも特徴である。

環境管理

(1) 病室（無菌室）の環境管理

患者の入室期間は，無菌室内の陽圧が保たれているか，圧格差測定器具やスモークチューブなどを用いて定期的に陽圧チェックを自施設で頻度を決めて実施し，管理する。また，通常よりも多いアスペルギルス症の発生があれば，空気や環境の汚染を疑い，細菌学的な観点から環境評価を実施し，とくに換気システムの調査が必要となる。

通常，床や壁などの環境表面は細菌で汚染されているが，これらの環境表面の細菌が患者に感染することはほとんどないため，通常の清掃以上の特別な消毒や滅菌は推奨されない。一方で，テーブルや床頭台などの水平面，ベッド柵やナースコールなどの高頻度接触面，換気口の格子などはていねいに清掃し，ほこりが蓄積しないようにする。

HEPAフィルター：high efficiency particulate air filter
GVHD：graft versus host disease，移植片対宿主病

また，診療報酬の無菌治療室管理加算の要件（2022年4月現在）に，滅菌水の供給が常時可能であることが含まれており，施設で定められた頻度で滅菌水装置のメンテナンス，および水の培養による水質の管理が必要となる。

無菌室は，狭い空間であり，水まわりとベッドとの距離も近い環境である。無菌室内で手洗いやシャワー浴を行うことも多く，水まわりの管理も重要となる。水まわり（シャワーや手洗い場）は洗剤で洗浄し，十分に乾燥させる。

(2) 病室の物品，清掃

病室内で患者が使用する食事用具やパジャマ，筆記用具，おもちゃなどは滅菌処理や紫外線殺菌の必要はなく，洗浄または清拭を行い，使用する。

体温計や血圧計は個人使用とし，環境整備は毎日，ほこりを取り除くための清拭などを行う。

植物やドライフラワーは，室内にはもち込まない。

個人がもち込む毛布やぬいぐるみなどの管理については，ガイドラインに記載はないが，子どもにとっては重要な意味をもつものである場合が多く，自施設での対応を決めておく必要がある。これらをビニール袋などに入れて，もち込みを許可している施設もある。

(3) 医療従事者の個人防護具

無菌室への入室に際して，医療従事者が感染源とならないよう，手指衛生，標準予防策の遵守が重要である。

帽子，マスク，スリッパの履き替えは不要である。無菌室内の個人防護具の使用については，標準予防策および経路別予防策に準じる。

(4) 面会者の健康チェック

造血幹細胞移植患者は強度の免疫不全状態にあるため，表1に示すような感染性疾患のある面会者は無菌室に入室してはならない。

面会者には，適切な手指衛生と隔離予防策を指導し，遵守してもらう必要がある。患者と家族への手洗いの指導にあたっては，蛍光塗料とブラックライトを用いて手洗いが十分にできているかをチェックするなども1つの方法である。

また面会時には，スクリーニングとして面会者の健康チェックと，同居している家族の健康状態の確認を行う。

(5) 家族に対するワクチンの接種

造血幹細胞移植を行う患者は，免疫能が回復するま

表1 無菌室に入室してはならない人

- 上気道感染に罹患している人
- インフルエンザ様症状を呈した人
- 感染性疾患に最近，罹患もしくは曝露した可能性がある人
- 帯状疱疹に罹患している人
- 水痘生ワクチンを接種後6週間以内で，水痘様発疹が認められる人
- 経口生ポリオワクチン内服後，3〜6週間以内である人
- 下痢，発疹がある人

ではワクチンの効果が得られないことも多い。また，免疫不全状態の時期に流行性ウイルス疾患に罹患することは，重症化する危険性が高いため，周囲からの曝露を予防することが重要となる。

そのため，家族には，前処置が開始されるまでに流行性ウイルス疾患の罹患歴，ワクチンの接種歴を確認し，必要なワクチンを接種してもらう。

輸液ラインの管理

血液腫瘍疾患の治療のために中心静脈カテーテルが留置されると，皮膚のバリア機能を破綻させる。造血幹細胞移植は前処置の影響やGVHDにより皮膚・粘膜障害を起こすことも多いため，刺入部の観察，皮膚の保清と保護が重要となる。

また強度の免疫不全状態のため，カテーテル関連血流感染を起こすリスクが高く，血流感染の予防策の遵守が重要となる。とくに，シャワー浴時には，カテーテルの接続部やハブが水道水にぬれないよう，十分な保護を行う必要がある。

食 事

造血幹細胞移植患者の食事は無菌食である必要はなく，危害分析重要管理点の考え方にもとづいた，「大量調理施設衛生管理マニュアル」に沿って調理されたものであれば問題はない[2]。

造血幹細胞移植患者は，前処置の抗がん薬や放射線の影響で口腔粘膜が傷つき，さらに唾液量の低下や白血球減少が加わるため，重度の口内炎ができやすい。さらに，前処置やGVHDにより下痢をともなうことも多く，口内炎が軽快しても食事摂取が制限されることや，下痢や腹痛の恐怖から食事の摂取が困難になることも

ある。

食事は，栄養の確保だけなく生活の中の楽しみの1つでもあるため，治療への影響がない範囲で，子どもと家族に相談しながら，造血細胞移植ガイドライン「造血細胞移植後の感染管理」[1]にある「資料2 造血細胞移植後患者が摂取時注意する食品とそのリスク，安全な代用品」を参考に，もち込み食や食事の形態の検討を行うことも必要である。もち込み食に関しては，施設により見解は異なるため，自施設で十分な検討を行うことが重要である。

患者ケア（清潔ケア）

皮膚や粘膜の清潔を保つためのケアを行う必要がある。皮膚や粘膜障害が起きているときは，痛みをともなうことが多く，清潔ケアの実施が難しいこともある。とくに，無菌室という閉鎖空間，かつ病状も安定しない状況で行われる痛みをともなうケアは，患者へ不安や恐怖心を与えてしまう。

前処置の前から予防的ケアの必要性を説明することや，口腔ケアなどは練習をくり返しておくことが重要となる。

(1) 予防的ケア

皮膚障害の予防として，前処置の段階から保湿剤を使用し，皮膚のバリア機能の障害を予防する。

とくに，陰部や肛門の粘膜は，前処置の尿のアルカリ化や抗がん薬の尿中排泄などにより，びらんを起こしやすい。肛門の刺激を避けるため，浣腸や坐薬の使用は避け，陰部や肛門の洗浄後，排泄ごとに保湿剤を塗布し，バリア機能を補う。排泄ごとの拭き取りで容易にびらんをきたしやすいため，優しく押さえるように拭き取ることを指導する。

口腔ケアも重要である。口腔内の常在細菌は抗菌薬が効きにくいものも多く，移植後の口腔内感染を減らすため，移植前から口腔内の状態をよく観察する必要がある。口内炎は痛みをともなうことや，粘膜障害による腫脹，出血などから容易に開口障害をきたす。痛みをともなうケアは，子どもにとって恐怖心が強く，口腔ケアの継続がより難しくなる。

移植前から口腔ケアの必要性と，ブラッシングや含嗽の方法を子どもと家族に指導を行っていくことが重要となる。また，痛みが強い時期はブラッシングが困難になるが，含嗽だけでも継続できるよう，生理食塩水やグリセリン水なども使用する。

(2) シャワー浴

前処置中から，移植後の無菌室内でも毎日，シャワー浴を行うことを勧め，シャワー浴ができない場合は清拭を行う。前処置の影響やGVHDの症状により，倦怠感や易疲労性が強く，ケアの継続が困難な場合や痛みをともなう場合もあるため，移植前から全身の清潔を保っておく。

(3) 手指衛生

移植を行う患者にとって，手指衛生を遵守することはとても重要である。前処置から自室での排泄や食事が必要となり，ベッド上での生活が多くなるが，とくに食事の前，排泄の後は，流水と石鹸で手洗いを行うよう，子どもと家族に継続的に指導を行うことが必要となる。

乳幼児でセルフケアが自立していない場合は，子どもの手指衛生の徹底が図れるよう，家族に指導する。

子どもの権利

無菌室は隔離された空間であり，他者との交流も減少する。子どもにとって，これまで治療を受けてきた病室とは異なった，慣れない環境で，前処置や移植による身体症状が強いうえに，痛みをともなうことも多いため，恐怖，不安やストレスが強くなる。

痛みをともないながらも，ケアや治療の継続が必要なことも多く，造血幹細胞移植が決まった段階から，子どもと家族の理解が得られるよう，指導を行っていくことが何よりも重要である。

また，日常生活動作が著しく低下することが多いため，教育や遊び，リハビリなどの生活の支援が受けられるよう，多職種との協働が必要となる。このとき多職種にも，無菌室内での標準予防策や隔離予防策が遵守されるよう協力を依頼するとともに，継続的に遵守状況を確認することが重要である。

文献
1) 日本造血細胞移植学会：造血細胞移植ガイドライン 造血細胞移植後の感染管理 第4版，日本造血・免疫細胞療法学会，p2, 2017年9月
2) 厚生労働省：「大量調理施設衛生管理マニュアル」の改正について（食安発1022第10号，平成25年10月22日）
3) 大野竜三・監，矢野邦夫・著：造血幹細胞移植のための感染対策ガイド―米国疾病管理センター（CDC）による科学的対策，日本医学館，1999
4) 河野文夫・監，日髙道弘，他・編：造血幹細胞移植の看護 改訂第2版，南江堂，2014

7.6 手術室

Points
- 手術室で使用する機器材は洗浄，消毒，滅菌を適切に行い，**中央滅菌室への集約**が望ましい。
- 手術室の環境は，**清浄度クラスに沿った環境整備**をする。
- 針刺しや血液曝露などによる職業感染の頻度が高いため，**ニュートラルゾーンの設置**などを考慮する。

手術室における感染対策

手術室における感染対策は，手術に使用する機器材の，洗浄，消毒，滅菌，無菌的操作の遵守，手術室の環境調整，術者の手洗い方法など，手術を受ける子どもの術後感染予防と，医療従事者に対する職業感染予防が重要である。

とくに手術室では，メスや縫合針，ワイヤーなど，鋭利な機器材を扱うことが多い。また，手術の内容によって機器材の受け渡し回数も異なり，さらに子どもの手術は術野が小さく，医療従事者間においての針刺し，切創リスクが高い状況である。

医師，看護師，臨床工学技士，放射線技師などによる連携したチーム医療が展開されており，多職種にわたって基本的な感染対策の徹底が必要となる。

洗浄，消毒，滅菌

(1) 洗 浄

手術で使用する機器は，特殊なものが多く，機器材の特性に見合った方法で，洗浄，消毒，滅菌を行う必要がある。

使用目的と使用部位に対する感染の危険度に応じて，処理方法を分類（Spauldingの分類）し，適切な処理方法で処理しなければならない（付録⑨，p.312 参照）。

"洗浄"とは，「汚染物や有機物などを，物理的に除去すること」である。機器材に，汚染物や有機物が残っていると消毒薬や滅菌の効果が得られず，その部分にさびなどを生じるおそれがある。

洗浄方法には，機械洗浄，超音波洗浄，用手洗浄，浸漬洗浄があり，洗浄業務従事者は，血液などの飛散防止のためガウン，マスク，ゴーグル，手袋を着用する。機械洗浄の場合，インジケーターを用いて適正な洗浄が行えているか判定することが望ましい。

(2) 消 毒

"消毒"とは，「細菌芽胞を除く，すべての，または多くの病原体を殺滅すること」である。消毒方法には，化学薬剤を用いる化学的消毒法と，化学薬剤を用いない物理的消毒法がある。

(3) 滅 菌

"滅菌"とは，「物質中の細菌芽胞を含む，すべての微生物を殺滅，除去すること」である。無菌性保証レベルとして 10^{-6} レベル（滅菌後，1個の微生物が生き残る確率が100万回に1回であること）が採用されている。

滅菌方法は，高圧蒸気滅菌（オートクレーブ），過酸化水素ガスプラズマ滅菌，エチレンオキサイドガス（EOG）滅菌がある。

手術室の環境

手術室内の環境について，日本医療福祉設備協会による「病院設備設計ガイドライン（空調設備編）」[1]にもとづき，医療施設における清浄度が5つに分類されるが，手術室に関連するのは清浄度クラスⅠ～Ⅲである（表1）。

清浄度クラスⅠ，Ⅱにおいては，高性能フィルターを用い，空気の清浄化を図る。空気の乱流を起こさないよう，手術開始後の扉の開閉や人の動きを最小限にする。

手術室の環境整備の基本は，汚染を取り除き，可能なかぎり汚染微生物の量を少なくすることで，手術室全体を無菌化することではない。

手術室の手術台，床，壁，天井，無影灯などが感染源

表 1　手術室に関連する清浄度クラス

清浄度クラス	名称	該当室	室内循環風量・最小換気回数	室内圧
I	高度清潔区域	超清浄手術室	室内循環風量（全風量）は明確には設定がなく，室内換気はクラス 100（1 m³ あたり塵埃が 100 個未満のこと）を達成できる風量（外気量 5 回／時）を含む	陽圧
II	清潔区域	一般手術室	最小換気回数は室内循環風量 15 回／時（外気量 3 回／時）	陽圧
III	準清潔区域	手術時手洗い場所，NICU，ICU など	最小換気回数は室内循環風量 6 回／時（外気量 2 回／時）	陽圧

〔文献1）を参考に作成〕

となることはまれであるが，環境表面は人の手が触れるため清潔にする。

目に見える汚染があった場合（手術室内では血液による汚染が多い）は，消毒薬を用いて清掃する。血液汚染時は，1,000 ppm（0.1 %）次亜塩素酸ナトリウム溶液による清拭消毒を行う。

通常は，その日の最後の手術が終了した時点で，床面の除塵と清拭，手術台，機械類，無影灯類の清拭清掃を行い，床面は仕上げ拭きし，必要に応じて局部的に消毒薬（0.2 〜 0.5 %両性界面活性剤）を用いて清掃する。

手術時手洗い

手術時手洗いの目的は，通過菌の除去・殺菌，および常在菌を著しく減少させ，細菌の増殖抑制効果を持続させることである。

手術時手洗い方法としては，ブラシを使用したスクラブ法，ブラシを使用しないラビング法がある。消毒効果と手術部位感染の発生率に差はないが，スクラブ法はブラシを使用することで皮膚への刺激となり，手荒れをまねくため，ブラシを使用しないラビング法が推奨されている。

（1）ラビング法

非抗菌性石鹸（普通石鹸）と流水で予備洗浄する。石鹸を泡立て，指先，手掌，手背，指間，手首，肘関節上部まで洗い，流水で流す。

未滅菌のペーパータオルで水分を拭き取り，速乾性擦式手指消毒薬〔クロルヘキシジングルコン酸塩（0.5 〜 1.0 w/v %）を含むアルコール製剤〕を爪と指の間，指先，手掌，手背，手首，肘関節まで十分に擦り込む（図1）。

ラビング法は，短時間で低価格で行えるため，近年，普及してきている[2]。

（2）スクラブ法

洗浄成分を配合する手指消毒薬（4 w/v %クロルヘキシジンスクラブ剤または 7.5 w/v %ポビドンヨードスクラブ剤）で指先から肘関節上部まで洗い，爪周囲はブラシを用いて洗う。このとき，ブラシで洗うことにより皮膚損傷を誘発するため，爪周囲以外にはブラシを使用しない。

流水で流し，滅菌ペーパーで前腕から上腕にかけて水分を拭き取る。

その後，速乾性擦式手指消毒薬〔クロルヘキシジングルコン酸塩（0.5 〜 1.0 w/v %）を含むアルコール製剤〕を爪と指の間，指先，手掌，手背，手首まで十分に擦りこむ（図2，p.258）。

職業感染予防（針刺し，切創予防）

ハンズフリー方式を導入し，機器材受け渡し時の受傷を防止する。"ハンズフリー方式"とは「術中の鋭利機器材の受け渡し時による受傷を防止するためのニュートラルゾーンを設定し，ニュートラルゾーンでのやり取りを行い，術者と介助看護師（器械出し看護師）が鋭利機器材の直接交差をなくし，針刺し，切創予防を図ること」である。

器械台は整理し，使用前後の針，メス類を置く位置を決めておく（図3，p.259）。

針は針カウンターを使用することで，持針器の針をそのまま容器に収容し，針カウントも同時に行え，体内遺残防止にも役立つ〔図3中の右のケース（上：閉じた状態，下：開けた状態）〕。

またメス類は，メスを置くケースを使用することで器械台の覆布を切り，不潔になることも防止できる（図3中の左のケース）。

局所麻酔などで使用した注射針のリキャップは，基本的にしない。

① 石鹸による流水手洗い

手洗い後，未滅菌ペーパータオルでぬぐう。
手がぬれているとアルコール濃度が希釈され，確実に消毒できず，菌も繁殖しやすいため，水分を十分に拭き取る。

② 擦式消毒1回目

速乾性擦式手指消毒薬※を手掌にとり，反対の手の指先を薬液につけ，片方の指先，手掌，手背，指間，親指から前腕部まで，全体にまんべんなく塗り広げる（タオルは使用しない）。

③ 擦式消毒2回目

速乾性擦式手指消毒薬※を手掌にとり，1回目とは反対側の手指および前腕部まで，全体にまんべんなく塗り広げる（タオルは使用しない）。

④ 擦式消毒3回目

速乾性擦式手指消毒薬※を手掌にとり，両手の手首まで，全体にまんべんなく塗り広げる（タオルは使用しない）。

⑤ 乾燥

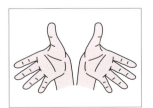

アルコールが乾燥すれば完了。
このとき，手を振るなどして乾燥させない。

図1　手術時手洗い（ラビング法）
※速乾性擦式手指消毒薬：クロルヘキシジングルコン酸塩（0.5〜1.0 w/v %）を含むアルコール製剤
〔吉田製薬株式会社のWebサイトより，一部改変〕

258　7章　部門別の感染対策

①流水で流す
両腕の指先から肘関節の中枢側約5cmまでを流水下で洗浄する

1回目 1分間
約5mL
②スクラブ剤※1をとる
両腕の手指から肘関節の中枢側約5cmまでを消毒する

③ブラシを使用して爪など指先を洗う

④再びスクラブ剤※1をとり，手のひらで泡立て，洗う

⑤手の甲

⑥指間
途中で上下の指を組み替える

⑦親指

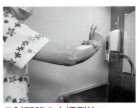
⑧肘関節の中枢側約5cmまで

⑨指先を上にして流す
水が指先から肘方向にだけ流れるように行う

⑩滅菌ペーパーで拭く
左手首にかけて肘関節に向かって拭き上げる

15秒間以上
約3mL
⑪速乾性擦式手指消毒薬※2を手のひらにとる
両手の指先から手首までまんべんなく薬液を塗布する

⑫指先

⑬手の甲

⑭指間
途中で上下の指を組み替える

⑮親指

⑯手首

⑰乾燥すればOK

図2　手術時手洗い（スクラブ法）
※1 スクラブ剤：4 w/v％クロルヘキシジングルコン酸塩スクラブ剤または7.5 w/v％ポビドンヨード液スクラブ剤
※2 速乾性擦式手指消毒薬：クロルヘキシジングルコン酸塩（0.5〜1.0 w/v％）を含むアルコール製剤

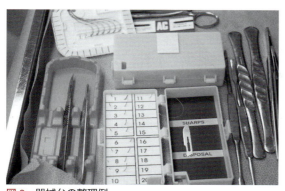

図3　器械台の整理例

 手術を受ける子ども

　子どもたちにとって，手術を受けることは漠然とした不安をともない，家族と離れて手術室に入室することで，泣き叫ぶ子どもも多い。

　近年，プレパレーションの導入により，乳幼児であっても落ち着いて手術室内へ入室し，麻酔導入されている（6.4節，p.212参照）。

　しかし，自閉症などの子どもたちにとっては家族の協力が必要で，手術室内に家族（母親）が入室し，麻酔導入まで付き添うこともある。なお，手術室内への入室にあたって，特別な個人防護具や靴の履き替えは必要ないが，患者の免疫の状況や手術室の機器材の状況などを考慮して判断する。

文献

1) 日本医療福祉設備協会：病院設備設計ガイドライン（空調設備編）HEAS-02-2022, 日本医療福祉設備協会, 2022
2) 日本手術医学会：手術医療の実践ガイドライン（改訂版）. 日本手術医学会誌, 34(Suppl), 2013
3) 日本医療機器学会：医療現場における滅菌保証のガイドライン2015, 2015
4) 山田和美, 他：手術部. 特集・速攻GET!　部門別知識&技術 PART 1, 月刊ナーシング, 28(4)：54-62, 2008

Memo

7.7 外来部門

> **Points**
> ▶ 先天性疾患や免疫不全の患者, 感染症を発症した患者・潜伏期の患者など, さまざまな病態の患者が来院するため, **感染症の患者のトリアージが重要**である。
> ▶ 基本は標準予防策である。
> ▶ 新興感染症や災害時の感染対策などは, あらかじめ自施設で決めておくことが望ましい。

外来部門の特徴と役割

外来部門は, 感染症発症患者, 診断前の患者, 潜伏期にある患者といった, 感染伝播リスクの高い患者と, 免疫能が未熟な乳幼児や免疫低下患者などの易感染患者が混在する部門である。

待合室では患者どうしの距離が近く, 滞在時間も長い。受付, 検査, 会計など, 多数の人とも接触することから, 交差感染リスクの高い部門といえる。

患者間および患者・職員間の感染を防止するために, 標準予防策の遵守と感染症患者の早期トリアージ, 適切な感染経路別対策の実施が, 外来部門の感染対策の役割である。

外来部門における感染対策

（1）標準予防策

基本的な感染対策は標準予防策である。速乾性擦式手指消毒薬は各診察室に置き, 手袋・マスク・エプロン・ゴーグルは, 使用頻度に応じて使いやすい場所に配置する。

とくに救急外来は, 外傷, 熱傷, 侵襲的処置, 嘔吐, 下痢などによる血液体液曝露リスクが高く, 確実な標準予防策の実施が求められる。血液体液曝露が予測される場面での対策と, 必要な個人防護具（PPE）の使用等についてマニュアル化しておくとよい。

（2）感染症トリアージ

できるだけ早期に, 感染症患者を発見することが重要である。問診票や申し出を促すポスターを作成し, トリアージフロー（図1）をシステムとして確立することが必要である。

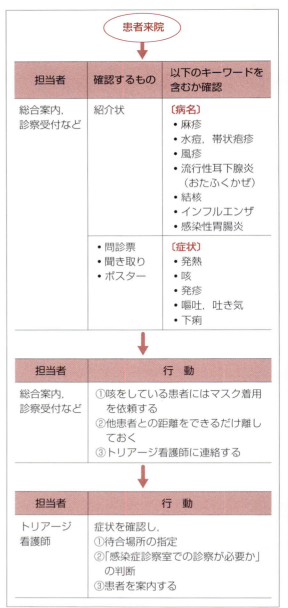

図1 トリアージフロー

図2 トリアージのためのポスター例

図3 マスクの自動販売機

図4 待合場所

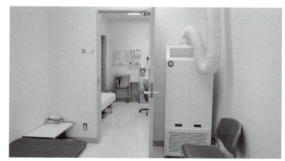

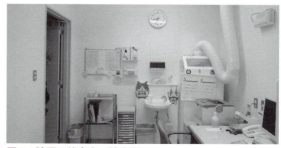

図5 陰圧の待合室・診察室

　受付職員がファーストコンタクトである場合が多いため，受付職員への教育も重要である。トリアージのためのポスターの一例（図2）を示す。

(3) 呼吸器衛生／咳エチケット，待合分離，優先診療

　呼吸器症状のある患者に対しては，呼吸器衛生／咳エチケットとしてマスク着用を依頼する。受付，自動販売機，売店などに小児用サイズのサージカルマスクを準

表1　外来における感染経路別予防策

	空気感染	飛沫感染	接触感染
代表的な感染症	麻疹，水痘，播種性帯状疱疹，結核	インフルエンザ，風疹，流行性耳下腺炎	感染性胃腸炎，流行性角結膜炎
待合場所	待合・診察ともに，他患者と分離した個室（できれば陰圧）が望ましい	サージカルマスク着用のうえ，他患者と2m以上空けるまたは，仕切りを設ける	他患者と接触しないように，離れた待合場所を指定する
対応職員	・麻疹・水痘は抗体をもつ職員が対応する ・結核はN95マスク（レスピレータ）を着用する	・風疹・流行性耳下腺炎は抗体をもつ職員が対応する ・インフルエンザはサージカルマスクを着用する	手袋・エプロン（必要に応じマスク，ゴーグル）を着用する
点滴・処置	処置室等の共有スペースは使用しない	処置室では患者にサージカルマスクを着用のうえ，カーテン隔離を行う	処置室使用後は有効な消毒薬で清拭する
患者の移動	サージカルマスクを着用してもらう	サージカルマスクを着用してもらう	
排泄	・おむつ交換は個室内で行い，トイレに行くときは，サージカルマスクを着用し，すぐに戻ってもらう ・麻疹・水痘は，使用後は消毒用エタノールで清拭する	・トイレに行くときはサージカルマスクを着用し，すぐに戻ってもらう ・使用後は消毒用エタノールで消毒する	トイレ使用後は，有効な消毒薬で清拭する
会計	時間を要する場合は，付き添い者のみが窓口に行くか，職員が個別対応するのが望ましい	サージカルマスクを着用してもらう	
使用後の部屋	・抗体をもたない患者が同じ部屋を使用する場合は時間を空ける（表2参照） ・またはドアを閉めた状態で窓を開け，換気する ・麻疹・水痘は患者が触れた箇所を消毒用エタノールで清拭する	患者が触れた箇所を消毒用エタノールで清拭する。患者間で時間を空ける必要はない	患者が触れた箇所を有効な消毒薬で清拭する。患者間で時間を空ける必要はない

表2　空調の時間換気回数と汚染除去の関係

ACH （換気回数/時間）	汚染除去時間〔分〕	
	99％	99.9％
2	138	207
4	69	104
6	46	69
12	23	35
15	18	28
29	7	14
50	3	6

〔文献1）を参考に作成〕

備しておく（図3）。

感染症状のある患者はできるだけ他患者と接触しないように待合場所を指定する（図4）。飛沫感染の場合は可能なかぎり他患者との距離を2m以上確保し，空気感染の場合は個室（陰圧が望ましい）を準備する。滞在時間をできるだけ短くするために，優先して検査，診察を行うことも考慮する。

中央での空調管理ができない場合，陰圧装置を設置し，対応する（図5）。

（4）感染経路別予防策

外来における感染経路別予防策を示す（表1，表2）。

新興感染症に対する対策

"新興感染症"（emerging infectious diseases）とは，1990年にWHOが「かつては知られていなかった，こ

の20年間に新しく認識された感染症で，局地的にあるいは国際的に公衆衛生上の問題となる感染症」と定義づけた感染症である．1970年頃より新たに30種類以上の感染症が認識されており，日本でもその多くが確認されている．直近で問題となっている新型コロナウイルス感染症（COVID-19）については，別項で扱う．

主なものとして，重症急性呼吸器症候群（SARS），鳥インフルエンザ，ウイルス性出血熱，クリプトスポリジウム症，後天性免疫不全症候群（AIDS），重症熱性血小板減少症候群（SFTS），腸管出血性大腸菌感染症，日本紅斑熱，バンコマイシン耐性黄色ブドウ球菌（VRSA）感染症などがあげられる[5]．

新興感染症への基本的な対策は，前述した標準予防策，感染症スクリーニング，呼吸器衛生／咳エチケット，待合分離，優先診療，感染経路別予防策の実施であるが，海外でのアウトブレイクや国内発生の危険性がある時期には，その感染症の特性にあった内容を追加する．

たとえばウイルス性出血熱の場合，

- 疾患定義（いつからどのような症状があり，○日以内に△△への渡航歴があるなど）を定め，該当患者を早期発見できる体制を整える．玄関や受付へのポスター掲示，感染症状がある患者への渡航歴・接触歴を聞き取るシステムを構築しておく．
- 感染症を疑う患者が発見された場合の対応マニュアルを作成しておく．院内連絡体制，患者の導線，待機場所，個人防護具の選択，保健所への連絡，指定医療機関に搬送されるまでの対応，搬送後の片づけまでを一連の流れで考え，具体的に誰が何をするかを明記しておく．加えて，関係職員で模擬訓練をしておくことが重要である．
- 感染対策担当者は，感染症について常に正確な情報を把握し，正しい予防策を提示することで，対応職員や患者家族の不安を軽減させる役割を担う．

災害時の感染対策

災害発生後には，救急外来を中心に災害に関連した受診患者が増加することが考えられる．自然災害後に発生しやすい感染症の発生時期と対策について一覧にまとめた（表3）．いずれも基本的な感染対策は，前述した外来部門における一般的な感染対策と同様である．

ほかにも，津波や洪水などの水系災害では，汚染された水を誤嚥したことによるレジオネラ肺炎，真菌感染，嫌気性菌による感染症，レプトスピラ症などが報告されている．吸い込んだ重油や化学薬品による化学性の肺炎をともない重症化することもある．

また，受診した患者から他の避難所生活者に感染させないために，手指衛生やマスク着用，トイレの消毒といった生活指導も行い，場合によっては避難所への情報提供や協力体制の構築も必要である．

表3 自然災害後に発生しやすい感染症[6,7]

時期	状態	感染症	感染対策
災害発生直後～3日以内	・外傷 ・熱傷 ・骨折	・創感染 ・ガス壊疽	・血液体液曝露のリスクが高いため，手袋，ガウンを着用する ・必要に応じ，マスク，ゴーグルも着用する （標準予防策）
災害発生後3日～復旧	・避難所での集団生活 ・衛生状態の悪化 ・栄養不足 ・疲労，免疫力低下	・感冒，インフルエンザ ・感染性胃腸炎，麻疹 ・皮膚感染など ・破傷風	・呼吸器衛生／咳エチケット ・感染経路別予防策 ・季節によりインフルエンザワクチン接種 ・避難所生活における生活指導

文献

1) Jensen PA, et al：Guidelines for preventing the transmission of Mycobacterium tuberculosis in health-care settings. MMWR Recomm Rep, 54(RR-17)：1-141, 2005
2) 米国疾病対策センター・編，満田年宏・訳著：医療環境における結核菌の伝播予防のためのCDCガイドライン，メディカ出版，2006
3) 陸川敏子：外来部門における感染管理．小児のための感染管理．小児看護7月臨時増刊号，33(8)：1091-1098, 2010
4) ICPテキスト編集委員会・監編：ICPテキスト―感染管理実践者のために，メディカ出版，2006
5) 国立感染症研究所：新興感染症 [http://www.niid.go.jp/niid/ja/route/emergent.html（2022年5月現在）]
6) 小林寛伊・編集指導：自然災害時における病院感染対策．Y's Letter, 2(24), 2007
7) 笠井雅子，他：災害と感染症．小児感染免疫，25(4)：501-506, 2014

AIDS：acquired immunodeficiency syndrome，後天性免疫不全症候群
SFTS：severe fever with thrombocytopenia syndrome，重症熱性血小板減少症候群

7.8 院内学級

Points
- 基本は標準予防策である。
- 教職員も医療従事者と同様に，流行性ウイルス疾患の抗体を有していることが重要である。
- 病院と院内学級の間で連携して感染予防策を実施する。

院内学級とは

"院内学級"とは，「入院中の児童，生徒に対して教育を行うために病院内に設置された，小中学校の特別支援学級や，特別支援学校の学級のこと」を指す[1]。院内学級には疾患や治療により易感染性のある児童がいるため，感染対策が重要である。感染症の予防対策は「平常時からの予防対策」と「感染症発生時の感染の拡大防止対策」が基本となる。

学校において予防する必要がある感染症の種類や各疾患の出席停止期間の基準は「学校保健安全法施行規則」（文部科学省令）に規定されている。院内学級における出席停止期間もこの規則にもとづく。

それに加えて，麻疹，風疹，水痘，流行性耳下腺炎，インフルエンザなどの伝染力の強い疾患の接触者は，二次感染を防ぐために，潜伏期間中は登校を控える必要がある。代表的な疾患の感染経路，潜伏期間，および出席停止期間の基準を付録⑥（p.305）に示した。

感染予防の基本

院内学級においても手指衛生，呼吸器衛生／咳エチケット，環境整備（表1）が感染予防の基本である。

児童および教職員など，院内学級に関わるすべての人に，正しい手指衛生，呼吸器衛生／咳エチケットの方法を指導し，実施状況を確認する必要がある。

児童には手指衛生のタイミング（表2）を具体的に指導し，教員も手本となるように手指衛生を行う。

教職員のワクチン接種

院内学級に在籍する児童は可能なかぎり，必要とされるワクチンをすべて接種すべきであるが，疾患や治療のためにワクチンを接種できない児童も多い。

そのため，教職員に対するワクチンの接種が重要である。日本環境感染学会では，事務職・医療職・学生・ボランティア・委託業者（清掃員その他）を含めて，患者と接触する可能性のあるすべての医療関係者に対して，自らの感染症予防と，他者への感染源とならないための手段としてワクチンの接種を推奨している[2]。

日本環境感染学会のガイドライン[2]では4疾患の麻疹・風疹・水痘・流行性耳下腺炎に関しては，免疫を獲得したうえで勤務を開始することを原則としている。この4疾患のワクチンにより免疫を獲得する場合の接種回数は「2回」を原則としており，ワクチンを2回接種していない対象者は，抗体価の測定をせずに少なくとも1カ月以上空けて，ワクチンを2回接種するか，あるいは抗体価を測定する必要がある。

2.11節の表1（p.82）に抗体価の基準がある。医療関係者が発症した場合は影響が大きいため，十分な抗体価が基準とされている。抗体価が陰性の場合は少なくとも1カ月以上空けてワクチンを2回接種し，抗体価が陽性の場合でも基準を満たさない場合は，ワクチンを1回接種することが推奨されている。

また，インフルエンザワクチンは「予防接種実施規則」（厚生労働省令）第6条による「接種不適当者」（予防接種を受けることが適当でない者）に該当しない場合は，妊婦または妊娠している可能性のある女性を含めて，毎年1回接種することが推奨されている。

教職員の健康管理と早期発見

教職員の健康診断を定期的に実施し，未受診者へは受診を促す。とくに結核については，年1回の健康診断を必ず受けることを推奨し，2週間以上続く咳がある場合は，医療機関を受診するように周知する。

教職員のほかに，学内出入りするパート職員やボラン

ティア等の健康状態を確認しておく。

教職員がインフルエンザに罹患した場合の対応

接触した児童生徒の把握（マスク着用の有無），観察期間の設定と入院病棟への連絡，二次発生の有無の確認などを行う。

病院と院内学級の連携

病院，院内学級それぞれで，流行性ウイルスとの曝露の危険はある。そこで，病院・院内学級双方での連絡体制を確立しておくことが望ましい。以下，実際の対応方法を紹介する。
① 入級時の事前資料とオリエンテーション内容の共有
② 健康観察方法の確認
③ 活動前（登校前）の確認事項（送迎が必要なときのチェック表）
④ 病棟で，水痘などの空気感染対策が必要な患者が発生した場合
- 感染期間内に接触があった児童・生徒は，院内学級への登校を制限する。
- 児童／生徒の接触状況を把握し，登校できない期間の明確化，教職員の抗体価保有状況の確認，ベッドサイド授業への変更などを検討する。

⑤ 感染症により出席停止となった場合
- インフルエンザ等の流行性疾患については，院内の規定のほか，学校保健安全法（付録⑥，p.305 参照）に沿って対応する。
- 医療関連感染で登校ができない場合には，ベッドサイドでの授業へ変更し，対応を行う。

⑥ 授業・行事について
- 標準予防策の遵守を基本とし，動植物との接触については，自施設の感染対策担当者と連絡をとり，感染対策を考慮したものとする。

教員間の連携

主担任は，授業開始前に，児童・生徒に関する感染対策などの注意点や必要な事項を全体で共有する。
日常から感染症に対する手順を教員間で共有し，病棟から感染症発症の連絡を受けた後の教員間の連絡体制を整備しておく。

表1 感染予防のための環境整備

1	☐	手洗い場（トイレ内も含む）に石鹸が準備されている
2	☐	手すり，水道の蛇口，および生徒が頻繁に触れる場所を定期的に清掃している
3	☐	トイレの清掃を毎日行い，チェック表により手順の確認を行っている
4	☐	感染予防・発生時の対応のための物品が準備されている ・使い捨て手袋，マスク，エプロン ・使い捨て拭き取り用の布（ペーパータオル，新聞紙） ・塩素系消毒薬 ・ビニール袋，専用バケツ

表2 手指衛生の具体的なタイミングチェックリスト

1	☐	児童への手洗いの指導を行っている
2	☐	手洗いの具体的タイミングを教えている ・分教室に着いたとき ・授業，休憩時間前後 ・トイレの前後 ・分教室から帰るとき ・病棟に戻ったとき
3	☐	流水と石鹸での手洗いは15〜30秒以上行っている
4	☐	手拭きはペーパータオルか個人専用のタオルを使用している
5	☐	来訪者（院外の登校者も含む）に手洗いを奨めている

教員の研修

教員に対する感染症への対応方法の研修を，年1回以上行う。実施は，学校内もしくは施設外への研修の派遣でもよい。施設外へ教員を派遣した場合は，研修終了後，学内にてその内容を共有する。
とくに嘔吐物処理方法は，教員間で手順の確認を行い，対応時に徹底できるようにする。

文献
1) 国立特別支援教育総合研究所：4. 小学校・中学校等における特別支援教育 ③院内学級. 特別支援教育の基礎・基本 新訂版―共生社会の形成に向けたインクルーシブ教育システムの構築, ジアース教育新社, 2015
2) 日本環境感染学会：医療関係者のためのワクチンガイドライン第3版. 環境感染誌, 35（Suppl II）：S1-S32, 2020
3) 松原知代：小児病棟. 小児科診療, 76(9)：1439-1444, 2013

7.9 院内保育所

Points
- ワクチンを受けられる月齢に達していない子どもを保育する場合もあるため,保育所に従事する職員のワクチン接種は重要である。
- 院内保育所によっては,病児保育,病後児保育も実施しているため,状況に合わせた感染対策をしていくことが求められる。

院内保育所について

「院内保育所」は,医師や看護師らの医療従事者の離職防止,および再就業を促進するため,厚生労働省や都道府県により設置・運営が支援されている。この事業の整備によって近年,多くの病院などで院内保育所の設置が進んでいる。

院内保育所の運営は,設置する病院が行う場合と委託運営される場合がある。一時託児や病児保育,病後児保育,夜間保育,休日保育,送迎の有無などは,それぞれの施設で異なっている。

院内保育所における感染対策の必要性

保育所の対象となる乳幼児は,ワクチンの接種で防ぐことが可能な疾患以外は,生後初めて集団生活をする場で病原体の曝露を受け,初感染することが多いため,ある程度の感染症の発症はやむをえない(表1)。

しかし,一方で,院内保育所は職員の就労をサポートするうえで重要であり,病院職員が安心して子どもを預けることができる場でなければならない。病児保育が実施されていない施設では,突然の発熱や消化器症状で預けられない,または途中でお迎えの要請がくる状況となり,保護者である職員は仕事を休まなければならなくなる。すると,その職員の部署は1名欠員で業務を行わなければならなくなってしまう。また,そうしたことがたび重なると,周囲に気兼ねして職員が離職することになりかねない。この状況は設置主体である病院側にもデメリットとなる。

このような一般の保育所(保育園)との違いを,保育所職員も,子どもを預ける病院職員も理解し,感染症の予防と発症時の早期発見・早期隔離に努めることが重要である。

感染対策の実際

(1) 日常的な感染対策

院内保育所において,子どもの健康増進と疾病等への対応とその予防は,「保育所保育指針」(厚生労働省令)にもとづき行われている。

院内保育所の職員は子どもの健康管理として,個別の連絡帳を用いて,体温,食事の量,睡眠時間などの情報を保護者と共有し,発熱,咳,鼻汁,下痢,嘔吐,発疹などの個別の症状について管理し,保育日誌に記録する,といった施設が多い。このような健康管理に加え,院内保育所の職員は手指衛生,環境整備,汚染物管理などの衛生管理を実施する。

環境整備では,とくに乳児は床をはい,手に触れるものは何でもなめ,口に入れようとするため,床の清掃や乳児用のおもちゃの使用ごとの洗浄・消毒を実施する。

表1 院内保育所における感染対策上のリスク

①子どものリスク
- 対象となる乳幼児は免疫未獲得であり,感染症に罹患しやすい
- 日常生活で多くの介助を要するため,他者との接触が多い
- 自分自身で衛生行動がとれない

②保育所のリスク
- 集団生活のため感染症が伝播しやすい
- おもちゃ,遊具,寝具などが共有される

③病院のリスク
- 子どもが休むと保護者も休み,その部署の業務に影響が出る
- 保育所内でアウトブレイクが発生した場合は,病院全体に影響がおよぶ

子どもを預ける病院職員にも，可能なかぎりワクチンの接種を推奨し，前述のような感染症状がある場合には，登園しないか病児保育を利用するよう説明し，協力を求める。また，院内保育所側は日頃から保護者と情報共有を行い，周囲の流行状況などの把握に努める。

また，日常の感染対策では，血液媒介感染症対策も重要である。過去に報告された院内保育所におけるB型肝炎集団発生事例[3]では，日常生活における水平伝播も示唆している。院内保育所の子どもたちは運動機能も成長発達段階にあり，転倒やけがによる引っかき傷や擦過傷，鼻出血が絶えない。

院内保育所の職員は血液や体液が感染源になることを理解し，直接触れないように対策を行う。また，感染源となる，あるいは病原体の侵入経路となる皮膚炎や外傷がある子ども，および院内保育所の職員は，創部の保護や長袖の着用が推奨される。

(2) 職員の健康管理

保育所に勤務する保育士や看護師など，子どもに直接接触する職員は，日常の健康管理や衛生管理を十分に行う必要がある。表2に「保育所における感染症対策ガイドライン（2018年改訂版）」[2]に記載されている「職員の衛生管理」について示す。日々の体調管理として発熱，咳，下痢・嘔吐，発疹などの感染症状の有無を毎勤務前に確認し，有症状時は出勤せずに連絡する体制を整備する。

また，自分自身の感染予防と発症時の子どもへの拡大予防のため，入職時には麻疹・風疹・水痘・流行性耳下腺炎の接種歴・抗体価確認と，必要時の各種ワクチンの接種，年1回のインフルエンザワクチン接種といったワクチンプログラムも整備することが望ましい。

表2　保育所に勤務する職員の衛生管理

- 清潔な服装と頭髪
- 爪は短く切る
- 日々の体調管理
- 保育中および保育前後の手洗いの徹底
- 咳などの呼吸器症状を認める場合のマスク着用
- 発熱，咳，下痢・嘔吐がある場合の，医療機関へのすみやかな受診と，まわりへの感染対策
- 感染源となりうる物（尿，糞便，吐物，血液など）の安全な処理方法の徹底
- 下痢・嘔吐の症状があったり，化膿創がある職員が食物を直接取り扱うことの禁止
- 予防接種歴，罹患歴の把握（感受性者かどうかの確認）

〔文献2）を参考に作成〕

(3) 感染症発生時の対応

感染症予防の第一は，院内保育所内に感染症をもち込まないことである。そのため，登園時に感染症の疑いがある子どもは預からないといった判断も必要となる。

また，登園後に体調が悪くなる子どももいるため，保育中の子どもの観察を十分に行い，症状出現時は他児との接触を避け，別室で体温測定を行い，嘱託医に相談して指示を受けるか，保護者に連絡し，かかりつけ医に受診してもらう。

感染症の診断を受けた場合，症状が消失した子どもをいつから登園させてよいかは，「学校保健安全法施行規則」第19条（出席停止の期間の基準）（付録⑥，p.305）に準ずる。

感染症発生時には二次感染予防のため，環境整備も重要となる。とくに嘔吐や下痢により環境が汚染された場合は，そのエリアの立ち入りを禁じ，個人防護具を着用したうえで，適切に処理を行う。また施設内の消毒を行い，院内保育所の職員も手洗いを十分に実施する。

感染症が発症した場合は，院内保育所の全職員，保護者，設置主体である病院の担当者が情報を共有し，拡大防止に努める必要がある。院内保育所の職員はほかに同様の症状の子どもはいないか観察を強化する。保護者は自身の子どもの観察を行い，有症状時には登園させないようにする。

病院は状況に応じて保護者の勤務調整を行う。日常の感染症発生時から情報を共有することで，二次感染予防や，拡大時のすみやかな対応を実施することができるようになる。

(4) 感染症多発時の対応

子どもや院内保育所の職員が複数名，同じ感染症に罹患したと確定した場合，設置主体である病院の担当者と，必要に応じて関係機関（市区町村および保健所など）に対して，すみやかに連絡を行う。そのうえで，他の子どもや院内保育所の職員の健康状態を把握し，二次感染予防を行う。

拡大の状況によっては，院内保育所の一時休園も必要な場合がある。保健所などの指示がある場合はこれに従い，病院と保育所で協力して対応するとともに，早期終息と再発防止に努める。

院内保育所における病児保育，病後児保育と感染対策

病児・病後児保育とは，子どもが病中または病気の回復期にあって集団保育が困難な期間，保育および看護ケアを行う保育サービスである。院内保育所にも病児保育，病後児保育が併設されていると，子どもが病気の際にも職員の就労をサポートすることができる。病児・病後児保育を行う場合，以下を整備する必要がある。

(1) 病児保育

保育所における子どもの疾病の多くは感染症であるため，他の健常児への感染予防を行わなければならない。通常の保育室とは分離された専用室（保健室，静養室，保育室等）で保育を行う。まったく別の症状の病児が複数いる場合も，他児への感染防止に配慮する必要があるため，専用室は複数あることが望ましい。

職員も健常児の担当者とは分け，専従の看護師・保育士を配置する。担当する看護師，保育士は，標準予防策，感染経路別予防策を十分理解し，感染対策を実施する必要がある。そのうえで，嘱託医や連携医療機関，病児のかかりつけ医などと連携を図り，病児の体調管理を行う。

また，病児保育は夜間休日も対応し，院内保育所の子どもだけでなく，他の保育所・幼稚園などに通う職員の子どもも対象とする体制が望ましい。

(2) 病後児保育

病後児保育は，急性期を脱し病気の回復期にあるが，集団保育が困難な時期の子どもを対象とする。病児保育同様，専用室と専従の職員を配置することが望ましいが，病児保育と同時に実施する場合は，兼務でもよい。

病後児を健常児保育に戻す目安としては，感染症の場合は「学校保健安全法施行規則」の出席停止の期間の基準（付録⑥，p.305 参照）を用いるとよい。これらはあらかじめ決めておき，保護者にも十分に説明して実施する。

保育園サーベイランス

「保育園サーベイランス（保育園欠席者・発症者情報収集システム）」とは，2010 年に国立感染症研究所感染症情報センターにより開発された症候群サーベイランスの 1 つである[4]。

症候群サーベイランスは「症状別」と「疾患別」にサーベイランスをしており，保育所（保育園）内の感染症発症者の記録を整理することができる。また，院内保育所や関係者が地域内の感染症の流行状況をリアルタイムで把握でき，相互に情報を共有することにより，予防指導などの早期対応が可能となる。毎日の入力により，日頃の院内保育所の状態を把握し，普段と違う欠席者の状況を早期に探知できるメリットがある。しかし，情報の把握と入力といった作業負担もあるため，院内保育所の規模や職員の状況に応じて導入を検討するとよい。

文献

1) Siegel JD, et al : 2007 Guideline for Isolation Precautions: Preventing Transmission of Infectious Agents in Health Care Settings. Am J Infect Control, 35 (10 Suppl 2): S65-S164, 2007
2) 厚生労働省：保育所における感染症対策ガイドライン（2018 年改訂版），2021 年 8 月一部改訂［http://www.mhlw.go.jp/stf/seisakunitsuite/bunya/kodomo/kodomo_kosodate/hoiku/index.html（2022 年 5 月現在）］
3) 佐賀県健康増進課：保育所における B 型肝炎集団発生調査報告書について，2004 年 8 月 5 日
4) 国立感染症研究所 感染症疫学センター：「保育園サーベイランス」導入のための自治体向け手引書，2014

7.10 重症心身障害児病棟の管理

Points
- 感染症に罹患すると重症化しやすく，死亡原因で最も多いのが呼吸器感染症であることからも，手指衛生をはじめ，標準予防策，感染経路別予防策の遵守が重要である。
- 呼吸器感染症を起こしやすいため，口腔ケアが重要である。
- 流行性ウイルス疾患のワクチンの接種も感染症予防対策として大切である。

"重症心身障害児"とは，「重度の知的障害と肢体不自由をもつ重複障害児」である。大島の分類（図1）により判定され，1，2，3，4に相当する場合を重症心身障害児という。

全国に約4万人の重症心身障害児がいると推定され，約1/3が長期入所・入院している[1]。

重症心身障害児病棟の感染リスク

重症心身障害児の医療・介護のニーズは高く，呼吸（気管切開，人工呼吸器），栄養（嚥下障害，経管栄養），排泄（人工肛門，導尿，便秘，下痢），清潔（入浴，更衣）など，日常生活すべてにケアが必要となる。そのため，ケアに関わる医療従事者による交差感染のリスクはきわめて高いといえる。

また，重症心身障害児は感染症に罹患すると重症化しやすく，死亡原因で最も多いのが呼吸器感染であることからも，手指衛生をはじめ，標準予防策，感染経路別予防策の遵守が重要である[2]。

ワクチンの接種

重症心身障害児は，発達障害，けいれんなどがあるためワクチンを接種していないことがある。これらは，現在ではワクチンを接種しない理由に該当しない。

長期入院による集団生活のなかでは，感染症に罹患する機会が多く，罹患すると重症化しやすいため，ワクチンの接種を積極的に行うことが望ましい。

ワクチンを接種するにあたり，主治医から保護者に対して，個々のワクチンの接種の必要性，副反応，有用性について十分な説明を行い，同意を得ることが必要である。さらに発熱，けいれん，状態の変化などが起きた場合の十分な指導をしておく。

口腔ケア

重症心身障害児は呼吸障害，嚥下障害に関連して呼吸器感染症を起こしやすく，その予防として口腔ケアは

運動機能	走れる	歩ける	歩行障害	座れる	寝たきり	IQ
	21	22	23	24	25	80
	20	13	14	15	16	70
	19	12	7	8	9	50
	18	11	6	3	4	35
	17	10	5	2	1	20

図1 大島の分類
　：1，2，3，4に相当する場合が重症心身障害児

重要となる。

不随意運動，強い筋緊張による開口困難や抗てんかん薬の副作用による歯肉増殖や不正歯列，不正咬合などは口腔ケアの困難性を高め，口腔衛生状態は不良になりやすい。

そのため，う蝕，歯周疾患の原因となり，汚染された唾液が気管や肺に流れ込むことで，誤嚥性肺炎の原因となる。口腔内を清潔に保つことは重要である。

吸引物品の管理

(1) 気管内吸引

気管内吸引カテーテルは，気道粘膜に触れるため，Spauldingの分類ではセミクリティカルに分類される（付録⑨，p.312参照）。したがって再使用するには，高水準消毒または滅菌が必要となる。しかし，吸引カテーテルの管腔全体を消毒・滅菌することは困難なので，単回使用が原則となる。

気管切開している重症心身障害児は，頻繁に気管内吸引を必要とすることが多い。カテーテルの微生物汚染を最小限にすることを目的として，薬液浸漬法と乾燥保管法が報告されている[3]。

しかし，完全に滅菌するのは難しく，感染のリスクは残る。自施設でリスクを考慮し，運用ルールや責任の明確化を行っておく。

(2) 口鼻腔吸引

口鼻腔吸引に用いるカテーテルも，気管内吸引同様に，単回使用とすることが望ましい。

口鼻腔内が無菌でないことや，頻繁に使用することがあるため，同一患者に限り再使用する場合がある。

経管栄養物品の管理

経管栄養に使用する物品は，Spauldingの分類においてノンクリティカルに分類される（付録⑨，p.312参照）。つまり，食器同様，洗浄・乾燥による管理で十分といえる。しかし，構造的に洗浄・乾燥が困難なものがあるため，単回使用とすることが望ましい。

経済的な理由など，病院の方針で再使用する場合，洗浄・消毒を行うことが必要となる。

経管栄養物品を再使用する場合の処理方法の例を，以下に示す。

- イルリガートル：洗浄・乾燥が容易な形状であるため，家庭用洗剤で洗浄後，十分にすすいで乾燥機で乾燥，または食器洗浄機で洗浄する。
- 栄養セット（チューブ）：構造的に十分な洗浄・乾燥が困難であるため，使用のつど，よく温湯を通し，0.01％（100 ppm）次亜塩素酸ナトリウム溶液に次回使用時まで浸漬する。消毒液がチューブ内に満たされていないと消毒が不十分となるため，シリンジなどで消毒薬を満たしてから浸漬する。
- バッグ型の経管栄養セット：構造的に洗浄・乾燥が困難である。したがって，栄養セットと同様に洗浄・消毒を行う。
- カテーテルチップ：洗浄後，次回使用時まで0.01％（100 ppm）次亜塩素酸ナトリウム溶液に浸漬しておく。または，洗浄後に食器乾燥機で乾燥させる[4]。

文献

1) 樋口和郎：重症心身障害児とは．小児看護，34(5)：536-542，2011
2) 宮崎修次，他・編：重症心身障害医療と支援，金芳堂，pp10-11，2007
3) 尾家重治，他：気管内吸引チューブの微生物汚染とその対策．環境感染，8(1)：15-18，1993
4) 尾家重治：シチュエーションに応じた消毒薬の選び方・使い方．じほう，pp152-154，2014

Note

感染症のもち込み防止と早期発見

重症心身障害児病棟では，患者は症状を訴えることが困難であるため，感染症発症の早期発見が難しい。交差感染のリスクが高いため，発症の発見の遅れがアウトブレイクにつながりやすく，日常から患者の健康状態を観察・把握しておくことが重要となる。

また，注意が必要な感染症には，呼吸器感染症（インフルエンザ，RSウイルス，ヒトメタニューモウイルスなど）やノロウイルス，疥癬，アタマジラミなどがあるが，これらの感染症は，病棟内で新規に発生することは少なく，新規入院患者や面会者，職員など病棟外からもち込まれることが多い。したがって，入院時の健康状態や患者の生活環境周囲の流行状況をチェックするなど，もち込み防止策を講じ，早期発見に努めることが肝要である。

症状がみられるときや感染症との接触が疑われるときは，診断を待たずに，症状に応じた感染対策に変更するなど，迅速に対策を講じることが望ましい。

7.11 療育

> **Points**
> ▶ 療育を受ける子どもも**流行性ウイルス疾患ワクチンの2回接種**が望ましい。家族・職員も同様である。
> ▶ 通園児については毎朝，健康状態をチェックし，発熱などの症状がある**体調不良児は通園を控える**ことが望ましい。

療育とは

"療育"の指導については「児童福祉法」で定められており，「障害をもつ子どもたちが社会的に自立することを目的として行われる医療と保育のこと」である。

療育を必要とする子どもたちの一部は，経管栄養や口鼻腔，気管切開部の吸引といった医療的ケアを必要とする。そして，NICU など医療機関での長期入院歴があることなどから，耐性菌を保菌している場合がある。

スタッフへの標準予防策の遵守と保育物品などの管理，療育施設に通所するために同行する養育者を含めた感染予防について教育を行う必要がある。

職員管理

(1) 職員教育

療育施設には，理学療法士や作業療法士，看護師，保育士，栄養士など多種の専門職が勤務するが，職種間での感染対策に関する知識は同一ではない。そのため，基本的な標準予防策の教育が必要となる。

理学療法士や，作業療法士，言語療法士などは，子どもと療法士の1対1での関わりが多い。そのため，1療法が終了した時点で，必ず手指衛生を行うことを指導する。基本的には，速乾性擦式手指消毒薬を使用し，汚れの付着が目に見える場合には流水と石鹸による手洗いを行う。

速乾性擦式手指消毒薬を，病院のように部屋の入口などに設置してもよいが，子どもたちが誤って触れることで消毒薬が口や眼に入る危険性があるため，個人で携帯できるタイプのものが望ましい。

また，感染性胃腸炎の拡大防止のため，吐物処理に必要な次亜塩素酸ナトリウム溶液などの消毒薬を準備しておき，マニュアルを整え，職員が吐物を適切に処理できるよう教育しておく。

(2) 職員のワクチン接種

療育を受ける子どもたちは，入退院をくり返していることが多く，定期接種のワクチンをスケジュールどおり接種できていないことがある。

施設内での流行を防止するため，患者および各職員について，麻疹・風疹・水痘・流行性耳下腺炎に対する，それぞれ2回のワクチンの接種歴を母子手帳で確認する。確認できない場合は，抗体価検査を実施し，抗体未獲得者にはワクチンの接種を行うことが望ましい。

また，流行前にインフルエンザワクチンの接種も行う。

(3) 職員の体調管理

発熱や下痢・嘔吐を認める場合には，無理に出勤せずに自宅療養し，医療機関の受診をするよう指導する。職員から施設内の別の職員や通園児に感染することを防止する。

調理師がいる場合は，とくに胃腸炎症状の有無に関して確認し，症状がある場合には調理業務に従事させない。

通園児の対応

RSウイルスやインフルエンザ，感染性胃腸炎などの接触・飛沫感染する疾患の流行期には，近隣の流行状況を確認し，通所時に子どもを含めた家族の体調について聞き取りや検温を行う。

療育を必要とする子どもたちは，罹患すると重篤化するリスクをもっている集団でもあり，療育中に発熱など異常があれば，早期に受診を勧める。

図1　集団療育の様子（プールの場面）

集団療育

社会性やコミュニケーションスキルを促進する目的で実施される集団療育は，障害をもつ子どもたちにとって重要な療育の1つであるが，MRSAなどの保菌を理由に，隔離して個別療育を行っていた施設もある。

「感染管理に関するガイドブック」[1]には，「介護施設においてはケア提供者が感染の媒介者とならないよう標準予防策を実践することが基本であり，MRSA保菌を理由に施設利用やサービスからの排除などの過剰な対応は避けるべき」と記載されている。

標準予防策を徹底すれば，MRSA保菌者と集団療育を行うことは問題とならない（図1）。

療育施設内管理

各療法室，保育室は，日常の清掃を行い，整理整頓に努める。床をハイハイした後は，床に汚染（鼻汁やよだれ）がないかを確認し，汚染がある場合は適宜，清掃する。

午睡用の布団は，個人で準備することが望ましいが，施設側で準備したものを使用する場合は，使用ごとに，シーツを交換する。尿や便，吐物で汚染された場合は，洗浄し，熱水消毒または薬液にて消毒する。布団本体への汚染を防止するために，防水用シーツをあわせて使用する。

プールの水質管理

「プールの安全標準指針」（文部科学省・国土交通省策定，2007年3月）[5]を参考に，遊離残留塩素濃度は，0.4～1.0 mg/L以下であることが望ましい。一方，屋外プールは，日光照射により遊離残留塩素濃度が低下するため，使用する前に塩素濃度を確認する。

療育施設には排泄の自立ができていない子どもが多く，プールに入るにあたっては，排泄状況の確認をする。さらに，プール内での排便の流出を避けるため水遊び用おむつを着用する。

アデノウイルス感染症，アタマジラミ，感染性胃腸炎などを予防するため，プール後の清拭タオルは個人使用とし，貸し借りは避ける。

家族への感染予防教育

「少しでも障害を克服したい」という思いから，親自身の体調がすぐれなくても通園するケースも少なくない。他の通園児や，その家族，通園職員への感染予防のため，家族が体調不良の場合には通園しないことを指導する。

通園後，親がおむつ交換などの日常生活ケア，吸引や経管栄養などの医療的ケアを行う場面において，必ず手指衛生を実施し，自分の子ども以外のケアは実施しないよう協力を得る。

通園児と同居している家族が，麻疹，風疹，水痘，流行性耳下腺炎，インフルエンザなどを発症した場合は，通園施設へ連絡するよう入園時に家族へ指導しておく。

文献

1) 日本看護協会：感染管理に関するガイドブック 改訂版，日本看護協会，p66，2004
2) 猪飼みつる，他：集団療育におけるメチシリン耐性黄色ブドウ球菌保菌児の隔離は必要か．環境感染誌，26(5)：278-283，2011
3) 厚生労働省：保育所における感染症対策ガイドライン（2018年改訂版），2021年8月一部改訂［http://www.mhlw.go.jp/stf/seisakunitsuite/bunya/kodomo/kodomo_kosodate/hoiku/index.html（2022年5月現在）］
4) 小倉英郎，他：療育福祉センター・肢体不自由児施設における感染対策−重症心身障害児（者）施設における経験から．インフェクションコントロール，17(6)：588-596，2008
5) 文部科学省・国土交通省：プールの安全標準指針，2007年3月［http://www.mext.go.jp/a_menu/sports/boushi/1306538.htm（2022年5月現在）］

7.12 在 宅

> **Points**
> ▶ 在宅ケアにおいても，感染対策の基本は標準予防策である。
> ▶ 在宅介護における3大感染症は，誤嚥性肺炎，褥瘡，尿路感染症である。口腔ケア，日々の皮膚の衛生管理や体位変換，尿道留置カテーテルの管理などが，これらの感染症の予防には重要である。

在宅ケア

（1）在宅医療

近年，小児医療の進歩とともに，慢性医療の在宅医療システムは徐々に整備されつつある。種々の精密な医療機器は小型化され，操作が簡単で，維持管理も容易な機種が在宅で使用されるようになってきた。

それにともない，医療の場は病院から在宅へとシフトし，重症度の高い患者が在宅で高度な医療機器を使用するケースが増加してきている。そのため，医療施設同様に医療関連感染のリスクが増大しており，在宅医療における感染対策も重要である。

（2）在宅介護

一般に在宅療養者は，ケアの提供者が限定され，入院中の患者より重症度は低く，複数の患者との接触がないために交差感染は発生しにくい。しかし，さまざまなデバイスを装着しており，病原微生物に対する生体の感染防御機能は減弱していて，感染を起こしやすい。

在宅介護における3大感染症は，誤嚥性肺炎，褥瘡，尿路感染症である。いずれも感染対策における基本的事項である，衛生管理の破綻が発症の引き金になることが多い。

口腔ケアが不十分であると，誤嚥したときに口腔内常在菌が大量に気管内にたれ込み，肺炎が引き起こされる。

褥瘡予防には，日々の皮膚の衛生管理，体位変換，除圧などのケアが必要である。

尿路感染症予防には，尿道留置カテーテルの清潔操作と，尿の停滞防止に努めることが大切である。

（3）ケア提供者

在宅におけるケア提供者は患者家族が中心となる。しかし，家族が医療者・介護者であることは少なく，一般に清潔／不潔の概念などの理解が乏しい。そのため，十分な教育と継続支援が必要である。

また，訪問看護，訪問リハビリテーション，介護サービスなどの多種のケア提供者が関与する。そのため，一貫した感染対策を行えるよう，入院中から，患者・家族同意のもと在宅医療を担うさまざまな関係者と，患者の健康状態や障害のレベル，罹患感染症や感染リスク，ケアの方法や物品管理方法などの共有を図る必要がある。

家庭での感染対策

在宅ケアにおいても，感染対策の基本は標準予防策である。ケア前後の手指衛生，処置・ケアに応じた個人防護具の使用，環境整備，ケアに使用する物品の管理，処置後発生する感染性廃棄物の管理が必要になる。

しかし，患者の療養環境や経済環境はさまざまである。そのため，家庭環境に配慮し，個々の状況に合わせ，各家庭で可能な在宅管理を提案・指導することが重要である。

（1）手指衛生

手指衛生を行うタイミングや手技は，医療施設での方法と同様である。しかし，洗面所へのアクセスを考慮した手指衛生の選択や，手拭きタオルの管理が重要となる。

洗面所へアクセスしにくい状況であれば，目に見える汚染の除去にはウェットティッシュの利用，手指の消毒には速乾性擦式手指消毒薬を利用することで，動線を短くでき，負担の軽減につながる。

手拭きタオルは，最低でも1日1回は交換することが望ましい。可能であれば，処置時の手洗いには専用の手拭きタオルを準備するとよい。

(2) 個人防護具

家族が日常的に個人防護具を使用する必要はないが，呼吸器系感染症の症状がある場合は，サージカルマスクの着用を推奨する。

一方，訪問看護，介護サービスなどの訪問者は1日に複数の患者と接するため，交差感染予防のため，サージカルマスク，未滅菌手袋，ビニールエプロンなどの個人防護具を処置時に着用することが望ましい。

(3) 環境整備

療養居室の清掃や換気は必要である。清掃や換気は医療処置が行われていないときに行い，粉塵の飛散が落ち着いてから処置を行う。

(4) 物品管理

家庭で医療器材（滅菌物など）を保管する場合は，高温多湿にならない場所に保管することが望ましい。

また，きょうだいやペットが家庭にいる場合は，器材の汚染や誤飲，針刺しなどの原因になり危険であるため，簡単に触れられる場所に保管しない。

家庭での消毒が必要な場合は，消毒の前に物品の洗浄を行う。器材を傷めない消毒薬を選択し，消毒薬の濃度，浸漬時間を守ることが重要である。消毒後は乾燥した状態でふた付き容器に保管する。乾燥機の利用も便利であるが，器材の耐熱性には注意する必要がある。業者で消毒を行う呼吸器回路などは，回収までポリ袋の口を閉じ，収納しておく。

(5) 感染性廃棄物の管理

在宅医療にともない，家庭から排出される在宅医療廃棄物は，「一般廃棄物」と定められており，家庭ごみとして処理できる。

液状のもの（腹膜透析の排液など）は通常，下水に流して差し支えないとされている。

一方，注射針や血糖測定用の針などの鋭利な器材は，医療施設や一部の保険薬局での処理となる。回収までの針刺し，切創防止のため，ガラスびんなどの針が貫通しない容器に収納することが望ましい。

口腔ケア

口腔ケアの目的は，口腔内の細菌繁殖を防ぐことによる，誤嚥性肺炎の予防，口腔内疾患（う歯，歯槽膿漏，口内炎）の予防，そして唾液の分泌促進による自浄作用の増進があげられる。

口腔の不潔な状態が続き，う歯や歯槽膿漏が進行すると，口腔では口内炎，骨髄炎，全身的には誤嚥性肺炎や感染性心内膜炎などを発症することがある。

口腔ケアには，歯みがきなどにより口腔内を清潔にし，細菌を減らす「器質的口腔ケア」と，舌，歯肉，頬などを刺激・マッサージして，唾液の分泌促進や嚥下反射を誘発，捕食，咀嚼などの口腔機能を回復させる「機能的口腔ケア」がある。

器質的口腔ケアで口腔の細菌除去を図り，機能的口腔ケアにより機能回復を図るとともに，唾液の分泌を促進する。口腔内が乾燥し，細菌が繁殖しやすい状態となるのを防ぐため，家庭においても口腔ケアを継続的に行う必要がある。

しかし，口腔ケア時に嚥下障害のため水分が気道にたれ込み，誤嚥性肺炎を発症する危険性がある。そのため，歯科医師や歯科衛生士による指導を受けることが大切であり，プラークコントロールやう歯の早期発見のため定期的な歯科受診も推奨される。

口腔ケアの実施者は，唾液や血液などの体液に触れるため，接触予防策を実施する。手指をかまれ，患者が罹患している感染症に感染する危険性があり，注意が必要である。

ワクチンの接種

ワクチンの接種によって，ワクチンで予防可能な感染症（VPD）の予防や軽症化を図ることが可能である。

在宅医療に移行後は，家庭での生活を重視し，活動制限を極力少なくしていくべきである。しかし，在宅ケアを受ける患者が感染症を発症した場合，重症化することもあり，入院が必要となるため，積極的にワクチンの接種を行う。

必要なワクチンの接種は，患者の感染症への曝露の機会を減少させることを目的に，家族全員で接種することが推奨される。

在宅呼吸器管理

(1) 在宅人工呼吸器療法
在宅人工呼吸器療法は，在宅医療において最も濃厚な医療的ケアを必要とする。近年は医療の発展によって長期間にわたって使用するケースが増えている。さらに，呼吸器の軽量化やバッテリー駆動時間の延長，サポート体制の充実により，学校に通う，旅行に行くなど，呼吸器を装着した患者の活動が多様化している。

医療従事者はこれらの点を考慮し，患者に関わる多くの介護者が無理なく確実に継続できる感染対策を提案する必要がある。

(2) 家族指導
人工呼吸器関連肺炎（VAP）を予防するため，多量の誤嚥，上気道の細菌定着，口腔・咽頭の保菌を防止する介護の工夫やケアについて，家族への指導が必要である。また，人工呼吸器具の管理や汚染防止の指導も重要である。

(3) 機材の管理
呼吸器回路内の結露を予防するため，温度差が発生しにくい場所への呼吸器の設置，ベッドより低い位置への加湿器の設置，患者に接続する部分の呼吸器回路の位置や方向の工夫が必要になる。

(4) その他
小児の場合，カフなしのカニューレを選択せざるをえない場合が多いが，唾液のたれ込み予防にはカフ付きカニューレが有効である。

カフ付きのカニューレ使用の可能性について定期的に評価し，カフ上部吸引機能ありチューブの変更も考慮していく必要がある。

在宅中心静脈栄養法の管理

(1) 在宅中心静脈カテーテル管理
在宅中心静脈栄養法は腸管からの栄養摂取が困難な患者に対し，幼少期から成人までの長期間にわたり継続される。小児がんの患者は，抗がん薬を安全に投与する目的と経口摂取困難時の栄養補給目的で，数カ月から数年にわたりカテーテルが挿入されている。

中心静脈カテーテルを留置することによる最も重要な合併症として，カテーテル関連血流感染（CRBSI）があげられる。中心静脈カテーテルを留置できる血管には限りがあり，感染を予防していくことが重要である。

さらに患者の多くは低栄養・免疫不全状態など易感染状態にあり，厳重な管理が必要とされる。そのため，患者および家族のCRBSIの予防に関する知識と手技の習得は必須である。

(2) 家族指導
血流感染の原因として，汚染された手指による汚染，刺入部からの細菌侵入，汚染された輸液，輸液ルート接続部からの細菌侵入，別の感染巣からの血行性播種によるものがある。これらのリスク因子を軽減するため，正しい手指衛生方法，無菌操作など感染経路を遮断するための知識と技術取得への支援が必要になる（2.3節，p.42参照）。

(3) ルート類の管理
①薬剤およびルートの管理
薬剤の調剤は最低限にすべきである。また，調剤時やルート接続時は，清潔な状態で操作できるよう集中できる環境を整える。

まず，使用前に作業を行う場所の清掃を行い，清潔な作業スペースを確保する。作業中は人の動きを制限し，作業者はマスクの着用が望ましい。操作中に薬剤・回路を不潔にした可能性がある場合は，迷わず薬剤の廃棄，回路の交換を行うよう指導する。間欠的に輸液を行う場合，回路は単回使用することが望ましいが，困難な場合は接続部が不潔にならないよう保管することが重要になる。

薬剤の管理場所は高温多湿の場所を避け，遮光した状況での保管が必要である。

②皮下埋め込み型中心静脈カテーテル（CVポート）使用時
ポートへのアクセス時は，まず患者の皮膚を洗浄し，常在菌を減少させ，1%クロルヘキシジンアルコール製剤で消毒を行うことが望ましい。1%クロルヘキシジンアルコール製剤の入手が困難な場合は，ポビドンヨードによる代用が可能である。

(4) その他
生活習慣として，うがい・手洗い・口腔ケアなどの感染対策も取り入れ，腸炎・上気道感染・歯肉炎などの予防に努めたい。

文献

1) HAICS 研究会 PICS プロジェクト・編著：訪問看護師のための在宅感染予防テキスト—現場で役立つケア実践ナビ，メディカ出版，2008
2) 立花亜紀子，他・編：小児のための感染管理 看護師に必要な知識・技術・連携，小児看護，2010 年 7 月臨時増刊号，33(8)：1042-1060, 1107-1112. 2010
3) 休波茂子，他：在宅看護における感染防止．臨牀と研究，75(10)：2183-2186, 1998
4) 洪 愛子・編：ベストプラクティス NEW 感染管理ナーシング，学研メディカル秀潤社，2006
5) 在宅医療テキスト編集委員会 企画・編集：在宅医療テキスト 第 2 版，在宅医療助成勇美記念財団，2009
6) O'Grady NP, et al：Guidelines for the prevention of intravascular catheter-related infections. Am J Infect Control, 39(4 Suppl 1)：S1-34, 2011

Memo

7.13 薬剤部門

Points
- 薬剤部門は，**抗微生物薬の適正使用**に重要な役割を果たす。
- 小児の内服薬は，**散剤や水薬が多い**ため，計量調剤が主である。そのほか，抗がん薬や高カロリー輸液の無菌調製もあるため，職員の手指衛生が清潔な調剤につながる。

感染対策における薬剤師の役割

　抗微生物薬・消毒薬などの微生物に作用する薬物は多岐にわたる。そこで，効果と副作用を理解し，適正使用を推進するには，薬剤師が抗微生物薬適正使用支援チーム（AST）へ参加することが必要である。
　ASTに参加する薬剤師の役割としては，抗微生物薬・消毒薬・ワクチンなどの医薬品の適正使用管理，薬局内における調剤・調製時の感染対策，各部門からの問い合わせに対する対応などが求められている。
　医薬品の適正使用管理においては薬剤師の専門性を活かし，採用薬の選定，抗微生物薬の使用基準および標準的な投与量をまとめた資料の作成，使用状況の把握などを他職種と協力して行う必要がある。消毒薬の管理では，消毒薬の種類と濃度の選択が適正か，開封後の保管状況が適切かなどをチェックすることが重要である。
　ワクチンの管理では，保管時の温度管理，院内での水痘・麻疹発生時などの緊急接種時における早急な在庫の確保などが重要である。
　また，薬剤の調剤・調製が衛生的に行われなければ，病院全体へ感染を拡散させてしまうおそれがあるため，調剤・調製時の感染対策に関するマニュアル作成において，薬剤師は中心的役割を担う。また，問い合わせに的確に対応するためには，日本病院薬剤師会が行う感染制御専門・認定薬剤師制度や，日本化学療法学会が行う抗菌化学療法認定薬剤師制度を利用し，自己研鑽に努める必要がある。しかし，基本的に成人領域の認定制度であるため，別途，小児科領域に特化した研鑽も必要である。

内服薬調剤時の感染対策

　小児科領域の内服薬調剤は，全体の約6～7割が散剤などの計量調剤であり，調剤手技が煩雑になりやすい。また，薬品の種類によっては散剤やシロップ剤の剤形がないことから，錠剤を粉砕したり，カプセルを外したりすることが必要となる。そうした調剤を行う際には，錠剤やカプセルを手で扱うことが多く，調剤前に必ず手指衛生（速乾性擦式手指消毒薬による手指衛生，もしくは流水と石鹸による手洗い）が必要である。適切な手指衛生を徹底するためには，職員教育を実施するとともに，アクセスのしやすい場所に速乾性擦式手指消毒薬を設置する。また，調剤後は手指などに付着した薬品を洗い流すためにも流水と石鹸による手洗いが必須である。調剤機器（分包機，粉砕機など）に関しても，微生物汚染が起こらないようにマニュアルを作成し，清掃の手順を決めておく。

注射薬・抗がん薬調製時の感染対策

　カテーテル関連血流感染（CRBSI）の発生予防のためには，無菌調製された注射薬を投与することが望ましい。しかし，すべての注射薬を無菌調製することは現実的に難しいため，感染リスクを加味して高カロリー輸液（TPN），脂肪乳剤，血液製剤などを優先的に無菌調製する。また，小児に使用されるTPNは，組成の問題でワンバッグ製剤が使用しにくく，多種類の薬剤を混注する必要があり，調製手技が煩雑になるため微生物汚染のリスクが高まる。そこで，無菌調製を行うため，クラス10,000以下（ISOクラス7：1m³あたり0.5μm以下の浮遊微粒子数が10,000個以下）のクリーンルー

TPN：total parenteral nutrition，高カロリー輸液

ム内に設置されたクラス100（ISOクラス5）以下の条件を満たしたクリーンベンチ内で調製を行うことが望ましい。クリーンベンチ内で注射薬を調製したときと一般病棟で調製したときの細菌汚染度を比較すると、クリーンベンチで調製した場合は、まったく細菌が検出されなかったのに対して、病棟で調製した場合には、75例中11例（14.7％）に好気性菌が検出されたとの報告がある。

クリーンベンチで調製を行うにあたり、日本病院薬剤師会監修「注射剤・抗がん薬無菌調製ガイドライン」[1]などを参考に、手指衛生の方法、薬品、個人防護具の管理、ミキシング手技、廃棄物の処理などのマニュアルを作成する必要がある。

マニュアルの作成にあたっては、バイアルのゴム栓を消毒する際にはアルコール綿を使用し、5秒以上強く圧力をかけて清拭すること、クリーンベンチの15cm以上奥で調製すること、を強調する。また、重要なポイントを以下にあげる。

① 投与量がごく微量で複数段階に分けて希釈する場合には、注射ボトルへの針刺し回数を最小限にするため、注射筒のみを交換できる補助器具を利用することで、ゴムのかけらが混入するコアリング、針刺し、切創、および細菌の混入を防ぐことができる。
② 調製後の注射薬は、実施時間まで時間がある場合には冷蔵庫で保管し、微生物の増殖を抑える。
③ 分割使用は基本的に行わないが、インスリン、ヘパリンなどの保存剤の入っているものに関しては、院内でルールを明確にしたうえで分割使用を検討する。その際には、必ず開封日を記載し冷所保存とする。
④ 抗がん薬の調製に関しては、注射薬調製時の感染対策に加えて、調製者や周囲の環境への曝露に対しても配慮する。

抗微生物薬適正使用

病院内での抗微生物薬適正使用における薬剤師の役割は、使用状況の把握にもとづく問題点の抽出と、改善策の提案である。使用状況を把握するためには、薬品の払い出し本数や使用金額等を集計し、病院全体のベースラインを把握しておく必要がある。

また、小児病院、小児病棟の場合は、払い出し本数と実際の使用状況が相関しないことがあるため、抗微生物薬使用日数（DOT）などの指標を用いて使用状況を把握する方法も有用である。

使用状況はICTもしくは、ASTなどの多職種によるチームで検討を行い、ベースラインから使用状況が急増した薬剤があった場合には、対象薬剤を使用している診療科、投与目的、投与量などを詳細に検討し、改善すべき点があれば当該診療科へ改善案を提案する。

カルバペネム系抗菌薬などの広域スペクトラムを有する抗菌薬と抗MRSA薬は適正使用においてとくに重要な薬剤である。届出制・許可制などの手法を用いて、払い出し本数のみではなく、投与目的、投与日数など、詳細な使用状況を薬剤師がリアルタイムに把握し、ASTによる介入が行える体制が必要である（4.2節、p.148参照）。

小児の抗微生物薬治療では、添付文書に小児用量が記載されていないものも多い。適切な薬剤かつ十分な投与量で治療を行うためには、小児に対するエビデンスが豊富な薬剤を採用薬とし、病院内、または診療科内で統一された投与量の基準を定めることが望ましい。投与量の基準は医師と薬剤師で共有し、基準をもとに薬剤師が処方監査を行うことで、計算ミスやオーダーミスによる過量、過少投与を防ぐ体制を構築することが重要である。

また、血中濃度が測定できる薬剤に関しては、治療薬物モニタリング（TDM）を行う必要がある。TDMに関しては、薬剤師が、シミュレーションソフトを用いて投与量を計算し、医師へ提案する体制があると望ましい。

文献
1) 日本病院薬剤師会・監, 日本病院薬剤師会学術第3小委員会・編：注射剤・抗がん薬無菌調製ガイドライン, 薬事日報社, 2008
2) 国立成育医療センター薬剤部・編：小児科領域の薬剤業務ハンドブック 第2版, じほう, 2016

7.14 栄養管理部門

Points
- 食中毒予防の3原則は「菌を付けない」,「菌を増やさない」,「菌を殺す」である。
- 厚生労働省の「大量調理施設衛生管理マニュアル」に従って,原材料受け入れから喫食まで衛生管理を徹底して行うことが重要である。

部門の特徴と役割

栄養管理部門は,入院中の食事やミルクの提供,栄養サポート,栄養食事指導を行い,診療支援している。

入院中の食事については,年齢や疾病,症状,摂取機能に合わせて栄養量を調整し,おいしい献立になるようさまざまな工夫を行っている。

その前提には,「安全・安心」であることが必須となる。ひとたび医療施設において食中毒を発生させてしまうと,多数の患者を出してしまうだけでなく,治療中の疾患を重症化させて命を奪う危険すらある。

常に衛生管理の徹底を心がけて,食事やミルクの提供を行う必要がある。

調理における食中毒対策

食中毒予防の3原則は「菌を付けない」,「菌を増やさない」,「菌を殺す」である。

集団給食施設では,危害分析重要管理点の概念にもとづいた厚生労働省の「大量調理施設衛生管理マニュアル」[1]に従って原材料受け入れから喫食まで衛生管理を徹底して行う。原材料(とくに肉類,魚介類など)は食品ごとに食中毒の原因となる微生物の一次汚染を受けている可能性があるため,施設内で二次汚染を防ぎ,増殖させない温度管理を行うことが必要となる。

万が一,一次汚染を受けた食品であっても,中心部まで十分加熱(75℃で1分以上,ノロウイルス汚染のおそれのある食品は85～90℃で90秒以上)することで微生物を死滅させることが可能である。

また,調理後も二次汚染を防ぐため,適切な温度管理や作業管理を行わなければならない。直ちに提供しない場合は10℃以下,または65℃以上の管理を行い,食中毒菌の増殖を抑制する。

使用した調理器具や容器などは,上記のマニュアルに従った洗浄の後,80℃5分以上,またはこれと同等の効果を得られる方法で殺菌後,乾燥させて保管する。

設備や機器については必要に応じて補修やメンテナンスを行い,施設内の洗浄・消毒を定期的に行い,衛生状態の維持をしていく。施設内で,作業ごとの衛生マニュアルを文書化し,作業担当者を明確にしておくとよい(表1)。

万全の対策を日頃から行っていても,食中毒は予期せず発生する可能性がある。施設においては感染拡大防止のため,組織対応を文書化し,危機管理体制を整備しておくことが望ましい。

調乳時の対策

WHOの「乳児用調製粉乳の安全な調乳,保存及び取扱いに関するガイドライン」[2]に準じ,調乳については70℃以上の湯で調乳し,2時間以内に消費して*Cronobacter sakazakii*(旧名:*Enterobacter sakazakii*)などの有害菌による感染リスクを減らすことが必要になる。

2時間以内に消費しない場合は直ちに冷やし,5℃未満で冷蔵保存し,24時間以内に消費する(表1)。

食器や哺乳びんについて

食事やミルクの提供時に使用する食器や哺乳びんは,清潔なものでなくてはならない。

感染症にかかっている患者が利用することを考慮し,洗浄した後に80℃5分以上,またはこれと同等の効果を得られる方法で殺菌した後,乾燥させ,清潔に保管する。

食器の消毒は,集団給食施設では熱風消毒保管庫が利用されている(表2)。哺乳びんの消毒は,熱風消毒

表1 調乳衛生管理マニュアル

〔調理室前室にて〕
①清潔な専用の着衣・履物を着用し，髪が長い場合は束ねる
②マスク・帽子を着用する。髪が帽子から出ないように注意する
③粘着テープで着衣に付着しているほこりや髪の毛などを取り除く
④手指を消毒する。石鹸を用いて，手のひら，手の甲，指の間，爪，手首や肘まで洗って，水ですすぐ。ペーパータオルで水気を拭き取り，速乾性擦式手指消毒薬を手にとって，乾燥するまで手指をよくこする
⑤エアーシャワーにて全身のほこりをとってから，入室する

〔作業開始前〕
調乳台を次亜塩素酸ナトリウム溶液で拭く

〔調乳〕
調乳用の水は，沸騰させた水を70℃以上まで冷却して行う

〔一括調乳時の冷却〕
①5℃以下まで急速冷却を行い，専用の冷蔵庫にて5℃以下で保管する
②病棟へ配乳を行い，5℃以下の冷蔵庫で保管する
③予備のミルクは冷蔵庫保存をし，作成から24時間を超えたものは廃棄する

〔病棟にて〕
①授乳時に加温（36～37℃）して供する。15分を超える再加温をしてはならない
②2時間以内に飲まなかった再加温をしたミルクは，すべて廃棄する

〔器具の洗浄消毒〕
器具類は洗浄後，消毒を行う

〔衛生管理点検表〕
決められた調乳室衛生管理表，衛生管理記録表の内容を確認し，記録する

〔退室〕
調乳室前室にてマスクと帽子を外し，白衣と靴を替える

表2 食器洗浄マニュアル

①病棟から下膳カートを回収
②残菜を捨て，食器の種類ごとに浸漬槽に分類し，予洗する
③食器洗浄機で洗浄する
④洗い終わった食器の汚れ落ちを確認する
⑤熱風消毒保管庫で乾燥消毒を行う（85℃40分）
⑥食器戸棚に移動させる

表3 哺乳びん洗浄マニュアル

①病棟から哺乳びんを回収する
②哺乳びん内のミルクなどを捨て，すすぐ
③哺乳びん洗浄装置で超音波洗浄を行う
④哺乳びん洗浄装置ですすぎ洗浄を行う
⑤哺乳びんの汚れ落ちを確認する
⑥熱風消毒保管庫で乾燥・消毒を行う（85℃40分）
⑦保管庫に移動する

7.14 栄養管理部門

表4 スポンジ消毒の手順例
（場所ごとの担当者を明確にして，一覧にして掲示する）

① 1日の作業終了時に，当日使用したスポンジに洗剤を付けて手でもみ洗いし，よくすすぐ
② 次亜塩素酸ナトリウム溶液に浸す
③ 翌朝，消毒薬に浸したスポンジをすすぎ，水をきり，スポンジを乾燥させる
④ 前日に乾燥させたスポンジは所定の場所に置く

場　所	担　当
回転釜前	A
特別食シンク	B
離乳食シンク	C
肉・魚下処理室	D
フライヤー前	E
一般食・野菜下処理室，調乳室，食器洗浄室	F

表5 個人衛生管理点検表の例

年　月 氏　名	1	2	3	4	5	6	7	8	9	10	11	12	13	14	15	16	17	18	19	20	21	22	23	24	25	26	27	28	29	30	31

※下記項目についてすべてあてはまる場合はレ点を，あてはまらない項目がある場合はその番号を記入する。
　また①，②の症状がある場合は，栄養管理室長に報告する。

① 下痢，発熱などの症状はない
② 手指や顔面に化膿創はない
③ 爪は短く切っている
④ 指輪やマニキュアをしていない
⑤ 手洗いを適切な時期に，適切な方法で行っている
⑥ 着衣する外衣，帽子は毎日専用で，清潔なものに交換している
⑦ 髪の毛が帽子から出ていない
⑧ 作業場専用の履き物を使っている
⑨ 下処理室から調理場への移動の際には外衣，履き物の交換を行っている
⑩ 便所には，調理作業時に着用する外衣，帽子，履き物のまま，入らないようにしている

保管庫のほかにオートクレーブにて高圧蒸気滅菌する場合もある（表3, p.280）。また, 食器類の洗浄等に用いるスポンジは, 表4に示すように消毒し, 管理する。

調理従事者の健康管理

調理従事者は, 自らが食品汚染の原因にならないよう日常生活でも手洗いを励行し, 体調に留意し, 絶えず健康を保つように注意することが必要である。

定期的な健康診断と月1回以上の検便検査を受けることと, 調理従事者の衛生点検（表5）を毎日行い, その結果は部門管理者へ報告する体制をとる。

調理従事者に下痢や嘔吐, 発熱症状, 手指等に化膿創がある場合は調理作業に従事させず, 必要に応じて医療機関を受診させる。とくに, ノロウイルスを原因とする感染性疾患による症状と診断された場合は, ポリメラーゼ連鎖反応（PCR）法などの高感度検査にてノロウイルスを保有していないことが確認されるまでは, 調理作業に従事させないようにする。

また, 直接患者と接触する場合には, 他の職種と同様に麻疹・風疹・水痘・流行性耳下腺炎の各2回のワクチン接種歴, 抗体価の陽性を確認し, 必要な場合はワクチンの接種を行う。

母乳取り扱い時の感染予防対策

母乳は乳児の最適な栄養源であるため, 医療施設では搾乳した母乳を取り扱うことが多い。

院内感染予防の観点から, 人工乳と同様に, 母乳も個人名ラベルなどで個人が認証できる工夫が必要である。

また, 母親にも搾乳前の手洗いや母乳バッグへの入れ方, 持参方法など, あらかじめ理解を得ることが必要になる。

衛生管理教育

栄養部門では, 常に感染の危険を考えて業務にあたらなければならない。

「大量調理施設衛生管理マニュアル」[1]や「乳児用調製粉乳の安全な調乳, 保存及び取扱いに関するガイドライン」[3]の内容を把握するとともに, 適切な衛生教育を継続して実施していくことが望ましい。

文献
1) 厚生労働省：「大量調理施設衛生管理マニュアル」の改正について（食安発1022第10号, 平成25年10月22日）
2) World Health Organization in collaboration with Food and Agriculture Organization of the United Nations：Safe preparation, storage and handling of powdered infant formula: Guidelines, 2007［https://apps.who.int/iris/handle/10665/43659（2022年5月現在）］
3) 厚生労働省：乳児用調製粉乳の安全な調乳, 保存及び取扱いに関するガイドラインについて（2007年6月4日）［https://www.mhlw.go.jp/topics/bukyoku/iyaku/syoku-anzen/qa/070604-1.html（2022年5月現在）］

7.15 放射線部門

Points
- 基本は標準予防策である。
- 直接患者に触れるカセッテなどはビニールで覆うなどして接触を避ける。
- 病棟での撮影時には,看護師と連携し,耐性菌保有患者は最後にするなどして**交差感染を防ぐ**ことが重要である。

　放射線部門は,感染症患者も含む,多くの外来および入院患者が出入りする場所である。

　手指衛生や咳エチケットなどが困難な小児,排泄が自立していない乳幼児を検査することにより,検査機器,診療放射線技師や環境を介して水平感染を起こすことがある。小児発達段階の特徴を加味した標準予防策を実施することが重要となる。

撮影順序

　外来患者と入院患者が混在する放射線部門では患者どうしの接触を避けるため,入院患者で感染対策が必要な場合は,可能なかぎり外来患者が少ない時間帯に検査を行う。とくに,空気感染・高度薬剤耐性菌感染症の患者は検査室までの搬送経路を確保し,他の患者との直接接触がないよう,搬送終了まで経路に患者が立ち入らないよう配慮する必要がある。

　ポータブル撮影を行う際には,感染症患者がその病棟の最後になるよう撮影することが望ましい。

　また,感染症患者が複数いる場合は,感染対策が軽度の患者から撮影する。

　情報共有は感染対策において重要であり,電子カルテ上の感染症情報が,放射線部門業務システム上で確認できるようにシステムを構築することが望ましい。

撮影室の感染予防対策

　各検査室に速乾性擦式手指消毒薬を設置し,1患者ごとに撮影の前後に手指衛生を行う。患者を呼び入れる前にマスク,手袋,エプロンなどの適切な経路別予防策に即した装備を行う。

　また,X線撮影用CRカセッテ,散乱線除去用グリッド,撮影補助具,ハンドスイッチなど,患者に直接触れるものはビニール袋で覆う(図1)。検査機器,撮影寝台など拭き取りが容易なものは検査終了後に環境清掃用(洗浄剤含浸)クロスにて清拭を行う。

　乳幼児の着替えなど,家族から患者を預かる行為は検査台の上で行い,接触する箇所を少なくする。使用したマスク,エプロン,手袋は感染性廃棄物として廃棄する。各検査室に感染性廃棄物容器を設置する,またはビニール袋をあらかじめ口を開けた状態で設置しておき,簡易廃棄場所を確保する。

　検査終了後,手指衛生を行う。患者が触れた可能性

図1　X線撮影用CRカセッテ,散乱線除去用グリッドはビニール袋で覆う

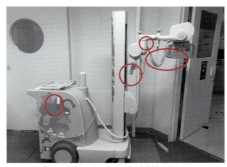

図2　ポータブル装置での清拭箇所

感染対策	空気感染	
撮影を行う前，撮影後，手袋を外した後は必ず手洗いまた速乾性擦式手指消毒薬で手指衛生を実施する。	結核 麻疹 水痘	30〜60分の換気  ※N95マスク（レスピレータ）：麻疹・水痘の抗体がある者は必要ない

飛沫感染	接触感染	
髄膜炎菌 A群β溶血性連鎖球菌 マイコプラズマ アデノウイルス インフルエンザウイルス パルボウイルスB19 風疹ウイルス ムンプスウイルス	【①グループ】 バンコマイシン耐性腸球菌（VRE） 多剤耐性緑膿菌（MDRP） 多剤耐性アシネトバクター（MDRA） カルバペネム耐性腸内細菌科細菌（CRE） 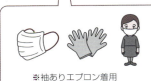 ※袖ありエプロン着用	【②グループ】 メチシリン耐性黄色ブドウ球菌（MRSA） 基質特異性拡張型β-ラクタマーゼ（ESBL） AmpCβ-ラクタマーゼ過剰産生菌 クロストリディオイデス・ディフィシル 〔感染予防策として必要な主な感染症〕 急性胃腸炎 腸管出血性大腸菌感染症（O157, O125など） 膿痂疹 帯状疱疹 エンテロウイルス感染症 肝炎ウイルス（A型，E型）感染症 先天性風疹症候群 RSウイルス感染症 単純ヘルペスウイルス感染症 疥癬

検査機器
- なるべく直接触れないようにタオルやビニール袋に入れて使用する
- 使用後は環境清掃用（洗浄剤含浸）クロスで清拭する

図3 簡易感染経路別マニュアルの例（放射線部門内）

のある箇所（撮影装置，ドアノブなど）や技師が触れた箇所を環境清掃用（洗浄剤含浸）クロスで清拭する（図2）。感染性胃腸炎（疑いを含む）患者の場合，流水と石鹸の手洗いを行い，患者が触れたところは次亜塩素酸ナトリウム溶液で清拭する。

当直帯など人員確保が難しい場合は，技師1人での検査となるため，とくにパソコンのモニターやマウスを汚染された手で触ってしまう可能性が高い。人員が確保できる場合は，患者に触れる技師と，その他管球を操作し，照射野を合わせる技師とで，役割を分担することにより，汚染を最小限に抑えることが可能となる。

ポータブル撮影時の感染予防対策

事前オーダーに関しては，感染症の有無・感染対策状況を確認し，あらかじめ撮影順を決めておく。緊急の場合は依頼医に口頭にて，感染症情報の確認を行う。

病室入室時に速乾性擦式手指消毒薬で消毒を行い，適切な経路別予防策に即した個人防護具を着用する。カセッテ，グリッドはビニール袋で覆う。

撮影終了後はカセッテを汚染箇所に触れないよう取り出し，個人防護具を外した後，速乾性擦式手指消毒を行う。新たに手袋をはめ，環境清掃用（洗浄剤含浸）クロスで清拭を行う（管球の絞り，照射野ランプスイッチ，撮影スイッチ，装置のアームロックの解除ネジなど，図3）。

環境整備の注意点

　感染症患者の検査終了後は，消毒薬含浸清拭クロス（消化器症状がある場合は次亜塩素酸ナトリウム溶液）で清掃を行う．撮影装置だけではなく，患者がよく触れる箇所は定期的に清掃を行うことが大切である．

　感染症患者を検査した際，使用したリネン類は，検査終了後直ちに交換し，各施設の指定された方法で洗濯する．

　清拭がしっかりとできていれば装置の専用化は必要ない．各施設基準に合った感染対策マニュアルをインフェクションコントロールチーム（ICT）とともに整備することが大切である（図3）．

7.16 臨床検査部門

Points
- 検体検査室では専用コンテナでの搬送を徹底し，検体容器の破損などに注意し，取り扱い時には**体液曝露防止のため個人防護具の着用**が重要である。
- 生理機能検査室では検査機器からの間接接触感染のリスクがあるため，患者ごとに環境クロスなどで清拭し，交差感染を防ぐことが重要である。
- 採血室では，針刺し・切創などによる**職業感染防止**が重要となる。子どもは，予期せぬ動きをするため姿勢の固定や**親の協力を得る**ことも必要である。

臨床検査部門における感染対策の注意点を，検体検査室，生理機能検査室，採血室の3つに分けて解説する。

各施設によって病院規模や設備，患者層が異なるため，それぞれの施設で実施可能な感染対策を検討する。

共通事項

標準予防策の徹底が重要である。手指消毒薬，手袋，マスクなどの個人防護具の設置は必須である。消毒用の0.1％次亜塩素酸ナトリウム溶液も用時調製できるようにしておく。

検査終了後は，作業台や高頻度接触面を環境清掃用（洗浄剤含浸）クロスで拭き上げる。

検体検査室の感染対策

(1) 特徴と役割

検体検査室には，血液，体液，尿，便，喀痰など，さまざまな検体が搬送され，各種検査が行われる。

搬送されるすべての検体が感染源となりうることを念頭において，検体を取り扱わねばならない。

(2) 感染リスクとその対応

検体搬送時に破損・露出の可能性があるため，検体搬送専用コンテナを用いる。依頼用紙を用いる場合は汚染を防ぐために，検体搬送専用コンテナに入れず，別に運ぶ。

搬送スタッフにも標準予防策の知識が必要であるため，従事する前に適切な教育をする。

検体の取り扱いは，マスク・手袋を着用して行う。手袋が汚染，破損したら取り替える。手袋を外した後は手指衛生を行う。手袋の上から手指消毒薬を用いて消毒は行わない。

小児，新生児の採血では微量採血管が用いられることが多く（図1），分注，測定時はキャップを手作業で取り外さなければならない。この際，血液，体液が飛散し，眼，口，鼻，衣服を汚染する可能性があるため，必要に応じて，プラスチックエプロンやガウン，ゴーグルを着用する。

尿などの液状検体廃棄の際は，飛びはねて衣服に付着することがあるので，プラスチックエプロンなどを着用して，廃棄する。

検体中には各種ウイルスや細菌が存在する可能性があるため，検体をこぼした場合は適切な清掃・消毒が必要である。まずは手袋を着用してペーパータオルで広がらないように拭き取り，0.1％次亜塩素酸ナトリウム溶液で消毒する。機材に腐食の可能性がある場合は，次亜塩素酸ナトリウム溶液で拭き取った数分後に水拭きする。

図1　微量採血管

生理機能検査室の感染対策

(1) 特徴と役割

生理機能検査室では，患者に接して検査を行うため，患者から検査担当者へ，検査担当者から患者へというヒト-ヒト感染，および検査器具を介しての間接的な交差感染の両方について感染対策を考えていく必要がある。

(2) 感染リスクとその対応

患者ごとの検査開始，終了時の手指衛生は必須である。患者の罹患している感染症，皮膚過敏性の有無，皮膚疾患の有無，多剤耐性菌保菌についての情報を，検査前に可能なかぎり収集しておく。他部署との情報共有が重要となる。

患者の突然の嘔吐もありうるので，嘔吐時の対応手順も明確にしておく。

在胎32週未満の新生児の皮膚は機能的に成熟していないといわれているため，粘膜と同様の対応をすることが望ましい。検査時には手袋を着用する。

飛沫予防策や空気予防策が必要な患者，多剤耐性菌の保菌が明らかな患者の検査，NICUなど患者の移動が困難な病棟の患者は，ベッドサイドで検査を行う。MRSA等の耐性菌保菌者と接触する可能性がある場合や，体液が付着する可能性がある場合は個人防護具を着用する。耐性菌保菌者のベッドサイドで検査を実施した際は検査終了後に，検査機器の患者と接触した部位やコード類を，環境清掃用（洗浄剤含浸）クロスや，消毒薬含浸清拭クロスなどで清拭消毒する。

リネン類は患者ごとに清掃し，定期的に交換する。目に見えて汚れた場合はそのつど交換する。

1日の検査終了後は，検査機器自体を機器メーカーが推奨する適切な消毒薬を用いて拭き上げを行う。

主な生理検査における感染対策上の注意点を，表1に記す。

採血室の感染対策

(1) 特徴と役割

採血室は不特定多数の患者が入室し，採血を行う部屋である。採血担当者は針刺し，切創など血液曝露の危険性がある。

(2) 感染リスクとその対応

採血前には，必ず手指衛生を行うことが原則である。

表1 主な生理検査における感染対策上の注意点

検査項目	注意点
心電図	・電極は体表に応じたものを使用 ・創部，易感染状態の患者や，皮膚疾患患者にはディスポーザブル電極を使用 ・吸着電極は業務終了後，洗浄し乾燥させる
脳波	・電極は，皮膚損傷部や炎症部位には装着しない ・使用後はすみやかに洗浄し，機器メーカーの指定する消毒薬で消毒する
肺機能検査	マウスピースやフィルターはディスポーザブルのものを使用し，患者ごとに取り替える
超音波検査	〔心・腹部等〕 ・プローブゼリーは，使用ごとに完全に拭き取る ・MRSA保菌者や皮膚疾患患者らへの検査終了後は，機器メーカーが推奨する方法で消毒する ・消毒用エタノールによる消毒は，プローブを硬化させることがある 〔経食道〕 ・使用後は高水準消毒薬による消毒が必要 ・ディスポーザブルのプローブカバーの使用が推奨される ・エコーゼリーも単包化されたものを用いる

最も注意しなければならないことは，針刺し，切創である。

小児，新生児は，採血の際に泣いたり暴れたりすることがあり，成人の採血時よりも針刺し，切創の危険性が高い。親に抱かれた姿勢で採血できるか，しっかりと姿勢を固定する必要があるかを判断し，姿勢の固定が必要な場合は，子どもと親に説明し，協力を得る。

採血，血管確保，抜針の際は，血液・体液に触れる可能性があるため，必ず手袋を着用する。万が一，針刺し，切創が起きた場合でも，手袋を着用していると体内に入る血液量（すなわちウイルス量）が少なくなる。手袋は患者ごとに取り替える。

小児，新生児においては，真空採血管を用いた採血は困難な場合が多く，留置針を用いた自然滴下による採血法や耳朶採血，足底部採血を行うことがある。これらの方法は，微量採血管や，ふたをとった真空採血管に直接血液を受けるため，血液曝露の危険が高い。採血部位をしっかりと固定し，必要に応じてプラスチックエプロンなどを着用する。また，注射針や穿刺後のランセットによる負傷にも注意が必要である。

リキャップは原則禁止とし，安全器材の使用や，使用直後の針，器材の廃棄を徹底する。採血室に針廃棄容

器を設置,もしくは携帯用廃棄物容器を持参して採血する。やむをえずリキャップする際は,片手でシリンジをもち,キャップをすくう「片手リキャップ法」を行う。

針刺し,切創が起きた場合は,自施設で用意されている対応マニュアルに従って行動する。

口腔粘膜,眼などに血液が飛散した場合は,直ちに大量の流水で十分に洗う。無傷の場合でも,手指などが血液・体液などに触れた場合は流水で十分に洗う。

採血の際に血液で外面が汚染された検体容器は,容器ごとビニール袋に入れて提出する。また,血液で汚染された依頼伝票は破棄し,新しい伝票を再発行する。

Memo

7.17 リハビリテーション部門

Points
- 子どもとの接触が多いため，必要に応じて個人防護具を着用することが重要である。
- 耐性菌保菌者の訓練は最後のほうにするなど，順番を考慮することが交差感染の防止になる。

小児のリハビリテーション（以下，リハビリ）は，年齢に応じた活動を通じて子どもの発達を促し，身体機能や生活能力を高めることが主な目的である。

対象は新生児から思春期まで幅広く，身体的・精神的・社会的な特性への配慮なくしてリハビリは成り立たない。感染対策の面からもこれらの特性に配慮し，リハビリ本来の目的を損なうことなく，安全で効果的な介入が求められる。

感染対策からみた小児のリハビリの特殊性

(1) 治療時に濃厚な接触場面が多い

乳児や幼児のリハビリでは，療法士の膝や胸に抱きかかえて治療する場面が多い（図1，図2）。治療時に個人防護具を着用した場合でも，袖や襟，ズボンの裾などカバーできない部位が生じてしまう。また，患者側から髪や顔，背中などへの接触も多いため，汚染に注意する。

治療前後には肘関節までの手指衛生と，必要に応じて治療後の更衣を行う。

(2) 小児患者は動きを制御しにくい

言語理解が困難で衛生行動が未熟な場合は，室内での行動を制限することが難しいため，耐性菌を有する児は基本的には病室内で行うことが望ましい。リハビリ室で行う場合は，区画されたスペースや個室対応とし（図3），壁や床・扉・訓練器具・おもちゃなどすべての物品は訓練終了後に清掃，洗浄を行う（表1の手順①）。

また，免疫機能が低下している患者には，感染症への曝露が生じないようサージカルマスクを使用させるか，訓練用個室を利用する。

(3) 体液に触れる機会が多い

患者が乳幼児の場合は，涙，唾液，気道分泌物が療

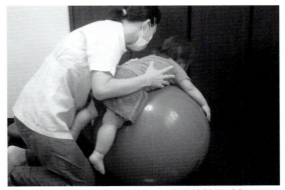

図1 乳児や幼児のリハビリでは体の接触面が多い
（患者の体全体に療法士が触れる）

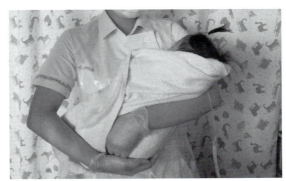

図2 個人防護具を着用してのリハビリ

図3 リハビリ室における個室の例

表1 リハビリ後の清掃・洗浄手順

手順	対象	個人防護具	高度接触面の清掃方法	リハビリ器具の洗浄方法
①	耐性菌 気管分泌物	マスク，手袋， エプロン（ガウン）	低水準消毒薬浸漬クロス	洗浄剤と流水洗い後，高温乾燥
②	吐物処理	マスク，手袋， エプロン	次亜塩素酸ナトリウム溶液 とディスポーザブルクロス	次亜塩素酸ナトリウム溶液に浸け置き 後，高温乾燥

法士の体に付着しやすい。また，おむつを使用している場合でも運動中に漏れてしまい，衣類や治療スペースを汚染することがある。

子どもは突然の嘔吐による吐物の曝露もよくみられ，飛沫・接触ともに感染経路となるため，嘔吐物の処理には細心の注意を払う（**表1**の手順②）。

(4) 患者どうしの接触リスクが高い

子どもは同年代の患者や同じ病棟内の子どもに対し，親近感をもち，近寄っていくことがよくみられる。治療室内で感染症の疑いがある子どもや保菌者が他の患者と接触しないよう，患者誘導経路や待合スペースの工夫が必要である。

(5) 患者の日常スケジュール中での
　　リハビリ治療時間の調整が難しい

年齢が幼いほど睡眠や哺乳の時間が緊密であるが，入院中はさらに治療や検査・処置・看護ケアなどがあるため，リハビリ時間の調整に配慮が必要である。

また，学齢期の患者では院内学級や訪問学級などと重なり学習の機会を損なうことがないよう，同様な配慮が求められる。上記を考慮のうえ，可能なかぎり感染症や耐性菌保菌状況に合わせ，時間配分を行うことが望ましい。

(6) 感染症を発症しやすい

乳幼児は抵抗力が弱く，容易に感染症を発症しやすい。また，各種ワクチンを接種していない場合は，麻疹や水痘，流行性耳下腺炎などの抗体未獲得のため，不顕性感染の状態でのもち込みや曝露により，感染症を発症する危険性が高い。

リハビリ開始直前に，リハビリ室で発熱や嘔吐，発疹などを認めた場合は応急的に隔離し，医師の診察を受ける。外来患者においては，患者本人および家族の感染症発症時は来院を控えるよう案内する。

環境整備と物品管理

リハビリ室は入院・外来患者が多数訪れる場所であり，気づかずに，細菌やウイルス感染症がもち込まれるリスクが非常に高い。出入り口には速乾性擦式手指消毒薬を常備し，来室者には，もれなく手指衛生の実施を促す。

また，個人防護具，環境清掃用の消毒薬などがすぐに使えるように設置する。患者の状態の変化に対応できる個室の設置が望ましいが，難しい場合はオープンスペースの中に区画スペースを準備する。

使用したおもちゃや食器は流水洗浄した後，80 ℃以上の高温乾燥機で熱処理する。乳幼児はおもちゃなどを口に入れることが多いため，布製の製品を避け，水洗いの可能なものを選択する。

治療時に使用したリネン類は使い回しをせず，洗濯を依頼する。治療用マットのほか，室内の清掃は低水準消毒薬浸漬のクロスを用いてこまめに行う。ほこりやかびが発生しないよう不要な物品は処分する。

職員の健康管理と意識づけ

療法士は院内の多部署・多病棟に出入りする職種であるため，日常的な健康管理はもちろんのこと，水平感染の媒体とならないよう，手指衛生や個人防護具の使用などの手順を遵守する。

リハビリには理学療法，作業療法，言語聴覚療法などの部門があり，1人の患者に複数の療法士が関わることが多い。日常の作業マニュアルを整備し，療法士全員が同じ手順で感染対策を行い，治療が行えるよう管理者が定期的に指導する。

7.18 動物介在介入（ファシリティドッグを中心に）

Points
- 動物との触れ合いを通した「いやし」が，動物介在介入の目的である。
- ファシリティドッグは，医療スタッフの一員として常勤している犬であり，**専門的な訓練**を受け，**ハンドラーは医療従事者**であることが求められている。
- ファシリティドッグは，定期的に**ワクチンの接種**や**健康診断**を行い，週1回のシャンプーなどの**衛生管理**も実施したうえで，患者に接触している。

動物介在介入

動物を通した「いやし」が動物介在介入の目的である。動物介在介入とは，米国獣医師会（AVMA）が動物介在療法（AAT）と称す「医療従事者が参画し，ヒトの身体的，社会的，感情的，認知的機能を改善促進する治療」と，動物介在活動（AAA）と称す「動物を介し，QOLを改善する活動」などの総称である[1,2]。

本節ではとくに，病院で施行されるAATに関する感染対策について記した。また，後半は別途，具体的に，ファシリティドッグの導入例について記した。

動物介在介入についての感染対策

AATを行う動物は犬であることが多いが，そのほか猫やミニチュアホースなどが用いられることもある。これらの動物の院内への立ち入りについて，病院ごとにルールがあることが望ましく，その作成には感染対策的な観点についてインフェクションコントロールチーム（ICT）が関わるべきである。米国医療疫学会（SHEA）が2015年に，医療施設における動物管理に関する推奨をウェブページに掲載しているため参考にされたい[3]。

そのなかには，一般的に立ち入ることのできる動物の基準として，
① 1～2歳以上であること
② 90日さかのぼり，完全調理された食事を与えられていること
③ 発情期にないこと
④ 6カ月以上，飼い主と生活をともにしていること
⑤ よくしつけられ，従順であること
⑥ 声掛けによる命令に従うこと
⑦ 1～2mの手綱でコントロールできること
⑧ 来院24時間以内に入浴し，ブラッシング，爪の

表1 米国における動物の立ち入りを禁止している領域（アンケート結果，315施設）

医療施設内エリア	禁止施設数	割合〔%〕
集中治療室	230	73
手術室	293	93
キッチン	211	67
薬剤部	280	89
ステップダウンユニット	123	39
リカバリールーム	271	86
中央処理システム	290	92

〔文献3〕より一部改変〕

AVMA：American Veterinary Medical Association，米国獣医師会
AAT：animal assisted-therapy，動物介在療法
AAA：animal-assisted activity，動物介在活動

表2 米国におけるAAT対象除外患者（20指針から抜粋）

患者種類	除外基準を設けている指針数	割合〔%〕
感染経路別対策がされている（接触／飛沫／空気など）	12	60
免疫不全者（指針により定義はさまざま）	6	30
動物に対するアレルギー	5	25
動物に恐怖心を抱く	5	25
解放創がある	4	20
精神疾患患者	1	5

〔文献3）を参考に作成〕

表3 JACHRI加盟施設におけるAAT導入状況（回答16施設のまとめ）

質問事項	施設数	割合〔%〕
院内での動物との触れ合いを行っていますか？	5	31.2
免疫不全患者とは接触させていますか？	4	25
検査，処置時に動物は関わっていますか？	2	12.5
触れ合う動物の種類は何ですか？	セラピー犬 ファシリティドッグ	＝4施設 ＝3施設
触れ合う場所はどこですか？	プレイルーム 処置室 ベッドサイド 手術室	＝5施設 ＝1施設 ＝2施設 ＝1施設

　ケアがされていること
などがあげられている。そのほか獣医が動物に対して健康であると診断していること，各種ワクチン接種が行われていることなどを別に設けている施設もある。
　動物の活動に関する規定に関して，施設ごとに，立ち入り禁止場所（表1）やAAT対象除外患者（表2）に関してまとめられている。また，日本小児総合医療施設協議会（JACHRI）加入施設におけるAAT導入状況について表3にまとめた。これらの結果からは，いくら重症や感染リスクが高い場合であっても，必ずしもすべての場所，患者がAAT禁止対象になっていないことがわかる。これらの状況をあわせ，各施設の対応を協議することが必要である。

ファシリティドッグ

　"ファシリティドッグ（FD）"とは，「医療スタッフの一員として1つの病院に常勤している犬」のことである。不定期にボランティアで訪れるセラピードッグとはその役割は異なる。
　FDは，検査や処置に付き添うなど，より積極的に治療に介入していく犬である。その活動が充実したものとなるかどうかは，医療スタッフの理解と協力によるといえる。
　FDのハンドラー（犬をコントロールする人のこと）はトレーニングを受けた医療従事者であり，FDとチームを組んで，患者の治療に積極的に介入していく[1]。ハンドラーは臨床経験のある医療従事者であり，FDの活動に必要な感染対策に対する知識を有していなければならない。
　通常の活動でイヌからヒトに感染症を移す危険性は人獣共通感染症に限られる。たとえば，ノロウイルスはヒトにしか感染を起こさないため，イヌが罹患する可能性はない。このようにFD導入前に医療スタッフに正しい知識を周知し，患者家族に質問されたときにも正しく答えられるようにしておく必要がある。

FD：facility dog，ファシリティドッグ

犬自体に感染上の問題がなくても多数の人が触れることにより，FDが感染症の媒介になる報告があり，その危険性を下げる必要がある。かつ，院内で感染症が流行したときのFDに対する風評被害を防ぐためにも，以下の対策を行う。

（1）日常・出勤前の準備

日常・出勤前の準備などを以下に示す。

- 毎日グルーミングを行い，抜け毛を最小限に抑える。
- 爪切り，耳掃除，足裏の毛カットは週1回行う。
- 毎朝歯みがきをする。
- ハンドラー，FDどちらか一方でも体調が万全でないときには仕事を休む。
- FDは月曜～金曜まで勤務するため，週1回，日曜日にシャンプーを行う。

FDが穏やかな心を保ち，仕事を楽しむためには，勤務時間外には「普通の犬」として遊ぶことが重要である。毎日，十分な散歩をし，休日には水遊びやドッグランなどで思いきり遊ばせる必要もある。

犬を清潔に保つことばかりを考え，犬の生得的欲求をないがしろにしてはならない。

（2）勤務中の管理

勤務中の管理には，以下のようなものがある。

- 人はFDを触った後はもちろん，触る前にも手指衛生を行う。
- 病院に入る前後，各病棟に入る前後でFDの全身を除菌ウェットティッシュで清拭する。
- FDが直接床に寝ころぶことがないよう，床に敷くシートをもち歩き，床に触れたときにはそのつど清拭する。
- 感染症罹患患者や耐性菌を保菌している子どもとは接触しない。外来など，感染症のチェックができていない子どもが不特定多数いる場所での活動は控える。
- ベッドで添い寝するときには，バスタオルを敷く（図1）。

FDの介入の実際と育成

FDは，骨髄穿刺や腰椎穿刺にも同席することが可能である（図2）。途中で覚醒した子どもも，FDをなでることにより落ち着き，追加の鎮静薬が不要になることもある。

主治医と麻酔科医承認のうえ，手術室前室まで一緒に行き，麻酔導入まで付き添うことも可能である（図3）。

FDは，突然子どもが叫び声をあげたりモニターが鳴り出すなどしても動じることがない。現在，日本に導入されているFDは，素質を5代前までさかのぼって選ばれている。同時に仔犬の頃からさまざまな場所に出向き，何があっても動じることがない，もしくは場の雰囲気に適応できるよう育成されている。

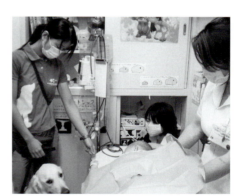

図2　骨髄穿刺同席

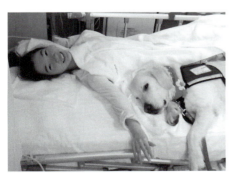

図1　FDと添い寝

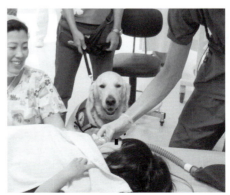

図3　麻酔導入付き添い

 FDと感染対策

FDの役割は，子どもや家族が犬と触れ合うことで心が癒され，勇気を与えられ，その結果，治療への前向きな姿勢を促し，治療効果を上げることである。

患者とFDとの触れ合いは濃厚であり，抱きしめ，添い寝をし，ときには清潔操作が必要な検査時にも寄り添い，手術室入室時の麻酔導入までの付き添いも行う。

FDはその役割を果たすため，さまざまな管理がなされており，感染について必要以上の不安を抱く必要はない。しかし，安全で継続可能な活動を行うためには，施設内で決められたルールに従う必要がある。

施設側の準備

ペットとして飼われているイヌやネコなどから感染する人畜共通感染症は30種類以上ある。しかし，そのほとんどが犬のワクチン接種・定期健診・問題行動のコントロール・清潔保持，ハンドラーが感染対策を意識することで予防できる。そのため，継続的なFDの管理と，ハンドラーの感染対策に関する知識の確認は，動物介

表4 ファシリティドッグ感染対策マニュアルの例

ファシリティドッグ導入にともなう感染対策

〔ファシリティドッグ導入における前提〕
1. ファシリティドッグについて
   ①ファシリティドッグは，予防接種，定期的な血液検査などの臨床検査と診察を受け，管理している
   ②活動前に毎朝，グルーミング・歯みがきを行う
   ③活動中に不適切な排泄がないよう訓練されている
   ④施設内に入るときは，全身の清拭をし，清潔にしてから入る
   ⑤活動場所はあらかじめ指定されており，そのほかの場所では活動しない
   ⑥活動場所への移動時，他の患者や職員と触れ合う機会を最小限にとどめる
   ⑦病気の徴候が確認された場合は訪問しない
   ⑧5代前までの先祖にまでさかのぼり，性格のチェックがされている
      （かむ，吠えるなどの行動は遺伝的要素が強い）
      ※以上は，ファシリティドッグ提供側より提示された内容であり，定期的な確認はボランティアコーディネーターにより行われる。
2. ハンドラーについて
   ①医療従事者であり，標準予防策についての知識を有している
   ②小児の伝染性疾患の抗体価を検査し，必要時，ワクチンを接種する
   ③インフルエンザワクチン接種を行う
   ④病気の徴候がある場合は，訪問しない
   ⑤ICTの指示のもと，感染対策に協力する

〔動物介在療法を受けるときの感染対策〕
1. 患者および家族
   ①ファシリティドッグに触れる前後には，手指衛生・うがいを必ず行う
   ②流行性感染症に罹患している場合はセラピーを受けない
2. ハンドラー
   ①患者から患者へ移動するときは，手指消毒を行う
   ②ファシリティドッグが床に寝ころぶなどし，患者が触れる部分が汚染された可能性がある場合，または，患者のベッドに上がる場合は清拭を行う
   ③活動場所で，個人防護具（マスク，キャップなど）の着用の指示があった場合は，必ず指示に従う
   ④手術室内での活動は，特殊な条件が必要であり，活動時は手術室の看護師の指示に従う
3. その他
   ①犬にかまれるなどの事故があった場合は，まず，流水・石鹸で洗浄し，必ず医師の診察を受ける
      患者　→　主治医診察，その後状況に応じ，ICTに相談
      職員　→　切創事故として報告，ICTの指示を受ける
   ②院内感染，季節性の疾患の流行があった場合は，ICTの権限により訪問を一定期間制限する場合がある

在療法を安全に継続するための重要な鍵となる。

FD を感染経路とする院内感染は，触れ合う人間が FD に触れる前・触れた後で手指衛生を行う，感染症罹患患者は FD 訪問を受けないなどの，標準予防策を遵守することで予防することが可能である。施設の状況に応じたマニュアルの作成が必要となる。

マニュアルには，① FD 側の準備，② FD とハンドラーが継続的に行う感染対策，③病院において動物介在療法を受ける側の感染対策について，の 3 点は明示すべきである。マニュアルの例を表 4 に示す。さらに，誰もが対策を実施できるよう，マニュアルを院内に周知すること，対象患者や家族が正しい感染対策を実施できるよう導入前に手指衛生などの指導も終了しておくことが望ましい。

また，動物を愛する患者および家族，職員においては，無条件に FD との触れ合いは安寧を得られるものである半面，動物に対して好感をもっていない者には恐怖心や，感染・事故に関する不安を与える可能性が高い。そのため，患者および家族の不安を取り除くための動物介在療法であること，FD の安全性についての説明（資料）も準備しておくとよい。

動物介在療法の導入

動物介在療法の導入にあたり，提供する側，受ける側の標準予防策の遵守と，FD 管理が適切になされれば，安全な導入は可能である。

文献

1) American Veterinary Medical Association：Guidelines for Animal-Assisted Activity, Animal-Assisted Therapy and Resident Animal Programs ［https://ebusiness.avma.org/files/productdownloads/guidelines_AAA.pdf（2022 年 5 月現在）］
2) 日本動物病院協会：アニマルセラピー 人と動物のふれあい活動（CAPP）［https://www.jaha.or.jp/hab/capp/（2022 年 5 月現在）］
3) Murthy R, et al：Animals in healthcare facilities: recommendations to minimize potential risks. Infect Control Hosp Epidemiol, 36(5)：495-516, 2015
4) Assistance Dogs of Hawaii：Hospital Facility Dogs ［https://assistancedogshawaii.org/hospital-facility-dogs/（2022 年 5 月現在）］
5) 大塚喜人・編：感染対策に役立つ臨床微生物らくらく完全図解マニュアル, インフェクションコントロール 2011 年春季増刊号, メディカ出版, p6, 2011
6) 高柳友子：動物がもたらすリスクと留意点－人畜共通感染症. 総合ケア別冊 医療と福祉のための動物介在療法, 医歯薬出版, pp53-51, 2003
7) 高柳友子：動物とのふれあい活動および動物介在療法の実際と課題. Journal of Clinical Rehabilitation, 医歯薬出版, 7 (1)：75-78, 1998
8) メリー R バーチ・著, 高柳友子・監訳, 山本央子・翻訳：よくわかる！ アニマルセラピー；動物介在療法の基礎とケーススタディ, インターズー, 2010
9) 人獣共通感染症勉強会・著, 高山直秀・編：人獣共通感染症ハンドブック ペットとあなたの健康, メディカ出版, 1999
10) 厚生労働省健康局結核感染症課：動物由来感染症ハンドブック 2022, ［https://www.mhlw.go.jp/stf/seisakunitsuite/bunya/kenkou_iryou/kenkou/kekkaku-kansenshou18/index.html（2022 年 5 月現在）］

Memo

付録 ① 「感染症の予防及び感染症の患者に対する医療に関する法律」（感染症法）で届出が必要な疾患
付録 ② 感染対策早見表
付録 ③ 一般的な感染症の場合の感染経路別対策と出勤可能基準の一例
付録 ④ 「感染症の予防及び感染症の患者に対する医療に関する法律」（感染症法）にもとづく耐性菌届出基準
付録 ⑤ 各感染症に曝露した場合の観察期間
付録 ⑥ 小児に多い感染症の潜伏期間，感染（病原体）排泄期間の一覧表
付録 ⑦ 各感染症の基本再生産数（R_0）
付録 ⑧ 日本小児科学会が推奨する予防接種スケジュール
付録 ⑨ 洗浄・滅菌に関する Spaulding（スポルディング）分類表
付録 ⑩ 清浄度クラスと換気条件（代表例）
付録 ⑪ 子どもの権利条約（日本ユニセフ協会抄訳）

付録① 「感染症の予防及び感染症の患者に対する医療に関する法律」（感染症法）で届出が必要な疾患

※実際の対応にあたっては，厚生労働省のWebサイトなどから最新の行政資料を確認してください（2022年7月現在）．

(1) 全数把握（すべての医師が，すべての患者の発生について届出を行う感染症）

患者が発生するたび，診断した医師が，最寄りの保健所に届け出る．

① 1類感染症（直ちに届け出る．入院医療機関：特定感染症指定医療機関，第一種感染症指定医療機関）

感染力，罹患した場合の重篤性などにもとづく総合的な観点からみた危険性が，きわめて高い感染症．

〔対象疾患〕

エボラ出血熱，クリミア・コンゴ出血熱，痘そう，南米出血熱，ペスト，マールブルグ病，ラッサ熱

② 2類感染症（直ちに届け出る．入院医療機関：感染症指定医療機関〔結核指定医療機関を除く〕）

感染力，罹患した場合の重篤性などにもとづく総合的な観点からみた危険性が高い感染症．

〔対象疾患〕

急性灰白髄炎，結核，ジフテリア，重症急性呼吸器症候群（病原体がコロナウイルス属SARSコロナウイルスであるものに限る），中東呼吸器症候群（病原体がベータコロナウイルス属MERSコロナウイルスであるものに限る），鳥インフルエンザ（H5N1），鳥インフルエンザ（H7N9）

③ 3類感染症（直ちに届け出る）

感染力，および罹患した場合の重篤性などにもとづく総合的な観点からみた危険性は高くないが，特定の職業への就職によって感染症の集団発生を起こしうる感染症．

〔対象疾患〕

コレラ，細菌性赤痢，腸管出血性大腸菌感染症，腸チフス，パラチフス

④ 4類感染症（直ちに届け出る）

動物，飲食物などの物件を介して人に感染し，国民の健康に影響を与えるおそれがある感染症（ヒトからへの伝染はしない）．

〔対象疾患〕

E型肝炎，ウエストナイル熱，A型肝炎，エキノコックス症，黄熱，オウム病，オムスク出血熱，回帰熱，キャサヌル森林病，Q熱，狂犬病，コクシジオイデス症，サル痘，重症熱性血小板減少症候群（病原体がフレボウイルス属SFTSウイルスであるものに限る），腎症候性出血熱，西部ウマ脳炎，ダニ媒介脳炎，炭疽，チクングニア熱，つつが虫病，デング熱，東部ウマ脳炎，鳥インフルエンザ〔鳥インフルエンザ（H5N1およびH7N9）を除く〕，ニパウイルス感染症，日本紅斑熱，日本脳炎，ハンタウイルス肺症候群，Bウイルス病，鼻疽，ブルセラ症，ベネズエラウマ脳炎，ヘンドラウイルス感染症，発疹チフス，ボツリヌス症，マラリア，野兎病，ライム病，リッサウイルス感染症，リフトバレー熱，類鼻疽，レジオネラ症，レプトスピラ症，ロッキー山紅斑熱

⑤ 5類感染症の一部（侵襲性髄膜炎菌感染症，風疹および麻疹は直ちに届け出る．その他の感染症は7日以内に届け出る）

国が感染症の発生動向調査を行い，その結果などにもとづいて必要な情報を国民一般や医療関係者に情報提供・公開していくことよって，発生・まん延を防止すべき感染症．

〔対象疾患〕

アメーバ赤痢，ウイルス性肝炎（E型肝炎およびA型肝炎を除く），カルバペネム耐性腸内細菌科細菌感染症，急性弛緩性麻痺（急性灰白髄炎を除く），急性脳炎（ウエストナイル脳炎，西部ウマ脳炎，ダニ媒介脳炎，東部ウマ脳炎，日本脳炎，ベネズエラウマ脳炎およびリフトバレー熱を除く），クリプトスポリジウム症，クロイツフェルト・ヤコブ病，劇症型溶血性レンサ球菌感染症，後天性免疫不全症候群，ジアルジア症，侵襲性インフルエンザ菌感染症，侵襲性髄膜炎菌感染症，侵襲性肺炎球菌感染症，水痘（入院例に限る），先天性風疹症候群，梅毒，播種性クリプトコックス症，破傷風，バンコマイシン耐性黄色ブドウ球菌感染症，バンコマイシン耐性腸球菌感染症，百日咳，風疹，麻疹，薬剤耐性アシネトバクター感染症

⑥新型インフルエンザ等感染症（直ちに届け出る）
　〔対象疾患〕
　　新型コロナウイルス感染症（病原体がベータコロナウイルス属のコロナウイルス（令和2年1月に中華人民共和国から世界保健機関に対して，人に伝染する能力を有することが新たに報告されたものに限る）

（2）定点把握（指定した医療機関が，患者の発生について届出を行う感染症）
　　医療機関ごとに，週または月ごとにとりまとめて保健所に届け出る。
　　対象となる疾患：5類感染症の一部

①小児科定点医療機関（全国約3,000カ所の小児科医療機関）が届け出る疾患〔週単位（月〜日）〕
　RSウイルス感染症，咽頭結膜熱，A群溶血性レンサ球菌咽頭炎，感染性胃腸炎，水痘，手足口病，伝染性紅斑，突発性発疹，ヘルパンギーナ，流行性耳下腺炎

②インフルエンザ定点医療機関（全国約5,000カ所の内科・小児科医療機関），および基幹定点医療機関（全国約500カ所の病床数300以上の内科・外科医療機関）が届け出る疾患〔週単位（月〜日）〕
　インフルエンザ（鳥インフルエンザおよび新型インフルエンザ等感染症を除く）

③眼科定点医療機関（全国約700カ所の眼科医療機関）が届け出る疾患〔週単位（月〜日）〕
　急性出血性結膜炎，流行性角結膜炎

④性感染症定点医療機関（全国約1,000カ所の産婦人科等医療機関）が届け出る疾患〔月単位〕
　性器クラミジア感染症，性器ヘルペスウイルス感染症，尖圭コンジローマ，淋菌感染症

⑤基幹定点医療機関（全国約500カ所の病床数300以上の医療機関）が届け出る疾患
　〔週単位（月〜日）〕
　感染性胃腸炎（病原体がロタウイルスであるものに限る），クラミジア肺炎（オウム病を除く），細菌性髄膜炎（髄膜炎菌，肺炎球菌，インフルエンザ菌を原因として同定された場合を除く），マイコプラズマ肺炎，無菌性髄膜炎
　〔月単位〕
　ペニシリン耐性肺炎球菌感染症，メチシリン耐性黄色ブドウ球菌感染症，薬剤耐性緑膿菌感染症

⑥疑似症定点医療機関（全国約700カ所の集中治療を行う医療機関等）が届け出る疾患（直ちに届け出る）
　発熱，呼吸器症状，発しん，消化器症状または神経症状その他感染症を疑わせるような症状のうち，医師が一般に認められている医学的知見に基づき，集中治療その他これに準ずるものが必要であり，かつ，直ちに特定の感染症と診断することができないと判断したもの。

付録② 感染対策早見表
（☐箇所は標準予防策と同様に行う）

対　策	対　象	手指衛生	手　袋
標準予防策	感染症の有無にかかわらず、すべての患者に実施すること	・手袋を着用していた場合でも外した後に手指衛生も行う ・血液・体液・分泌物または汚染物に触ったときや、処置・患者ごとに行う ・目に見える汚れでなければ、速乾性手指消毒薬でよい	・血液・体液・分泌物、または汚染物への接触時に着用 ・各処置ごとに交換 ・病原体が高濃度に存在する部位に接触した際は、同じ患者であっても処置ごとに交換する

経路別予防策（標準予防策に追加して行うこと）

対　策	対　象	手指衛生	手　袋
空気予防策 **Points** ・空調管理 ・換気	・結核 ・水痘（播種性帯状疱疹含む） ・麻疹		・汚染された区域や器材に接触があるときは、入室時に着用する ・手荒れのある職員は入室時に着用する
飛沫予防策 **Points** ・患者との密接な接触の際の防御 ・サージカルマスク	・アデノウイルス ・インフルエンザウイルス ・ムンプスウイルス ・パルボウイルス B19 ・ライノウイルス ・風疹 ・SARS／MERS ・ジフテリア（喉頭） ・インフルエンザ菌 b 型（侵襲性） ・マイコプラズマ ・髄膜炎菌 ・百日咳菌 ・A 群 β 溶血性連鎖球菌		・汚染された区域や器材に接触があるときは、入室時に着用する ・手荒れのある職員は入室時に着用する
接触予防策 **Points** ・医療従事者の汚染した手が感染を広げる ・手袋着用と手洗いを遵守	・アデノウイルス（結膜炎） ・RS ウイルス ・ロタウイルス ・エンテロウイルス ・単純ヘルペスウイルス ・クロストリジウム・ディフィシル ・腸管出血性大腸菌 ・A 型肝炎ウイルス ・水痘・帯状疱疹ウイルス（帯状疱疹） ・伝染性膿痂疹（とびひ） ・サルモネラ菌 ・疥癬・赤痢菌 ・アタマジラミ ・出血熱ウイルス（エボラウイルス、ラッサウイルスなど） ・MRSA ・VRE ・その他の多剤耐性菌	・患者ケア後は手袋を外して手指衛生を行う ・他の病室の患者に微生物を伝播させないために、患者の病室内の環境表面や物品に触れた後は必ず手洗いする（流水下での手指衛生でも可） ・急性腸炎の場合は、アルコールが無効な場合もあるため、流水での手指衛生を行う	・標準予防策に加え、病室入室時には清潔な未滅菌手袋を着用する ・汚染物処理後には手袋を交換して患者ケアを行う

エプロン（プラスチック）	マスク	アイシールド	患者配置・移送
血液・体液などが飛散したり，飛沫の発生により，皮膚・着衣が汚染される可能性のあるすべての処置やケアで着用	血液・体液などが飛散したり，飛沫の発生により，鼻・口の粘膜が汚染される可能性のある処置やケアで着用	血液・体液などの飛散，飛沫の発生により鼻・口の粘膜が汚染される可能性のある処置やケアで装着	
・医療者の着衣に汚染がないときは不要 ・抱っこするときはエプロンを使用 ・退室時は病室内の感染性廃棄物容器に捨てる	・患者に接する医療者，および面会者で抗体のない人はN95マスク（レスピレータ）を使用（フィットチェックを実施） ・マスクを外すときには，病室ではなく前室で外す ・水痘・麻疹では抗体保有者であればN95マスクは不要		・原則的に，個室で陰圧（空調）隔離 ・部屋のドアは閉める ・患者の移動は最小限にとどめ，移送時には患者にサージカルマスクを着用させる ・定められた移送ルートを使用する
・医療者の着衣に汚染のおそれがないときは不要 ・抱っこするときはエプロンを使用 ・退室時は病室内の感染性廃棄物容器に捨てる	・患者の2m以内の距離で作業をするときには，すべての医療者はサージカルマスクを着用する ・マスクは1回使い捨てとして，使用後は病室内の感染性廃棄物容器に捨てる ・感染性廃棄物容器は患者スペースから2m以上離して配置する		・個室の使用 ・特別な換気装置は不要 ・部屋のドアは閉めなくてもよいが，他児が入らないように調整が必要 ・相部屋となるときは，カーテンを閉め，同室の患者と接触しないようにする ・ベッド間隔を2m以上離す ・患者の移動は最小限にとどめ，移送時にはサージカルマスクを着用する
・体位交換やシーツ交換，おむつ交換などで患者自身やリネン，排泄物に密接に接するとき／患者に被覆されていない創部ドレーンなどがあるとき／抱っこするときには着用する ・退室時は病室内の感染性廃棄物容器に捨てる	病原体が検出されている（疑われている）体液，血液，分泌物，排泄物が飛散し，口腔，鼻腔から吸引する危険があるときは着用（子どもの咳，鼻水，よだれが多いときには着用）		・個室を使用することが望ましい ・部屋のドアは，日中は閉めるなど他児が入らないように調整を行う ・相部屋となるときは，同室の患者・保護者と接触しないようにする ・患者の移動は最小限にする ・患者に使用する器具（血圧計，聴診器，体温計など）は可能なかぎり個人専用とする

付録③　一般的な感染症の場合の感染経路別対策と出勤可能基準の一例

疾患の分類	感染経路別対策	代表的な疾患	出勤可能基準など
呼吸器系感染症	〔飛沫予防策〕 咳，くしゃみがある場合はサージカルマスク着用	インフルエンザ	解熱48時間経過後より出勤可能。ただし発症後5日間はサージカルマスクを着用する
		百日咳	5日間の抗菌薬治療終了後
		マイコプラズマ	解熱後（咳嗽ある場合はサージカルマスク着用）
		結核	主治医の許可
消化器系感染症	〔接触予防策〕 ・嘔吐物は個人防護具を着用して処理する。吐物を拭き取り，0.1％次亜塩素酸ナトリウム溶液を浸漬したクロスで消毒する ・使用後のトイレ便座は，0.1％次亜塩素酸ナトリウム溶液を浸漬したクロスで拭く ・高頻度接触部位を拭く	ノロウイルス感染症	症状が完全に治まるまで （ただし，調理従事者はリアルタイムPCR法等の高感度の検便検査においてノロウイルスを保有していないことが確認されるまでの間）
その他		流行性角結膜炎	発症後14日以上経過してから
		流行性耳下腺炎	耳下腺腫脹出現後，10日目以降
		帯状疱疹	被覆できない場合は，体表面の水疱がすべて痂皮化してから
		疥癬	治療により落屑がなくなってから

付録④ 「感染症の予防及び感染症の患者に対する医療に関する法律」(感染症法)にもとづく耐性菌届出基準

耐性菌	検査方法	検査材料
カルバペネム耐性腸内細菌科細菌 (CRE)	分離・同定による腸内細菌科細菌の検出，かつ，次のいずれかによるカルバペネム系薬剤および広域 β-ラクタム剤に対する耐性の確認 ①メロペネムの MIC 値（minimum inhibitory concentration，最小発育阻止濃度）が $2\ \mu g/mL$ 以上であること，またはメロペネムの感受性ディスク（Kirby Bauer；KB）の阻止円の直径が 22 mm 以下であること ②次のいずれにも該当することの確認 ・イミペネムの MIC 値が $2\ \mu g/mL$ 以上であること，またはイミペネムの感受性ディスク（KB）の阻止円の直径が 22 mm 以下であること ・セフメタゾールの MIC 値が $64\ \mu g/mL$ 以上であること，またはセフメタゾールの感受性ディスク（KB）の阻止円の直径が 12 mm 以下であること	血液，腹水，胸水，髄液その他の通常無菌的であるべき検体
	次のいずれにも該当することの確認 ①分離・同定による腸内細菌科細菌の検出 ②次のいずれかによるカルバペネム系薬剤および広域 β-ラクタム剤に対する耐性の確認 ・メロペネムの MIC 値が $2\ \mu g/mL$ 以上であること，またはメロペネムの感受性ディスク（KB）の阻止円の直径が 22 mm 以下であること ・次のいずれにも該当することの確認 　―イミペネムの MIC 値が $2\ \mu g/mL$ 以上であること，またはイミペネムの感受性ディスク（KB）の阻止円の直径が 22 mm 以下であること 　―セフメタゾールの MIC 値が $64\ \mu g/mL$ 以上であること，またはセフメタゾールの感受性ディスク（KB）の阻止円の直径が 12 mm 以下であること ③分離菌が感染症の起因菌と判定されること	喀痰，膿，尿その他の通常無菌的ではない検体
薬剤耐性アシネトバクター	分離・同定によるアシネトバクター属菌の検出，かつ，以下の3つの条件をすべて満たした場合 ①イミペネムの MIC 値が $16\ \mu g/mL$ 以上または，イミペネムの感受性ディスク（KB）の阻止円の直径が 13 mm 以下 ②アミカシンの MIC 値が $32\ \mu g/mL$ 以上または，アミカシンの感受性ディスク（KB）の阻止円の直径が 14 mm 以下 ③シプロフロキサシンの MIC 値が $4\ \mu g/mL$ 以上または，シプロフロキサシンの感受性ディスク（KB）の阻止円の直径が 15 mm 以下	血液，腹水，胸水，髄液，その他の通常無菌的であるべき検体
	分離・同定によるアシネトバクター属菌の検出，かつ，以下の3つの条件をすべて満たし，かつ，分離菌が感染症の起因菌と判定された場合 ①イミペネムの MIC 値が $16\ \mu g/mL$ 以上または，イミペネムの感受性ディスク（KB）の阻止円の直径が 13 mm 以下 ②アミカシンの MIC 値が $32\ \mu g/mL$ 以上または，アミカシンの感受性ディスク（KB）の阻止円の直径が 14 mm 以下 ③シプロフロキサシンの MIC 値が $4\ \mu g/mL$ 以上または，シプロフロキサシンの感受性ディスク（KB）の阻止円の直径が 15 mm 以下	喀痰，膿，尿，その他の通常無菌的ではない検体
薬剤耐性緑膿菌	分離・同定による緑膿菌の検出，かつ，以下の3つの条件をすべて満たした場合 ①イミペネムの MIC 値が $16\ \mu g/mL$ 以上または，イミペネムの感受性ディスク（KB）の阻止円の直径が 13 mm 以下 ②アミカシンの MIC 値が $32\ \mu g/mL$ 以上または，アミカシンの感受性ディスク（KB）の阻止円の直径が 14 mm 以下 ③シプロフロキサシンの MIC 値が $4\ \mu g/mL$ 以上または，シプロフロキサシンの感受性ディスク（KB）の阻止円の直径が 15 mm 以下	血液，腹水，胸水，髄液，その他の通常無菌的であるべき検体
	分離・同定による緑膿菌の検出，かつ，以下の3つの条件をすべて満たし，かつ，分離菌が感染症の起因菌と判定された場合 ①イミペネムの MIC 値が $16\ \mu g/mL$ 以上または，イミペネムの感受性ディスク（KB）の阻止円の直径が 13 mm 以下 ②アミカシンの MIC 値が $32\ \mu g/mL$ 以上または，アミカシンの感受性ディスク（KB）の阻止円の直径が 14 mm 以下 ③シプロフロキサシンの MIC 値が $4\ \mu g/mL$ 以上または，シプロフロキサシンの感受性ディスク（KB）の阻止円の直径が 15 mm 以下	喀痰，膿，尿，その他の通常無菌的ではない検体

付録⑤　各感染症に曝露した場合の観察期間

(1) 感染期間，(病原体)排泄期間，もしくは潜伏期間

(a) "感染期間（病原体排泄期間）"とは，「他者に（病原体を）曝露（感染）させうる期間」であり，他者に病原体を感染させることができる状態にあるということを指す（付録⑥ **別表1**, p.307）。この感染（病原体排泄）期間は，病気を発症する時期とはまた異なっているため，潜伏期間の末期と重複することもある。

(b) 「宿主に曝露され，感染した時期から，症状出現までの期間」を"潜伏期間"という。潜伏期間は病原体の種類によって異なる（付録⑥ **別表2**, p.307）。なお，他人に伝染する時期である感染期間（曝露期間もしくは病原体排泄期間）は潜伏期間内と重なることもある。

(2) 感染（病原体排泄）期間の考え方

(a) ウイルス感染による臨床経過とウイルス排泄期間の考え方

例：5月2日にインフルエンザを発症した人のウイルス排泄期間

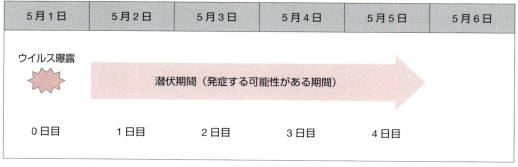

(b) 潜伏期間の考え方

例：5月1日に遊んだ友人が，5月2日深夜より発熱があり，日中にインフルエンザを発症した。

文献
1) Red Book, 30th edition, American Academy of Pediatrics, 2015
2) Bolyard EA, et al：Guideline for infection control in health care personnel, 1998
　　［http://www.cdc.gov/hicpac/pdf/infectcontrol98.pdf（2022年5月現在）］

付録⑥　小児に多い感染症の潜伏期間，感染（病原体）排泄期間の一覧表

疾患名	感染経路	潜伏期間（発症の可能性のある期間）	病原体排泄期間	「学校保健安全法」による出席停止期間*	予防方法
結核	空気感染	・ツ反やIGRAが陽性となるまでは2～10週 ・発症のリスクは6カ月が最も高く，2年までは高リスク	内服薬開始後，菌検出がなくなるまで	病状により，学校医その他の医師において，感染のおそれがないと認めるまで	BCGワクチン
水痘	空気感染 接触感染	10～21日 （γグロブリン投与者28日）	症状出現2日前～すべての発疹が痂皮形成するまで	すべての発疹が痂皮化するまで	水痘弱毒生ワクチン（定期接種）
麻疹	空気感染	8～12日 （最長7～21日）	発疹出現4日前～発疹出現後4日目	解熱した後3日間を経過するまで	・麻しん風しん混合ワクチン（定期接種），麻しん弱毒生ワクチン。1歳になったらなるべく早く，原則として，麻しん風しん混合ワクチンを接種する ・小学校就学前の1年間（5歳児クラス）に2回目の麻しん風しん混合ワクチン接種を行う
風疹	飛沫感染	16～18日 （最長14～21日）	症状出現7日前～発疹出現後7日まで（最長14日まで）	発疹が消失するまで	
流行性耳下腺炎（おたふくかぜ）	飛沫感染	16～18日 （最長12～25日）	耳下腺の腫脹1～2日前～腫脹後5日目まで	耳下腺，顎下腺または舌下腺の腫脹が発現した後5日を経過し，かつ全身状態が良好になるまで	おたふくかぜ弱毒生ワクチン（任意接種）
インフルエンザ	飛沫感染	1～4日	発症1日前～発症後約5日目まで	発症後5日を経過し，かつ解熱した後2日（幼児は3日）を経過するまで	・インフルエンザワクチン（任意接種）をシーズン前に毎年接種する ・6カ月以上13歳未満は2回接種ワクチンによる抗体上昇は，接種後2週間から5カ月まで持続する ・ワクチンを接種したからといってインフルエンザに罹患しないということはない ・乳幼児の場合は，成人と比較してワクチンの効果は低い
百日咳	飛沫感染	通常7～10日 （最長5～21日）	カタル期～第4週間5日間のマクロライド系抗菌薬による治療終了まで	特有の咳が消失するまで，または5日間の適正な抗菌薬による治療が終了するまで	・DPT-不活化ポリオ（IPV）四種混合ワクチン（定期接種） ・日本小児科学会は5歳以上7歳未満と11～12歳でのDPT（三種混合）ワクチンの任意接種を推奨〔11～12歳はDT（二種混合）の代わり〕

（次頁へ続く）

付録⑥　小児に多い感染症の潜伏期間，感染（病原体）排泄期間の一覧表

疾患名	感染経路	潜伏期間（発症の可能性のある期間）	病原体排泄期間	「学校保健安全法」による出席停止期間*	予防方法
RSウイルス感染症	接触感染 飛沫感染	4〜6日（最長2〜8日）	症状発症中（乳幼児では数カ月にわたり排出する場合がある）	なし	・ハイリスク児にはRSウイルスに対するモノクローナル抗体（パリビズマブ）を流行期に定期的に注射し，発症予防と，軽症化を図る
流行性角結膜炎（アデノウイルス）	接触感染	2〜14日	有症状期間	学校医その他の医師において感染のおそれがないと認めるまで	ワクチンはない
咽頭結膜炎（アデノウイルス）	接触・飛沫感染	2〜14日	最初の数日間が最も多いが，数カ月にわたり排出される	主要症状が消退した後，2日を経過するまで	ワクチンはない
手足口病	接触感染	3〜6日	咽頭：発症後〜1〜2週間 便：発症後〜5週間	なし	ワクチンはない
A群溶連菌感染症	飛沫感染（咽頭炎・肺炎）	咽頭炎・肺炎：2〜5日	適切な治療開始後24時間	適正な抗菌薬治療開始後24時間を経て，全身状態が良ければ登校可能	ワクチンはない
	接触感染（皮膚感染症）	膿痂疹：7〜10日	少なくとも適切な治療開始後24時間		
アタマジラミ	接触感染	10〜14日	成熟した成虫がいる間	なし	・シャンプーを使い，毎日洗髪する ・タオル，くし，帽子などの共用を避ける
腸管出血性大腸菌感染症（O157）	糞口感染 接触感染	3〜4日（最長2〜9日）	症状出現〜2週間程度	病状により，学校医その他の医師において，感染のおそれがないと認めるまで	
ノロウイルス感染症	糞口感染 接触感染	12〜48時間	症状発症後〜1週間	学校医その他の医師において，感染のおそれがないと認めるまで	
ロタウイルス感染症	接触感染	1〜3日	下痢発症前〜21日（最長で）	なし	ロタワクチン（任意接種）

*学校保健安全法にもとづく基準のみを記載しており，疾患によっては自治体や施設ごとに指定されている場合もあるので確認が必要。

付録⑥ 小児に多い感染症の潜伏期間，感染（病原体）排泄期間の一覧表

別表1　疾患別ウイルス排泄（感染）期間早見表

疾患名	発症前の日数									発症	発症後の日数											学校保健安全法による出校停止期間
	-9	-8	-7	-6	-5	-4	-3	-2	-1	0	1	2	3	4	5	6	7	8	9	10		
水痘																						すべての水疱が痂皮化するまで
麻疹*1																						解熱後3日を経過するまで
風疹*2																						発疹が消失するまで
流行性耳下腺炎*3																						耳下腺の腫脹が出現した後，5日を経過し，かつ全身状態が良好になるまで
インフルエンザ																						発症後5日を経過し，かつ解熱後2日（幼児は3日）を経過するまで
伝染性紅斑（リンゴ病）																						出校停止なし
咽頭結膜炎（プール熱）											（有症状2〜3週間）											主要な症状消退後2日経過するまで
流行性角結膜炎											（有症状7〜14日間）											学校医・その他の医師において，感染のおそれがないと認めるまで

＊1：発疹の出現を発症とした場合。
＊2：入院中の飛沫予防策は，発疹出現から7日目までとされている。
＊3：入院中の飛沫予防策は，耳下腺腫脹後5日目までとされている。

別表2　疾患別潜伏期間早見表

疾患名	接触後の日数																													
	1	2	3	4	5	6	7	8	9	10	11	12	13	14	15	16	17	18	19	20	21	22	23	24	25	26	27	28	29	30
水痘																					通常は21日間，γグロブリン投与者は28日間									
麻疹																														
風疹																														
流行性耳下腺炎																														
インフルエンザ																														
百日咳																														
RSウイルス感染症																														
手足口病																														
伝染性紅斑（リンゴ病）																														
単純ヘルペス感染症																														
溶連菌感染症																														
ノロウイルス																														
ロタウイルス																														
咽頭結膜炎（プール熱）																														
流行性角結膜炎																														

凡例：
潜伏期間（最大）
主な発症時期

付録⑦　各感染症の基本再生産数（R_0）

疾患名	R_0
水痘	5〜7
麻疹	12〜18
風疹	6〜7
流行性耳下腺炎	4〜7
百日咳	12〜17
ポリオ	5〜7
天然痘	5〜7
ジフテリア	6〜7
インフルエンザ	1.4〜4
中東呼吸器症候群（MERS）	0.8〜1.3
エボラウイルス病	1.73
ノロウイルス感染症	（全年齢）1.64〜3.34
	（0〜4歳）3.98〜6.41

文献

1) ［インフルエンザの R_0 の値］Plotkin SA, et al：Vaccines, 6th ed, Elsevier, p.1399, 2013
2) ［中東呼吸器症候群の R_0 の値］Cauchemez S, et al：Middle East respiratory syndrome coronavirus: quantification of the epodemic, surveillance biases, and transmissibility. Lancet Infect Dis, 14(1)：50-56, 2014
3) ［エボラウイルスの R_0 の値］Yamin D, et al：Effect of Ebola progression on transmission and control in Liberia. Ann Intern Med, 162(1)：11-17, 2015
4) ［ノロウイルスの R_0 の値］Simmons K, et al：Duration of immunity to norovirus gastroenteritis. Emerg Infect Dis, 19(8)：1260-1267, 2013
5) ［その他の R_0 の値］Fine PE：Herd immunity: history, theory, practice. Epidemiol Rev, 15(2)：265-302, 1993

付録⑧ 日本小児科学会が推奨する予防接種スケジュール

ワクチン		種類	生直後	6週	2カ月	3カ月	4カ月	5カ月	6カ月	7カ月	8カ月	9〜11カ月	12〜15カ月	16〜17カ月	18〜23カ月	2歳	3歳	4歳	5歳	6歳	7歳	8歳	9歳	10歳以上
インフルエンザ菌b型(ヒブ)		不活化			①	②	③						④(注1)											
肺炎球菌 (PCV13)		不活化			①	②	③						④							(注2)				
B型肝炎 (HBV)	ユニバーサル	不活化			①	②			③										(注3)					
	母子感染予防		①	②				③																
ロタウイルス	1価	生			①	②		(注4)																	
	5価				①	②	③	(注5)																	
四種混合 (DPT-IPV)		不活化				①	②		③					④(注6)			(7.5歳まで)								
三種混合 (DPT)		不活化				①	②		③					④(注6)			(7.5歳まで)	⑤(注7)			⑥11〜12歳(注8)				
二種混合 (DT)		不活化																			11歳①	12歳		
ポリオ (IPV)		不活化				①	②		③					④(注6)			(7.5歳まで)	⑤(注9)							
BCG		生						①																
麻しん,風しん混合 (MR)		生											①						②(注10)					
水痘		生											①	②						(注11)				
おたふくかぜ		生											①						②(注12)					
日本脳炎		不活化													①②		(7.5歳まで)			④9〜12歳				
インフルエンザ		不活化								毎年(10月,11月など)に①②													13歳より①	
ヒトパピローマウイルス (HPV)		不活化																	(注13)	小6	中1 ①,②,③ (注14)	中2〜高1	(注15)	

定期接種の推奨期間　定期接種の接種可能な期間　任意接種の推奨期間　任意接種の接種可能な期間　添付文書には記載されていないが,小児科学会として推奨する期間　健康保険での接種時期

〔日本小児科学会：日本小児科学会が推奨する予防接種スケジュール,2022年4月8日版より転載〕

標準的接種年齢と接種期間・日本小児科学会の考え方・注意事項

ワクチン	種類	標準的接種年齢と接種期間	日本小児科学会の考え方	注意事項
インフルエンザ菌b型（ヒブ）	不活化	①～②～③はそれぞれ27～56日（4～8週）あける ③～④は7～13カ月あける	（注1）④は12カ月から接種することで適切な免疫が早期に得られる。1歳を過ぎたら接種する	・定期接種として，①～②～③の間はそれぞれ27日以上，③～④の間は7カ月以上あける ・7カ月～11カ月で初回接種：①，②の後は7カ月以上あけて③，1歳～4歳で初回接種：①のみ ・リスクのある患者では，5歳以上でも接種可能
肺炎球菌（PCV13）	不活化	①～②～③はそれぞれ27日（4週）以上あける ③～④は60日（2カ月）以上あけて，かつ，1歳から1歳3カ月で接種		・7カ月～11カ月で初回接種：①，②の接種後60日以上あけて1歳以降に③ ・1歳～23カ月で初回接種：①，②を60日以上あける，2歳～4歳で初回接種：①のみ （注2）任意接種のスケジュールは日本小児科学会ホームページ「任意接種ワクチンの小児（15歳未満）への接種」を参照
B型肝炎ユニバーサルワクチン	不活化	①生後2カ月 ②生後3カ月 ③生後7～8カ月 ①～②は27日（4週）以上，①～③は139日（20週）以上あける	家族内に母親以外のB型肝炎キャリアがいる場合は，生後2カ月まで待たず，早期接種が望ましい	（注3）乳児期に接種していない児の水平感染予防のための接種，接種間隔は，ユニバーサルワクチンに準ずる
B型肝炎母子感染予防のためのワクチン		①生直後 ②1カ月 ③6カ月		・母親がHBs抗原陽性の場合，出生時，ワクチンと同時にHB免疫グロブリンを投与するが，ワクチンの接種費用は健康保険でカバーされる ・詳細は日本小児科学会ホームページ「B型肝炎ウイルス母子感染予防のための新しい指針」を参照
ロタウイルス	生	・生後6週から接種可能，①は8週～15週未満を推奨する ・1価ワクチン（ロタリックス®）：①～②は，4週以上あける（計2回） ・5価ワクチン（ロタテック®）：①～②～③は，4週以上あける（計3回）	生後15週以降は，初回接種後7日以内の腸重積症の発症リスクが増大するので，原則として初回接種を推奨しない	（注4）計2回，②は，生後24週までに完了すること （注5）計3回，③は，生後32週までに完了すること ・1価と5価の互換性は確認されておらず，取り寄せるなどして同じワクチンでの完了を最優先させる。定期接種では嘔吐時の再投与は認められていない。詳細は厚生労働省ホームページ「ロタウイルスワクチンに関するQ&A」を参照 ・海外においては，母体が妊娠中に生物学的製剤による加療を受けた児への接種は推奨されていない
四種混合（DPT-IPV）	不活化	①～②～③はそれぞれ20～56日（3～8週）あける （注6）③～④は6カ月以上あけ，標準的には③終了後12～18カ月の間に接種		・定期接種として，①～②～③の間はそれぞれ20日以上あける ・現時点で，就学前の三種混合ワクチンとポリオワクチンの接種を四種混合ワクチンで代用することは，承認されていない ・四種混合ワクチンは4回までの接種に限られ，5回目以降の追加接種については，三種混合ワクチンかポリオワクチンを用いる
三種混合（DPT）	不活化	①～②～③はそれぞれ20～56日（3～8週）あける （注6）③～④は6カ月以上あけ，標準的には③終了後12～18カ月の間に接種		
三種混合（DPT）学童期以降の百日咳予防目的	不活化	⑤5歳以上7歳未満，④より6カ月以上あける ⑥11～12歳に接種	（注7）就学前児の百日咳抗体価が低下していることを受けて，就学前の追加接種を推奨 （注8）百日咳の予防を目的に，二種混合の代わりに三種混合ワクチンを接種してもよい	・2018年度感染症流行予測調査による小児の年齢別の百日咳の抗体保有状況では，抗PT抗体価10 EU/mL以上の保有率は，9歳で30%未満 ・0.5mLを接種（二種混合ワクチンは，0.1mL）
二種混合（DT）	不活化	①11歳から12歳に達するまで		・予防接種法では，11歳以上13歳未満，0.1mLを接種
ポリオ（IPV）	不活化	①～②～③はそれぞれ20～56日（3～8週）あける （注6）③～④は6カ月以上あけ，標準的には③終了後12～18カ月の間に接種		・2012年8月31日以前にポリオ生ワクチン，または，ポリオ不活化ワクチンを接種し，接種が完了していない児への接種スケジュールは，厚生労働省ホームページを参照
ポリオ（IPV）学童期以降のポリオ予防目的		⑤5歳以上7歳未満	（注9）ポリオに対する抗体価が減衰する前に就学前の接種を推奨	

定期接種　　任意接種　　健康保険での接種

（次頁へ続く）

付録⑧ 日本小児科学会が推奨する予防接種スケジュール

● 標準的接種年齢と接種期間・日本小児科学会の考え方・注意事項（続き）

ワクチン	種類	標準的接種年齢と接種期間	日本小児科学会の考え方	注意事項
BCG	生	・12カ月未満に接種 ・標準的には5〜8カ月未満に接種	結核の発生頻度の高い地域では，早期の接種が必要である	
麻しん・風しん混合（MR）	生	①1歳以上2歳未満 ②5歳以上7歳未満 （注10）小学校入学前の1年間		・麻疹曝露後の発症予防では，麻しんワクチンを生後6カ月以降で接種可能．ただし，その場合，その接種は接種回数には数えず，①，②は規定どおり接種する
水痘	生	①生後12〜15カ月 ②1回目から6〜12カ月あける	（注11）水痘未罹患で接種していない児に対して，積極的に2回接種を行う必要がある	・定期接種として，①〜②の間は3カ月以上あける ・13歳以上では，①〜②の間を4週間以上あける（任意接種）
おたふくかぜ	生	①1歳以上	（注12）予防効果を確実にするために，2回接種が必要である．①は1歳を過ぎたら早期に接種，②はMRと同時期（5歳以上7歳未満で小学校入学前の1年間）での接種を推奨する	
日本脳炎	不活化	①・②3歳，①〜②は6〜28日（1〜4週）あける ③4歳，②から1年あける ④9歳	日本脳炎流行地域に渡航・滞在する小児，最近日本脳炎患者が発生した地域・ブタの日本脳炎抗体保有率が高い地域に居住する小児に対しては，生後6カ月から日本脳炎ワクチンの接種開始を推奨する（日本小児科学会ホームページ「日本脳炎り患リスクの高い者に対する生後6カ月からの日本脳炎ワクチンの推奨について」を参照）	・1回接種量：6カ月〜3歳未満：0.25mL，3歳以上：0.5mL ・定期接種では，生後6カ月から生後90カ月（7歳6カ月）未満（第1期），9歳以上13歳未満（第2期）が対象．①〜②は6日以上，③は②より6カ月以上の間隔をあける ・2007年4月2日から2009年10月1日生まれの児に対しては，生後6カ月から90カ月（7歳6カ月）未満または，9歳から13歳未満の間に1期（①，②，③）のうち，未接種回数を定期として接種が可能である．2005年5月からの積極的勧奨の差し控えを受けて，1995年4月2日から2007年4月1日生まれの児は，20歳未満まで定期接種の対象．具体的な接種については厚生労働省ホームページを参照
インフルエンザ	不活化	①〜②は4週（2〜4週）あける		・13歳未満：2回，13歳以上：1回または2回（原則1回） ・1回接種量：6カ月〜3歳未満：0.25mL，3歳以上：0.5mL
ヒトパピローマウイルス（HPV）	不活化	中学1年生女子 ・2価ワクチン（サーバリックス®）①〜②は1カ月，①〜③は6カ月あける ・4価ワクチン（ガーダシル®）①〜②は2カ月，①〜③は6カ月あける		・接種方法は，筋肉内注射（上腕三角筋部） ・予防接種法では，12歳〜16歳（小学校6年生から高校1年生相当）女子 （注13）2価ワクチンは10歳以上，4価ワクチンは9歳以上から接種可能 （注14）標準的な接種ができなかった場合，定期接種として以下の間隔で接種できる（接種間隔が2つのワクチンで異なることに注意） ・2価ワクチン：①〜②の間は1カ月以上，①〜③の間は5カ月以上，かつ②〜③の間は2カ月半以上あける ・4価ワクチン：①〜②の間は1カ月以上，②〜③の間は3カ月以上あける （注15）積極的勧奨差し控えの期間に接種できなかった平成9〜17年度（1997〜2005年度）生まれの女性に対して，令和4〜6年度（2022〜2024年度）の3年間に限り，キャッチアップ接種が可能である

〔日本小児科学会：日本小児科学会が推奨する予防接種スケジュール，2022年4月8日版より転載〕

付録⑨　洗浄・滅菌に関するSpaulding（スポルディング）分類表

器材の分類	器材（例）	処理分類	理論的根拠
クリティカル（高度リスク）分類 無菌の組織または血管系に挿入する	・植え込み器材、外科用メス・針 ・その他手術用機器材	〔滅菌〕 ・対象が耐熱性であれば加熱洗浄処理後、高圧蒸気滅菌 ・非耐熱性であれば洗浄後、低温での滅菌処理	芽胞を含む、あらゆる微生物で汚染された場合に、感染の危険性が高いため、すべて滅菌しなければならない
セミクリティカル（中等度リスク）分類 粘膜に接触（歯科用を除く）	・呼吸器回路 ・消化器内視鏡 ・喉頭鏡 ・気管チューブ ・その他同様の機器材	〔高水準消毒〕 ・グルタラール ・フタラール ・過酢酸 ・ただし、対象器材が耐熱性であれば高圧蒸気滅菌も可能 ・非耐熱性であれば、低温での滅菌処理も可能	損傷していない正常粘膜は、細菌芽胞による感染には抵抗性があるが、結核菌やウイルスなど、その他の微生物に対しては感受性が高い
	体温計（粘膜に接触）	〔中水準消毒〕 ・次亜塩素酸ナトリウム ・ポビドンヨード ・エタノール	
ノンクリティカル（低度リスク）分類 粘膜に接触しない、創傷のない無傷の皮膚と接触する、あるいは、まったく皮膚と接触しない	・便器 ・血圧測定用カフ ・聴診器 ・テーブル上面　など	〔低水準消毒〕 ・ベンザルコニウム塩化物 ・クロルヘキシジングルコン酸塩 ・アルキルジアミノエチルグリシン塩酸塩（両性界面活性剤）	無傷の皮膚は通常、微生物に対して防御機能を有するため、無菌性は重要ではない

〔洪 愛子・編：ベストプラクティスnew 感染管理ナーシング，学習研究社，p.150，2006，
伏見 了，他：これで解決！洗浄・消毒・滅菌の基本と具体策，ヴァンメディカル，p.24，p.80，2008を参考に作成〕

付録⑩　清浄度クラスと換気条件（代表例）

清浄度クラス	名称	摘要	該当室（代表例）	最小換気回数[*1] [回/h] 外気量[*2]	最小換気回数[*1] [回/h] 全風量[*3]	室内圧（P:陽圧）（N:陰圧）	外気フィルタの効率	循環フィルタの効率
Ⅰ	高度清潔区域	層流方式による高度な洗浄度が要求される区域	超清浄手術室	5	層流方式	P	HEPAフィルタ 99.97%以上（0.3μm）	
Ⅱ	清潔区域	必ずしも層流方式でなくてもよいが，Ⅰに次いで高度な洗浄度が要求される区域	一般手術室（帝王切開を行う分娩室を含む）	3	15	P	高性能フィルタ JIS ePM₁, min70%以上（旧JIS比色法95%）	
Ⅱ	清潔区域		易感染患者用病室	2	15	P	HEPAフィルタ 99.97%以上（0.3μm）	中性能フィルタ JIS ePM₁, min50%以上（旧JIS比色法90%）
Ⅲ	準清潔区域	Ⅱよりもやや清浄度を下げてもよいが，一般区域よりも高度な洗浄度が要求される区域	血管造影室	3	15	P	中性能フィルタ JIS ePM₁, min50%以上（旧JIS比色法90%）	
Ⅲ	準清潔区域		手術ホール	2	6	P		
Ⅲ	準清潔区域		集中治療室（ICU・NICU等）	2	6	P		
Ⅲ	準清潔区域		分娩室（LDR含む）	2	6	P		
Ⅲ	準清潔区域		組立・セット室	2	6	P		
Ⅳ	一般区域	原則として開創状態でない患者が在室する一般的な区域	一般病室	2	NR	NR	中性能フィルタ JIS ePM₁₀ 55%以上（旧JIS比色法60%）	NR
Ⅳ	一般区域		新生児室	2	NR	NR		
Ⅳ	一般区域		人工透析室	2	NR	NR		
Ⅳ	一般区域		診察室	2	NR	NR		
Ⅳ	一般区域		救急外来（処置・診療）	2	NR	NR		
Ⅳ	一般区域		待合室	2	NR	NR		
Ⅳ	一般区域		X線撮影室	2	NR	NR		
Ⅳ	一般区域		内視鏡室（消化器）	2	NR	NR		
Ⅳ	一般区域		理学療法室	2	NR	NR		
Ⅳ	一般区域		一般検査室	2	NR	NR		
Ⅳ	一般区域		既滅菌室	2	NR	P		
Ⅳ	一般区域		調剤室	2	NR	NR		
Ⅳ	一般区域		製剤室	2	NR	NR		
Ⅴ	汚染管理区域	有害物質を扱ったり，感染性物質が発生する室で，室外への漏出防止のため，陰圧を維持する区域	空気感染隔離診察室	2	12	N	中性能フィルタ JIS ePM₁₀ 55%以上（旧JIS比色法60%）	HEPAフィルタ 99.97%以上（0.3μm）
Ⅴ	汚染管理区域		空気感染隔離室（陰圧個室）	2	12	N		
Ⅴ	汚染管理区域		内視鏡室（気管支）	2	12	N		中性能フィルタ JIS ePM₁₀ 55%以上（旧JIS比色法60%）
Ⅴ	汚染管理区域		細菌検査室	2	6	N		
Ⅴ	汚染管理区域		仕分・洗浄室	2	6	N		
Ⅴ	汚染管理区域		RI管理区域諸室	2	6・全排気（法令を確認）	N		NR（汚染物質除去が必要な場合，フィルタを追加）
Ⅴ	汚染管理区域		病理検査室	2	12・全排気	N		
Ⅴ	汚染管理区域		解剖室	2	12・全排気	N		
Ⅴ	拡散防止区域	不快な臭気や粉塵などが発生する室で，室外への拡散を防止するため陰圧を維持する区域	患者用トイレ	NR	10	N	中性能フィルタ JIS ePM₁₀ 55%以上（旧JIS比色法60%）	NR
Ⅴ	拡散防止区域		使用済リネン室	NR	10	N		
Ⅴ	拡散防止区域		汚物処理室	NR	10	N		
Ⅴ	拡散防止区域		霊安室	NR	10	N		

NR：要求なし（no requirement），各施設の状況により決定する。
*1：換気効率等を考慮し，他の方式により同等の性能が満足される場合は，この限りではない。
*2：換気回数と1人当たりの外気取入れ量（30m³/h）を比較し，大きい値を採用する。
*3：外気量と循環空気量の和。室内圧が陰圧の場合は排気量と循環空気量の和。

〔日本医療福祉設備協会：病院設備設計ガイドライン（空調設備編）HEAS-02-2022，日本医療福祉設備協会，p.19，2022 より転載〕

付録⑪　子どもの権利条約（日本ユニセフ協会抄訳）

第1条　子どもの定義
18歳になっていない人を子どもとします。

第2条　差別の禁止
すべての子どもは，みんな平等にこの条約にある権利をもっています。子どもは，国のちがいや，男か女か，どのようなことばを使うか，どんな宗教を信じているか，どんな意見をもっているか，心やからだに障がいがあるかないか，お金持ちであるかないか，などによって差別されません。

第3条　子どもにとってもっともよいことを
子どもに関係のあることを行うときには，子どもにもっともよいことは何かを第一に考えなければなりません。

第4条　国の義務
国は，この条約に書かれた権利を守るために，できるかぎりのことをしなければなりません。

第5条　親の指導を尊重
親（保護者）は，子どもの心やからだの発達に応じて，適切な指導をしなければなりません。国は，親の指導する権利を大切にしなければなりません。

第6条　生きる権利・育つ権利
すべての子どもは，生きる権利をもっています。国はその権利を守るために，できるかぎりのことをしなければなりません。

第7条　名前・国籍をもつ権利
子どもは，生まれたらすぐに登録（出生届など）されなければなりません。子どもは，名前や国籍をもち，親を知り，親に育ててもらう権利をもっています。

第8条　名前・国籍・家族関係を守る
国は，子どもの名前や国籍，家族の関係がむやみにうばわれることのないように守らなくてはなりません。もし，これがうばわれたときには，国はすぐにそれを元どおりにしなければなりません。

第9条　親と引き離されない権利
子どもは，親といっしょにくらす権利をもっています。ただし，それが子どもにとってよくない場合は，はなれてくらすことも認められます。はなれてくらすときにも，会ったり連絡したりすることができます。

第10条　他の国にいる親と会える権利
国は，はなればなれになっている家族がお互いが会いたい，もう一度いっしょにくらしたい，と思うときには，できるだけ早く国を出たり入ったりすることができるように扱わなければなりません。親がちがう国に住んでいても，子どもはいつでも親と連絡をとることができます。

第11条　よその国に連れさられない権利
国は，子どもがむりやり国の外へ連れ出されたり，自分の国にもどれなくなったりしないようにしなければなりません。

第12条　意見を表す権利
子どもは，自分に関係のあることについて自由に自分の意見を表す権利をもっています。その意見は，子どもの発達に応じて，じゅうぶん考慮されなければなりません。

第13条　表現の自由
子どもは，自由な方法でいろいろな情報や考えを伝える権利，知る権利をもっています。ただし，ほかの人に迷惑をかけてはなりません。

第14条　思想・良心・宗教の自由
子どもは，思想・良心および宗教の自由についての権利を尊重されます。親（保護者）は，このことについて，子どもの発達に応じた指導をする権利および義務をもっています。

第15条　結社・集会の自由
子どもは，ほかの人びとと自由に集まって会をつくったり，参加したりすることができます。ただし，安全を守り，きまりに反しないなど，ほかの人に迷惑をかけてはなりません。

第16条　プライバシー・名誉は守られる
子どもは，自分のこと，家族のくらし，住んでいるところ，電話や手紙など，人に知られたくないときは，それを守ることができます。また，他人からほこりを傷つけられない権利があります。

第17条　適切な情報の入手
子どもは，自分の成長に役立つ多くの情報を手に入れることができます。国は，マスメディア（本・新聞・テレビなど）が，子どものためになる情報を多く提供するようにすすめ，子どもによくない情報から子どもを守らなければなりません。

第18条　子どもの養育はまず親に責任
子どもを育てる責任は，まずその父母にあります。国はその手助けをします。

第19条　虐待・放任からの保護
親（保護者）が子どもを育てている間，どんなかたちであれ，子どもが暴力をふるわれたり，むごい扱いなどを受けたりすることがないように，国は子どもを守らなければなりません。

第20条　家庭を奪われた子どもの保護
子どもは，家族といっしょにくらせなくなったときや，家族からはなれた方がその子どもにとってよいときには，かわりの保護者や家庭を用意してもらうなど，国から守ってもらうことができます。

第21条　養子縁組
子どもを養子にする場合には，その子どもにとって，もっともよいことを考え，その子どもや新しい父母のことをしっかり調べたうえで，国や公の機関だけがそれを認めることができます。

第22条　難民の子ども
ちがう宗教を信じているため，自分の国の政府と違う考え方をしているため，また，戦争や災害がおこったために，よその国にのがれた子ども（難民の子ども）は，その国で守られ，援助を受けることができます。

第23条　障がいのある子ども
心やからだに障がいがあっても，その子どもの個性やほこりが傷つけられてはなりません。国は障がいのある子どもも充実してくらせるように，教育やトレーニング，保健サービスなどが受けられるようにしなければなりません。

第24条　健康・医療への権利
国は，子どもがいつも健康でいられるように，できるかぎりのことをしなければなりません。子どもは，病気になったときや，けがをしたときには，治療を受けることができます。

第25条　病院などの施設に入っている子ども
子どもは，心やからだの健康をとりもどすために病院などに入っているときに，その治療やそこでの扱いがその子どもにとってよいものであるかどうかを定期的に調べてもらうことができます。

第26条　社会保障を受ける権利
子どもやその家族が生活していくのにじゅうぶんなお金がないときには，国がお金をはらうなどして，くらしを手助けしなければなりません。

第27条　生活水準の確保
子どもは，心やからだのすこやかな成長に必要な生活を送る権利をもっています。親（保護者）はそのための第一の責任者ですが，親の力だけで子どものくらしが守れないときは，国も協力します。

第28条　教育を受ける権利
子どもには教育を受ける権利があります。国はすべての子どもが小学校に行けるようにしなければなりません。さらに上の学校に進みたいときには，みんなにそのチャンスが与えられなければなりません。学校のきまりは，人はだれでも人間として大切にされるという考え方からはずれるものであってはなりません。

第 29 条　教育の目的
教育は，子どもが自分のもっているよいところをどんどんのばしていくためのものです。教育によって，子どもが自分も他の人もみんな同じように大切にされるということや，みんなとなかよくすること，みんなの生きている地球の自然の大切さなどを学べるようにしなければなりません。

第 30 条　少数民族・先住民の子ども
少数民族の子どもや，もとからその土地に住んでいる人びとの子どもが，その民族の文化や宗教，ことばをもつ権利を，大切にしなければなりません。

第 31 条　休み，遊ぶ権利
子どもは，休んだり，遊んだり，文化・芸術活動に参加する権利があります。

第 32 条　経済的搾取・有害な労働からの保護
子どもは，むりやり働かされたり，そのために教育を受けられなくなったり，心やからだによくない仕事をさせられたりしないように守られる権利があります。

第 33 条　麻薬・覚せい剤などからの保護
国は，子どもが麻薬や覚せい剤などを売ったり買ったり，使ったりすることにまきこまれないように守られなければなりません。

第 34 条　性的搾取からの保護
国は，子どもがポルノや売買春などに利用されたり，性的な暴力を受けたりすることのないように守らなければなりません。

第 35 条　ゆうかい・売買からの保護
国は，子どもがゆうかいされたり，売り買いされたりすることのないように守らなければなりません。

第 36 条　あらゆる搾取からの保護
国は，どんなかたちでも，子どもの幸せをうばって利益を得るようなことから子どもを守らなければなりません。

第 37 条　ごうもん・死刑の禁止
どんな子どもに対しても，ごうもんやむごい扱いをしてはなりません。また，子どもを死刑にしたり，死ぬまで刑務所に入れたりすることは許されません。もし，罪を犯してたいほされても，人間らしく年れいにあった扱いを受ける権利があります。

第 38 条　戦争からの保護
国は，15 歳にならない子どもを兵士として戦場に連れていってはなりません。また，戦争にまきこまれた子どもを守るために，できることはすべてしなければなりません。

第 39 条　犠牲になった子どもを守る
子どもがほうっておかれたり，むごいしうちを受けたり，戦争にまきこまれたりしたら，国はそういう子どもの心やからだの傷をなおし，社会にもどれるようにしなければなりません。

第 40 条　子どもに関する司法
国は，罪を犯したとされた子どもが，人間の大切さを学び，社会にもどったとき自分自身の役割をしっかり果たせるようになることを考えて，扱われなければなりません。

〔日本ユニセフ協会，子どもの権利条約カードブックより転載〕

索 引

欧文・数字

γグロブリン ... 99, 140, 141
γグロブリン製剤 ... 110, 113
1類感染症 ... 194, 298
2類感染症 ... 130, 194, 298
3類感染症 ... 298
4類感染症 ... 194, 298
5価経口弱毒生ロタウイルスワクチン（RV5）... 241
5類感染症 ... 98, 105, 110, 117, 122, 298
AAP：American Academy of Pediatrics ... 12
ACT：adenylate cyclase toxin ... 114
aerosol transmission ... 37
AIDS：acquired immunodeficiency syndrome ... 263
air-borne transmission ... 37
AmpC 型 β-ラクタマーゼ産生腸内細菌 ... 63
AMR：antimicrobial resistance ... 146
ARDS：acute respiratory distress syndrome ... 135
ASA：American Society of Anesthesiologists ... 56
ASHP：American Society of Health-System Pharmacists ... 58
ASP：antimicrobial stewardship program ... 154
AST：antimicrobial stewardship team ... 6, 148, 149, 278
A群溶血性連鎖球菌（GAS）（感染症）... 106, 146, 306
A類疾病 ... 72
　　──ワクチン ... 77
BCG：Bacille Calmette-Guérin ... 127
BCP：business continuity plan ... 191
BSI：bloodstream infection ... 44
B型肝炎ウイルス（HBV）... 83, 88
B型肝炎ワクチン ... 83, 88, 244
B群溶血性連鎖球菌（GBS）... 63
B類疾病 ... 72
care bundle ... 42
CAUTI：catheter associated urinary tract infection ... 46, 248
　　──サーベイランス ... 49
　　──予防のケアバンドル ... 47
CCU：coronary care unit ... 23
CDC：Centers for Disease Control and Prevention ... 6, 42
CDI：Clostridioides（Clostridium）difficile infection ... 131
CLABSI：central line associated bloodstream infection ... 44, 248
CLS：child life specialist ... 35, 204
CMV：cytomegalovirus ... 238, 243
CNS：coagulase negative Staphylococcus ... 60
contact transmission ... 37
COVID-19：coronavirus disease 2019 ... 135, 190, 194, 263
　　──ワクチン ... 135
CPE：carbapenemase producing Enterobacteriaceae ... 63
CRBSI：catheter related bloodstream infection ... 43, 249, 275
CRE：carbapenem resistant Enterobacteriaceae
　　 ... 11, 63, 162, 185, 196
CRS：congenital rubella syndrome ... 101
CT：computed tomography ... 127
CV ポート ... 275
C型肝炎ウイルス ... 88
de-escalation ... 151
DOT ... 152, 278
DPT ... 114
DPT-IPV ... 114, 241
droplet transmission ... 37
DTaP ... 85
ECMO：extracorporeal membrane oxygenation ... 152, 249
emerging infectious diseases ... 190
epidemic curve ... 162
ESBL：extended spectrum β-lactamase ... 11, 63
　　──産生腸内細菌 ... 63
EVD ... 194
FD：facility dog ... 292
FDA：Food and Drug Administration ... 58
FHA：filamentous hemagglutinin ... 114
GAS：group A Streptococcus ... 106
GBS：group B Streptococcus ... 63
GCU：growing care unit ... 23
HAI：healthcare-associated infection ... 50
HBV ... 88, 241
　　──曝露後対策 ... 89
　　──曝露後対策フローチャート ... 89
HCV：hepatitis C virus ... 88
　　──曝露後対策 ... 89
　　──曝露後対策フローチャート ... 89
Hib ... 240
HIV ... 78, 88, 190, 238
　　──曝露後対策 ... 89
　　──曝露後対策フローチャート ... 90
HTLV-1 ... 238, 243
　　──曝露後対策フローチャート ... 91
ICC：infection control committee ... 6
ICN：infection control nurse ... 6
ICT：infection control team ... 6, 92, 164, 278
　　──の主な業務 ... 7
ICU：intensive care unit ... 23
IDSA：Infectious Diseases Society of America ... 58
IGRA：interferon-gamma release assay ... 86, 127
IGRA 検査 ... 86
IHI：Institute for Healthcare Improvement ... 57
influenzavirus ... 118
IVAC：infection-related ventilator-associated complication ... 54
JACHRI：Japanese Association of Children's Hospitals and Related Institutions ... 21
JANIS：Japan Nosocomial Infection Surveillance ... 50
JHAIS：Japanese Healthcare Associated Infections Surveillance ... 50
Koplik's spot ... 96
LAMP：loop-mediated isothermal amplification ... 114
LDR 分娩室 ... 245
LTBI：latent tuberculosis infection ... 127
MDRA：multidrug resistant Acinetobacter ... 11, 162
MDRO：multidrug resistant organisms ... 64
MDRP：multidrug resistant Pseudomonas aeruginosa ... 162
measles ... 96
MERS ... 164, 194, 196
MIS-C：Multisystem inflammatory syndrome in children ... 135

索引

MRSA：methicillin resistance *Staphylococcus aureus* 11, 22, 63, 166, 238, 244
　──アウトブレイク 64
　──対策 240
　──のアウトブレイク調査の流れ 167
MR ワクチン 97, 99, 104
MSBP：maximal sterile barrier precaution 43
mumps 111
N95 マスク 39, 38
NDM：New Delhi metallo-β-lactamase 196
NHSN：National Healthcare Safety Network 46, 50
NICU：neonatal intensive care unit 11, 166, 238
　──における感染経路 239
PAPR：powered air-purifying respirator 23
PCR：polymerase chain reaction（検査）............ 97, 175
PCV13 240
PedVAE サーベイランス 55
PedVAE の定義 54
PEEP：positive-end expiratory pressure 54
PICC：peripherally inserted central catheter 42
PicoNET：Pediatric Infection Control Network 21
PICU：pediatric intensive care unit 64, 247
PK/PD 理論 151
PPE：personal protective equipment 23, 28, 34, 239
PRN：pertactin 114
prospective audit feedback 148
PT：pertussis toxin 114
PVAP：possible ventilator-associated pneumonia 54
R_0：basic reproductive number 98, 162, 195, 308
RCT：randomized controlled trial 42
re-emerging infectious diseases 190
Respiratory Syncytial ウイルス 171
RS ウイルス（感染症）............ 3, 12, 63, 78, 171, 270, 306
　──のアウトブレイク調査の流れ 172
rubella 101
rubeola 96
RV1 241
RV5 241
SARS 190, 194, 263
SARS-CoV-2 .... 135, 190
SDD：selective digestive decontamination 250
SFTS：severe fever with thrombocytopenia syndrome 263
SHEA：The Society for Healthcare Epidemiology of America 58
SOD：selective oral decontamination 250
SPACE 46
Spaulding の分類 255, 270, 312
SSI：surgical site infection 56
　──サーベイランス 60
　──予防のためのケアバンドル 58
standard precautions 28
SUD：single-use device 23, 25
Td 88
TDM 278
TPN：total parenteral nutrition, ... 277
transmission-based precautions 37
Tzanck（ツァンク）試験 107
VAC：ventilator-associated condition 54
VAE：ventilator associated event 53, 54, 249
　──サーベイランス 53
VAP：ventilator associated pneumonia 248, 275
　──サーベイランス 53
　──の定義 55
　──予防ケアバンドル 53
VPD：vaccine preventable disease 2, 73
VRE：vancomycin resistant *Enterococcus* 11, 162, 196
VRSA：vancomycin resistant *Staphylococcus aureus* 162, 263
VZV：varicella zoster virus 106
WHO 191

ア

アイシールド 136
アウトブレイク 63, 92, 133, 162, 270
アウトブレイク調査の流れ, MRSA の 167
　──, RS ウイルスの 172
　──, アタマジラミ, 疥癬の 177
　──, インフルエンザの 121
　──, 感染性胃腸炎（流行性嘔吐下痢症）の 182
　──, 耐性グラム陰性桿菌の 187
アクティブサーベイランス 63, 166, 240
アシクロビル 110
アジスロマイシン 114, 141, 142
アシネトバクター 46
遊び 217
アタマジラミ 176, 270, 306
　──, 疥癬のアウトブレイク調査の流れ 177
アデニル酸シクラーゼ毒素（ACT）............ 114
アデノウイルス迅速診断キット 123, 123

イ

イソニアジド（INH）............ 127
胃腸炎 147
イナビル 119
医療関連感染（HAI）............ 28, 50
　──サーベイランス 50
　──対策 21
　──のサーベイランス 63
医療器具関連感染 239
医療従事者のワクチンガイドライン 82
イルリガードル 270, 223
陰圧個室隔離 110
インターフェロンγ遊離試験（IGRA）............ 127, 86
咽頭・鼻腔ぬぐい液 67
咽頭ぬぐい液 104
院内学級 264
院内感染が問題となる病原体 11
院内保育所 266
インフェクションコントロールチーム（ICT）............ 6, 164
インフルエンザ 3, 12, 92, 118, 141, 270, 305
　──HA ワクチン 119
　──ウイルス 11, 63, 84, 118
　──のアウトブレイク調査の流れ 121
　──ワクチン 83, 118

ウ

ウイルス性出血熱 263
ウイルス排泄期間 304
ウォーターレス法 60

エ

エアロゾル 236

索引

（左列）

エアロゾル感染 40
衛生管理点検表 281
栄養管理部門 279
栄養セット 270
栄養チューブ 223
栄養バッグ 223, 234
栄養物品管理 223
壊死性腸炎 159
エタンブトール（EB） 127
エチレンオキサイドガス 240
エボラウイルス病（EVD） 190, 195, 194
エボラ出血熱 195
エリスロマイシン 114, 141
エンテロバクター 46
円筒型投与容器 223
エンピリック治療 158

オ

嘔吐 287
オセルタミビル 119, 142
おたふくかぜ 11, 111, 305
オーバーフロー 236
おむつ交換 2, 226
おむつの管理 226
おもちゃ 34, 217, 233, 290
　　──の管理 217

カ

海外渡航時の予防接種 77
海外渡航歴 195
海外発生期 17
疥癬 176, 270
　　──のアウトブレイク調査の流れ 177
外泊時のトリアージ 200
外来における感染経路別予防策 262
外来部門 260
化学性の肺炎 263
喀痰 66
隔離 14, 110, 204, 247
加湿器 236
カタル症状 96
学校保健安全法 110, 117, 122
カテーテル関連血流感染（CRBSI） .. 43, 44, 249, 253, 275, 277
カテーテル関連尿路感染（CAUTI） 46, 248
カテーテルチップ 270
カテーテルチップ型シリンジ 223
カフ上部吸引 52
芽胞 132
芽胞形成菌 228
カルバペネマーゼ産生腸内細菌（CPE） ... 63
カルバペネム系抗菌薬 251, 278
カルバペネム耐性腸内細菌科細菌（CRE） 11, 63, 162, 196, 303
カルバペネム耐性腸内細菌科細菌（CRE）感染症 185
換気条件 313
環境整備 31
環境表面の清掃 231
眼瞼結膜の症状 123
カンジダ 46
監視培養 166

（右列）

患者配置 34
感受性者対策 16
感染管理看護師（ICN） 6
感染期間 304
感染経路対策 16
感染経路別マニュアル 284
感染経路別予防策 37
　　──，外来における 262
感染源隔離 247
感染症アウトブレイク 162
感染症サーベイランス 62
感染症トリアージ 14, 200, 260
感染症法 122, 165, 204, 298, 300
感染性胃腸炎 181
　　──のアウトブレイク調査の流れ 182
感染性リネン 228
感染対策委員会（ICC） 6
感染対策向上加算 19
感染対策担当者 9
感染対策チーム 6
感染対策とコスト 22
感染対策に関する委員会（ICC） 6
感染対策の費用対効果 24
感染対策プログラム 6
感染対策マニュアル，ファシリティドッグ ... 294
感染防止対策委員会（ICC） 6
感染防止対策加算 19
感染防止対策地域連携加算 19
乾燥BCGワクチン 127
乾燥弱毒生おたふくかぜワクチン 113
乾燥弱毒生麻しん風しん混合ワクチン 97
乾燥弱毒生麻しんワクチン 97
乾燥弱毒生水痘ワクチン 109
乾燥弱毒生風しんワクチン 104
乾燥ヘモフィルスb型ワクチン（Hib） 240

キ

気化方式 236
気管内吸引 270
危機管理体制 162
帰国後の予防接種 77
基質特異性拡張型β-ラクタマーゼ（ESBL） ... 11, 63
寄生虫 165
気道感染症 114, 146
機能的隔離 15
基本再生産数（R_0） 98, 162, 195, 308
逆隔離 15
吸引物品の管理 270
急性胃腸炎 181
急性呼吸器感染症 171
急性呼吸窮迫症候群（ARDS） 135
救命救急・冠動脈疾患集中治療室（CCU） ... 23
胸水 71
緊急ワクチン接種 104, 113

ク

空気感染 37, 96, 106, 110, 127
空気清浄度のクラス分類 230
空気予防策 38, 300
口鼻腔吸引 270

組換え沈降 B 型肝炎ワクチン（HBV） 241
グラム染色 250
クラリスロマイシン 114, 141
クリプトスポリジウム症 263
クリーンルーム 252
クレブシエラ 46
クロストリジウム・ディフィシル感染症（CDI） 131
クロストリディオイデス・ディフィシル 11, 228
　——，感染症（CDI） 131
　——，腸炎 60

ケ

ケアバンドル 42, 52
　——，CAUTI 予防の 47
　——，SSI 予防のための 58
　——，VAP 予防 53
　——，中心静脈カテーテル挿入時の 42
経管栄養器材の処理 234
経管栄養セット 270
経管栄養物品 223
　——の管理 270
経口弱毒生ヒトロタウイルスワクチン（RV1） 241
経産道感染 238
継続保育室（GCU） 23
経胎盤感染 238
経腸栄養剤作製用器具 223
経母乳感染 238
血液・体液曝露防止（予防） 35, 88
　——対策 245
血液製剤 277
血液媒介病原体による感染経路・感染率 88
血液培養 68
結核（菌） 11, 12, 92, 127, 190, 196, 305
　——管理 81, 86
血管内カテーテル関連血流感染 42
血管内留置カテーテル 70
　——関連感染 222
血清抗体測定 107
血流感染（BSI） 44
検疫（quarantine） 194
検疫感染症 194, 204
検疫法 204
嫌気性菌検査 71
嫌気培養 71
検体検査室 286
検体採取 71
原発性免疫不全症 78

コ

コアグラーゼ陰性ブドウ球菌（CNS） 60
抗 MRSA 薬 278
広域化予防接種制度 73
広域抗菌薬 146
抗インフルエンザ薬 119, 142
高カロリー輸液（TPN） 277
抗菌薬中止 158
抗菌薬治療日数（DOT） 152
抗菌薬適正使用 146
抗菌薬適正使用支援プログラム（ASP） 154
口腔ケア 52, 254, 269, 274

抗原検査 175
交差感染 28, 270, 283, 289
構造的隔離 15
抗体価管理 81
抗体価陽性の基準 98
後天性免疫不全症候群（AIDS） 263
抗微生物薬使用日数（DOT） 278
抗微生物薬適正使用 146, 278
　——，新生児・NICU における 158
抗微生物薬適正使用支援加算 148
抗微生物薬適正使用支援チーム（AST） 6, 148
抗微生物薬適正使用支援プログラム 150
　——，外来における 154
　——，病院における 148
誤嚥性肺炎 273
呼気終末陽圧（PEEP） 54
呼吸器衛生 261
呼吸器感染症 92, 171, 270
国内感染期 17
国内発生期 17
ゴーグル 136
個室隔離 248
個人情報保護 207
個人防護具（PPE） 23, 28, 136, 239
　——の着脱方法 32
　——の着用のタイミング 34
コストパフォーマンス 24
国公立大学附属病院感染対策協議会 50
子どもの権利条約 314
コプリック斑 96
コホーティング 10, 12, 40, 133
コミナティ 135
コレラ 190
コンピュータ断層撮影法（CT） 127

サ

災害時の感染対策 263
採血室 287
再興感染症 190
在宅医療 273
在宅介護 273
在宅ケア 273
在宅呼吸器管理 275
在宅人工呼吸器療法 275
在宅中心静脈カテーテル管理 275
サイトメガロウイルス（CMV） 238, 243
採尿バッグ 46
　——の設置例 48
再燃期 17
サージカルマスク 39, 113, 117, 122, 136
ザナミビル 119, 142
サーベイランス 50, 134, 248
　——，CAUTI 49
　——，PedVAE 55
　——，SSI 60
　——，VAE 53
　——，VAP 53
　——，医療関連感染の 63
　——，耐性菌 63
　——，保育園 268

サルモネラ菌	12
産科病棟	244
——における新生児室	242
三種混合ワクチン（DTaP）	85
サンプリングポート	49

シ

次亜塩素酸ナトリウムの希釈方法	224
次亜塩素酸ナトリウム溶液	245
耳介前リンパ節	123
時間的隔離	15
自然災害	263
児童福祉法	271
シトロバクター	46
シーネ固定	45
シプロフロキサシン	142
脂肪乳剤	277
シャワー室	235
シャワー浴	254
就業制限	143
重症急性呼吸器症候群（SARS）	190, 194, 263
重症心身障害児病棟	269
重症熱性血小板減少症候群（SFTS）	263
集塵モップ	231
集団療育	272
集中治療室（ICU）	23
手指衛生	3, 28, 30, 65, 239
——のコストパフォーマンス	24
手術室	255
手術時手洗い	257, 258
手術部位感染（SSI）	56
出勤可能基準	93, 302
出席停止期間	264
消化器系感染症	92
蒸気方式	236
上行感染	238
小康期	17
常在細菌叢	238
症状別サーベイランス	65
消毒	255
小児感染管理ネットワーク（PicoNET）	21
小児感染対策担当者	9
小児感染対策の特殊性	2
小児救急のトリアージ	200
小児集中治療室（PICU）	64, 247
小児多系統炎症性症候群（MIS-C）	135
職業感染防止	286
褥瘡	273
食中毒予防	164, 279
食堂	233
食品衛生法	165
食器	279, 290
食器洗浄マニュアル	280
除毛	58
視力障害	123
新型インフルエンザ	164, 17
——等感染症	194, 299
——等対策	17
新型コロナウイルス（SARS-CoV-2）	135, 190
新型コロナウイルス感染症（COVID-19）	135, 190, 194, 263
新感染症	17
真菌感染（症）	159, 263
シングリックス	110
新興感染症	190, 262
——対策訓練	192
人工呼吸器関連合併症（IVAC）	54
人工呼吸器関連事象（VAE）	53, 249
人工呼吸器関連状態（VAC）	54
人工呼吸器関連肺炎（VAP）	51, 248, 275
人工呼吸器関連肺炎可能性例（PVAP）	54
人工透析	249
侵襲性真菌感染症	159
侵襲性髄膜炎菌感染症	142
新生児・NICUにおける抗微生物薬適正使用	158
新生児室	166, 242
新生児集中治療室（NICU）	11, 166, 238
新生児特定集中治療室管理料	238
迅速抗原検査	71, 107, 175
迅速診断キット	118
診療継続計画（BCP）	191

ス

膵炎	111
垂直感染	238
水痘	12, 81, 92, 106, 140, 305
水痘帯状疱疹ウイルス（VZV）	238, 106
水痘の臨床経過	106
水痘ワクチン	11
水平感染	238, 283
髄膜炎	85, 111
スクラブ法	256, 258, 60
スクリーニング	65
スパイクバックス	135
スポンジ消毒	281

セ

生花の取り扱い	235
清潔ケア	254
清浄度クラス	255, 313
精巣炎	111
清掃カート	231
生理機能検査室	287
生理検査	287
世界保健機関（WHO）	191
咳エチケット	261
接触感染	37, 106, 110, 136
接触者のリストアップ	136
接触者リスト	129
接触予防策	40, 93, 133, 300
切創	288
——予防	256
セフトリアキソン	142
セラチア	46
セラピードッグ	292
セレウス菌	63, 228
線維状赤血球凝集素（FHA）	114
潜在性結核感染症（LTBI）	127
洗浄	255
全数把握	98, 105, 117, 130, 298
全数報告対象疾患	96, 101, 110, 114

索引

選択的口腔咽頭除菌（SOD） 250
選択的消化管除菌（SDD） 250
先天性風疹症候群（CRS） 101
潜伏期間 304, 305, 307
全米医療安全ネットワーク（NHSN） 46, 50

ソ

造血細胞移植後の感染管理 252
速乾性擦式手指消毒薬 30, 239
ゾーニング 230
ゾフルーザ 119

タ

体液曝露防止（予防） 35, 88, 286
体外式膜型人工肺（ECMO） 152, 249
第三世代セフェム 146
帯状疱疹 106
　　──ワクチン 85
耐性菌サーベイランス 63
耐性菌スクリーニング 196
耐性グラム陰性桿菌 185
　　──のアウトブレイク調査の流れ 187
大腸菌 46
大量調理施設衛生管理マニュアル 279, 253
ダウン症候群 78
多剤耐性アシネトバクター（MDRA）（属） ... 11, 162
多剤耐性菌（MDRO） 196, 64
多剤耐性グラム陰性桿菌 196
多剤耐性緑膿菌（MDRP） 162
タミフル 119
単回使用 35
単回使用器材（SUD） 23, 25
単純ヘルペスウイルス 238

チ

地域医療ネットワーク 19
チクングニア熱 195
チャイルド・ライフ・スペシャリスト（CLS） ... 35, 204
中央滅菌室 255
注射 220
　　──手技 35
中心静脈カテーテル挿入時のケアバンドル 42
中心ライン関連血流感染（CLABSI） 44, 248
中東呼吸器症候群（MERS） 164, 194, 196
チューブ 270
超音波加湿器 236
腸管出血性大腸菌感染症 263, 306
腸チフス 195
調乳衛生管理マニュアル 280
調乳器具 223
調理従事者の衛生点検 282
直接接触 176
治療薬物モニタリング（TDM） 278
沈降13価肺炎球菌結合型ワクチン（PCV13） 240
沈降精製百日せきジフテリア破傷風-不活化ポリオ混合
　ワクチン（DPT-IPV） 114, 240
沈降精製百日せきジフテリア破傷風混合ワクチン（DPT） ... 114

ツ

ツァンク試験 107

ツベルクリン反応（ツ反）（検査） 86, 127

テ

手足口病 306
定期清掃 231
定期接種 72
低水準消毒薬 240
ディスポーザブル製品 25
低体温療法 250
定点報告 122
剃毛 58
デバイス関連サーベイランス 247
デング熱 195
点滴混注業務 35
点滴の管理 220
電動ファン付き呼吸用保護具（PAPR） 23

ト

頭高位 52
動物介在介入 291
トキソプラズマ 238
特殊清掃 231
トリアージ 14, 200
トリアージフロー 260
鳥インフルエンザ 190, 194, 263
ドレッシング材 44

ナ

流し台 233
　　──の環境整備 234
生ワクチン 75
難聴 111

ニ

二重手袋 60
日常清掃 231
日本医療関連感染サーベイランス（JHAIS） 50
日本院内感染対策サーベイランス（JANIS） 50
日本紅斑熱 263
日本小児総合医療施設協議会（JACHRI） 21
入院のトリアージ 200
入浴介助 235
ニューデリーメタロβ-ラクタマーゼ（NDM）産生菌 ... 196
ニュートラルゾーン 255, 256
尿・泌尿器検体 68
尿道留置カテーテルの固定法 48
尿路感染症 273
任意接種 72

ヌ

ヌバキソビッド 135

ネ

ネブライザー 236
ネフローゼ症候群 78
年齢計算 75

ノ

膿 71
濃厚接触者 17, 136

ノロウイルス（感染症） 3, 11, 12, 63, 92, 181, 270, 306

ハ

肺結核 127
排泄期間 304, 305, 307
排泄物 226
梅毒 91
　　──曝露後対策フローチャート 91
培養検査 114
バキスゼブリア 135
曝露後就業制限 143
曝露後予防 140
破傷風トキソイド（Td） 85, 88
パータクチン（PRN） 114
バッグ型投与容器 223
バッグ型の経管栄養セット 270
パッシブサーベイランス 63
早発型敗血症 158
バラシクロビル 110
パラチフス 195
針刺し 88, 256, 288
　　──防止対策 244
パリビズマブ 78
パレコウイルス感染症 190
バロキサビル 119, 142
バンコマイシン 132
バンコマイシン耐性黄色ブドウ球菌（VRSA）（感染症） 162, 263
バンコマイシン耐性腸球菌（VRE） 11, 162, 196
ハンズフリー方式 256
パンデミック 17
ハンドラー 292
バンドルアプローチ 52, 65, 247, 249

ヒ

鼻咽頭ぬぐい液 135
皮下埋め込み型中心静脈カテーテル（CVポート） 275
鼻腔ぬぐい液 67
鼻汁 3
微生物検査 66
ビタミンA 97
ヒトT細胞白血病ウイルス-1型（HTLV-1） 91, 238, 243
ヒトメタニューモウイルス 270
ヒト免疫不全ウイルス（HIV） 88, 238
泌尿器検体 68
皮膚粘膜曝露対策 244
皮膚のケア 58
飛沫感染 37, 113, 118, 136
飛沫予防策 39, 93, 300
百日咳 12, 114, 141, 190, 238, 240, 305
　　──毒素（PT） 114
　　──の臨床経過 115
　　──ワクチン 84
病院感染症 22
病院設備設計ガイドライン 255
病院のこども憲章 213
病後児保育 268
病児保育 268
標準予防策 28, 260, 283, 286, 300
費用対効果 24
ピラジナミド（PZA） 127

フ

ファシリティドッグ（FD） 291, 292
　　──感染対策マニュアル 294
風疹 11, 12, 81, 101, 305
　　──PCR検査 104
　　──ウイルス 238
　　──含有ワクチン 104
　　──の臨床経過 101
フェイスシールド 136
不活化ワクチン 75
腹水 71
副反応 76
プライバシーの尊重 207
プライバシーの保護 214
プールの水質管理 272
プレイルーム 217, 233
　　──の管理 218
糞口感染 133
分娩室 244
　　──の環境整備 245
糞便中抗原検査 181

ヘ

米国医療疫学学会（SHEA） 58
米国感染症学会（IDSA） 58
米国疾病対策センター（CDC） 6
米国小児科学会（AAP） 12
米国食品医薬品局（FDA） 58
米国病院薬剤師会（ASHP） 58
米国ヘルスケア改善協会（IHI） 57
米国麻酔学会（ASA） 56
閉鎖式吸引システム 52
ベストプラクティス 226
ベースライン 86
ヘッドアップ 52
ベビーカー 219
ベビーラック 219
ペラミビル 119
便 67

ホ

保育園 266
　　──サーベイランス 268
保育器 240
保育士 204
保育所 266
膀胱留置カテーテル 46
放射線部門 283
防蚊対策 195
保健所 17, 162
母乳 242, 282
哺乳びん 223, 279
　　──洗浄マニュアル 280
ポリメラーゼ連鎖反応 97
ホルムアルデヒド 240

マ

マキシマル・バリアプリコーション（MSBP） 43
マクロライド 146

マクロライド系抗菌薬 141
　——の予防内服 117
麻疹 11, 12, 81, 92, 96, 140, 305
　——ウイルス 238
　——の臨床経過 96
　——ワクチン 99
マスク着用のコストパフォーマンス 24
末梢静脈挿入式中心静脈カテーテル（PICC） 42
マラリア 190, 195
まん延期 19
慢性糸球体腎炎 78

ミ

水際対策 4, 194
水噴霧方式 236
水まわりの環境整備 233
未発生期 17
ミルクウォーマー 234

ム

無危害原則 3
無菌室 252
無菌製剤 220
無菌操作 35, 46, 222, 275
無菌調製 222
無症候感染 136
ムンプス 11
　——ウイルス 111

メ

メチシリン耐性黄色ブドウ球菌（MRSA） 11, 166, 238
滅菌 255
メトロニダゾール 131
免疫グロブリン製剤 113
面会 208, 242, 244

モ

沐浴 242
モップ 231
モデルナ 135

ヤ

薬剤耐性（AMR） 146
　——アシネトバクター感染症 185, 303
薬剤耐性菌 3, 63, 146, 146, 166
　——アクションプラン 146
薬剤耐性緑膿菌感染症 185, 303
薬剤部門 277

ユ

輸入感染症 194

ヨ

浴室 235
予防隔離 248
予防接種 14, 72, 81
　——，海外渡航時の 77
　——，帰国後の 77
予防接種計画 2
予防接種後の副反応 76

予防接種後副反応疑い報告 76
予防接種スケジュール 74, 75, 309
予防接種不適当者 75
予防接種法 72
予防接種要注意者 76
予防的ケア 254
予防的抗菌薬投与 58, 143
四種混合ワクチン 84

ラ

ラニナミビル 119, 142
ラピアクタ 119
ラビング法 60, 256, 257
ランダム化比較試験（RCT） 42

リ

リウマチ性疾患 78
リキャップ 287
リスクコミュニケーション 191
　——の6つのエッセンス 193
リネン 34
　——の管理 228
リハビリテーション部門 289
リファンピシン（RFP） 127, 142
流行曲線 162
流行性ウイルス疾患 92
流行性嘔吐下痢症 181
　——のアウトブレイク調査の流れ 182
流行性角結膜炎 123, 306
流行性耳下腺炎 11, 12, 81, 111, 305
　——の臨床経過 111
流行性疾患 4
流涙 3
療育 271
　——環境整備 31
緑膿菌 46
リレンザ 119
臨床経過，水痘の 106
　——，百日咳の 115
　——，風疹の 101
　——，麻疹の 96
　——，流行性耳下腺炎の 111
臨床検査部門 286
倫理原則 3

レ

レジオネラ感染症 236
レジオネラ肺炎 263
レスピレーター 39
レプトスピラ症 263

ロ

ロタウイルス 12, 63, 181
　——感染症 306
　——ワクチン 241

ワ

ワクチンスケジュール 75
ワクチンで予防可能な感染症（疾患）（VPD） 2, 73
ワクチンプログラム 267

あとがき

　本書は，初版の「小児感染対策マニュアル」刊行から7年ぶりに改訂されて，このたび第2版として出版されることになった。

　これまで小児の感染症対策は，成人主体の感染症対策のなかで扱われることも多く，小児特有の感染対策に関する情報は，限定的で不十分な感があった。昨今は，小児感染症の診断や治療に関する著作が国内でも数多く出版されているが，本書は成人と異なる小児の成長・発達・生活環境・医療特性を踏まえた，感染予防・感染制御に特化した専門書として，他に類はないものと信じる。

　本書は，一般的な感染対策や各疾患における留意事項，施設規模別の感染対策等に限定されず，新生児集中治療室・重症心身障害施設・院内学級・保育所・リハビリテーション・在宅等にも応用範囲を広げ，おもちゃやおむつの管理，子どもや親への指導のあり方など，子どもを取り巻く様々な生活全般・医療環境に合わせ，具体的にどのような感染対策を行うかについて包括的にまとめられている。

　今回の改訂では，初版以降に蓄積された情報のアップデートに加え，抗微生物薬適正使用については部門ごとに区分けされ，2020年から新興感染症として猛威を振るっている新型コロナウイルスの項目も加わり，さらに充実した内容となっている。

　成人の感染対策と比較し，小児感染対策に関する高レベルのエビデンスはまだまだ少ないのが現状である。本書は，各領域におけるエビデンスを基本に，現時点の小児感染対策のベストプラクティスを示すことに重点を置いている。

　小児感染対策ネットワークのメンバーのみならず，この本書を手に取ってくださる多くの読者の方々とともに，小児感染対策のエビデンスのさらなる構築をめざすことができればと期待している。

　本書が，より安心・安全な小児医療の提供に役立ち，感染対策の向上につながることを願っている。

2022年8月

国立研究開発法人 国立成育医療研究センター
小児内科系専門診療部 感染症科 診療部長・感染制御部 室長

大宜見　力

読者アンケートのご案内

本書に関するご意見・ご感想をお聞かせください。
アンケートにご回答いただいた方の中から抽選で毎月30名様に「図書カード1,000円分」をプレゼントいたします。

左記QRコードもしくは下記URLから
アンケートページにアクセスしてご回答ください
https://form.jiho.jp/questionnaire/54583.html
アンケート受付期間:2024年8月31日23:59まで

※プレゼントの当選発表は賞品の発送をもって代えさせていただきます。
※プレゼントのお届け先は日本国内に限らせていただきます。
※プレゼントは予告なく中止または内容が変更となる場合がございます。
※本アンケートはパソコン・スマートフォン等からのご回答となります。
　まれに機種によってはご回答いただけない場合がございます。
※インターネット接続料及び通信料はご愛読者様のご負担となります。

こどもの医療に携わる感染対策の専門家がまとめた
小児感染対策マニュアル　第2版

定価　本体4,600円（税別）

2015年12月20日　初版発行
2022年 9 月20日　第2版発行

監　修	五十嵐 隆（いがらし たかし）
編　集	一般社団法人 日本小児総合医療施設協議会（JACHRI）小児感染管理ネットワーク
発行人	武田 信
発行所	株式会社じほう

　　　　101-8421　東京都千代田区神田猿楽町1-5-15（猿楽町SSビル）
　　　　振替　00190-0-900481
　　　　＜大阪支局＞
　　　　541-0044　大阪市中央区伏見町2-1-1（三井住友銀行高麗橋ビル）
　　　　お問い合わせ　https://www.jiho.co.jp/contact/

©2022　　　　　　　　　　　　　　　表紙イラスト　ヨシタケシンスケ
Printed in Japan　　　　組版　(株)明昌堂　　印刷　(株)日本制作センター

本書の複写にかかる複製，上映，譲渡，公衆送信（送信可能化を含む）の各権利は株式会社じほうが管理の委託を受けています。

JCOPY ＜出版者著作権管理機構 委託出版物＞
本書の無断複製は著作権法上での例外を除き禁じられています。
複製される場合は，そのつど事前に，出版者著作権管理機構（電話 03-5244-5088，FAX 03-5244-5089，e-mail：info@jcopy.or.jp）の許諾を得てください。

万一落丁，乱丁の場合は，お取替えいたします。
ISBN 978-4-8407-5458-3